Meyers' Dynamic Radiology of the Abdomen

SIXTH EDITION

Meyers의 역동적 복부 영상의학
Meyers' Dynamic Radiology of the Abdomen

2012년 2월 23일   1쇄 인쇄
2012년 3월 10일   1쇄 발행

대표저자   Meyers, Charnsangavej, Oliphant
역   자   대한복부영상의학회
발 행 자   이석회
발 행 처   도서출판(주)가본의학
출판기획   홍재관 · 이효준
편집디자인   김도연 · 윤봉현

등록번호   제6-168호   1993. 3. 29
주   소   (136-082) 서울시 성북구 보문동 2가 72번지
주문전화   (02)923-0992
팩   스   (02)923-0995
이 메 일   gabonwor@hanmail.net
홈페이지   www.gabon.co.kr

ISBN   978-89-92006-99-6 (93510)
값 80,000원

SIXTH EDITION

정상과 병리 해부학

Meyers의
역동적 복부 영상의학

Meyers' Dynamic Radiology of the Abdomen

저 자   Morton A. Meyers
        Chusilp Charnsangavej
        Michael Oliphant

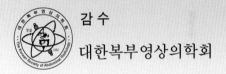

감 수
대한복부영상의학회

GB가본의학

To Bea, Amy,
Richard, Karen,
Sarah, and Sam
I couldn't wish for a more loving family

Morton A. Meyers

To my teachers: Professor Milton Elkin who encouraged me to use
multimodality approach and to apply physiology and pathology
in Diagnostic Imaging, and to Professor Sidney Wallace who taught me
how to be a clinician

To my wife and children: Tanitra, Chutapom, Tonyamas, Nalinda,
Sirynda, and Larissa who endured my long hours at work

To my parents: Chow and Usa who would like their children
to be successful and secure a better life

Chusilp Charnsangavej

To Phyllis, Melissa,
Jason, Bradley, and Ella
All my love always.
In memory of Molly Sara

Michael Oliphant

*There are some things which cannot be learned quickly, and time,
which is all we have, must be paid heavily for their acquiring. They are
the very simplest things; and, because it takes a man's life to know
them, the little new that each man gets from life is very costly and the
only heritage he has to leave.*

Ernest Hemingway
Death in the Afternoon

(번역) 집필교수진

김 소 연
  : 울산대학교 의과대학 영상의학교실

김 영 훈
  : 서울대학교 의과대학 영상의학교실

김 정 훈
  : 서울대학교 의과대학 영상의학교실

김 현 철
  : 경희대학교 의과대학 영상의학교실

김 형 중
  : 울산대학교 의과대학 영상의학교실

나 성 은
  : 가톨릭대학교 의과대학 방사선과학교실

박 미 숙
  : 연세대학교 의과대학 영상의학교실

양 달 모
  : 경희대학교 의과대학 영상의학교실

염 헌 규
  : 경북대학교 의과대학 영상의학교실

오 종 영
  : 동아대학교 의과대학 영상의학교실

이 문 규
  : 울산대학교 의과대학 영상의학교실

이 승 수
  : 울산대학교 의과대학 영상의학교실

이 원 재
  : 성균관대학교 의과대학 영상의학교실

이 창 희
  : 고려대학교 의과대학 영상의학교실

전 혜 정
  : 건국대학교 의과대학 영상의학교실

정 용 연
  : 전남대학교 의과대학 영상의학교실

정 우 경
  : 한양대학교 의과대학 영상의학교실

지 금 난
  : 단국대학교 의과대학 영상의학교실

최 준 일
  : 가톨릭대학교 의과대학 방사선과학교실

(가, 나, 다 순)

머리말
Preface to the Sixth Edition

*Meyers' Dynamic Radiology of the Abdomen: Normal and Pathologic Anatomy*의 첫판 서문은 이 책이 복부내 질환의 해부학적, 역학적 원칙의 이해와 진단에 대해 소개하고 있음을 밝혔다. 이전 판들에서 약술된 역동적 복부내 연관성의 이해에 의해 향상된 임상적 통찰력과 진단의 논리적 체계는 널리 적용되고 있다. 문헌을 통해 수 천편의 과학저술들이 이 기본적인 지침들을 증명하였다. 첫판에 소개된 분석적 접근법들은 현재 임상의학에 널이 적용되어 있으며, 이러한 개념들이 여러 과학영역에 충실히 도입되었다. 이런 통찰력은 질병을 밝혀내고, 질병의 영향을 평가하며, 합병증을 예견하고 적절한 진단적, 치료적 접근법을 결정하게 해준다. 서반어, 이태리어, 일본어, 포르투갈어 판들은 이 원리들의 좀더 광범위한 적용을 촉진하여, 복부내 질환 확산의 특징을 이해하는데 더 많은 관심을 이끌어 내었다. 이러한 원칙들은 전체범주의 영상방식 – 단순촬영과 전통적인 조영 검사*contrast study*로부터 CT, 모든 형태(내시경시, 복강경시, 수술시의) US, MR, PET-CT – 에 적용되어 34년 후 6판까지 이르게 되었다.

정확한 이해를 위하여, a) 관계를 유지하기 위한 냉동상태 시체의 해부학적 횡단면, b) 인대나 장간막, 복막의 근막 구획을 따라 선호되는 확산면을 결정하기 위해 시행된 약물 주입과 절개, c) 선택된 임상 예들에 대한 여러 영상검사, d) 복강경과 복강조영술, 그리고 e) 외과적 수술, 병리, 부검을 포함한 모든 조사 방법들이 사용되었다.

이 책을 쓰는데 있어 기본적인 목적은 첫판부터 계승되어 왔다. 이는 과학 탐구는 항상 환경 양식의 검증을 추구하는 것이다. 이런 인식을 가지고, 자연과 사건의 역학에 대한 이해와 통찰력을 통해 예측하고 결과를 이끌어 낸다. 이 책은 복부와 골반 전반에 걸쳐 역동적 원리의 법칙에 의해 질환의 확산 원칙을 수립하고자 한다.

과거의 영상의학 책들은 전통적으로 특정기관이나 영상방식에 국한된 한정된 주제를 다뤄왔다. 종종 이들은 각 기관을 침범하는 질환군이나 특정 영상기법의 제한점, 그리고 이를 묘사하는 증례들을 모아 놓은 것들이었다. 그러나 임상에서 환자는 의사로 하여금, 무엇을 뿐만 아니라 어떻게, 왜, 어디에서를 결정해야 하는 형태로 나타난다.

첫판은, "복부 영상의학의 대변혁을 일으킨 책"으로 환호을 받았다. 한 서평가는 "이 책에는 이름하여 *favorite 64 thousand dollar questions*이 있는데, 무인도에서 혼자 살아야 할 때 가지고 가고 싶은 책 3가지를 복부 영상의학 교과서 중에 골라야 한다면 나는 주저 없이 Meyers' Dynamic Radiology of the Abdomen을 선택할 것이며 이 책은 외로움을 견딜 수 있도록 해주는 지적 도전이 될 것이다."라고 평가하였다. 또 다른 비평가는 "Morton Meyers는 많은 사람들에게 새 지평을 열었으며 복부 영역에 있어 Meyers는 달에 있어 Armsrong과 같다."라고 평가하였다.

기본적인 주제에는 따르지만, 6판은 단순한 개정이라기 보다는 사실상의 새로운 저술이라고 할 수 있다. 저술업은 광범위한 복부내 질병 작용에서 혁신적 시각을 가진 2명의 국제적 대가에 의해 증보되었다. 이러한 목적을 만족시키기 위하여, 완전히 새로운 장이 추가 되었고, 다른 장들은 많은 개정을 하였다. 이 판은 680개 이상의 새로운 영상과 삽화를 포함하고 있다.

첫판에서 Morton Meyers에 의해 소개된 통찰력은 이후의 판들을 통하여 발전되어 왔으며, 영상의학과 의사들이 진단을 수립하고, 예후를 예측하며 치료방침을 결정하는데 있어 결정적인 위치를 확보하였다. 복강내 염증과 암종의 확산방법 및 3개의 복막외 공간의 해부-병리학적 서술을 명확하게 확립하였다. 실체가 불분명한 근막, 변연부를 가진 흩어져 있는 간질부의 배후 지역으로 모호하게 기술되어 왔던 것들이 특징적인 특색을 가진 명확하게 경계 지워진 구획으로서 확립되었다.

복부와 골반에 걸친 전체적인 해부학적 연속성을 알기 위한 통찰력의 확대는 유용할 뿐만 아니라 이로 인해 뫼비우스의 띠처럼 여러 번 꼬인 리본의 루프처럼, 평면의 연속성을 가진 구조물과 같은 많은 것을 얻을 수 있었다. 복부와 골반의 복막하 공간의 일체화된 개념은 Michael Oliphant와 동료들에 의해 5판에 포함된 참고문헌들에서 제안되고, 임상적 적용을 고려하여 기술하였다. 이는 암 외에도 염증이나 외상과 같은 양성질환의 확산 가능성을 묘사하고, 모호한 상황으로 생각되어 왔던 것들을 이해하는데 도움을 준다.

많은 새로운 장에서 복부 및 골반의 원발성 기관으로부터 암의 림프성 전이 양상을 정확하고 상세하게 기술하였다. Chusilp Charnsangavej은 휴스턴 M.D. Anderson Cancer Center의 방대한 임상 경험에 기초하여 기술하였다.

알려진 일차병소는 전이 가능성이 높은 곳을 예견하는데 결정적 역할을 한다. 반면, 멀리 떨어진 위치에 병변을 가진 경우는 숨겨진 원발병소를 찾기 위해 다시 생각해 보는 것이 중요하다. Charnsangavej는 각 기관의 특징적인 혈관 분포에 대한 정확한 지식이 림프성 전이 인식을 위한 기본이 됨을 보여 주었다. 그는 각각의 기관의 림프절 흐름*drainage*의 경로를 이해하는 것이 큰 이득이 됨을 강조하였다. 첫째, 종양의 일차 병소가 알려진 경우 그 기관에 붙어있는 인대, 장간막, 결장간막내의 동맥공급과 정맥배출을 따라 기대되는 림프절 전이 부위에 대한 정확한 예측을 가능하게 한다. 둘째, 원발병소를 임상적으로 모를 경우, 비정상 림프절을 보고 그 부위에서 원발병소로 가는 동맥공급이나 정맥 유출을 알아낼 수 있다. 셋째, 치료부위 밖의 림프절 station을 봄으로써 치료 후 질병 파급의 유형이나 림프절 전이 또는 재발 병소가 의심되는 부위의 인식을 가능하게 해준다. 정확한 평가는 neoadjuvant 치료나 수술에 관한 치료계획 수립에 결정적이며 치료성과에 영향을 미친다.

그외에 알려진 원발병소로부터 기대되는 경로 밖에서 우연히 발견된 비정상 림프절은 전이를 나타나는 경우, 요즘은 원발성 암의 치료 후 장수하는 환자가 늘면서 이차 또는 삼차 원발암이 발생할 수 있다. 이런 경우, 림프절 전이가 먼 부위에서 발견된 경우 확산 경로에 대한 지식이 생겨난 재발로부터 특정 원발병소를 정확히 결정하는데 도움을 줄 수 있다.

이전 판에서처럼, 교과서내 인용구에 최대한 가까이 삽화를 고르고, 그림을 놓아, 독자가 떨어진 부위의 페이지를 참조하기 위해 시간과 노력을 낭비하지 않도록 지면 배정에 많은 배려를 하였다.

색인도판은 임상적으로 의미 있는 해부학적 특징들을 세부묘사하였다.

참고문헌은 고전 문헌과 최신 인용문 모두를 포함하도록 확대하였다. 참고 문헌은 영문에만 제한하지 않고 딱 들어 맞는 경우 원전에 일임하였다. 상호 참조를 포함한 매우 긴 색인은 표현된 상세한 참고문헌에 대한 직접적인 접근을 제공한다.

우리는 이번 판에 영예를 더해준 기여 저자들:

- 복막외 골반강에 대한 7장에 기여하신 Drs. Yong Ho Auh of the Weill Cornell Medical College − New York Presbyterian Hospital, New York City; Jae Hoon Lim of the Sungkyunkwan University School of Medicine, Samsung Medical Center, Seoul, Korea; Sophia T. Kung of the Weill Cornell Medical College-New York Presbyterian Hospital
- 6장 전신장주위 공간의 구획화부분에 기여하신 Drs. Maarten S. van Leeuwen과 Michiel A.M. Feldberg of the Universty Medical center, Utrecht, The Netherlands 에게 감사를 표한다.

또한 복막외 해부와 병리를 생생히 묘사하는 최첨단 기술의 영상을 제공한 Dr.임재훈의 관대한 협력에도 감사 드린다.

우리는 이 내용을 Springer에 제공하여, 그들의 기술로 고품질의 또 다른 판을 제공할 것을 확신한다.

Morton A. Meyers, M.D., F.A.C.R, F.A.C.G.
Stony Brook, New York

Chusilp Charnsangavej, M.D., F.S.I.R.
Houston, Texas

Michael Oliphant, M.D., F.A.C.R.
Winston-Salem, North Carolina

번역판을 발간하며

*Meyers' Dynamic Radiology*는 1976년 출간된 이래로 복부질환을 실용적으로 이해하고 진단하는데 있어서 해부학적 원칙과 질환의 전파경로에 대한 역동적 원칙들을 체계적으로 적용할 수 있게끔 기술하고 있다. 즉, 이 책에서는 임상적 통찰력 및 복강내부의 역동적 관계를 기본으로 하는 진단적 분석에 대한 합리적 체계들을 광범위하게 적용하고 있다.

근자에 영상의학분야의 여러 기기들의 발전으로 인하여, 학습자들은 다중검출 CT(MDCT), MRI, US 및 3차원 영상 재구성과 같은 최신 기법을 이해하는데 더 많은 시간을 할애하고 있다. 또한 복부영상분야는 다루어야 할 장기가 많으며, 다양한 질환이 발생하므로 앞서 기술한 여러 영상기기들 모두가 이의 진단에 이용되고 있다. 이런 이유로 복부영상에 관련하여 장기 중심, 질환 중심, 또는 영상기법 중심으로 여러 책들이 발간되고 있는 현실이지만, 아무리 좋은 영상기기들이 발전하여도 기본적인 해부학적 지식과 질환들의 전파경로에 대한 진정한 이해 없이는 각 질환의 진단 및 치료방침의 결정에 있어

서 제한점이 있을 수밖에 없겠다.

이번 6판에는 새로운 장을 추가하였고, 기타 다른 장들을 광범위하게 수정하고 보강하였다. 또한 680개 이상의 새로운 증례와 삽화를 포함하고 있어 단순한 개정이라기 보다는 사실상 새로운 저술이라고 할 수 있다. 특히 신판에는 우리 복부영상의학회 회원이신 오용호, 임재훈 두 분 교수께서 제 7장 "The Extraperitoneal Pelvic Compartments"의 집필에 직접 참여하심도 우리로서는 뜻 깊은 일이라 하겠다.

번역 과정에서 의학용어를 통일하고자 최대한 노력하였으며, 잘 사용하지 않는 용어에 대해서는 인용을 자제하였다. 일부 용어에 대하여 여러 가지 의학용어가 혼용되고, 또 사용빈도가 적은 일부 의학용어도 있어서 독자들이 이해함에 어려움이 있을까 염려스러우나, 내용을 이해하는데 도움을 주고자 본문에 많이 사용된 의학용어들에 대해서는 따로 색인에 추가하였다. 끝으로 이 책을 출간하는데 적극적으로 참여해주신 대한복부영상의학회 집필진 여러분께 충심으로 감사말씀 올리고자 한다.

대한복부영상의학회
회장 이 문 규

추천사

*Dynamic Radiology of the Abdomen*을 처음 본 것은 1981년 미국에 3개월 연수갔을 때였는데 판독실 책장에 비치된 이 책을 처음 몇 장 읽다가 한 눈에 반해버렸다. 그 때 CT와 초음파 영상을 처음으로 배우기 시작한 나는 본서를 읽으며 복부와 골반의 해부학을 기초로 배 속의 질병이 어떻게 퍼지는 가에 관한 역학적 영상의학*dynamic radiology*을 이해하기 시작하였다. 마치 작은 배를 타고 다니며 복잡한 배 속의 이곳 저곳, 구석구석을 다 돌아다니며 질병이 어떻게 생기고 퍼지고 서로 어떤 영향을 주는 지 알게 되는 것 같았다. 내가 복부 영상의학에 눈을 뜨게 만든 혁명적인 책이었다.

그래서 이 책을 한 권 구입하려고 뉴욕에서 가장 큰 서점 "Barnes and Noble"에 갔지만, 책이 모두 팔려 살 수가 없었다. 출판사에 전화를 걸어 책을 살 수 있느냐고 물었더니 이미 책이 절판되고 제 2판을 준비 중이며 약 2년을 기다려야 한다고 하였다. 할 수 없이 본서를 몰래 복사하기로 마음 먹고 병원 직원이 모두 퇴근한 뒤 병원 복사기를 이용하여 밤이 이슥하도록 며칠 밤을 지새우며 복사본을 만들었다. 귀국하여 간이 인쇄소에 제본을 부탁하여 책 한 권을 갖게 되었고, 그 후 약 2~3년간 이 책을 읽으며 공부하였다. 이 해적본은 한국에 제 2판이 나올때까지 내가 읽던 가장 중요한 영상의학 교과서였고

아직도 내 책장 속에 보관 중이다. 옛 부터 책 도둑은 도둑이 아니라고 했다.

이 책의 목적은 복부 질병이 어떻게 생기고 어떻게 퍼지는가를 발생학과 해부학에 근거하여 영상을 체계적으로 분석하여 질병의 상태와 범위를 이해하도록 고안하였다. 시체 해부와 단면 영상을 연관시키며 장기와 장기 사이의 공간 그리고 구획이 서로 어떻게 연결되고, 질병이 어디서 시작하여 어디로 파급되며, 어떤 모양으로 변하고, 서로 어떤 영향을 주고 변형되는가를 도해하여 이해하기 쉽도록 설명하였다.

대부분의 영상의학 교과서 및 참고서는 질병 중심, 또는 장기 중심으로 증례를 나열하며 책을 기술한다. 예를 들어, 위장관, 간과 췌장의 선천성질환, 염증성질환, 종양질환 등의 순으로 영상 소견을 기술한다. 그러나 이런 책에서는 질병의 발생기전과 파급 방향과 모양, 타 장기와의 관계와 서로 간의 영향 등에 관한 기술이 없어 질환의 전체를 이해하는데 있어 제한이 많았지만, 이 책에서는 이러한 단점을 해결하여 영상을 이해하고 진단과 치료에 관한 정보를 알기 쉽게 설명하였다.

*Morton Meyers*는 의학자로서 아주 특별한 과학적 재능을 가지고 있다. CT나 초음파검사가 나오기 훨씬 전에 이미 복수의 흐름과 암세포 파급 경로를 파악하였고, 아

무도 관심을 갖지않던 후복막강의 여러 구획을 정리하였으며, 이를 이용하여 복부 생리와 질환의 전파경로와 양상을 쉽고 흥미롭게 설명하였다. 그는 영상에서 얻은 정보를 이용하여 질환의 발생과 움직임을 종합적으로 접근(holistic approach)하는 뛰어난 능력을 갖고 있다. *Dynamic Radiology of the Abdomen*에서는 다른 책에서 얻을 수 없는 복부 전체의 해부, 생리와 병리에 관한 종합적 의학 정보를 접할 수 있다. 그는 영상의학 교과서 외에도 과학의 발전에 관한 훌륭한 책을 다수 저술한 바 있다.

이 책은 복부질환을 취급하는 어떤 의사에게도 흥미롭고 도움을 주는 책이다. 특히, 영상의학과, 종양의학과, 외과의사들의 필독서이다. 또한 영상의학 공부를 처음 시작하는 전공의들이 이 책으로 공부를 시작하면 복부 질환의 영상의 이해와 분석 및 판독에 매우 긴요한 기초 지식을 얻게 될 것이다.

2012년 2월
성균관대학교 의과대학 영상의학교실
교수 임 재 훈

목차
Contents

새로운 패러다임
A New Paradigm

과학의 특징은 발견이다. 그러나 보고할 만한 새로운 사실을 발견했다고 하더라도 사실만으로 과학 전체를 구성할 수는 없다. 라만차의 돈키호테가 "사실이란 진실의 적이다"라고 외치지 않았던가! 정리되지 않은 사실, 즉 있는 그대로의 사실만으로 우리들이 기본적 관계들을 이해하는 데는 한계가 있다. 이해라는 것은 많은 이질적인 사실들을 연결시키는 데서 비롯된다. 이런 방식의 인식은 꼭 방대한 자료를 필요로 하지는 않는다. W.I.B. Beveridge는 그의 통찰력 있는 *The Art of Scientific Investigation*에서 "발견들은 많은 대상을 통계 처리를 했을 때보다 제한된 대상을 집중적으로 관찰했을 때 더 많이 얻어진다. 왜냐하면 일반적인 것에 대해 익숙해야만 일반적이지 않거나 설명할 수 없는 것을 찾아낼 수 있기 때문이다"라고 말했다.[1] 이것은 생명 과학에서 특히 사실인데, 그 이유는 진보가 새로운 정보에 의해 이루어질 뿐만 아니라 혼란스러운 현상에 대한 이해가 개선되고, 모순들이 제거되며 예측들이 더 훌륭하게 이루어지고, 연관되지 않던 현상들의 연관성을 찾아냄으로써 이루어지기 때문이다. 새로운 개념의 발전은 필수적이며, 이는 종종 기존의 사실과 새로운 사실들을 통합함으로써 가능하다.

패러다임은 어떤 문제에 대해 일정 기간 동안 이를 해결할 수 있는 모델을 제시하는 과학적 업적을 전 세계적으로 채택하는 것이다. 어떤 사람은 유행하는 패러다임에 깊이 집중하여 혁신적인 발전의 출현을 단호히 거부하기도 한다. 거짓 선각자의 말보다 더 극적으로 이를 보여주는 예는 없다.

1929년 주식시장 붕괴 직전 Yale대학교 교수 Irving Fisher의 예언을 들어보라. Fisher는 주식이 영구적인 고도 안정세에 다다른 것처럼 보인다고 선언했다. 우리가 다 알다시피 안정세는 급하게 밑바닥으로 떨어졌다.

경제학은 정확성이 의심스러울 수 있다는 점이 인정되고 있지만, 과학은 매우 과학적이라고 간주되고 있다. 그러나 지난 세기 동안 의학이 놀랄 만큼 비약적인 발전을 했음에도 불구하고 거짓 선각자들은 과학의 발전은 끝난 것이라고 오랜 세월 주장해왔다.[2]

이런 말들을 생각해 보라.

X-ray는 조작으로 밝혀질 것이다.
Lord Kelvin, 영국 물리학자 및 Royal Society 회장, 1896

발명할 수 있는 모든 것들은 이미 발명된 것들이다.
Charles H. Duell, 미국 특허국 위원, William McKinley 대통령에게 특허국을 조속히 폐쇄해야 된다는 편지에서, 1899

우리는 오늘날보다 더 완벽한 수술 기법을 볼 수 있기를 더 이상 기대할 수 없다고 확신한다. 우리는 마지막 시점에 와 있다.
Berleley George Moynihan, Leed 대학교 의과대학, 1930

과학 발견의 위대한 시대는 끝났다. … 더 이상의 연구는 발견이나 혁신을 낳지는 못한다. 다만 수확 체감만 증가시킬 따름이다.
John Morgan, 과학 전문 언론인, 1996 [3]

현실은 이런 말들이 우스개 소리에 불과했음을 증명해주었다.

패러다임의 이동은 현존하는 체제에서 설명할 수 없는 사실들에 대하여 새로운 발견, 새로운 사실, 새로운 문제들이 생긴 후에 일어난다. 이런 이동은 전통적 수단들이 가지는 개념들이 불합리하다고 판명되어 인식의 변화나 새로운 패러다임의 도입이 필요하다고 재평가될 때 일어나게 된다. 이 변환 과정에서 가장 어려운 것은 현재 가장 지배적인 패러다임에 대하여 질문을 하기 시작하는 것이다. 그 어려움은 문제가 있다는 점을 인식하고 탐구를 인도해야할 방향을 정확하게 지적하는데 있다.

많은 분야에서(가장 명백하게는 물리학에서) 20세기 동안에 이루어진 진전은 과학적 방법이라고 알려진 기계론적 원리를 버리고 새로운 개념을 수용함으로써 이루어졌다. 세계는 더 이상 각 개체의 합이 아니고 각 부분들은 서로 연관되고 통합되어 나눌 수 없는 역학적 전체로 보여지고 이해되게 되었다.

생물학과 심리학 분야에서도 과학적 방법에 대한 심각한 의문이 제기되었다. 귀납적 추리는 실제 사물과 그것을 인지하는 개인의 인식에 대한 견해의 측면에서 의문스러운 점이 있다. 경험들은 우리가 인식하는 영상을 만들어내는 뇌에 의해서 주관적이기 쉽다. 인식 그 자체의 진행 과정도 무의식적이며 전 과정이 추정에 의해 이루어진다. 우리가 어떻게 영상을 파악하느냐는 추정, 예상, 경험 등의 여러 가지 요소들에 매우 의존적이다. 이는 심리학자들이 만들었던 각각의 그림 간에는 약간씩 차이가 있지만, 마지막 그림은 첫 그림과는 근본적으로 다른 일련의 그림들에 의해 설명된다(Fig. 1-1). 관찰자의 인식에서 영상의 변화를 인지할 수 있는 변환점은 관찰자가 이 영상들을 좌우로 추적하느냐 앞뒤로 추적하느냐 등의 추적 방향에 따라 달라질 수 있을 정도로 다르다. 이는 예비조건 부여(다른 말로 예상 개념들, 사전 지식, 경험)가 대부분에 있어 시각적 인식을 정한다는 것을 보여준다.

복부 영상의학에 있어 전통적 개념은 복부와 골반을 구성 요소 별로 구분하였다. 이는 질환 경과를 광의로 분류하는데 유용한 것으로 알려졌다. 그러나 기계의 발달과 횡축 영상의 광범위한 적용으로 이런 전통적 개념이 모든 관찰들을 설명하는데 부족하다고 판명되었다.

횡축 영상은 복부와 골반에서 이전 영상에서 볼 수 없었던 부분들까지 보여 줄 수 있는 흥미로운 능력을 제공하였다. 구획화compartmentalization의 전통적 분석법으로는 어떤 질환의 확산 방식을 충분히 설명할 수 없다는 점도 분명해지고 있다. 중요한 것은 복강내 장기 간의 확산, 복강내외 부위 간의 확산, 복막외 구역들 내의 확산, 이전

Fig. 1-1. A drawing of a man's face subtly changes to the outline of a young female.
The transition point is dependent not only on subjective variations but on the sequence followed.

에 기술된 적이 없는 구역 내의 확산(예, 장간막근) 등은 모두 새로운 패러다임을 요구하고 있다. 영상에 대한 인식에 질환의 진행 과정에서 질환의 확산이나 국소화를 충분히 이해시킬 수 있는 새로운 관념과 새로운 개념적 모델이 요구되고 있다.

어떤 패러다임이 오래 지속되면 패러다임의 변화를 꺼리는 경향은 항상 있기 마련이다. 그러나 어떤 것이 만족스럽지 못할 때 전통적 방법이 해결책을 충분히 제공하지 못한다면 새로운 해결책에 대한 탐구는 시작된다. 중요한 단계는 문제를 인식하고 탐구를 시작하는 것이다.

보는 것은 인지의 영역에 속한다. 이런 생각을 뒷받침하는 심리학은 많은 부분에서 형태 이론*Gestalt theory*에서 추론되었다. 물론 미술가들도 오랫동안 이것을 알고 있었다. 대부분의 자연 현상은 부분적으로 분석해서는 제대로 기술할 수가 없기 때문에 현실을 바라볼 때는 신선한 시각이 필요하다. 이런 현실은 전체는 각 부분의 합보다 위대하며, 전체는 부분에 존재하지 않는 자산을 가지고 있다는 것을 의미한다. 조직화나 상호 간의 관계에 대한 복잡성은 각 부분을 명명하는 것만큼이나 전체라는 개념에 대해서도 일정한 역할을 한다.

이런 현상은 시인 John Godfrey Saxe의 여섯 맹인(그의 시 "맹인과 코끼리")에서 볼 수 있는데, 여섯 맹인은 코끼리의 다른 부분들을 관찰하고 서로 매우 다르지만 모두 다 잘못된 결론이 이르게 된다. 첫 번째 맹인은 코끼리

Fig. 1-2. W.E. Hill's "My Wife and My Mother-in-Law."
Both images are present in the drawing. The viewer first sees either an old woman or a young lady. The old woman's prominent nose in profile is the young woman's chin. This drawing illustrates that perception is determined by the relationships.

옆면에 부딪치게 되어 코끼리는 벽이라고 결론을 내었다. 두 번째 맹인은 부드럽고 날카로운 상아를 만지게 되어 코끼리는 창이라고 오인했다. 세 번째 맹인은 꿈틀거리는 코를 만지고 뱀이라고 생각했다. 네 번째 맹인은 무릎을 만지고 나무라고, 다섯 번째 맹인은 귀를 만지고 부채라

Fig. 1-3. *Voltaire in the Marketplace* by Salvatore Dali.
Both the marketplace and the bust are in the same picture. The marketplace is seen as individuals, and the bust as the sum of the parts.

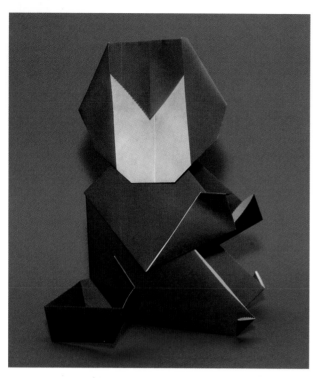

Fig. 1-4. *Origami Monkey.*
(Courtesy of Annemarie Johnson.)

고, 여섯 번째 맹인은 꼬리를 잡고 밧줄이라고 생각했다. 이 시의 교훈은 "각각은 부분적으로 맞지만 전체적으로는 틀리다"라고 할 수 있다.[4]

인지에 대한 이러한 관점의 타당성은 미술이나 영상 과학에서는 분명하다. 우리는 한 개의 영상을 보고 다르게 인지할 수 있다. Fig. 1-2는 영상에 대한 첫인상 각 부분의 관계에서 결정됨을 보여준다. 두 가지의 영상이 한 개의 그림에 있는데, 노파와 젊은 여자가 보일 것이다. 두 가지의 영상을 인지하는 것은 각 부분의 관계에 의해서 결정된다. 재미있는 것은 젊은 여자나 노파를 따로 볼 수는 있어도 동시에 같이 볼 수는 없다는 점이다.

같은 방식으로 인지된 영상이지만 다른 개념을 사용하면 그림이 다르게 보일 수 있다. Salvador Dali의 Voltaire in the Marketplace가 그 예이다(Fig. 1-3). 영상을 보면 각 부분들은 시장에 있는 사람들로 보인다. 그러나 전체로 보면 영상은 Voltaire의 흉상으로 보인다. 각각은 따로 보이고 각각은 사실이다. 인지를 하게 하는 개념만 변할 뿐이다.

이와 같은 방식으로, 인지된 횡축 영상은 다르게 해석될 수 있다. 각 부분으로 나누어 보는 영상은 전통적 개념인 복부 및 골반의 구획화에 해당한다. 그러나 전체적 개념을 사용하면 인지된 영상은 각각의 합을 넘는 하나의 공간으로 보여지게 된다. 영상은 각 부분의 합에 각 부분 간의 상호 연관이 더해진 것이다.

여기서 종이접기가 복부와 골반 전체를 통해서 복강 깊숙이 존재하는 면들의 해부학적 연속성을 보여주는데 좋은 비유가 될 것 같다. 한 장의 편평한 종이를 종이 접기 기술을 이용하여 몇 번을 접게 되면 마지막으로는 인지할 수 있는 사물이 된다(Fig. 1-4). 중요한 점은 접혀진 사물의 모든 면들은 분명히 연속성을 유지하고 있다는 것이다. 주름, 굽음, 겹침, 돌출 등이 있어도 처음의 편평했던 종이의 표면은 유지되고 있다.

복부 및 골반의 발생학에 대하여 다음 장에서 자세히 설명되겠지만, 비슷하게도 복막 깊숙한 면도 전체적으로 연속적이다. 이것을 알게 됨으로써 복부영상이 임상에 엄청나게 기여를 하게 된다. 복막하 공간에 의해서 형성된 면들을 따라 결합조직, 혈관, 신경, 림프관들이 지나가게 된다. 따라서 장간막근(횡행결장간막, 소장장간막, S자결장간막, 광인대 *broad ligament*)은 해부학적 연속성의 통로를 제공하고 있다(Figs. 1-5, 1-6).

이러한 전체적 개념은 복부와 골반의 기본 구조물들을 하나의 공간(복막하 공간)으로 보기를 강조한다. 이 공간은 복막외 공간과 복부와 골반의 인대와 장간막을 포함한다. 복부와 골반을 해석하는 이 전체적 패러다임이야말로 모든 장기, 장간막, 장간막근, 복막외 간의 상호 연관성들을 어떠한 조합으로도 쉽게 설명할 수 있다.

한 면에서 볼록하게 보이는 곡선은 반대 면에서는 오목하게 보인다. 같이 인지된 영상이라도 두 개의 개념으로 보면 두 개의 그림으로 보인다. 다른 말로 표현하면 선과 그림자로 만들어진 어떤 그림에 내재된 것은 공존하면서도 서로를 반영시키는 두 개의 인식이라 하겠다. 영상을 각 부분들로 해석하는 것은 질환의 경과나 위치에 따른 감별진단을 설명하는 데는 가장 유용하다. 그러나 영상을 전체적인 해부학 개념으로 해석한다는 것은 새로운 혁신적인 패러다임으로 나가는 길을 밝게 만드는 것이다. 복부와 골반은 하나의 서로 연결된 공간으로 이루어져 있다.

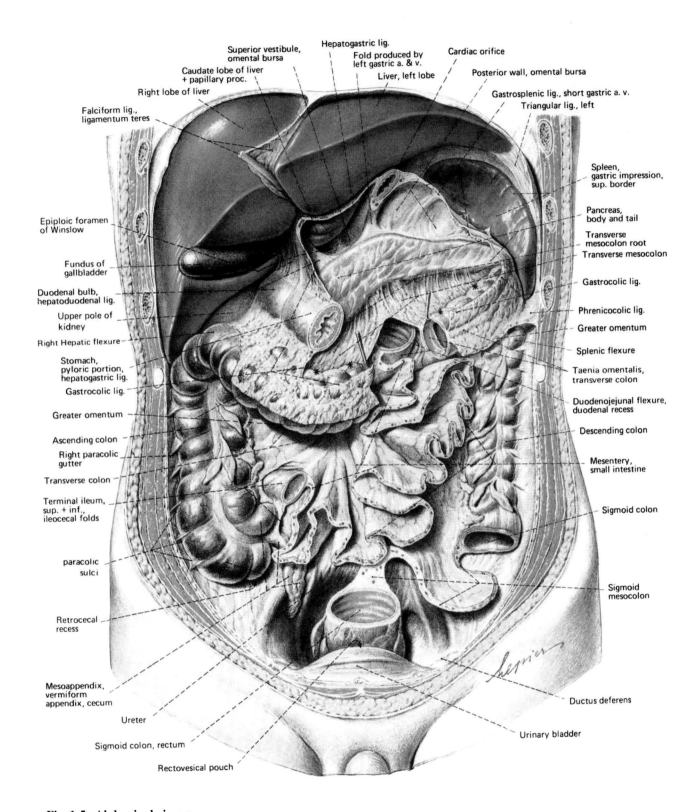

Fig. 1-5. Abdominal viscera.

The stomach has been removed from the cardia to the pylorus, revealing the lesser sac (omental bursa) and structures on the posterior wall.

(Reproduced with permission from Putz.[6] Copyright Elsevier [Churchill Livingstone Imprint].)

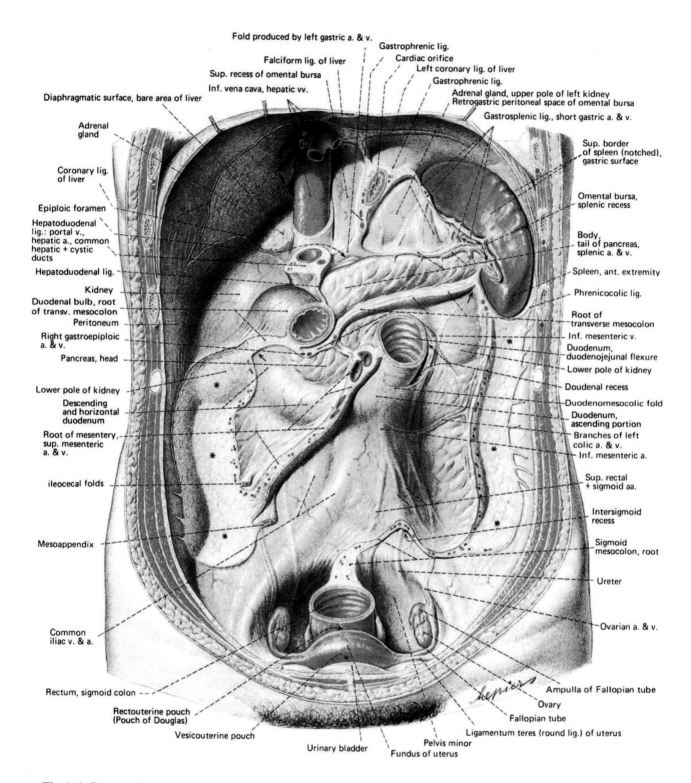

Fig. 1-6. Retroperitoneum of an adult female.

(Reproduced with permission from Putz.[6] Copyright Elsevier [Churchill Livingstone], 2006.)

이것은 질환 확산의 통로를 설명하는데 결정적으로 유용하다.

만약 이전 패러다임의 용어들이 계속 사용된다면 새로운 패러다임을 도입하고 수용하기가 어려울 것이다. 이것은 이전 패러다임 때에 사용되던 용어가 오해의 소지가 있는 의미를 포함할 수 있기 때문이다. 새 용어를 쓰는 것이 가장 좋지만 이것은 항상 가능한 것이 아니다. 전체적 개념에서 용어들이 어떻게 사용되는 지를 확실하게 정의하는 것이 유용하다.

복막하 공간*Subperitoneal Space* : 복막외 공간과 복부 및 골반의 인대/장간막.

복막외*Extraperitoneal* : 벽측복막 아래에 놓여 있는 복부와 골반을 포함하는 주위 공간으로 복부에서는 신장근막에 의해, 골반에서는 제대방광근막*umbilicovesical fascia*에 의해 층이 지워진다.

후복막*Retropeitoneum* : 복부에서 복막외의 후방 부분.

인대/장간막*Ligaments/mesenteries* : 두 복막층(장측 복막)에 의해서 형성 되며 벽측 복막과 연결된다. 그 내부에 포함되는 구조물들(결합조직, 혈관, 신경, 림프관)은 복막외로 연결된다.

*Meyers' Dynamic Radiology of the Abdomen*의 주 목적은 질환 확산의 통로를 설명하는 것이다. 복막하 공간은 모든 장기들을 연결하는 확산의 통로를 제공한다. 복강은 복막내 확산의 잠재적 통로를 제공한다. 이런 인지적 구조의 이점은 다양하다. 질환(감염, 외상, 종양 등에 관계 없이)의 일차 위치를 알면 확산이나 국소화가 예상되는 위치의 정확한 확인이 가능하다. 반면, 환자에게 원격 병변이 있을 때 일차 위치에 질환이 숨어 있더라도 추론해 낼 수가 있다. 나아가 이런 기본적 이해는 재발 질환의 예상 위치나 치료 후 진행 양상 등을 확인하는데 도움이 된다.

이러한 검색 방법을 발전시킴으로써 영상의학과 의사는 질환의 진행 방향을 알려 주고, 질환의 범위를 평가하고, 예후를 예측하고, 적절한 치료를 정하는데 중요한 위치에서 도움을 줄 수 있다.

◈ 참고문헌

1. Beveridge WIB: The Art of Scientific Investigation. W. Heinemann, London, 1957, p 105.
2. Meyers MA: Back to the future. AJR 2008; 190:561-564.
3. Horan J: The End of Science. Addison-Wisley, Reading, MA, 1996.
4. Saxe JG: The Blind Men and the Elephant. McGraw-Hill, New York, 1963.
5. Oliphant M, Berne AS, Meyers MA: The subperitoneal space of the abdomen and pelvis: planes of continuity. AJR 1996; 167:1433-1439.
6. Putz R: Sobotta - Atlas of Human Anatomy Single Volume Edition: Head, Neck, Upper Limb, Thorax, Abdomen, Pelvis, Lower Limb, 14th ed. Churchill Livingstone, The Netherlands, 2006.

복부의 임상 발생학
Clinical Embryology of the Abdomen

서론 Introduction

병변의 위치가 복막내인지 복막외인지에 대한 전통적인 구분은 병을 감별진단 하는데 도움이 된다.[1] 더 나아가 복부와 골반은 내부에 병을 가두어 두기도 하지만, 실질적으로 병의 확산에 통로를 제공하기도 하는 장간막, 인대, 그리고 근막이 간간이 끼어들어 있는 해부학적 연속체이다. 혈관과 림프관을 포함하는 장막하subserosal 결합조직이 복막외 공간extraperitoneal space 의 확장이라는 것이 복막하 공간subperitoneal space 의 전체론적 개념의 기저를 이룬다. 이는 이러한 개념을 발판으로 복막내는 물론이고 복막외와 복막내 구조물간 병변의 파급을 이해할 수 있다.[2] 이러한 통합 개념이 악성질환, 염증성 및 외상성 과정을 포함한 복부 질병의 국소적 및 원발 부위로부터 멀리 떨어진 곳으로의 파급을 이해하는 기초가 된다.

복막하 공간의 흉곽과의 연속성은 이 부위에서 생긴 질환의 양방향 전파의 접근경로를 제공한다.[3-7] 병의 원발 부위로부터 멀리 떨어진 위치에서 나타나는 기이한 임상 양상을 이해하는데 근거를 제공하는 것이 바로 복부와 흉곽의 내부 및 서로간의 연속성이다. 현대 영상장비를 이용한 해부학적 구조의 생생한 디스플레이는 복막하 공간의 형태에 대한 현재의 지식과 결합하여, 질병현상의 포괄적인 임상적 서술을 가능하게 하고 병의 직접 전파의 병인에 대한 이해를 증진시킨다.

복막하 공간의 발생학적 지식은 병적인 상태를 인지하고 병 전파의 발생을 이해하는데 필수적인 전제조건이다.[8-11] 복부와 골반이 복막하 공간으로 연결된 하나의 공간이고 흉곽과도 연속성이 있다는 것을 개념화하기 위해서는 전통적인 발생학을 전체론적인 관점에서 재검토 하는 것이 요구된다.

배아 초기의 발생 Early Embryonic Development

수정 후에 접합체zygote 는 내배엽, 중배엽, 외배엽이라는 3개의 뚜렷이 구분되는 층으로 이루어진 3배엽의 구로 신속하게 발전한다. 이후 몸의 각 부분들은 점진적인 분화와 세분화된 전문화에 의해 형성된다. 내배엽은 위장관의 내벽, 간, 그리고 췌장의 샘조직이 된다. 외배엽은 신경계와 피부의 상피가 된다. 중배엽은 복부의 인대와 장간막은 물론이고 장측과 벽측 복막visceral and parietal peritoneum, 장측과 벽측 흉막 등 나머지 조직으로 발달한다. 배아의 중배엽 층의 측면부는 4주에 분할을 한다(Fig. 2-1). 외측 가장자리는 복측ventral, 그리고 내측medial 으로 이동하여 난황낭yolk sac 을 둘러싼다(Fig. 2-2). 이런 과정이 배아내 체강intraembryonic coelom 을 일부분으로 포함하게 하여 관 안에 관이 있는 모양을 만든다. 이 때 외측 관은 체강이고, 내측 관은 원시위장관primitive gastrointestinal tract 이다. 내측 관은 원시장간막primitive mesentery 에 의해 외측 관에 매달리게 된다. 내측 관(원시위장관)은 전장에 걸쳐 배측 장간막dorsal mesentery을 통해 외측 관(체

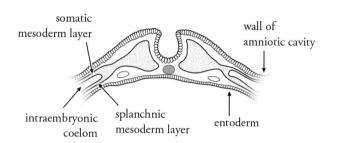

Fig. 2-1. Diagrammatic drawing of a transverse section through an embryo at the end of the 3rd week of gestation. The somatic mesoderm and the splanchnic mesoderm result from the division of the lateral plate. The serous membrane is formed from the tissue lining the intraembryonic coelom.

벽)에 부착된다. 복측 부착은 복측 장간막*ventral mesentery* 으로 지속되는 원위부 전장*foregut* 부위를 제외하고는 없어진다.[11]

그래서 4주에 체벽(후복막공간)과 이에 매달린 위장관과의 연속성이 둘을 연결시키는 원시장간막에 의해 구축된다. 이 상호연결이 발생시기 내내 유지되어 성인에서까지 없어지지 않고 복막하 공간으로 유지된다. 또한 장막하 연속성은 복부와 흉부 사이에도 유지된다.

흉·복부 연속체 Thoracoabdominal Continuum

분리된 각 체강의 발생에 있어서 체강을 주로 강조하는 전통적인 기술은 매우 중요한 장막하 연속성을 이해하기 어렵게 하는 경향이 있었다. 대신에 장막과 그 아래에 있는 구조물에 초점을 두는 것은 끊어지지 않고 연속되는 장막하 공간을 인식할 수 있게 한다.

발생 과정에서 체강을 세분하는 세 번의 분할이 있다. 첫 번째 분할은 5주에 횡중격*septum transversum* 이 복측 체벽으로부터 형성되고, 이것이 원시체강*coelom* 을 최종적으로 흉강과 복강이 될 체강으로 나눔으로써 일어난다. 없어지지 않고 남아있는 체강 양쪽의 구멍은 심장막복막관 *pericardioperitoneal canal* 이라고 불린다. 이들은 장막하 내벽*subserous lining* 으로 윤곽이 정해진 잠재적 공간이다. 발생하는 장기들은 이 내벽의 아래에 위치하면서 체강의 잠재적 공간으로 돌출한다. 폐아*lung bud* 는 흉곽 내의 원시장에서 형성되어 외측으로 자란다. 폐는 장막으로 싸여있는 심장막복막관으로 돌출하면서 자라난다(Fig. 2-3).

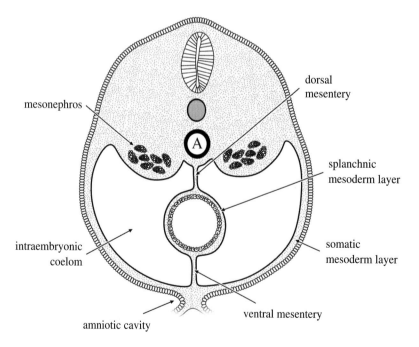

Fig. 2-2. Diagrammatic transverse section through an embryo at the end of 4 weeks of gestation. The splanchnic mesoderm, the black line outlining the intraembryonic coelom, has enfolded from the midline and formeda serous membrane containing an extension of the subserous space *(stippled area)* and suspending the primitive gut. The gut is contained within and divides the primitive mesentery into the dorsal mesentery and ventral mesentery. Note the continuity of the subserous space into the primitive mesentery. *A* = aorta.

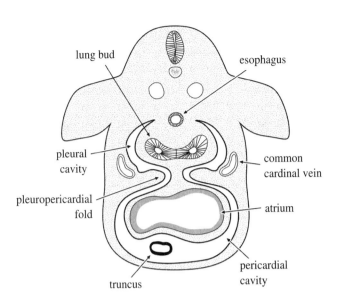

Fig. 2-3. Diagrammatic drawing transverse section through a 4 week embryo in which the pleural and pericardial regions are forming.
The lung buds are growing into the pericardioperitoneal folds, and the heart is forming. The continuous serous membrane lines that portion of the coelomic that will become the pleural cavity and pericardial cavity. The subserous space is the stippled area subjacent to the serous membrane.

는 장막에 의해 덮여 있다. 비록 횡격막은 체강을 나누고 있지만, 주로 식도 및 대동맥 열공*hiatus*을 통하여 장막하 공간의 연속성을 허용한다.[12]

식도 열공은 대동맥 열공의 복측 그리고 두측에 있다. 식도 열공은 흉부와 복부를 관통하는 식도와 윤문상조직 *areolar tissue*, 미주신경, 식도 혈관 및 림프관을 함유하고 있다. 대동맥 열공은 횡격막과 척추 사이의 골건막성 열 공*osseoaponeurotic hiatus* 이다. 대동맥, 기정맥*azygous vein*, 흉관*thoracic duct*, 그리고 림프관들이 이 구멍을 통과 한다. 이렇게 하여 식도 및 대동맥 열공은 흉부와 복부의 장막하 공간의 연속성을 허용한다. 하대정맥 열공은 세 개의 주된 횡격막 열공 중에 가장 복측에 위치하며 하대 정맥만이 지나간다. 하대정맥의 벽은 열공의 가장자리와 달라붙어 있어서 장막하 공간의 연속성이 끊어진다. 흉골 과 늑연골 사이에 작은 구멍이 있어서 내유방동맥의 상복 부 분지와 림프관이 흉부와 복부 사이를 관통하게 한다.

체강의 기능은 독특하다. 발생학적으로 체강은 장기들 이 그들의 고유한 체강 내에서 성장하고 이동할 수 있도

횡중격의 배측으로는 심장이 내장 및 간과 서로 닿아있 다. 소화관과 간은 장막에 싸여 있으며 그들의 장간막에 의해 매달려 있다. 간의 일부분은 횡중격 미부*caudal* 내에 서 발생한다. 이것은 발생하는 폐가 복부로 확장해 나오 는 것은 방지하는 장벽 역할을 한다. 양쪽 폐는 장막(벽측 과 장측 흉막*parietal and visceral pleura*)에 싸여 발생하며 외측으로 돌출하여 흉강을 형성한다. 양측 폐와 흉막이 발생함에 따라 두 번째 분할인 흉심막주름*pleuropericar-dial fold* 이 형성된다(Fig. 2-4). 폐와 심장 사이의 장막은 내측으로 성장하여 정중선에서 융합하여 심막강*pericar-dial cavity* 을 분리시킨다. 횡격막의 불완전한 발생으로 인 하여 흉막강*pleural cavities* 은 배측으로 복강과의 연결이 남아있다.

흉막과 복강의 분리는 7주에 횡격막이 세 번째 분할인 흉복막주름*pleuroperitoneal folds* 에 의해 완성됨으로써 일 어난다. 양쪽 흉복막주름은 식도의 장간막과 융합함으로 써 흉강과 복강을 분리하게 된다(Fig. 2-5).

횡격막은 흉곽쪽으로는 흉막, 복강쪽으로는 복막이라

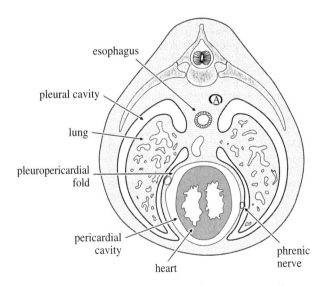

Fig. 2-4. Diagrammatic drawing of transverse section through a five week embryo in which the pleural and pericardial regions of the coelom become separated.
Complexity of the serous membrane results as it fuses ventral-ly forming the pericardial cavity. The pleuropericardial folds fuse bilaterally at the root of the lungs. The serous membrane lines the pleural cavities as the visceral and parietal pleura. The subserous space is subjacent to this lining. *A* = aorta.

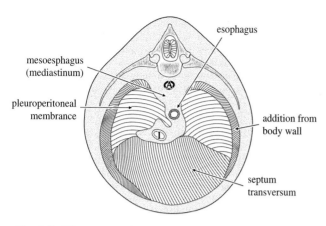

Fig. 2-5. Diagrammatic drawing of transverse section illustrating the hiatuses of the respiratory diaphragm at the fourth month of gestation.
The pleuroperitoneal membrane fuses with the septum transversum and the esophageal mesentery forming the respiratory diaphragm. Esophageal mesentery encloses that portion of the subserous space that encases the esophagus and the inferior vena cava (*I*). *Stippled area* = subserous space. The serous membrane lines the diaphragm and invaginates dorsomedially, encasing the subserous space. *A* = aorta.

록 한다. 장막하 공간은 장기와 그들의 혈관, 신경, 림프 공급을 함유하고 있으며 연속성을 확립하고 있다.

연속성이라는 개념은 복부의 장간막을 기술할 때 매우 중요하다. 핵심적인 점은 단일 원시장간막으로부터 성인 형태로의 발생이 아무리 복잡하더라도 복막하 공간의 연속성은 복부의 복막하 공간과 흉부의 장막하 공간 간의 연속성이 유지되는 것과 마찬가지로 보존된다는 점이다.

● ● ●
복막하 공간 Subperitoneal Space

복강은 7주에 형성되며, 그 안에서 장기가 방해받지 않고 성장하며 위치를 바꾸고 이동할 수 있는 공간을 제공한다. 이를 위해서 발생하는 복부 장기들은 3.5주에 두 겹으로 된 장간막을 형성하는 두 장의 서로 마주보는 내장중배엽*splanchnic mesodermal* 막에 의해 지지되는데, 이것이 원시장간막이다.

소화관*gut*은 3주에 내배엽이 둥글게 말려서 관을 형성함으로써 발생한다. 내장 중배엽은 장을 함유하고 체강의 배측으로부터 복측 벽에 이르기까지 두 겹을 이루면서 확장한다. 위장관은 3주에는 곧은 관 모양이며, 원시장간막을 배측과 복측 장간막으로 나눈다(Fig. 2-2). 이 시기에 간은 복측 장간막에 의해 부분적으로 둘러싸인 상태로 나타난다.

원시장간막은 이것의 장막내벽 아래에 한 층의 결합조직을 함유하고 있다. 이 간엽조직*mesenchyme*의 전반에 걸쳐 그물모양의 망을 형성하는 무수한 섬들이 나타나는 것은 혈관계 발생의 도래를 알린다. 이 그물망이 융합하여 복측(내장) 혈관을 형성한다(Fig. 2-6). 4주 말에 대동맥이 형성되고 세 개의 중요한 복측 분지가 형성된다. 이들은 위와 췌장 부위의 복강동맥, 소장 부위의 상장간막동맥, 그리고 대장 부위의 하장간막동맥이다. 이 세 개의 혈관들은 체벽 내에서부터 장간막을 통해서 위장관계로 흐르기 때문에(Fig. 2-7),[12] 위장관 장기들로의 혈류와 림프, 그리고 신경 공급은 복막외 조직으로부터 여기에 매달려 있는 장기로 뻗어 나가는 장간막 속으로 흘러서 구축된다.

복측과 배측 장간막은 복부와 골반 장기들이 발생함에 따라서 분화과정을 겪게 된다.

■ **복측 장간막의 분화** Ventral Mesentery Specialization

발생 초기에 원시위장관 전장을 복측 복벽에 부착시키던 복측 장간막은 하부식도, 위, 상부 십이지장, 그리고 간 부위를 제외하고는 퇴화하여 없어진다. 간은 3~4주에 나타나서 횡중격으로부터 복측 장간막 안으로 돌출하면서 빠르게 커진다. 간은 복측 장간막을 앞쪽으로 겸상인대*falciform ligament*, 뒤쪽으로 위간인대*gastrohepatic ligament*(소망*lesser omentum*)의 두 부분으로 나눈다(Fig. 2-8a, b). 겸상인대의 자유변연은 좌제대정맥*left umbilical vein*을 함유하고 원인대*ligamentum teres*를 형성한다. 위간인대의 자유변연은 총담관, 문맥, 그리고 간동맥을 함유하고 있으며, 간십이지장인대*hepatoduodenal ligament*로 불린다.

간 피막은 장측 복막*visceral peritoneum*에 의해 형성되며 간이 횡중격에 박혀있는 "노출부*bare area*"를 제외하고는 복막과 연속된다. 복막은 이 부위로부터 관상인대*coronary ligament*로 시작되며, 복벽 측면에 삼각인대*trian-*

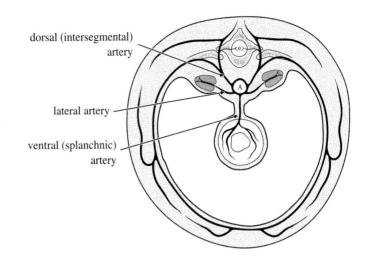

Fig. 2-6. Diagrammatic drawing of transverse section through an embryo at the end of four weeks of gestation.
The ventral (splanchnic) artery has formed and supplies the primitive gut. The ventral artery extends within the mesentery from the aorta (*A*) to the suspended gut. Note continuity of subperitoneal space (*stippled area*) within the mesentery as well as continuity from right to left and dorsal to ventral.

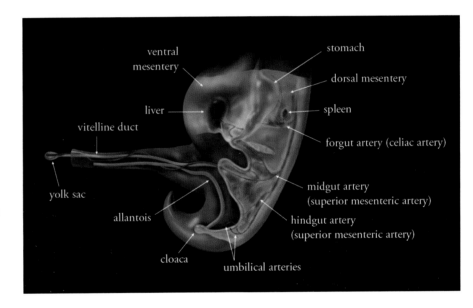

Fig. 2-7. Three-dimensional drawing of a 5week embryo.
The entire gut as well as the liver, pancreas, and spleen are encased within the mesentery. The organs of the foregut are within the ventral and dorsal mesentery; the organs of the midgut and hindgut are within the dorsal mesentery. All the organs are supplied by the aorta and its three ventral arteries (celiac, superior mesenteric, inferior mesenteric arteries) as they extend within the mesentery to the suspended organs.

*gular ligaments*로 되어 부착한다. 간의 인대들은 복측 장간막(복측 위간막*ventral mesogastrium*)의 파생물인 겸상인대 및 위간인대와 연속성이 유지된다(Fig. 2-9).

▌배측 장간막의 분화 Dorsal Mesentery Specialization

배측 장간막은 식도 말단부로부터 직장에 이르기까지 확장한다. 전장에 걸쳐 위장관으로 가는 혈관, 림프관, 그리고 신경의 통로 역할을 한다. 연속적인 장간막이 소화관

을 매달고 있으며, 세분절*subsegment*의 이름은 그들이 담당하는 부위에 따라 붙여진다. 예들 들면, 위장 부위는 배측 위간막*dorsal mesogastrium*, 십이지장 부위는 배측 십이지장간막*dorsal mesoduodenum*, 대장 부위는 배측 결장간막*dorsal mesocolon*, 그리고 공장*jejunum*과 회장*ileum* 부위는 고유장간막*mesentery proper* 또는 소장장간막*small intestine mesentery*으로 불린다.

비장은 5주에 배측 위간막의 두 겹 사이에 나타나며 자라면서 체강의 좌상부로 튀어나온다. 비장과 위를 연결하

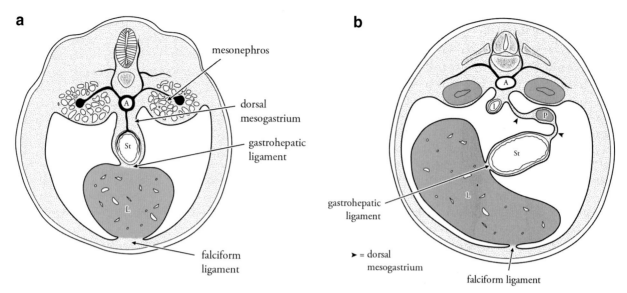

Fig. 2-8. (a) Diagrammatic transverse section through an embryo at 5 weeks.
The liver has appeared within the ventral mesentery forming the falciform ligament and gastrohepatic ligament.
L = liver; *St* = stomach; *A* = aorta. Note continuity of subperitoneal space (*stippled area*).
(b) Diagrammatic transverse section with further growth of the liver and appearance of the pancreas.
The liver (*L*) has grown, causing rotation of the stomach (*St*) and further development of the ventral mesogastrium (falciform ligament and gastrohepatic ligament). Note appearance of the pancreas (*P*) within the dorsal mesogastrium.
A = aorta; *I* = inferior vena cava. *Arrowheads* = dorsal mesogastrium.

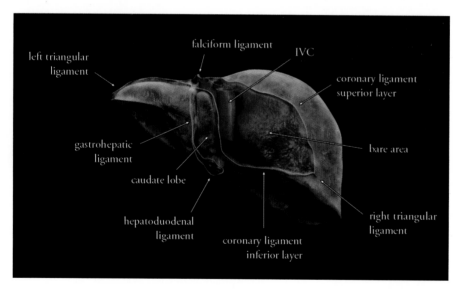

Fig. 2-9. Three dimensional drawing of the liver posterior view.

The ligaments of the liver formed from the ventral mesogastrium and are shown in continuity. Note the gastrohepatic ligamentas its free margin forms the hepatoduodenal ligament. The ligaments attach to the abdominal wall ventrally (falciform ligament) and laterally (triangular ligaments).

는 배측 위간막은 위비장인대*gastrosplenic ligament*이다. 췌장의 배측 위간막은 뒤쪽에서 융합한다(Fig. 2-10a, b). 비장과 배측 정중선*dorsal midline* 사이의 배측 위간막은 후복벽과 융합하는 반면에 비장과 좌측 신장을 연결하는 나머지 부분은 비신장인대*splenorenal ligament*가 된다

(Fig. 2-11a-c).

췌장의 두부와 체부는 배측 십이지장간막 내에서 자라기 시작하여 배측 위간막으로 확장해 간다. 췌장이 성장하는 동안 위장은 왼쪽으로 회전하고 십이지장은 정중선에서 오른쪽으로 이동하게 된다. 위장관이 회전을 마친

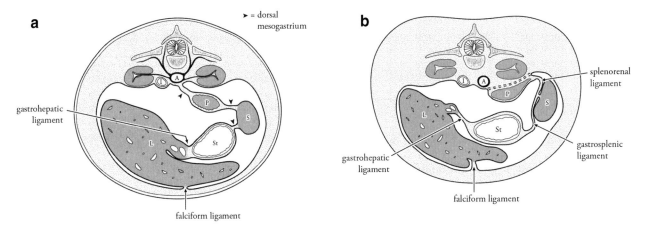

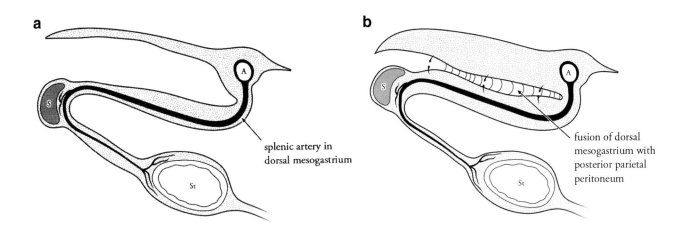

Fig. 2-10. **(a) Diagrammatic drawing of transverse section through a 5-6 week embryo.**
The pancreas *(P)* and spleen *(S)* have formed within and are suspended by the dorsal mesogastrium *(arrowheads)*.
St = stomach; *A* = aorta; *I* = inferior vena cava.
(b) Diagrammatic drawing of transverse section through a six week embryo.
The portion of the dorsal mesogastrium connecting the body wall and pancreas fuses *(dashed lines)*. Persistentligaments of the dorsal mesogastrium are the splenorenal ligament and gastrosplenic ligament.

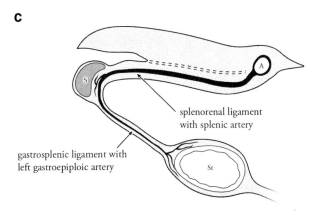

Fig. 2-11. Schematic drawing of transverse sections showing fusion of the dorsal mesogastrium in the region of the splenorenal ligament.

(a) The spleen *(S)* is encased and suspended in the dorsal mesogastrium between the stomach *(St)* and posterior body wall. *A* = aorta. *Stippled area* = subperitoneal space. Note continuity of dorsal mesogastrium.

(b) Fusion of the dorsal mesogastrium with the body wall (posterior parietal peritoneum). *Arrows* = region of fusion.

(c) Adult form with fusion of the dorsal mesogastrium and persistence of the splenorenal ligament and the gastrosplenic ligament (both portions of the dorsal mesogastrium). Note the splenic artery and the left gastroepiploic artery as they course within the mesenteriesof the dorsal mesogastrium.

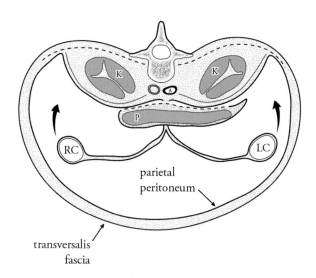

parietal
peritoneum

transversalis
fascia

RC

LC

K   K

A

P

Fig. 2-12. Schematic drawing of a transverse section through an embryo after the reentry of the gut to the coelomic cavity.
The dorsal mesentery of the pancreas is shown as it fuses with posterior parietal peritoneum, indicated by dashed line posterior to pancreas *(P)*. This forms the pancreaticoduodenal compartment of the anterior pararenal space. The ascending and descending mesocolons will fuse with the posterior wall of the abdomen *(curved arrows)* forming the colonic compartment of the anterior pararenal space. *RC* = right colon; *LC* = left colon; *K* = kidney. Note the subperitoneal space defined by the stippled area subjacent to the parietal peritoneum is in continuity circumferentially, within the compartments of the anterior pararenal space and the mesenteries.

후에 배측 십이지장간막은 후벽측 장막*posterior parietal serous membrane*과 융합하여 전신주위 공간*anterior pararenal space*의 췌십이지장구역*pancreaticoduodenal compartment*을 형성한다(Fig. 2-12). 이 구역은 십이지장 (융합되지 않고 남아있는 십이지장간막을 가지고 있는 근위부 십이지장을 제외하고)과 췌장을 함유하고 있다. 이 장기들의 배측에 융합된 근막이 Treitz 근막*retroduodenal pancreatic fascia of Treitz*이다. 췌장은 뒤쪽 복막의 아래에 위치하지만 복막하 공간의 장간막에 의해 다른 복부 장기와 연결된 상태로 남아있다는 사실이 중요하다.

배측 결장간막은 광범위한 융합을 겪는다. 대장의 상행 및 하행 부분이 외측 위치에 도달한 이후에는 그들의 결장간막은 후복벽과 융합하게 된다(Fig. 2-13a, b). 이 융합된 근막은 Toldt의 좌우 후장간막근막*retromesenteric*

*fascia of Toldt*이라고 불린다. 이것이 전신주위 공간의 대장구역*colonic compartment*을 형성한다. 상행 및 하행결장간막이 융합된 후에도 다른 장기와의 연속성을 유지하고 있다는 사실은 주목할 만하다. 충수돌기와 맹장은 그들의 장간막을 유지한다.

배측 위간막은 위장이 회전을 마친 후에도 성장을 계속한다. 이러한 계속적인 성장은 횡행결장과 소장 앞에서 배측 위간막이 중복되게 주름이 잡히게 한다. 나중에 네 겹의 장막이 융합하여 위장 대만곡부에 매달려서 대망 *greater omentum*이 된다.

배측 위간막이 횡행결장 위를 지나가면서도 융합이 일어나서 뒤쪽으로 후복벽 쪽으로 계속 진행한다. 배측 위간막 중 위장과 횡행결장 사이에 위치하는 부위가 위결장인대*gastrocolic ligament*이다. 횡행결장으로부터 후복벽에 이르는 부위는 횡행결장간막*transverse mesocolon*과 융합한다(Fig. 2-14a, b).

횡행결장간막의 오른쪽 부위는 융합하여 십이지장을 덮고 십이지장결장인대*duodenocolic ligament*를 형성한다. 비장만곡부*splenic flexure*에서는 횡행결장간막이 외측으로 확장하여 외측 복벽에 붙게 되어 횡격막결장인대*phrenicocolic ligament*를 형성한다. S자결장간막*sigmoid mesocolon*은 없어지지 않고 지속된다. 직장간막*mesorectum*은 골반의 복막외 공간과 융합한다.

소장의 장간막은 소장이 체강의 성장보다 빠르게 길이 성장을 함에 따라 극적인 변화를 겪게 된다. 장에 붙어있는 장간막은 장과 함께 탯줄로 나갈 때 그에 상응하게 성장한다. 소장과 그 장간막의 회전과 복강 내로의 복귀의 완성은 12주에 일어난다. 이러한 과정에서 맹장은 우측에 놓이게 되며, 횡행결장은 십이지장 앞쪽을 지나고, 소장은 상행결장의 왼쪽에 놓이게 된다. 장간막의 회전은 상장간막동맥을 축으로 해서 일어난다. 회전의 중심점은 상장간막동맥이 대동맥으로부터 나오는 뿌리 지점이다. 좁은 근원부로부터 소장의 장간막은 부채를 닮은 모양으로 넓게 펼쳐진다. 장관의 일부가 이차적 융합에 의해 부착되어 새로운 부착선을 형성하는 14주 까지는 소장이 자유롭게 움직인다. 소장장간막의 뿌리는 최종적으로 뒤쪽으로 부착되면서 좌상복부로부터 우하복부로 확장한다. 소장장간막의 뿌리는 좌상복부에서는 횡행결장간막의

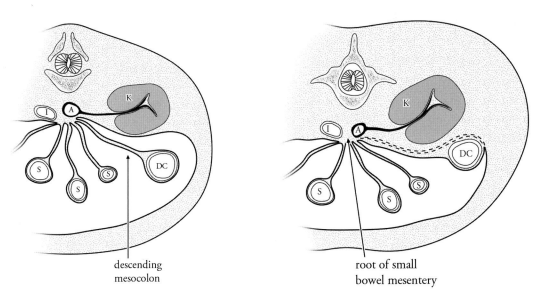

descending
mesocolon

root of small
bowel mesentery

Fig. 2-13. (a) Diagrammatic drawing of transverse section of a twelve week embryo.
The colon has returned to the abdomen and is suspended by the dorsal mesentery.
DC = descending colon; *S* = small bowel; *A* = aorta; *I* = inferior vena cava; *K* = kidney.
(b) Fusion of the descending mesocolon with posterior parietal peritoneum *(dashed lines)*. Note the
subperitoneal region of the mesentery is preserved after fusion allowing continuity of the subperitoneal space.

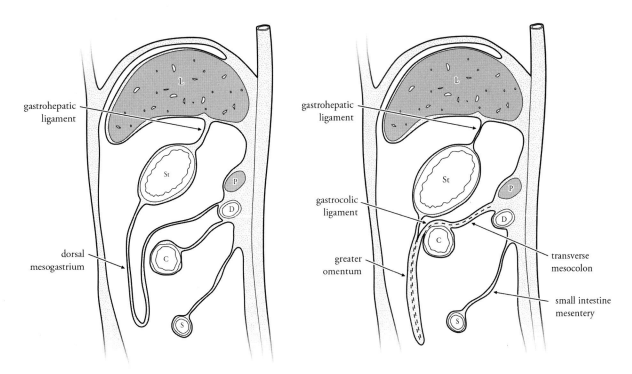

gastrohepatic
ligament

gastrohepatic
ligament

gastrocolic
ligament

dorsal
mesogastrium

greater
omentum

transverse
mesocolon

small intestine
mesentery

Fig. 2-14. Schematic sagittal drawings showing growth and development of the dorsal mesogastrium.
(a) Overgrowth of the dorsal mesogastrium, anterior to the transverse colon, forming the greater omentum.
L = liver; *St* = stomach; *C* = colon; *P* = pancreas; *D* = duodenum; *S* = small bowel.
(b) Fusion of the leaves of the greater omentum. Fusion of the dorsal mesogastrium with the anterior border of the transverse
colon forming the gastrocolic ligament. Fusion of the dorsal mesogastrium with the transverse mesogastrium as its courses
from the transverse colon to the posterior body wall. *Dashed lines* = fusion. Note the transverse mesocolon in the adult is the
result of the fusion of the dorsal mesogastrium and the mesentery of the transverse colon.

부착 부위와, 우측에서는 상행결장 위를 덮고 있는 복막과 연속성을 갖는다. 이런 식으로 소장장간막은 복부의 상부와 하부를 서로 연결한다(Fig. 2-15).

▌골반의 분화 Pelvic Specialization

생식기 발생의 초기는 여성이나 남성에서 동일하다. 생식능선*gonadal ridge*은 후복벽을 덮고 있는 중배엽 상피로부터 발생한다. 원시생식세포*primordial germ cells*는 난황낭의 내배엽으로부터 기원하여 복막하 공간내에서 후장*hind gut*을 매다는 장간막을 따라 이동한다(Fig. 2-16).

여성에서는 외측 생식능선*gonadal ridge*을 따라 말려듦이 일어나서 방중신관*paramesonephric duct*을 형성한다. 이 말려듦은 최종적으로 난관을 형성하는데, 이는 두 측으로 복강내로 열려있으며, 원위부로는 자궁질원기*uterovaginal primordium*와 융합하여 자궁과 질의 상부를 형성한다.

방중신관은 정중선에서 융합하여 생식능선으로 연결된다. 이것이 길게 늘어나서 자궁을 지지하는 광인대*broad ligament*가 되는데, 이는 골반측벽과 연결되어 있다(Fig.

2-17). 그러므로 여성에 있어서 복막하 공간은 광인대에 의해 복막외 공간으로부터 여성 골반 장기로 확장된다. 여성 골반 장기를 공급하는 혈관, 림프관, 그리고 신경은 복막외 공간으로부터 이 인대 내에 있는 장기로 흘러 들어간다. 자궁경부는 광인대 미부의 두꺼워진 부분에 의해 지지 되며, 이것이 횡자궁경부인대(Mackenrodt 인대)이다. 원위부 요관*ureter*은 이 인대를 통과하여 흐른다.

난소가 성장함에 따라 이들은 생식능선으로부터 내려온다. 난소는 체강으로 매달려 들어오면서 광인대 내로 포함되게 된다. 광인대의 발생은 난소, 자궁, 난관이 미측으로 이동하는 것이 가능하도록 한다. 중신*mesonephros*의 서혜인대*inguinal ligament*는 여성에서 원인대*round ligament*를 형성하고, 남성에서는 도대*gubernaculum*를 형성한다. 원인대는 광인대 내에 묻혀있으며, 자궁의 상부 모퉁이에 붙는다. 원인대는 서혜부를 관통하여 뻗어나가서 대음순에 붙는다. 난소와 난관으로부터 확장된 광인대의 부분은 혈관, 신경, 그리고 림프관을 함유하고 있으며, 이것이 난소인대*suspensory ligament of the ovary*이다.

광인대와 이로부터 분화한 인대들의 형성은 복막하 공간의 복부-골반 연속성을 제공한다. 광인대는 골반 외측

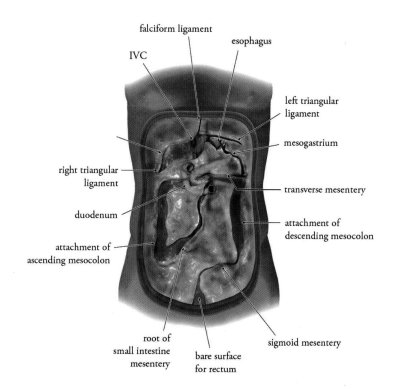

falciform ligament
esophagus
IVC
left triangular ligament
mesogastrium
right triangular ligament
transverse mesentery
duodenum
attachment of descending mesocolon
attachment of ascending mesocolon
root of small intestine mesentery
bare surface for rectum
sigmoid mesentery

Fig. 2-15. Three-dimensional drawing of the peritoneal attachments of the ventral and dorsal mesenteries to the abdominal wall.

The illustration demonstrates the continuity of the ventral and dorsal mesenteries of the foregut; the continuity of the dorsal mesentery of the foregut, midgut, and hindgut; and the continuity of the mesenteric attachments with the remainder of the subperitoneal space.

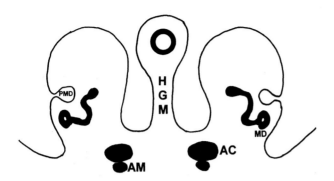

Fig. 2-16. Schematic of an axial section through the pelvis of a 6-week embryo shows the infolding of the lateral margin of the gonadal ridge as it starts to form the paramesonephric duct *(PMD)*. The mesonephric duct *(MD)* and associated tubule can be seen in the urogenital ridge. The hindgut mesentery *(HGM)* is the pathway for the migrating primordial germ cells. The developing adrenal cortex *(AC)* and medulla *(AM)* can be seen in the retroperitoneum.

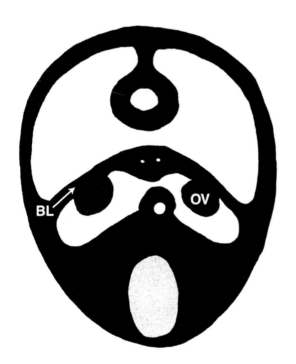

Fig. 2-17. Schematic of an axial section through the pelvis of an 8-week female embryo shows the fusing paramesonephric ducts in the midline supported by the broad ligament *(BL)* that attach to the lateral pelvic wall. The developing ovary *(OV)* can be seen along the ligament's posterior aspect. The developing bladder is noted anteriorly.

벽의 복막외 공간의 확장으로 형성되어 여성 장기를 지지하고, 혈류, 림프, 그리고 신경 공급의 길을 제공한다. 그러므로 복막하 공간은 골반과 복부와의 연속성은 물론이고 광인대를 통한 복막외 공간과 여성 골반 장기 간의 연속성을 제공한다.

● ● ● ●

각 장기의 발생학
Embryology of Specific Organs

▐ 위장관의 발생학적 회전과 고정
Embryologic Rotation and Fixation of the Gut

장간막의 최종 위치와 부착은 이들의 정중선 기원과는 크게 다르다. 이러한 최종 형태로의 변화에 대한 지식은 복막함요*peritoneal recess*의 해부학과 복막내 질병의 전파에 있어서 함요*recess*의 기여에 대한 이해에 도움을 준다. 원위부 전장과 중장의 배측 장간막은 위와 십이지장이 복잡한 회전을 하기 때문에 상당한 길이 신장이 일어난다. [13]

이것이 소낭*lesser peritoneal sac*의 발생을 유발시킨다. 위의 배측 돌출이 증가하면서 장간막도 함께 복부의 왼쪽으로 끌고 간다. 그 결과로 원래 장간막의 오른쪽에 위치하던 복막강이 좌복부의 위장 뒤쪽에 놓이게 된다. 최종적으로 이 부위는, 왼쪽은 둘러싸는 장기와 장간막에 의해 싸여있고 유일한 정상적인 출구는 오른쪽에 있게 되는데, 이것이 Winslow 공*epiploic foramen; foramen of Winslow*이다.

신장된 배측 위간막은 위의 대만곡에서부터 서로 포개어져서 두 배가 된다. 대망의 주름 사이의 잠재적 공간은 융합에 의해 없어진다. 때때로 이 융합이 일어나지 않아서 이 주름 사이로 소낭이 확장되는 수가 있다. 발생 초기에 위장관은 신장하여 난황낭 안으로 탈장이 생긴다. 상장간막동맥이 탈장과 이어서 일어나는 회전의 축이다 (Fig. 2-18). 탈장된 장관의 정점은 제장간막관*omphalome-senteric duct* (vitelline duct)이다. 중장은 난황관 보다 근위부에서 신장하는 분절로 전동맥지*prearterial limb*이다. 늘어난 소장의 길이에 충분한 공간을 제공하기 위해 소장은 구불구불한 모양을 취하게 되며, 이 모양이 성인까지

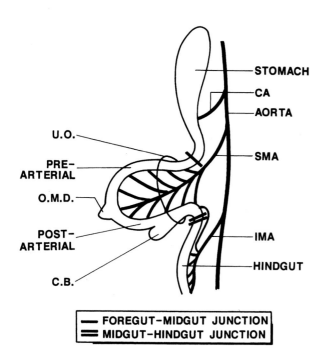

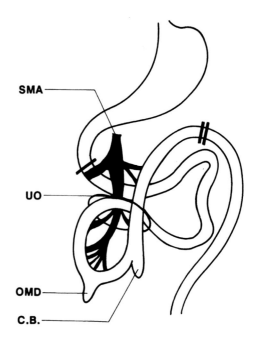

Fig. 2-18. Longitudinal view of the intestinal tract at 6 weeks of development.

The superior mesenteric artery *(SMA)* acts as the axis for midgut rotation. The omphalomesenteric duct *(OMD)* divides the midgut into pre- and postarterial limbs. Also seen is the physiologic herniation of the midgut through the umbilical orifice *(UO)*. Heavy lines mark the foregut-midgut (*/*) and the midgut-hindgut (*//*) junctions. The celiac axis *(CA)* is the major artery of the foregut; the inferior mesenteric artery *(IMA)* supplies the hindgut. *CB* = cecal bud.
(Reproduced with permission from Javors BR, Sloves.[14] Copyright Elsevier, WB Saunders, Philadelphia.)

Fig. 2-19. Frontal view of a 10-week fetus.

The elongated redundant prearterial limb has reentered the abdomen and crossed to the left of and behind the SMA. This displaces the hindgut to the left. Heavy lines mark the foregut-midgut (*/*) and the midgut-hindgut (*//*) junctions. *CB* = cecal bud; *OMD* = omphalomesenteric duct; *UO* = umbilical orifice.
(Reproduced with permission from Javors BR, Sloves.[14] Copyright Elsevier, WB Saunders, Philadelphia.)

유지된다. 더 원위부 분절인 후동맥지*postarterial limb*는 원위부 회장, 충수돌기, 그리고 상행·횡행결장의 근위부가 된다(Fig. 2-19).

발생하는 동안 탈장된 중장은 반 시계방향으로 270도 회전을 한다. 체강이 충분히 확장되었을 때 탈장된 장관이 체강내로 복귀한다(12주 까지)(Fig. 2-20). 전동맥지가 먼저 복귀한다. 회전의 마지막 부분이 일어날 때 전동맥지는 상장간막동맥 축 아래의 좌상복부에 오게 된다. 횡행십이지장(제 3분절)은 상장간막동맥의 뒤에 놓이게 된다(Fig. 2-20).

후동맥지는 주변부에 놓이게 되어 결장은 상장간막동맥의 앞쪽의 우상복부에 놓이게 된다. 추가적인 성장은 우측결장이 아래로 내려와서 우하복부에 놓이도록 한다.

반면에 좌측 결장은 좌복부로 들어가서 머물러 있다. 상행과 하행결장의 장간막은 이후에 후복벽과 융합한다.

충수돌기는 맹장아*cecal bud*로부터 발생한다. 회맹판*ileocecal valve*이 동측의 성장을 방해함으로 인한 맹장의 비대칭적인 성장이 충수돌기를 회맹판과 같은 측면으로 이동시킨다.

복잡한 일련의 회전과 고정 과정으로 인해 최종 형태의 장간막의 벽 부착 및 복막와를 갖추게 된다.

▌간담도계 Hepatobiliary System

간담도계 구조물은 원위부 전장의 복측에서 나오는 게실*diverticulum*로부터 발생한다. 게실은 횡중격 내로 확장한다. 두측 부분은 간과 간내담도를 형성하고, 미측은 담낭과 담낭관을 형성한다. 게실의 경*pedicle*은 간외담도를 형

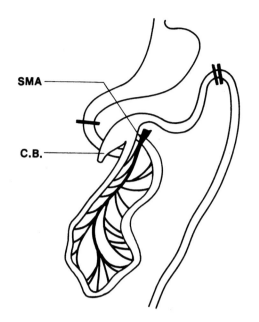

Fig. 2-20. Reduction of the physiologic herniation.
This is complete one week after the configuration shown in
Fig. 2-19. The postarterial limb has partially completed its
180°otation. The cecum now lies in the upper abdomen on its
way to the right side. *CB* = cecal bud.
(Reproduced with permission from Javors BR, Sloves.[14]
Copyright Elsevier, WB Saunders, Philadelphia.)

성한다. 총담관은 십이지장과 함께 90° 회전한 후 추가적인 180° 회전을 하여 십이지장의 오목한 부위에 위치한 Wirsung 췌관의 옆에 놓이게 된다. 간이 성장함에 따라 대부분은 장측 복막으로 싸이게 되지만, 뒤쪽의 일부는 횡격막과의 연속성을 유지하여 노출부로 남아있게 된다.

췌장 Pancreas

원위부 전장으로부터 나오는 복측아와 배측아*ventral and dorsal buds* 에 의해 췌장이 형성된다. 췌장의 구상돌기 *uncinate process* 와 두부의 아래 부분은 복측아로부터 유래된다. 체부와 미부, 두부의 윗부분은 십이지장의 배측장간막으로부터 발생한다. 배아기의 췌장은 십이지장의 90° 회전을 따라 같이 회전한다. 복측 췌장은 추가적인 180° 회전을 하여 최종적으로 십이지장의 오목한 부위에 놓이게 된다. 복측 췌장과 배측 췌장은 6주 말에 융합하며, 복측과 배측의 췌관도 연결된다. 배측 십이지장간막의 융합으로 췌장은 전신공간의 췌십이지장분획에 놓이

게 된다. 비장 문부 근처의 췌장 미부의 일부분은 융합하지 않은 채 배측 위간막 내에 남아있게 된다.

비장 Spleen

다수의 간엽조직 덩어리들이 서로 모여서 배측 위간막내에서 비장을 발생시킨다. 위간막의 앞쪽 부분은 비장과 위를 서로 연결하여 위비인대가 된다. 비장과 후복벽 사이의 부분은 비신장인대가 된다. 위의 대만곡부가 회전함에 따라 위간막이 신장하여 비장을 왼쪽으로 이동시킨다. 이 부위의 배측 위간막은 부분적으로 좌측 신장을 덮고 있는 후복벽과 융합한다.

부신 Adrenal Glands

부신은 두 개의 분리된 선*glands* 의 융합으로 형성되며, 이런 점이 부신의 해부학적 및 생리학적인 면을 반영한다. 부신 피질은 중배엽 기원이다. 이것은 4주에서 6주 사이에 배측 위간막의 뿌리와 생식능선*genital ridge* 사이에 위치한 체강중피세포*coelomic mesothelium* 의 증식으로 형성된다. 부신 수질은 외배엽 기원이다. 이것은 교감신경절*sympathetic ganglion* 덩어리로부터 나오는 신경능*neural crest* 세포로부터 형성되고, 복강신경절*celiac ganglion* 과 장간막신경절*mesenteric ganglion* 을 형성한다.

비뇨기계 Urinary System

신장의 배아기 발생의 세 단계는 전신*pronephros*, 중신 *mesonephros*, 후신*metanephros* 이다.

　전신은 3주 말에 형성되며, 5주까지는 없어진다.

　중신은 중간중배엽*intermediate mesoderm* 으로부터 형성되며, 태아에서 기능하는 최초의 배설관이다. 이것은 9주에 퇴화한다. 일부 분절은 계속 남아서(중신관*Wolffian duct*) 생식기계의 일부를 형성하는데, 남성에 있어서 정관*vas deferens*, 부고환*epididymis* , 고환수출관*efferent ductules of the testes*, 여성에 있어서 난소상체*epoophoron* 와 난소방체*paroophoron* 를 형성한다.

　후신은 5주에 신장과 요관으로 발생하기 시작한다. 중

신은 요관싹ureteric bud 을 발생하며, 이것이 신장하여 최종적으로 신우renal pelvis 와 요관을 형성한다. 요관아의 팽대된 끝부분과 중배엽조직인 후신발생모체metanephric blastema 의 상호작용은 네프론과 신장의 결합조직을 형성한다.

후신의 발생은 이것의 위치와 방향성의 변화를 동반한다. 원래 후신발생모체는 요추하부 높이에 위치하며, 쌍을 이룬 후신은 정중선에서 서로 거의 닿아있다. 태아의 성장에 따라 후신은 3개월에 2~3 요추 높이이던 것이 출생 시에는 12번 흉추와 1번 요추 사이 정도의 높이로 이동한다. 이동은 신장의 종축을 축으로 한 회전을 동반하며, 신장이 두부로 이동하면서 혈류공급도 변화를 겪게 된다. 원위부 대동맥으로부터 나오는 외측 천골분지lateral sacral branches 가 후신을 공급한다. 신장이 두부로 이동함에 따라 최종적인 신동맥이 공급할 때까지 점차 보다 근위부 대동맥 부분이 신장을 공급하게 된다.

남성과 여성에서 모두 방광의 일부는 원위부 후장에서 유래한다. 배설강cloaca 은 내배엽 내벽을 갖는 후장의 말단부이다. 비뇨직장주름urorectal fold 은 배측의 직장으로부터 복측의 비뇨생식동urogenital sinus 을 분리하는 격벽을 형성한다.

요막allantois (배설강과 연결된 난황낭 게실)과 배설강의 일부가 방광을 형성한다. 요막은 방광의 돔dome 을 배꼽과 연결하며 폐쇄되어 요막관urachus 과 정중제대인대median umbilical ligament 를 형성한다.

퇴화하여 없어진 제대동맥umbilical artery 은 내측 제대인대medial umbilical ligaments 를 형성하고, 하복부 동맥과 정맥inferior epigastric artery and vein 은 외측 제대인대lateral umbilical ligament 를 형성한다. 이러한 골반과 하복부의 복측 인대들은 복측 복강을 세분한다.

참고문헌

1. Meyers MA: Dynamic Radiology of the Abdomen: Normal and Pathologic Anatomy, 5th ed. Springer, New York, 2000.
2. Oliphant M, Berne AS: Computed tomography of the subperitoneal space: Demonstration of direct spread of intraabdominal disease. J Comput Assist Tomogr 1982; 6(6):1127-1137.
3. Oliphant M, Berne AS: Holistic concept of the anatomy of the abdomen: A basis for understanding direct spread of disease. Contemp Diagn Radiol 1985; 8(10):1-6.
4. Oliphant M, Berne AS, Meyers MA: Subperitoneal spread of intraabdominal disease. In Meyers MA (ed) Computed Tomography of the Gastro-intestinal Tract: Including the Peritoneal Cavity and Mesenteries. Springer, New York, 1986, pp 95-136.
5. Meyers MA, Oliphant M, Berne AS et al: The peritoneal ligaments and mesenteries: Pathways of intraabdominal spread of disease. Annual oration. Radiology 1987;163: 593-604.
6. Oliphant M, Berne AS, Meyers MA: The subperitoneal space of the abdomen and pelvis: Planes of continuity. AJR 1996; 167:1433-1439.
7. Oliphant M, Berne AS, Meyers MA: The subserous thoracoabdominal continuum: Embryologic basis and diagnostic imaging of disease spread. Abdom Imaging 1999; 24:211-219.
8. Langman J: Medical Embryology, 2nd ed. Williams & Wilkins, Baltimore, 1969.
9. Arey LB: Developmental Anatomy: A Textbook and Laboratory Manual of Embryology, 5th ed. WB Saunders, Philadelphia, 1946, pp 187-234, 244-263, 265-306.
10. Patten BM: Human Embryology, 3rd ed. McGraw-Hill, New York, 1968, pp 406-426.
11. Moore KI: The Developing Human: Clinically Oriented Embryology, 4th ed. WB Saunders, Philadelphia, 1988, pp 59-169.
12. Gray H: The digestive system. In Gross CM (ed) Anatomy of the Human Body. Lea & Febiger, Philadelphia, 1965, pp 1207-1311.
13. Javors BR, Mori H, Meyers MA, Wachsberg RH: Clinical embryology of the abdomen: Normal and pathological anatomy. In Meyers MA: Dynamic Radiology of the Abdomen: Normal and Pathologic Anatomy, 5th ed. Springer, New York, 2000.
14. Javors BR, Sloves JH: Applied embryology of the gastrointestinal tract. In Gore RM, Levine MS, Laufer I (eds) Textbook of Gastrointestinal Radiology. WB Saunders, Philadelphia, 1994, pp 1362-1378.

복부의 정상 해부
Clinical Anatomy of the Abdomen

서론 Introduction

이전 장에서 자세하게 논의된 복부의 발생학적 발달에 대한 이해를 바탕으로, 우리는 이제 그것이 더 정확하고 포괄적인 진단적 영상을 줄 수 있는 두 가지의 기본적 해부학상의 구성 성분으로 이루어 졌다는 것을 알 수 있다.

1. 중간엽*mesenchymal* 조직은, 신장, 췌장, 십이지장, 하행결장, 상행결장, 그리고 대혈관 뿐만이 아니라 그들을 지지해주는 인대와 장간막까지 덮고 있기 때문에, 이 중간엽 조직은 각각의 구획을 초월한 개념으로 이해된다. 이 개념에 대한 이해가 있어야만 복막하*sub-peritoneal* 공간이 어떻게 퍼져나가는지 알 수 있다. 지방조직, 윤문상조직*areolar tissue*과 함께, 복막하 공간에서 중간엽 조직은 혈관, 림파선, 림프절, 그리고 신경을 전달한다.

2. 체강*coelomic cavity*과 그 함요*recess*, 그리고 내장주위의 공간*perivisceral space*은 사람의 몸에서 가장 큰 내강인 복강으로 변형된다. 질병의 퍼짐과 위치의 결정 과정에 대한 해부학적으로 구분되는 특징에 대해서는 4장에서 자세히 설명될 것이다.

복막하 공간에 대한 기본 개념 The Fundamental Concept of the Subperitoneal Space

복막하 공간은 복부와 골반을 싸고 있는 복막에 깊게 자리 잡은 하나의 공간이다.[1-3] Oliphant와 동료들에 의해 구상된 이 하나의 공간은, 복막외*extraperitoneum*와 서로 연결하여 네트워크를 이루는 복부와 골반의 인대와 장간막으로 이루어져있다.[4-6] 복막하의 연속성을 보여주고 있는 Fig. 3-1은 복막외 공간이 복부와 골반에서 주변을 둘러싸고 있다는 것을 강조하고 있다. 복부와 골반의 기관들과 그들의 혈관, 림프, 그리고 신경은 복막하 공간의 장막하*subserous* 결합 조직 안에 자리한다. 3차원의 연결되어있는 연속체인 복막하 공간은 복강내의 많은 질병이 어떻게 퍼져 나가는지에 대한 이해를 제공한다.[7-13] 또한 이 공간이 흉부로 연결*thoracoabdominal continuum*되는 구조의 지속성은, 질병이 이 공간으로 퍼져 들어오고 나가는 경로에 대해 알려준다.[14]

복막하 공간 The Subperitoneal Space

복부의 발생학은 복부와 골반의 연결을 설명해준다. 복막하 공간은 벽측 복막*parietal peritoneum* 깊숙이까지 존재하고, 복부와 골반의 인대와 장간막과 연결되기 때문에 질병 확산의 직접적인 경로가 될 수 있다(Fig. 3-2). 복막

Stippled = Subperitoneal Space

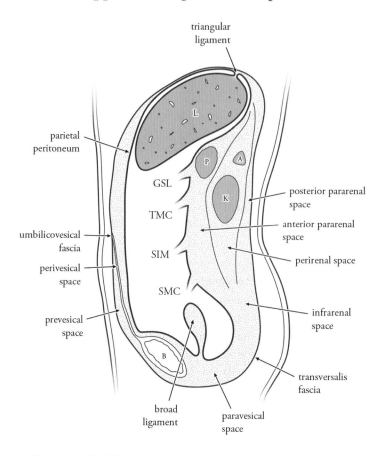

Fig. 3-1. Drawing left parasagittal through the abdomen and pelvis.
Drawing emphasizes the global continuity of the subperitoneal space *(stippled area)*. The abdominal and pelvic extraperitoneal spaces form a continuum. The extraperitoneal space extends into the ligaments and mesenteries of the abdomen and pelvis, thus defining the subperitoneal space. The peritoneum *(thick, black inner line)* covers the extraperitoneum in its entirety and reflects to encase the ligaments and mesenteries. GSL = gastrosplenic ligament; TMC = transverse mesocolon; SIM = small intestine mesentery; SMC = sigmoid mesocolon. Note the continuity of the subperitoneal space within the fascial planes formed by the renal fascia in the abdomen and the umbilicovesical fascia in the pelvis.

하 공간 안에는 복부와 골반의 혈관, 림프관, 신경과 함께 윤문상조직과 지방조직이 있어 질병이 쉽게 확산된다. 그러므로 복막외 공간과 고정되어있는 복부와 골반의 기관들은, 하나의 복막하 공간에 존재하면서 서로 연결되어 있다. 따라서 중요한 것은 일단 질병이 복막하 공간에 들어오면 그 질병은 어느 방향으로도 퍼질 수 있고, 혈관이나 림프관 그리고 신경계를 통해 어떠한 기관으로도 확산될 수 있다는 점이다.

복부와 골반의 인대와 장간막은 근접한 기관을 연결하는 혈관을 통해 식별된다.

복측 위간막 유도체 Ventral Mesogastric Derivatives

복측 위간막 유도체로는, 위간인대*gastrohepatic ligament*, 간십이지장인대*hepatoduodenal ligament*, 겸상인대*falciform ligament*, 관상인대*coronary ligament*, 삼각인대*triangular ligament*가 있다.

위간인대는 간 좌엽과 위의 소만곡 사이에 위치하며, 좌/우위동맥과 위정맥을 포함하고 있다(Fig. 3-3). 위간인대의 자유연은 간십이지장인대로, 여기에는 문맥계와

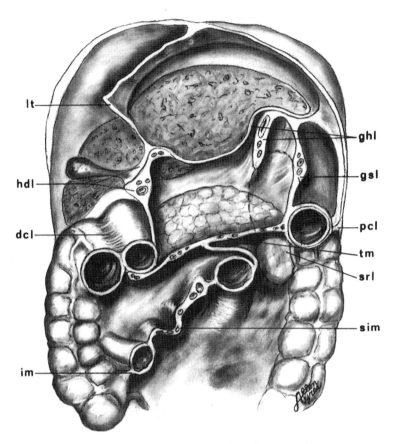

Fig. 3-2. Anatomic drawing of the upper folds containing the subperitoneal space.
lt = ligamentum teres; *hdl*=hepatoduodenal ligament; *dcl* = duodenocolic ligament; *im* = terminus of sim (ileal mesentery); *ghl* = gastrohepatic ligament; *gsl* = gastrosplenic ligament; *pcl* = phrenicocolic ligament; *tm* = transverse mesocolon; *srl* = splenorenal ligament; *sim* = small intestine mesentery. (Reproduced with permission from Oliphant et al.[7])

담도주변 신경총*parabiliary plexus* 이 있다. Glisson 피막 *Glisson's capsule* 은 간십이지장인대 안에 있는 윤문상조직의 연장이며, Glisson 초*Glisson's sheath*를 이루어 간과 연결된다.

위간인대의 위쪽 끝은 겸상인대로 되어 앞 복벽으로 이어지며, 간 좌엽을 내측과 외측 분절로 나눈다(Fig. 3-4). 겸상인대의 자유연에는 퇴화된 좌제대정맥이 원인대*ligamentum teres* 를 형성하며 배꼽과 연결된다. 정맥인대*ligamentum venosum* 안에는 퇴화된 정맥관*ductus venosus* 이 있고, 이는 원인대와 좌문맥과 연결된다(Fig. 3-3).

이러한 복측 인대들은 복측 위간막*mesogastrium* 에서 발생할 때 서로 연결되어, 간, 담낭, 십이지장, 위, 췌장, 그리고 식도의 원위부를 연결하는 통로를 제공한다. 장막하 연결은 복측과 배측 위간막 사이에도 존재한다.

배측 위간막 유도체 Dorsal Mesogastric Derivatives

배측 위간막 유도체는, 좌상복부에 있는 인대들을 만든다. 비신장인대*splenorenal ligament* 는 위비장인대*gastrosplenic ligament* 와 함께 외측으로 비장문*splenic hilum* 과 연결된다(Fig. 3-4). 비신장인대는 비장 동정맥으로 확인할 수 있다. 위비장인대는 위의 후측벽과 비장 사이에 있으며, 비장 혈관, 짧은 위동맥과 정맥*short gastric arteries and vein* , 좌측 위대망동맥과 정맥*gastroepiploic arteries and vein* 을 포함한다. 위비장인대의 원위부 배측 위간막은 위결장인대*gastrocolic ligament* 가 된다(Fig. 3-3). 이 인대는 위의 대만곡과 횡행결장의 앞 표면을 연결한다. 위결장인대는 좌/우위대망*gastroepiploic* 혈관을 포함한다. 위결장인대

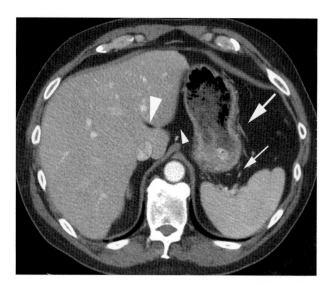

Fig. 3-3. CT axial section upper abdomen − T11. Level below esophageal hiatus.

Modest amount of adipose tissue deep to the right and left crura establishes continuity of the extrapleural space of the thorax with the subperitoneal space of the abdomenvia the esophageal hiatus. Continuity of the upper ventral mesogastrium with the gastrohepatic ligament (*small arrowhead*) and ligamentum venosum (*large arrowhead*). Continuity of the upper dorsal mesogastrium with the gastrosplenic ligament (*small arrow*) and gastrocolic ligament (*large arrow*).

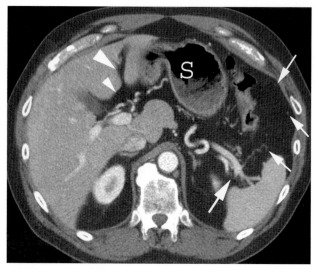

Fig. 3-4. CT axial section upper abdomen − T12.

Level immediately above aortic hiatus. Continuity of the ventral mesogastrium as the lower portion of the gastrohepatic ligament continues into the hepatoduodenal ligament (*small arrowhead*). The falciform ligament is in continuity with the hepatoduodenal ligament (*large arrowhead*). Continuity of dorsal mesogastrium as the splenorenal ligament (*large arrow*) continues into the gastrosplenic ligament. Continuity of the dorsal mesogastrium to the greater omentum identified by omental vessels (*small arrows*). S = stomach.

의 왼쪽은 위비장인대와 연결되어 있고 좌위대망혈관을 포함한다. 위결장인대의 오른쪽은 위십이지장동맥의 가지로, 췌장의 두부 앞으로 주행하는 우위대망동맥으로 알 수 있다. 이 동맥은 위결장인대와 횡행결장간막이 합쳐진 부분의 위로 주행하며, 위의 대만곡을 따라 간다. 우위대망정맥은 중간결장정맥*middle colic vein*과 합쳐져서 위결장정맥간*gastrocolic trunk*을 형성하며, 이 정맥간은 췌장 두부의 앞쪽에서 상장간막정맥*superior mesenteric vein*으로 흘러간다.

이 좌상복부에 있는 인대들의 네트워크가 위, 비장, 췌장, 횡행결장 사이를 이어주며, 복막하 공간의 연장으로써 복부 전체의 연결을 확고하게 해준다. 복측 위간막은 복강동맥*celiac artery*, 총간동맥, 좌위동맥, 비장동맥의 가지를 따라서, 배측 위간막과 연결되어 있다.

▌배측 장간막 유도체 Dorsal Mesentery Derivatives

배측 위간막의 원위부에 위치하는 배측 장간막*dorsal*

*mesentery*은 복막인대들을 연결한다. 소장장간막은 600 ~700 cm에 달하는 소장을 지지하는 주름을 갖는 부채꼴 모양이다(Fig. 3-5). 이것은 약 15 cm의 장간막 뿌리에 고정되어 있으면서 많은 수의 소장뿐만이 아니라 전체 장막하 공간을 연결하는 해부학적 구조이다(Fig. 3-6).

소장장간막의 뿌리는 십이지장공장 연결에서 비스듬히 연장되며, 우측 장골와*iliac fossa*, 회맹장 연결지점까지 내려간다.

소장장간막의 뿌리는 십이지장공장 연결점을 통과하여, 제 3십이지장, 대동맥, 하대정맥, 우측 요관, 요근*psoas muscle*을 지나 우측 장골와까지 연결된다. 말단 회장의 장간막 뿌리의 복막은 후벽측 복막*posterior parietal peritoneum*으로 연결된다. 이 장간막의 결체 조직은 우하복부에 있는 복막하 조직과 연결되어 합쳐진다. 소장장간막의 뿌리로부터 후복벽의 복막이 상행결장의 앞 표면을 둘러싼다. 따라서 소장장간막 뿌리는 상복부와 우하복부 사이를 연결하여, 복부와 골반의 복막외와 연결된다.

소장장간막은 동맥과 정맥을 찾음으로써 확인할 수 있

Fig. 3-5. The small bowel mesentery, illustrating its ruffled nature.

A series of peritoneal recesses is formed along its right side. (Reprinted with permission from Kelly.[18])

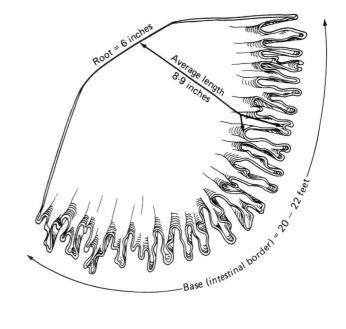

Fig. 3-6. Dimensions of the small bowel mesentery.

The length of the intestinal border to an extent approximately 40 times that of its root is brought about by its unique frilled nature. This determines the characteristic formation of the small bowel into loops.

(Reproduced with permission from Meyers.[17])

다. 소장동맥은 상장간막동맥의 왼쪽에서 나온다. 이들은 회결장동맥 위에서 나와서 회장장간막에 있는 회결장동맥 원위부에 있는 공장장 간막을 지난다(Fig. 3-7). 소장장간막 뿌리는 횡행결장장간막과 연결된다(Fig. 3-8).

횡행결장장간막은 횡행결장을 지지하고 있으며, 그 뿌리는 제 2십이지장과 췌장 두부에서부터 췌장 체부와 미부의 아래쪽 1/3을 따라 반전된다. 횡행결장장간막은 중간결장동맥과 정맥의 가지를 찾음으로써 확인할 수 있다. 중간결장동맥 가지는 상장간막동맥에서 나온다. 중간결장정맥은, 횡행결장장막과 위결장인대가 합쳐지는 곳에

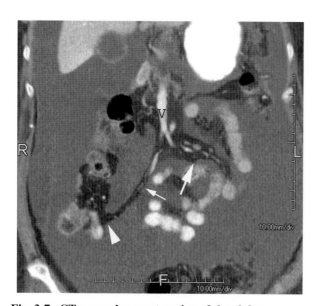

Fig. 3-7. CT coronal reconstruction of the abdomen.
Fluid within the peritoneal cavity outlines the jejunal
mesentery *(large arrow)* and the ileocolic mesentery *(small
arrow)*. These portions of the subperitoneal space are depicted
in continuity with the root of the small intestine mesentery
identified by the superior mesenteric vein *(V)*.
Note continuity of the ileocolic mesentery with the ascending
mesocolon *(arrowhead)*.

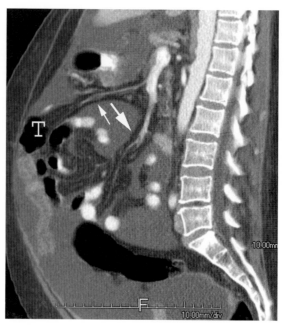

Fig. 3-8. CT sagittal reconstruction mid-abdomen.
Fluid within the peritoneal cavity outlines the small intestine
mesentery *(large arrow)* and the transverse mesocolon *(small
arrow)*. These portions of the subperitoneal space are shown in
continuity at the root of both mesenteries. Note the infiltrated
greater omentum extending caudad from the transverse colon *(T)*.

서 우위대망정맥*right gastroepiploic vein*과 합쳐져 위결장
정맥간을 형성하여 상장간막정맥으로 들어가게 된다. 가
장 흔한 변이는 위결장정맥간을 형성하지 않고 바로 상장
간막정맥으로 들어가게 되는 것이다. 이 중간결장정맥은
췌장 두부에서 횡행결장간막 뿌리를 향해 주행한다.

　오른쪽으로 횡행결장장간막은, 제 2십이지장으로부터
시작해서 간성만곡부*hepatic flexure*에 이르는 십이지장결
장인대*duodenocolic ligament*를 형성하며, 위의 장기와 중
간결장혈관에 의해서 확인할 수 있다. 왼쪽으로 횡행결장
간막은, 11번째 흉추에서 횡격막결장인대*phrenicocolic
ligament*를 형성하며, 비장 하부와 근위부 하행결장 사이
에서 확인할 수 있다.

　하행결장간막과 상행결장간막은 복부 후벽에서 합쳐
지며 이들 결장간막은 가장자리*marginal* 혈관에 의해 확
인할 수 있는데, 가장자리 혈관으로는 상행결장간막의 회
결장혈관*ileocolic vessel*과 우결장혈관, 하행결장간막의
좌결장혈관이 있다.

　회결장혈관은 소장장간막 기저부에서부터, 제 3십이지
장 중간을 지나 오른쪽 장골와까지 주행한다. 회결장혈관

가지는 상행결장장간막 내부로 주행해서 상행결장의 가
장자리 혈관으로 이어진다(Fig. 3-7).

　좌결장혈관은 하행결장의 가장자리 혈관의 연장으로
하행결장장간막을 확인함으로써 알 수 있다. 좌결장정맥
은, 좌요관 앞으로 주행하는 좌성선정맥*left gonadal vein*
앞의 하장간막정맥으로 들어간다. 하장간막정맥은 위쪽
으로 좌측 십이지장주위와*left paraduodenal fossa*까지 이
어진다. 이 지점에서 십이지장이 후복막 공간에서 나와서
공장이 된다. 하장간막정맥은 위, 앞쪽으로 비장 정맥이
나 상장간막정맥과 합쳐진다.

　S자결장을 지지하는 S자결장간막*sigmoid mesocolon*은,
후벽측 복막의 복막 주름에 의해 형성되며, S자동맥, 정
맥, 림파선, 신경과 복막하 공간의 윤문상조직을 포함한
다. S자결장간막 뿌리는 하행결장장간막과 이어지는 좌
하복부에서부터 시작하여, 천골*sacrum* 상부까지 주행하
여 직장간막*mesorectum*과 합쳐진다(Fig. 3-9). 원위부 S
자결장간막과 직장간막의 상부는 상직장 혈관,*superior
rectal vessel*을 통해 확인할 수 있다. 이 혈관들은 하장간

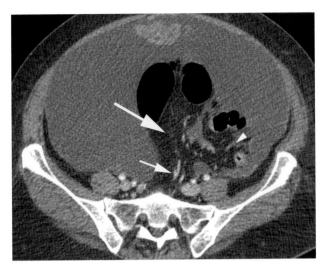

Fig. 3-9. CT axial section through the upper pelvis.
Fluid in the peritoneal cavity outlines the sigmoid mesocolon *(large arrow)*, its continuity with the descending mesocolon *(arrowhead)*, and its continuity with the mesorectum, identified by the superior rectal artery and vein *(small arrow)*.

막동맥과 정맥의 제일 끝 가지들이며, S자결장간막에서 확인할 수 있다.

횡행결장장간막 뿌리는 중심선에 위치하여, 복부의 상, 하와 좌, 우의 연결을 가능하게 한다. 상·하결장장간막은 복막하 공간이 복부의 양측면과 골반강을 연결한다.

여성 생식 기관의 연결 Continuity with the Female Organs

광인대*broad ligament*의 복막층에 싸여있는 장막하 결체조직은 자궁혈관, 신경, 림파선이 골반의 장기에 제공되도록 하는 통로를 제공한다. 원위부 요관이, 주요인대*cardinal ligament* 혹은 Mackenrodt 횡경부인대라 불리는 자궁인대의 기저부를 가로지른다. 자궁 경부와 질 상부의 주요 지지대가 되는 주요인대의 복막하 공간은, 측면으로는 골반 근육을 덮는 벽측 복막과 합쳐지고, 앞쪽으로는 주요 골반 혈관들의 경로를 따라간다. 뒤쪽으로는 자궁천골 인대가 직장을 둘러싸면서 원위부 천골로 들어간다. 이 모든 부분이 복막하 공간이다. 복막이 방광과 직장을 덮으면서 꺾이는 것은 남성과 같다.

광인대는 여성의 골반 장기를 지지하면서 둘러싸고 있는 복막하 공간을 에워싸고, 그들을 측면의 골반벽에 연결시켜준다. 그렇게 함으로써, 여성의 골반과 복부가 연결된다.

중앙과 측면 연결 Central and Lateral Continuity

복부와 골반사이 복막하 공간의 측면 통로는 신주위 공간*pararenal space*이 신장주위 공간*perirenal space*의 미측에서 신장아래 공간*infrarenal space*으로 모아짐으로써 형성된다.

우하복부에서 소장장간막의 뿌리와 근위부 상행결장의 복막하 공간이 합쳐짐으로써 앞서 기술한 소장장간막 뿌리와의 각종 연결성이 생길 뿐만 아니라 우측 복부와 우골반강 사이의 연결 통로가 된다.

좌하복부와 좌골반강 사이의 복막하 공간안 연결 통로는 크게 둘로 나눌 수 있는데, 중앙 통로와 측면 통로이다. 중앙 통로는 하복부 대동맥과 하장간막동맥을 포함하면서 좌측 복강과 골반강을 연결한다. 하장간막동맥은 L3-4 위치에서 기시하여 대동맥의 왼쪽으로 아래로 주행하여 골반강으로 들어간다. S자결장간막 뿌리는 좌요관 앞에 위치한다. S자결장간막과 하행결장간막, 그리고 S자결장간막과 직장간막은 모두 연결되어 있다. 따라서 이 연결은 좌복부로부터, S자결장뿐 아니라 중앙의 골반까지 이어진다. 또한 여성 골반 장기와의 연결도 양측 광인대와 측골반벽에 의해 가능하게 된다.

대동맥은 양측 골반으로 가는 총장골동맥을 분지하여 골반의 측면과 연결된다. 내장골동맥가지는 방광과 자궁에 공급된다. 따라서 복막하 공간의 중앙과 측면 통로는 주동맥의 경로를 따라 서로 연결된다.

S자결장간막 뿌리와 함께 이 중앙과 측면 통로는 복부와 골반 사이의 질병의 전파 경로가 된다.

전면 연결 Anterior Continuity

복막하 공간은 복강의 앞쪽을 완전히 둘러싼다. 후신주위 공간*posterior pararenal space*은 측면 앞쪽으로 이어져 복강을 감싼다. 복부의 복막외의 앞쪽은 위로 올라가 횡격막까지 이어지고, 아래로는 골반의 복막외 공간의 앞쪽과 합쳐진다(Fig. 3-1).

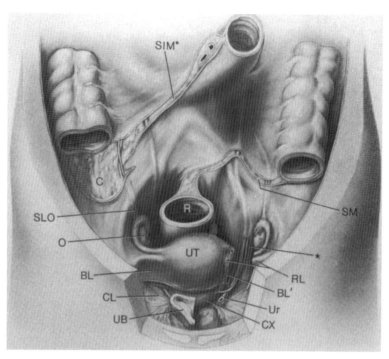

Fig. 3-10. Anatomic drawing of the subperitoneal space in the lower abdomen and pelvis.
Note the continuity of the space beneath the posterior parietal peritoneum and the abdominal and pelvic walls with the roots of the small intestine and sigmoid mesenteries and the pelvic ligaments. *SIM* * = root of small intestine mesentery; *SM* = root of sigmoid mesocolon; *BL* = broad ligament; *BL* = cut section through broad ligament showing contained vascular structures; *CL* = cardinal ligament; *SLO* = suspensory ligament of ovary; *RL* = round ligament. Attention is also focused on the continuity of the lower abdominal and pelvic organs created by the subperitoneal space. *C* = cecum and posterior parietal peritoneum cut away; note relationship of *SIM* * to *C*; *O* = ovary; *UT* = uterus; *CX* = cervix; *UB* = urinary bladder; *R* = rectum; *Ur* = ureter as it traverses the broad ligament with uterine artery crossing anteriorly; *star* = posterior parietal peritoneum cutaway and showing the subperitoneal space with ureter and artery. Note continuity with broad ligament. (Reproduced with permission from Oliphant et al.[9])

▌골반과의 연결 Pelvic Continuity

복부와 골반은 복막외 공간을 통해 연결된다(Fig. 3-1). 골반의 복막외 공간은 복막면의 깊숙이 위치하며, 여성에서는 광인대에 의해 지지되는 기관과 연결되어 있다. 전 골반복막외 공간은 제대방광근막*umblicovesical fascia*에 의해 방광주위*perivesical* 공간과 방광전*prevesical* 공간으로 나뉜다. 제대방광근막은 방광주위 공간을 위로는 배꼽, 아래로는 골반으로 나누면서 요막관*urachus*, 퇴화된 제대동맥*umbilical artery*과 방광을 둘러싼다. 방광전 공간은 배꼽동맥의 기시부까지 올라간다. 제대방광근막은 뒤쪽으로 직장질중격*rectovaginal septum* 혹은 직장방광중격 *rectovesical septum* (Denonvillier's fascia)과 합쳐진다. 직장방광중격은 골반내 복막외 공간을 앞뒤로 나눈다.

방광전 공간은 방광주위 공간*perivesical space*의 전 측면에 있으며, 측면으로는 방광곁공간*paravesical space*과 합쳐진다. 치골*pubis*을 덮고 있는 방광주위 공간이 Retzius 공간이다. 골반내 복막외 공간의 측면이 직장장간막에 의해 천골전*presacral*과 직장주위*perirectal* 공간으로 나뉘어 진다.

골반내 복막외 공간은 서로 연결되고 복부의 복막외 공간과도 연결된다.[15] 신장아래*infrarenal* 공간은 골반으로 내려가며 골반의 방광곁*paravesical* 공간과 연결되어 골반의 복막외 공간과 연결된다(Fig. 3-1).

방광곁 공간은 광인대, S자결장간막, 그리고 직장간막과 연결된다.

따라서 복막하 연결이 복막외 공간과 골반 장기를 연결하기 때문에, 이들이 복부와 골반 간에 질병의 양방 통행의 통로가 된다.

흉·복부 연결 Thoracoabdominal Continuum

장막*serous membrane*이 복막과 흉막의 안을 덮는다. 체성 중배엽*somatic mesoderm*이 벽측 복막과 흉막의 안을 덮고, 내장 중배엽*splanchnic mesoderm*이 흉복부 장기의 장측과 복부 인대와 장간막을 덮는다. 이 벽측*parietal*과 장측*visceral*막은 연결되어 복막외 공간과 복막하 공간을 둘러싼다. 흉부와 복부는 횡격막에 의해 나뉘어 있지만, 흉막외 공간과 복막하 공간 사이에 연결이 있다. 이 연결이 질병의 전파 경로가 되는데, 가장 중요한 통로는 식도열공과 대동맥열공이다(Fig. 3-11).

식도열공은 T10 위치에 있으며, 대동맥열공의 위, 앞, 그리고 약간 왼쪽으로 있다. 이 열공은 횡격막각*crus of diaphragm*이 갈라져서 생기며 장막에 의해 덮여 있지만, CT나 MR에서 보이진 않는다. 종격동의 지방조직이 복막하 지방조직과 연결되어 있다. 이 열공에 의해 식도, 미주신경, 좌위혈관의 식도 가지와 림파선 등의 흉부와 복부 연결이 가능해 진다.

대동맥열공은 세 가지 큰 횡격막 개구*aperture* 중에 가장 아래 뒤쪽에 있다. 이 열공은 하횡격동맥*inferior phrenic artery*을 찾음으로써 CT나 MR에서 볼 수 있다. 대동맥 열공의 앞쪽으로는 정중궁상인대*median arcuate ligament*가 있으며, 이 열공으로 지방조직에 둘러싸인 대동맥, 흉관, 기정맥*azygous vein*이 지나간다.

대정맥열공은 세 열공 중 가장 위쪽, T8 위치에 있다. 그 안으로는 하대정맥과 우횡격신경*right phrenic nerve*의 가지들이 지나간다.

각 횡격막각에는 2개의 작은 구멍이 있는데, 이 안으로는 크고 작은 내장신경*splanchnic nerve*이 지나간다.

횡격막 앞쪽으로는 또 다른 두 개의 작은 구멍이 있는데, 횡격막의 흉골부 늑골부 사이에서 내측 흉동맥*internal thoracic artery*의 상복부*superior epigastric* 가지와 간과 복벽으로부터 오는 림파선이 지나간다. 흉복부 사이 교통의 가장 중요한 통로는 식도열공과 대동맥열공이지만, 이러한 작은 앞쪽 열공도 흉복부 사이 질병 확산의 잠재적 통로가 된다.

영상 소견 Imaging Features

복막하 공간의 연결은 Fig. 3-12~14에 CT에서 확인할 수 있다. 복막하 공기는 복막하 공간을 따라 확산된다. 첫 증례에서 이 과정은 종격동에서 시작되었고, 두 번째 증례에서는 직장에서 시작되었다. 이 증례들은 흉막외 공간이 복막하 공간과 연결됨을 보여준다. 이 공기는 복강동맥*celiac artery* 및 그 가지들과 함께 주행하여 상복부의 복막 주름과 연결된다(Figs. 3-12, 3-13). 공기는 횡행결장장간막과 소장장간막 뿐만이 아니라 중앙선을 건너서 양쪽 신장 혈관 주변까지 퍼져있다(Figs. 3-10, 3-12). 중앙선에서 퍼져 나가는 것은 복부 대동맥과 그 가지를 추적하여 알 수 있다.

총장골동맥이 있는 위치에서는 복막하 공간에서 중앙–측면 연결이 있다. 따라서 왼쪽에 있는 공기가 S자결장간막 안에 있는 복막하 공간과 좌측면 골반까지 연결되어 존재한다(Fig. 3-12). 횡행결장과 S자결장 장벽에 있는 공기는 결장간막을 공기가 가르면서 생긴 것이다(Fig. 3-12). 공기 확산의 세 번째 증례(Fig. 3-14)는 복막하 공간

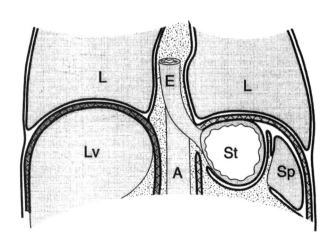

Fig. 3-11. Schematic drawing of a coronal section through the thoracoabdominal continuum.

The esophagus (*E*) and aorta (*A*) are shown traversing that portion of the subserous space (*stippled area*) interconnecting the thorax and abdomen. Dark line is the subserous membrane. *Cross-hatched* area is the diaphragm.
L = lung; *Lv* = liver; *St* = stomach; *Sp* = spleen.
(Reproduced with permission from Oliphant et al.[14])

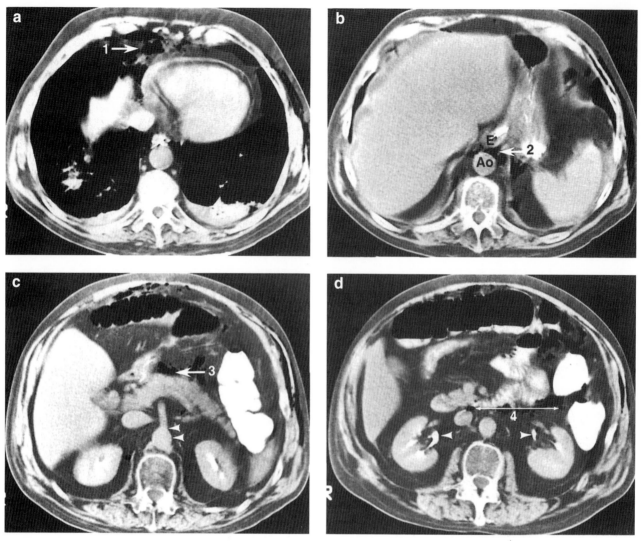

Fig. 3-12. Gas originating in the mediastinum diffusing inferiorly via the subperitoneal space through the abdomen and pelvis.

(a) CT scan at lower thorax. Pneumomediastinum is seen anteriorly *(arrow 1)*.

(b) Scan through upper abdomen at esophagogastric junction. *E* = esophagus; *Ao* = aorta. Note gas *(arrow 2)* as it courses through the diaphragmatic hiatus and on both sides of the diaphragmatic crura.

(c) Scan at level of origin of superior mesenteric artery *(arrowheads)*. Gas has dissected along the celiac axis and is demonstrated in the peripancreatic region *(arrow 3)*. Note air coursing into the transverse mesocolon *(anterior to arrow)*.

(d) Scan at level of renal hila. Gas traversing in the subperitoneal space from right to left *(double-headed arrow 4)*. Air is seen at the renal hila in the region of the ureteropelvic junctions *(arrowheads)*.

의 연결을 모식도로 그린 것이다. 천공된 S자결장 게실에서 나온 복막하 공간의 공기는 주로 중앙 통로를 통해 골반을 거쳐 복강으로 확산된다. 더 위로 올라가면 흉복강 연결을 통해 종격동으로 들어간다.

이 세 가지 증례들은 양측 방향으로 질병의 확산을 잘 보여주어, 복부와 골반, 그리고 종격동까지의 연결을 보여준다.

● ● ●

복막강 The Peritoneal Cavity

복막강은 잠재적인 공간으로 정상적으로는 약 100 cc의 물이 존재하지만 영상에서 보이지는 않는다. 단지 복막강 함요peritoneal recess 가 복수, 공기, 혹은 종양 등을 포함하고 있을 때 보이게 된다. 장측과 벽측 복막 밑에 있는

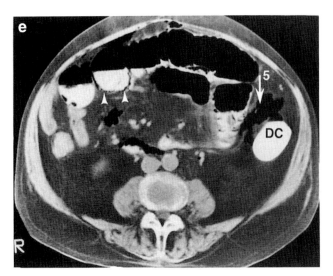

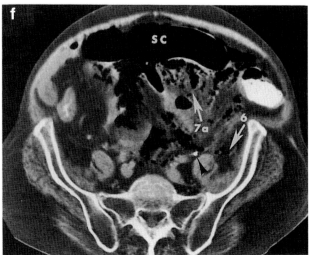

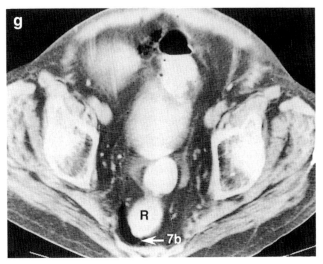

Fig. 3-12 (Continued). Gas originating in the mediastinum diffusing inferiorly via the subperitoneal space through the abdomen and pelvis.

(e) Scan through lowerabdomen below kidneys. Gas has diffused caudally in the left lateral abdomen in the subperitoneal space *(arrow 5)*. DC = descending colon. Intramural air in transverse colon *(arrowheads)*. Note air also coursing anterior to aorta and inferior vena cava.

(f) Scanat level of upper pelvis. Gas courses in left lateral pelvis *(arrow 6)* and diffuses into the sigmoid mesocolon *(arrow 7a)*. Note intramural air within the sigmoid color *(SC)*.

(g) Section through upper rectum. Perirectal gas is present *(arrow 7b)*. R = rectum.

(Reproduced with permission from Oliphant et al.[13])

복막하 공간 역시 잠재적인 공간이다. 중력의 법칙에 의해 복강내 공기는 주로 위쪽, 그리고 액체는 주로 아래쪽으로 위치하게 된다.

복강 함요의 해부학적 구조는 복측과 배측 복막인대와 장간막이 어떻게 붙어 있느냐에 의해 결정된다. 횡행결장장간막이 복강을 상결장간막*supramesocolic*과 하부결장간막*inframesocolic* 구획으로 나누는 가장 중요한 지표가 된다. 하부결장간막 구획은 소장장간막에 의해 좌측, 우측 하결장 함요*infracolic recess*로 다시 나뉘고, 이 하결장 함요는 아래로 골반강의 복막강 함요로 연결된다.

골반 복막강 함요는 앞쪽으로, 정중 제대인대*median umbilical ligament* (urachus), 내측 제대인대*medial umbilical ligament* (obliterated umbilical arteries)와 측면 제대인대*lateral umbilical ligament* (inferior epigastric vessels)에

의해 5개의 함요로 나뉘어 진다(right and left, lateral and medial inguinal recess and supravesical recess). 골반 복막강 함요는, 측면으로는 방광곁 함요*paravesical recess* 와 연결되고, 배측으로는 직장방광 함요*rectovesical recess in male*, 또는 막힌낭*cul-de-sac or pouch of Douglas in female*, 그리고 자궁방광 함요*uterovesical recess* 와 연결된다(Fig. 3-15).

골반의 외측 함요는 위쪽으로 복부의 외측 함요로 합쳐져서 좌, 우측 부대장홈*paracolic gutter* 이 된다(Fig. 3-15). 우측 부대장홈은 상행결장의 외측 함요로, 하행결장의 외측 함요인 좌측 부대장홈보다 넓다(Figs. 3-16, 3-17).

좌측 부대장홈은 횡행결장장간막의 좌측면인 횡격막결장인대*phrenicocolic ligament* 에 의해 끊어져, 좌측 상결장간막*left supramesocolic* 공간과는 연결이 없다. 하지만 우측 부대장홈은 우측 상결장간막*right supramesocolic* 공간과 연결이 있다. 우측 부대장홈은 우측 간아래*subhepatic* 공간과 합쳐져서 우측 횡격막하 공간까지 연결된다(Figs. 3-18, 3-19). 우측 간아래 공간의 내측은 Morison 오목*Morison's pouch* 인데, Winslow 공*foramen of Winslow* (epiploic foramen)을 통해 소낭*lesser sac* 과 연결

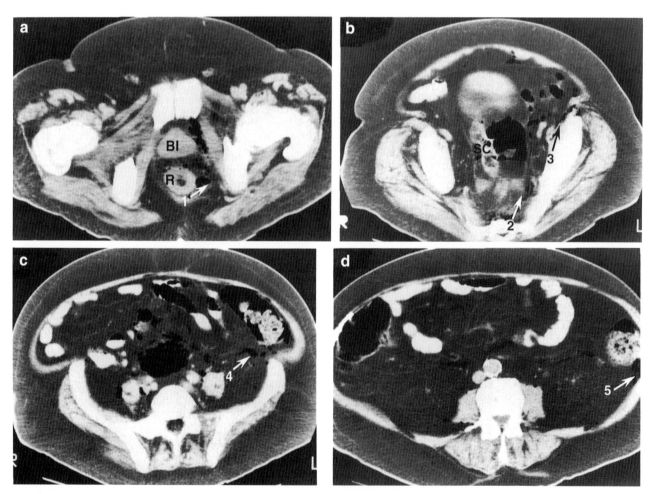

Fig. 3-13. Gas originating from a rectal perforation diffusing within the subperitoneal space superiorly to the mediastinum.

(a) CT scan at level of rectum. Perirectal gas *(arrow 1)* and perivesical air are demonstrated. *R* = rectum; *Bl* = bladder.

(b) Scan at level of greater sciatic notch. Gas courses cepalad and anterior *(arrow 2)* to left lateral pelvis *(arrow 3)*. Air-fluid level caused by the rectal perforation is seen intimately related to the sigmoid colon *(SC)*.

(c) Scan at level of upper pelvis junction with lower abdomen shows gas coursing along left lateral pathway *(arrow 4)*.

(d) Scan of lower abdomen below kidneys demonstrates gas diffuses cephalad in the left lateral subperitoneal space *(arrow 5)*.

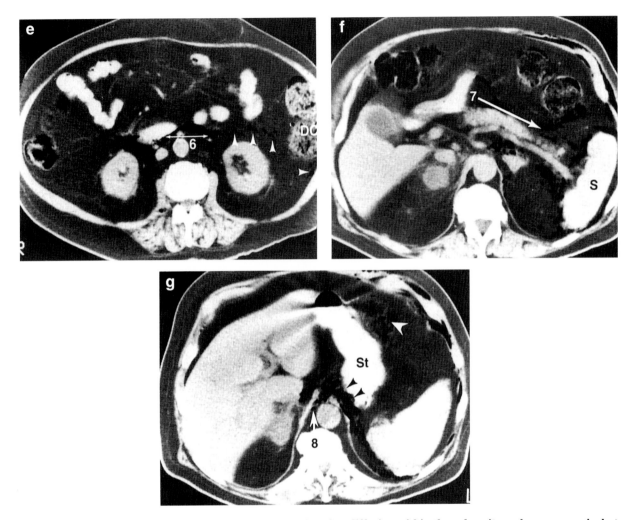

Fig. 3-13 *(Continued).* **Gas originating from a rectal perforation diffusing within the subperitoneal space superiorly to the mediastinum.**

(e) Scan at level of lower pole of kidneys. Gas is coursing along midline anterior to aorta and inferior vena cava *(double-headed arrow 6)*. Also note gas extending from pericolic area on left toward midline *(arrowheads)*. *DC* = descending colon.

(f) Scan at level of pancreatic body. Gas has diffused along celiac axis and is seen in the peripancreatic area *(arrow 7)* and in the splenic hilum and perisplenic area. *S* = spleen.

(g) Scan at upper abdomen shows gas in right retrocrura region courses through aortic hiatus to mediastinum *(arrow 8)* and anterior *(white arrowhead)* and posterior *(black arrowheads)* to stomach *(St)*.

(Reproduced with permission from Oliphant et al.[12])

된다(Fig. 3-18). 이 작은 구멍이 소낭과 복강을 연결하는 유일한 통로이다. 우측 간아래 공간은 위로 간과 우횡격막하 함요*subphrenic recess*로 이어진다(Fig. 3-20). 겸상인대가 복벽에 붙어서 횡격막하 함요*subphrenic recess*를 둘로 나누기 때문에, 우횡격막하 함요는 좌횡격막 함요와 연결되지 않는다(Fig. 3-21).

좌횡격막하 공간은 위간 및 위비장 함요를 포함하며(Figs. 3-19, 3-20), 횡격막결장인대*phrenicocolic ligament*에 의해 좌측 부대장홈과 분리되고 겸상인대에 의해 우측 간아래 공간과 분리된다.

좌측 복부에 있는 복막강 함요는 비신장 함요이다(Fig. 3-18). 이 함요는 비장 뒤, 신장 앞쪽에 위치하며 췌장 미부까지 이른다. 비신장 함요는 좌횡격막하 공간과는 위로 연결되어 있고 소낭과는 분리되어 있다.

소낭은 왼쪽에 있는 간아래 함요*subhepatic recess*로 Winslow 공을 통해서만 복막강과 연결된다(Figs. 3-18, 3-19). 소낭은 왼쪽으로는 비장, 오른쪽과 앞으로는 위와 십이지장, 앞쪽으로는 횡행결장, 그리고 뒤쪽으로는 췌장에 의해 둘러싸여 있다. 연결인대와 장간막으로는 비신장인대, 위비장인대, 위결장인대, 대망, 소망, 그리고 횡행결장장간막 등이 있다. 소낭은 잠재적인 공간이기 때문에 정상에서는 보이지 않는다. 소낭은 다시 위췌장주름*gastropancreatic plica* 안에 있는 좌위동맥*left gastric artery*에 의해 상함요*superior recess*와 하함요*inferior recess*로 나뉜다.

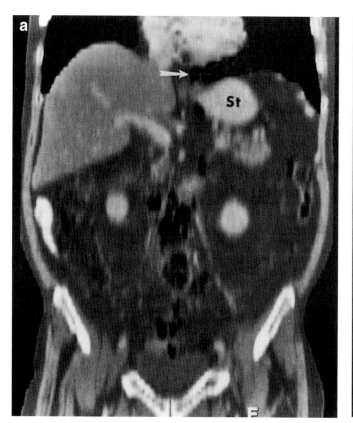 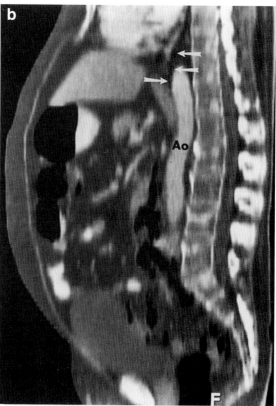

Fig. 3-14. Gas originating from a perforated sigmoid diverticulum diffusing through the pelvis and abdomen via the subperitoneal space and into the mediastinum.

(a) CT scan coronal reconstruction. The gas within the pelvis diffuses through the abdomen to the esophageal hiatus. *Arrow* = gas within the esophageal hiatus; *St* = stomach.

(b) CT scan midline sagittal reconstruction. Gas within the subperitoneal continuum diffuses along the central pathway. Small amount of gas is traversing the aortic hiatus *(arrows)*. *Ao* = aorta.

(Courtesy of Michiel Feldberg, MD, University Hospital, Utrecht, The Netherlands.)

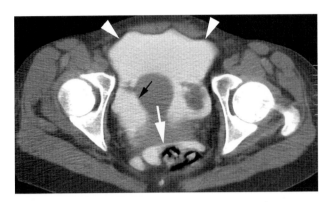

Fig. 3-15. CT axial scan through the lower pelvis.
Positive contrast in the pelvic portion of the peritoneal cavity shows the ventral recesses *(arrowheads)* merging with the paravesical recesses *(black arrow)* and the cul-de-sac dorsally *(white arrow)*.

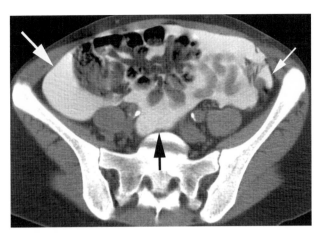

Fig. 3-17. CT axial scan at the sacral promontory.
Positive contrast in the right paracolic gutter *(large white arrow)* and left paracolic gutter *(small white arrow)*. Note that the right paracolic gutter is the larger. There is right to left continuity as the positive contrast extends across the midline *(black arrow)*. Note positive contrast in the infracolic recesses between the small bowel and small intestine mesentery (interloop fluid).

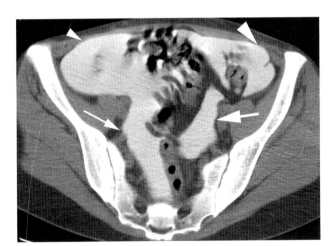

Fig. 3-16. CT scan S2 level.
Positive contrast in the right paravesical recess *(small arrow)* merges ventrally to the junction with the right paracolic recess *(small arrowhead)*. The left paravesical recess extends posterior to the sigmoid mesocolon *(large arrow)*. Note positive contrast to the junction with the left paracolic recess *(large arrowhead)*.

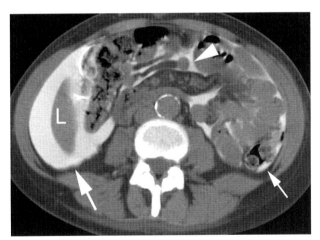

Fig. 3-18. CT axial scan lower abdomen.
Positive contrast in the subhepatic recess *(large arrow)* outlining the lower edge of the liver *(L)*. Positive contrast in the left paracolic recess *(small arrow)*. Interloop contrast *(arrowhead)*.

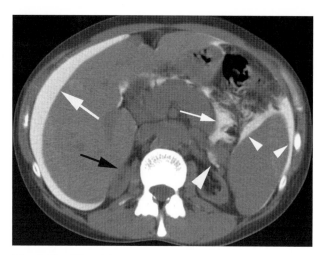

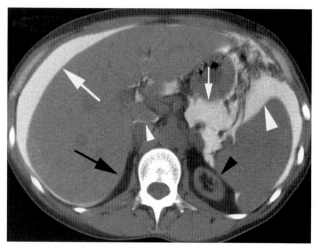

Fig. 3-19. CT axial scan level of pancreas.

Positive contrast in the right peritoneal cavity in the lateral portion of the perihepatic recess *(large arrow)* after merging with the subhepatic recess. Bare area of liver *(black arrow)*. Positive contrast in the left peritoneal cavity in the perisplenic recesses *(small arrowheads)*, splenorenal recess *(large arrowhead)*, and lesser sac *(small arrow)*.

Fig. 3-20. CT axial scan upper abdomen.

Positive contrast in the peritoneal cavity on the right in the confluence of the perihepatic recess and right subphrenic recess *(large white arrow)*. Bare area of liver *(black arrow)*. Posteromedial extension of the right subhepatic space to Morison's pouch *(small white arrowhead)*. Positive contrast on the left in the lesser sac *(small white arrow)* and gastrosplenic recess *(large white arrowhead)*. Bare area of spleen posteriorly *(black arrowhead)*.

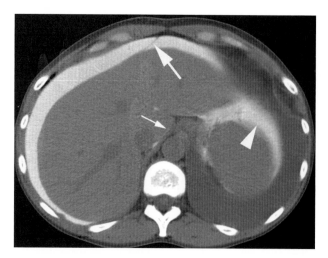

Fig. 3-21. CT axial scan upper abdomen.

Axial section above Fig. 3-20. Positive contrast in the right and left subphrenic recesses separated by the falciform ligament *(large arrow)*. Gastrohepatic recess on the left *(arrowhead)*. Note small amount of positive contrast around the caudate lobe of the liver in the superior recess of the lesser sac *(small arrow)*.

참고문헌

1. Oliphant M, Berne AS: Computed tomography of the subperitoneal space: Demonstration of direct spread of intraabdominal disease. J Comput Assist Tomogr 1982; 6(6):1127-1137.

2. Oliphant M, Berne AS, Meyers MA: The subperitoneal space of the abdomen and pelvis: Planes of continuity. AJR 1996; 167:1433-1439.

3. Oliphant M, Berne AS: Holistic concept of the anatomy of the abdomen: A basis for understanding direct spread of disease. Contemp Diagn Radiol 1985; 8(10): 1-6.

4. Meyers MA: Dynamic Radiology of the Abdomen: Normal and Pathologic Anatomy, 4th ed. Springer, New York, 1993.

5. Feldberg MAM: Computed Tomography of the Retroperitoneum: An Anatomical and Pathological Atlas with Emphasis on the Fascial Planes. Martinus Nijhoff, Boston, 1983.

6. Gray H: The digestive system. In Gross CM (ed) Anatomy of the Human Body. Lea & Febiger, Philadelphia, 1965, pp 1207-1311.

7. Oliphant M, Berne AS, Meyers MA: Subperitoneal spread of intraabdominal disease. In Meyers MA (ed) Computed Tomography of the Gastrointestinal Tract: Including the Peritoneal Cavity and Mesenteries. Springer, New York, 1986, pp 95-136.

8. Meyers MA, Oliphant M, Berne AS et al: The peritoneal ligaments and mesenteries: Pathways of intraabdominal spread of disease. Annual oration. Radiology 1987; 163: 593-604.

9. Oliphant M, Berne AS, Meyers MA: Imaging the direct bidirectional spread of disease between the abdomen and female pelvis via the subperitoneal space, Gastrointest Radiol 1988; 13:285-298.

10. Oliphant M, Berne AS: Mechanism of direct spread of neuroblastoma: CT demonstration and clinical implications. Gastrointest Radiol 1987; 12:59-66.

11. Oliphant M, Berne AS, Meyers MA: Spread of disease via the subperitoneal space: The small bowel mesentery. Abdom Imaging 1993; 18:109-116.

12. Oliphant M, Berne AS, Meyers MA: Bidirectional spread of disease via the subperitoneal space: The lower abdomen and left pelvis. Abdom Imaging 1993; 18:117-125.

13. Oliphant M, Berne AS, Meyers MA: Direct spread of subperitoneal disease into solid organs: Radiologic diagnosis. Abdom Imaging 1995; 20:141-147.

14. Oliphant M, Berne AS, Meyers MA: The subserous thoracoabdominal continuum: Embryologic basis and diagnostic imaging of disease spread. Abdom Imaging 1999; 24:211-219.

15. Mastromatteo JF, Mindell HJ, Mastromatteo MF, Magnant MB, Sturtevant NV, Shuman WP: Communication of the pelvic extraperitoneal spaces and their relation to the abdominal extraperitoneal spaces: Helical CT cadaver study with pelvic extraperitoneal injections. Radiology 1997; 202:523-530.

16. Meyers MA: Roentgen significance of the phrenicocolic ligament. Radiology 1970; 95:539-545.

17. Meyers MA: Clinical involvement of mesenteric and antimesenteric borders of small bowel loops. I. Normal pattern and relationships. Gastrointest Radiol 1976; 1:41-48.

18. Kelly HA: Appendicitis and Other Diseases of the Vermiform Appendix. Lippincott, Philadelphia, 1909.

복부와 골반에서 질병전파의 메커니즘
Mechanisms of Spread of Disease in the Abdomen and Pelvis

서론 Introduction

Oliphant 등에 의해 주장된 전체관적 의학의 패러다임에 관한 이론은 복부와 골반강을 단일 공간single space 인 복막하subperitoneal 공간으로 시각화하여 질병전파에 관한 포괄적인 이해가 되도록 이끌었다. 복막하 공간은 복막 내층peritoneal lining 아래에 놓여있고, 복막외extraperitoneum, 장간막mesentery, 인대ligament 들로 이루어져 있고, 복부와 골반 장기를 매달고 있다. 이들 구성요소들이 서로 이어져 있으며, 연결되어 있다는 것을 인지하는 것이 필수적이다.[1-4]

이러한 상호연결들이 복부와 골반 장기들에 대한 혈관, 림프관, 신경들의 공급과 배액을 제공하는 수단이 된다. 그러나 중요한 것은 이런 정상 연결 통로가 때로는 질병의 광범위한 전파 경로가 되기도 한다는 것이다.

복막 내층은 정상적으로 1 mm 이하 두께의 중피mesothelium층 인데, 이것은 보통 얇은 절편thin section 을 사용하지 않으면 영상검사들에서는 잘 보이지 않지만, 병적인 상태에서는 두꺼워진 병변으로 보인다. 복막강peritoneal cavity 은 복막 내층의 바깥에 위치하는 잠재적 공간potential space 인데, 이 역시 정상 복막액의 얇은 층에 의해 채워져 있으므로 보통은 영상검사에서 보이지 않는다. 하지만 이 잠재적 공간이 복수나 혈액 혹은 가스에 의해 비정상적으로 채워지면 보일 수도 있다. 복막함요peritoneal recess 가 해부학적인 연속성에 의해 이 공간을 형

성하며, 이 함요 내의 액체 흐름의 패턴은 정상 생리학적 체강내 압력 차이와 복부 골반의 장간막과 인대들의 벽측parietal 부착에 의해 유도된다. 이러한 정상적인 흐름 패턴은 또한 복막내 공간 안에서 질병의 전파 경로를 결정하기도 한다.[5,6]

따라서 복부와 골반은 하나의 서로 연결된 공간인 복막하 공간과, 그리고 하나의 서로 연결된 잠재적 공간인 복막내 공간intraperitoneal space 으로 개념화 되어야 한다. 2장과 3장에서 다루어진 복부와 골반의 발생학과 해부학은 이러한 전체관적 의학이론으로부터 비춰진 상호 연결된 해부학과 발생학적 특징을 보여주고 있다. 이런 개념이 양성과 악성 질환의 질병 전파 패턴 분류를 이해하기 쉽게 제공하고 있다(Table 4-1).

장간막 전파mesenteric spread 는 인대와 장간막에 의해 제공된 경로 내에서 일어난다. 이들 면들(인대, 장간막)

Table 4-1. Mechanisms of Spread of Disease

(1) Subperitoneal
  (a) Mesenteric planes
  (b) Lymphatic
  (c) Hematogenous
  (d) Periarterial/Perineural
  (e) Transvenous
  (f) Intratubular
(2) Intraperitoneal
(3) Contiguous (direct) invasion

은 해부학적으로 서로 연결되어 있고, 복막외와도 연결되어 있다. 따라서 이들 면들은 양측 방향성을 가지고 있으며, 질병의 전파 경로를 설명할 수 있어 중요하다. 질병전파는 장간막 면들 안에 퍼져 있는 혈관 시스템을 발판처럼 이용한다.

림프계통은 복막하 공간에 놓여있을 뿐 아니라 복부와 골반 전체에 걸쳐 연결되어 있다. 특정부위로부터의 림프성 배액은 이미 정확하게 알려져 있고, 확실하게 숙지하고 있다면 다음 장에서 다뤄질 원발 장기로부터의 병변전파에 관한 영상 소견을 이해하는데 기본적인 도움이 된다. 림프관 내에서의 림프의 흐름은 병적 상태에서는 그 방향이 바뀌게 되는 경우도 있으므로 숙지가 필요하다.

혈행성 전파는 동맥 또는 정맥에 의해 일어나며, 혈관 내부뿐만 아니라 복막하 공간 전체에 걸쳐 퍼질 수 있다. 예를 들면, 신장암의 경우 신정맥내에서 종양을 발견할 수 있고, 악성 종양색전도 마찬가지로 혈관내에서 발견될 수 있다.

동맥주위*periarterial*와 신경주위*perineural* 전파 역시 복막하 공간내에서 동맥과 신경을 따라 일어난다. 신경주위 전파는 보통 영상에서 보기 힘든데, 그 이유는 신경 자체의 크기가 작고 저음영을 보여 영상에서는 잘 보이지 않기 때문이다. 그러므로 동맥들은 비교적 영상에서 잘 보이지만, 신경주위 침범 유무는 동맥 침범을 확인하는 것으로 유추할 수 있는 정도이다.

담관, 췌관, 요관과 같은 관 모양의 구조물에서도 복막하 확산이 일어날 수 있다.

질병의 전파 혹은 확산의 두 번째 주요 카테고리는 복막내 공간*intraperitoneal space*에서 일어나며, 종양 혹은 감염이 특정 경로를 따라 발생하는데, 그 경로를 조사하면 원발병소의 위치를 알 수 있다.

세 번째 주요 카테고리 중 하나는 직접접촉*direct contact*과 직접침습*direct invasion*인데 보통 바로 붙어있는 장기 사이에서 일어난다. 대표적인 예들이 췌장염 또는 췌장암이 십이지장을 침범하거나, 난소암이 S자결장으로 직접 침범하는 것이다.

이 장의 나머지 부분에서 용어의 정의와 질병의 복막하 공간내 전파에 초점을 맞추어 여러 가지 예들을 나열할 것이다.

2장에서 기술된 대로, 태생학적 발달에 근거한 이론에 의하면, 전체 원시체강*coelomic cavity*, 복부-골반 인대, 장간막, 그리고 여기에 매달려 있는 장기들은 모두 복막내층*peritoneal lining*에 의해 덮여있다. 장간막은 두 개의 내장 복합층에 의해 형성되며, 장간막은 벽측 복막을 형성하는 벽측층에 연결되어있다.

전장*foregut*의 배측 장간막은 배측 위간막*dorsal esogastrium*으로 알려져 있으며, 비신장인대, 위비장인대, 위대장인대 그리고 대망*greater omentum*으로 구성되어 있다. 대망은 위에 연결된 인대 혹은 장간막으로 정의된다.

복측 위간막*ventral mesogastrium*은 위간인대 또는 소망, 간십이지장인대, 위간인대의 자유 변연부*free edge*, 그리고 간과 연관된 인대들이다. 복측 장간막은 전장*foregut* 내에서만 존재하며, 중장*midgut*과 후장*hindgut* 장간막은 배측 장간막을 형성한다.

중장의 소장쪽 장간막은 두 개의 후방 벽측 복막층들의 반사*reflection*에 의해 형성되며, 왼쪽의 뿌리부위에서 췌장을 가로질러 오른쪽 장골와*iliac fossa*로 향한다. 비교적 짧은(20피트, 약 6 m) 장간막들로 이루어지는데, 위치에 따라 공장*jejunal* 장간막, 회장*ileal* 장간막, 그리고 회결장*ileocolic* 장간막으로 불리어 진다.

보통 장간막은 소장과 대장 장간막 모두를 포함하지만, 이 장에서는 소장에 대하여는 장간막으로, 대장에 관하여는 결장간막*mesocolon*으로 표현하기로 한다. 결장간막은 4개의 분절로 이루어져 있다. 상행결장간막과 하행결장간막은 후방 벽측 복막과 붙어 전신주위 공간*anterior pararenal space*의 대장쪽 구획을 형성한다. 횡행결장간막은 다른 장간막과 붙지 않은 채로 췌장을 덮고있는 후방 벽측 복막에 붙게된다. 횡행결장간막의 근위부는 십이지장결장인대라 하고, 횡행결장간막의 좌측 연장선상은 외측 벽측 복막과 결합하여 횡격막결장*phrenicocolic* 인대를 형성한다. S자결장간막은 다른 장간막과 결합되지 않은 채로 골반의 기저부에 부착된다. 직장간막은 골반의 후방 복막외와 결합하여 직장주위 공간을 형성한다.

골반내의 인대와 장간막들은 골반내 장기의 이름과 연관되어 명명된다. 자궁과 자궁부속기의 장간막들을 합쳐 광인대*broad ligament*라 하고, 넓은 인대의 자궁경부 부위는 주요인대*cardinal ligament*라 한다.

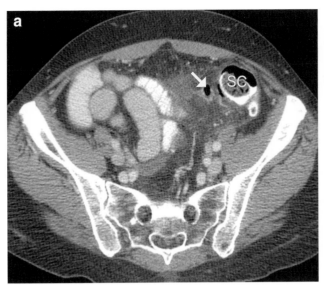
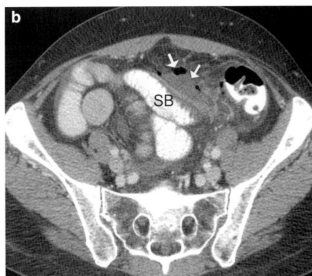

Fig. 4-1. Perforation of diverticulitis into the peritoneal cavity.

(a) Diverticulosis *(arrow)* of the sigmoid colon *(SC)* along its antimesocolic surface with perforation into the peritoneal cavity. Three of the four rows of diverticula face extraperitoneal tissues, whereas the antimesocolic row faces the peritoneal cavity. Note the vessels in the sigmoid mesocolon without fluid collection or air.

(b) Fluid and gas *(arrows)* in the peritoneal cavity adjacent to the small bowel *(SB)*.

장간막 혹은 인대의 존재는 인대에 포함된 혈관의 위치를 통해 확인될 수 있다. 위간인대는 좌위동맥과 정맥을 함유하고, 간과 위 사이에 놓여 있는 것이 그 예이다. 장간막과 결장간막은 몸 체형에 따라 다량의 지방을 축적할 수 있다. 간과 비장의 인대들에는 보통 지방이 축적되지 않아 인지하기 어렵지만, 간의 분절과 인접장기를 통하여 확인할 수 있다. 예를 들어, 횡격막결장인대는 비장의 말단 끝과 하행결장의 근위부 사이에서 찾을 수 있다.

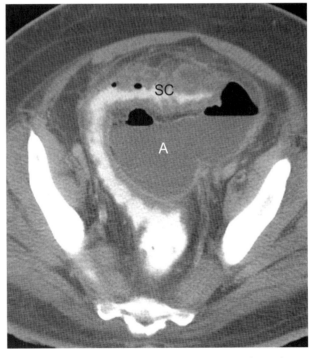

Fig. 4-2. Perforation of sigmoid colon into the intersigmoidal recess due to neutropenic colitis.

Large abscess *(A)* distends the intersigmoidal recess, the peritoneal space between the leaves of the sigmoid mesocolon attaching the rectum and the descending colon, in the left side of the pelvis behind the sigmoid colon secondary to perforation of the sigmoid colon *(SC)*.

● ● ● ●

복막하 전파로부터 복막내 전파를 구별하기
Distinguishing Intraperitoneal Spread from Subperitoneal Spread

복강내의 위장관과 장기들은 복막 내층*lining*에 의해 덮여있고, 인대, 장간막, 그리고 결장간막에 의해 복막외 공간에 붙어있다.

질병의 직접 혹은 근접 전파는 복막강내에 있는 인접장기들 사이에서 일어나거나, 혹은 근막면들을 통과하여 발생한다. 장기의 표면을 포함하는 질병이나 장벽을 통해

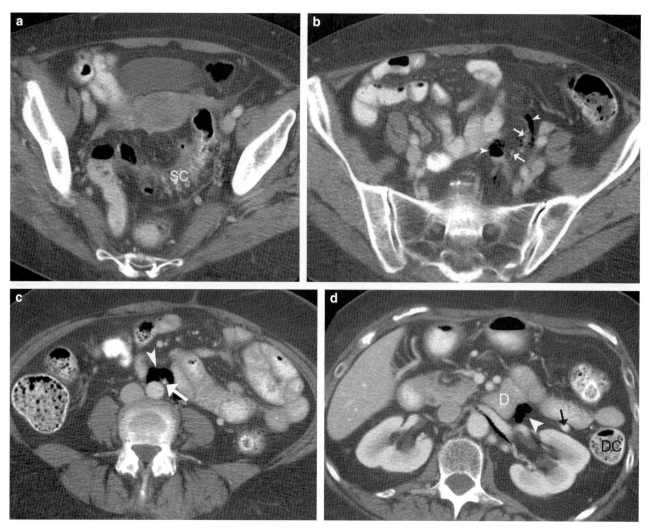

Fig. 4-3. Perforated diverticulosis into the sigmoid mesocolon.

(a) Diverticulosis of the sigmoid colon *(SC)* with perforation into its mesocolon.

(b) Gas *(arrowheads)* tracks along the sigmoidal vessels *(arrows)* within the sigmoid mesocolon.

(c) CT shows gas *(arrowhead)* tracking around the origin of the inferior mesenteric artery (IMA) *(arrow)* at the root of the sigmoid mesocolon communicating to the extraperitoneal space.

(d) CT at the level of the duodenojejunal junction *(D)* discloses gas *(arrowhead)* in the extraperitoneum *(anterior pararenal space)* along the inferior mesenteric vein *(arrow)*. *DC* = Descending colon.

퍼지는 질병은 복막 내층을 뚫고 복막강내로 퍼져 나갈 수 있다. 천공된 대장 게실 질환(Fig. 4-1)과 장벽의 장막 *serosa* 을 뚫은 위장관의 암이나 위궤양들이 이러한 전파 방식의 증례이다. 장내 내용물과 가스가 복막강내로 들어와 농양을 형성하고(Fig. 4-2), 인접 장관의 외측벽 장간막과 결장간막을 따라 액체저류를 야기하기도 한다. 종양 세포가 퍼지고, 장의 장막, 장간막, 그리고 복막강내에 침착하게 되면 복막 암종증*peritoneal carcinomatosis* 을 발생시킨다.[7]

질병과정은 복막외 전파를 일으키기도 하고, 혈관, 림프액, 신경, 인대 내부의 지방, 복막외에 붙어있는 장간막과 결장간막을 가르기도 한다. 이러한 질병확산 양상은 "복막하" 패턴으로 알려져있으며 많은 질병들이 이러한 방식으로 전파되는데, 장관의 염증성 변화, 장천공(Fig. 4-3) 그리고 인대 내에서 고형종양의 퍼짐(Fig. 4-4) 등이 그 예이다. 이러한 질병 전파의 주요 관찰점은 인대, 장간막, 결장간막 내의 혈관들을 따라 질병의 지나간 자취를 추적하는 것이다.

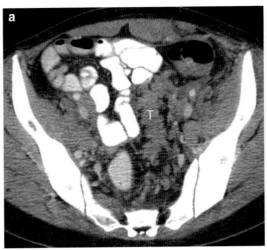
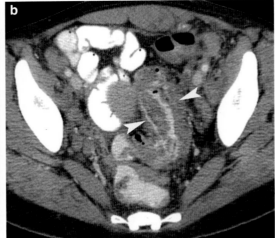
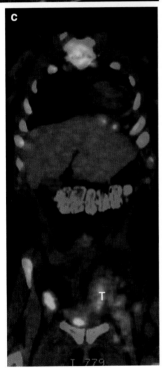

Fig. 4-4. Lymphoma of the sigmoid colon with tumor infiltration within the sigmoid mesocolon.

(a) Solid tumor infiltrate *(T)* in the sigmoid mesocolon.
(b) CT level caudal to A shows diffuse wall thickening *(arrowheads)* of the sigmoid colon.
(c) Coronal view of PET-CT shows increased glucose uptake in the tumor *(T)* in the sigmoid mesocolon.

장간막 면들을 따라 퍼지는 복막하 질병전파
Subperitoneal Spread along Mesenteric Planes

인대, 장간막, 결장간막들은 두 복합층으로부터 발생하며, 이 두 층은 지방조직을 포함하고, 장기들과 장관들에 공급하는 혈관, 신경, 림프계들이 여기에 위치한다. 감염, 장관 천공으로부터의 가스, 출혈에 의한 혈종, 장기로부터의 종양들이 복막하 공간에서 퍼질 수 있고, 멀리 떨어진 장기들이 동시에 질병 전파에 노출될 때 이러한 전파 패턴으로 설명될 수 있다. 림프종, 위암과 같은 악성 종양이 이런 방식으로 복강내에서 퍼질 수 있다.

횡행결장간막 상부의 복부에서는 췌장의 체부, 미부와 비장이 배측 위간막에서 발생한다. 이어 배측 위간막은 비장문*splenic hilum*과 복막외*extraperitoneum*를 연결시키는 비신장인대와 비장문과 위 대만부 사이의 위비장인대가 된다. 이런 발생학과 해부학적 관계가 췌장으로부터의 질병이 비장문으로 전파될 수 있는 이유를 설명해준다. 예를 들면, 질병전파는 비장동맥과 정맥을 따라 비신장인대를 통하거나, 좌위대망*gastroepiploic* 혈관, 단위혈관

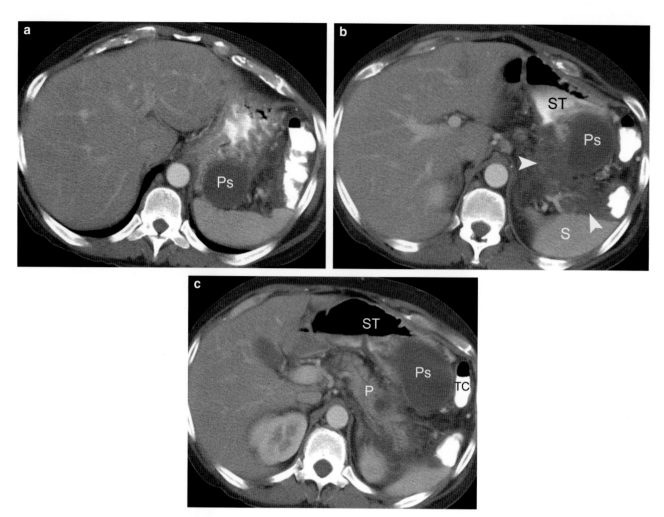

Fig. 4-5. Extension of inflammatory process from pancreatitis along the splenorenal ligament along with a pseudocyst in the gastrosplenic ligament spreading along the greater curvature of the stomach and the gastrocolic ligament.
(a) CT shows the pseudocyst *(Ps)* at the posterior wall of the gastric fundus and the gastrosplenic ligament attached to the stomach and the splenic hilum.
(b) CT at the level of the body of the stomach demonstrates the inflammatory fat necrosis *(arrowheads)* in the splenorenal ligament at the hilum of the spleen *(S)*. The pseudocyst *(Ps)* is seen at the greater curvature of the stomach *(ST)* along the gastrosplenic ligament.
(c) CT at the level of the tail of the pancreas *(P)* shows adjacent inflammatory changes, with the pseudocyst *(Ps)* tracking in the gastrocolic ligament between the greater curvature of the stomach *(ST)* and the transverse colon *(TC)*.

*short gastric vessels*을 따라 위비장인대를 통해 발생한다. 이들 경로들은 양측 방향성을 가지고 있는데, 위에서 비장으로 혹은 비슷한 방식으로 위에서 복막외 공간으로의 질병확산이 그 예이다.

간, 담관, 복측 췌장은 위의 소만부에 붙어있는 복측 위간막에서 발생한다. 복측 위간막은 이후 위간인대와 간십이지장인대로 발달하며, 이들 장기간의 질병전파의 잠재적인 경로를 제공한다. 위간인대는 위의 소만부를 따라 보이는 우측 위장혈관과 좌측 위장혈관을 포함하며, 정맥인대*ligamentum venosum*와 간의 좌측 문틈새*hilar fissure*로 향하는 좌간동맥과 비정상*aberrant* 좌위정맥을 포함한다. 반면에, 간십이지장 인대는 간의 중심부위를 십이지장과 췌장 두부에 연결하는 간동맥, 간문맥, 그리고 담도를 포함하고 있다. 위, 십이지장, 췌장으로부터의 질병이 간으로 전파되는 데는 이들 장간막 층들을 따라 일어나게 된다(Figs. 4-6~9).

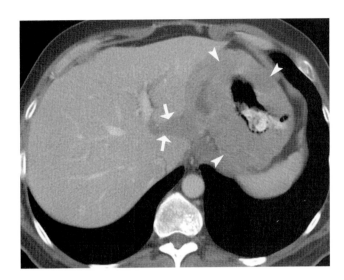

Fig. 4-6. Gastric lymphoma with subperitoneal spread along the gastrohepatic ligament into the fissure of the ligamentum venosum *(arrows)*.
Note diffuse gastric wall thickening *(arrowheads)*, due to lymphomatous involvement.

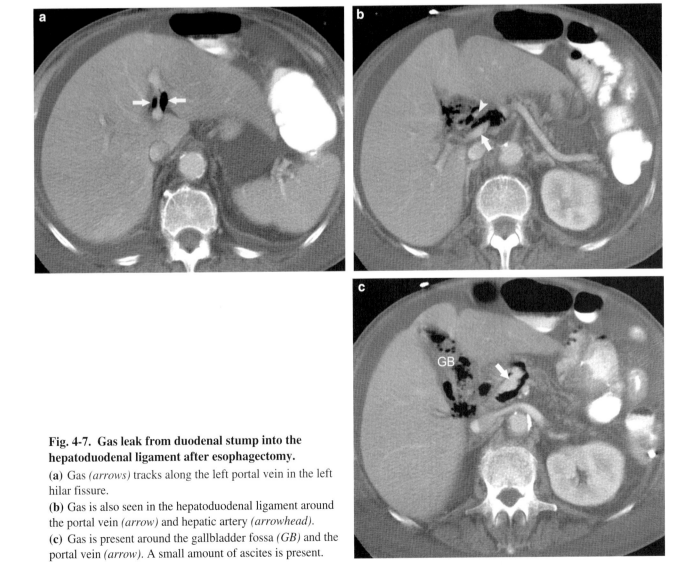

Fig. 4-7. Gas leak from duodenal stump into the hepatoduodenal ligament after esophagectomy.

(a) Gas *(arrows)* tracks along the left portal vein in the left hilar fissure.

(b) Gas is also seen in the hepatoduodenal ligament around the portal vein *(arrow)* and hepatic artery *(arrowhead)*.

(c) Gas is present around the gallbladder fossa *(GB)* and the portal vein *(arrow)*. A small amount of ascites is present.

횡행결장간막, 장간막, S자결장, 직장간막들은 소장과 대장의 질병이 복막외로 전이되거나, 복막외 장기(췌장, 신장, 부신) 질환이 장간막이나 결장간막으로 전이 되는 통로를 형성한다(Figs. 4-10~15).[3, 8-12] 비슷하게, 자궁과 난소와 같은 골반강내 장기도 주요인대와 광인대에 의해 자궁과 난소의 질병이 이들 인대를 통하여 복막하 공간으로 퍼질 수 있다.[13]

복강내에 매달려있는 전장 장기들 사이의 질병확산은 배측과 복측 위간막을 따라 일어난다. 비장과 위의 대만부 사이의 배측 위간막의 돌출은 위결장인대와 대망을 발생시키는데, 이들은 복강내 창자의 앞쪽에 "앞치마apron" 모양을 형성하며 횡행결장의 앞쪽 벽에 붙게 된다. 위결장인대는 상부결장 대망supracolic omentum이라고도 불리는데, 위와 횡행결장 사이의 질병전파 통로를 제공한다 (Figs. 4-16~18).

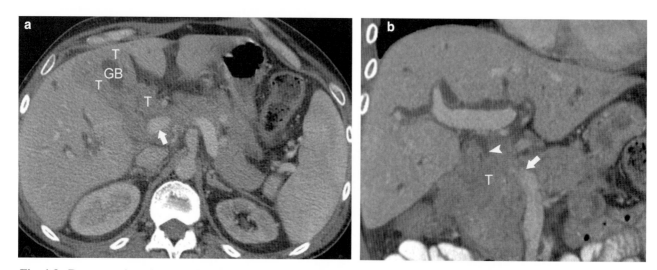

Fig. 4-8. Recurrent lymphoma infiltrates around the gallbladder and the hepatoduodenal ligament.
(a) CT shows tumor *(T)* around the gallbladder *(GB)* and the portal vein *(arrow)* in the hepatoduodenal ligament.
(b) Coronal view reconstructed from axial CT images demonstrates tumor *(T)* compressing the bile duct *(arrowhead)* and the portal vein *(arrow)* in the hepatoduodenal ligament.

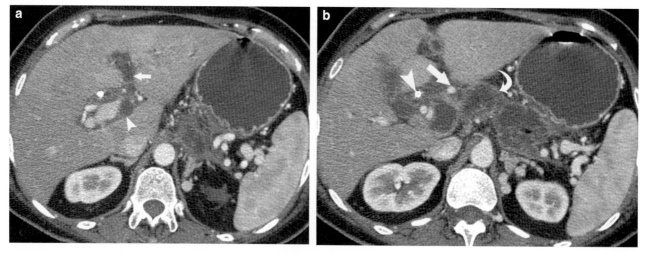

Fig. 4-9. Pancreatitis after ERCP and placement of biliary stent.
(a) Inflammatory fat necrosis is evident in the right hilar *(arrowhead)* and left hilar fissures *(arrow)*.
(b) At the level of the hepatoduodenal ligament, inflammatory fat necrosis tracks from peripancreatic fat *(curved arrow)* to the hepatoduodenal ligament surrounding the hepatic artery *(arrow)* and bile duct *(arrowhead)*.

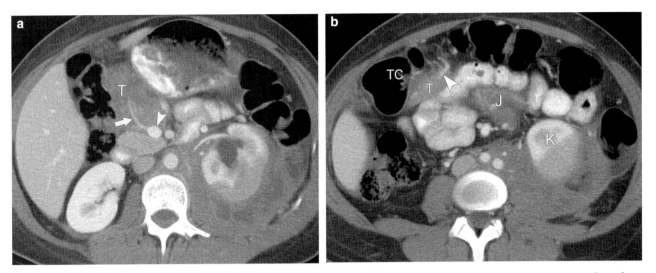

Fig. 4-10. Diffuse B-cell lymphoma in the left perirenal space, mesentery of small bowel, and transverse mesocolon of the hepatic flexure of the colon.

(a) CT at the level of the gastrocolic trunk shows tumor infiltrate *(T)* in the transverse mesocolon along the right gastroepiploic vein *(arrow)* where it joins the superior mesenteric vein *(arrowhead)*, the key anatomic landmark for the root of the transverse mesocolon.

(b) CT at a lower level demonstrates tumor *(T)* along the marginal vessels *(arrowhead)* of the right transverse colon *(TC)* within the transverse mesocolon. Note lymphomatous mass around the left kidney *(K)* and in the jejunal mesentery *(J)*.

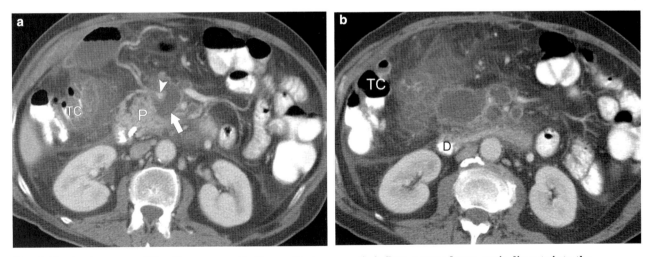

Fig. 4-11. Acute pancreatitis after pancreatic biopsy. Peripancreatic inflammatory fat necrosis dissects into the mesocolon of the hepatic flexure and into the wall of the transverse colon.

(a) CT at the level of the head of the pancreas *(P)* demonstrates a pseudocyst *(arrow)* surrounding the superior mesenteric vein *(arrowhead)*. The wall of the hepatic flexure of the colon *(TC)* is thickened..

(b) A more caudal level shows inflammatory necrosis of fat in the transverse mesocolon and around the hepatic flexure of the transverse colon *(TC)*. The mesocolon between the hepatic flexure of the transverse colon and the second portion of the duodenum *(D)* is also known as the duodenocolic ligament.

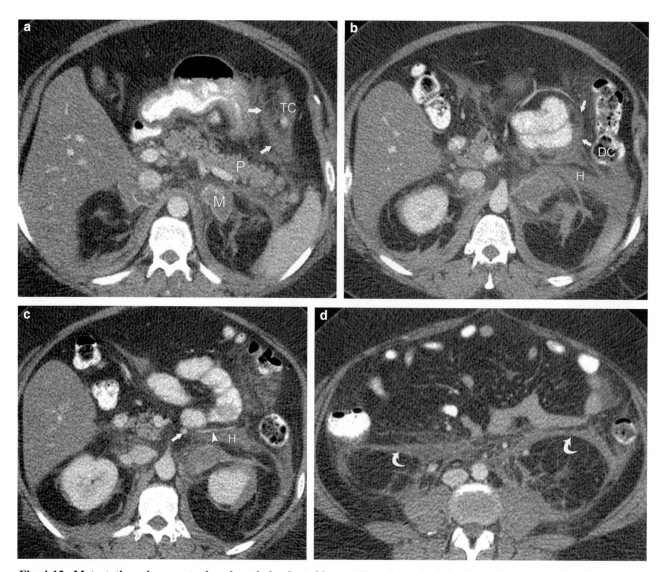

Fig. 4-12. Metastatic melanoma to the adrenal glands and hemorrhage from the left adrenal mass extending through the extraperitoneum and into the left transverse mesocolon.

(a) CT at the level of the tail of the pancreas *(P)* shows the left adrenal mass *(M)*. Note a band of high density tissue *(arrows)* along the mesocolic side of the left transverse colon *(TC)* that can be further traced in images (b) and (c) along the branches of left middle colic vessels to the root of the left transverse mesocolon just caudal to the tail of the pancreas in the anterior pararenal space. This is hemorrhage that dissects within the left transverse mesocolon.

(b) CT at the level just caudal to the tail of the pancreas shows a hematoma *(H)* in the left anterior pararenal space along the plane of the descending mesocolon, extending laterally behind the descending colon *(DC)* wherethe phrenicocolic ligament attaches. Note the hematoma dissecting into the transverse mesocolon *(arrows)* that can be traced to the band of tissue medial to the left transverse colon in image (a).

(c) The hematoma *(H)* continues in the anterior pararenal space adjacent to the left descending mesocolic vein *(arrowhead)* communicating between the marginal vein of the descending colon and the inferior mesenteric vein *(arrow)* before it drains into the splenic and superior mesenteric venous junction.

(d) The hematoma is also present in the anterior pararenal space bilaterally *(curved arrows)*, demonstrating the concept that disease in the extraperitoneum can spread subperitoneally into the mesocolon which suspends the transverse colon within the peritoneal cavity.

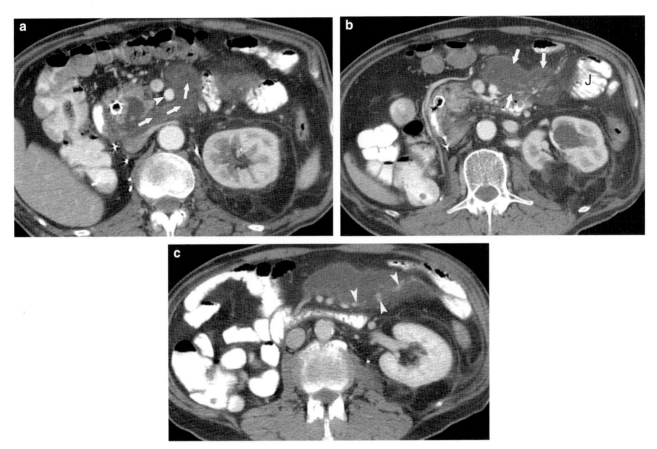

Fig. 4-13. Intramesenteric spread of pancreatic inflammatory process forming pseudocyst in the jejunal mesentery secondary to a pancreatic leak after placement of biliary stent.

(a) CT at the level of head of the pancreas defines a pancreatic leak tracking along the uncinate process, the superior mesenteric artery *(arrowhead)* at the root of the mesentery into the jejunal mesentery. Arrows indicate the direction of the track.

(b) At the level of the duodenojejunal junction, there is pancreatic fluid *(arrows)* accumulating in the mesentery of the jejunum *(J)*.

(c) CT at a lower level shows pancreatic fluid tracking along and on both sides of the jejunal vessels *(arrowheads)* in the jejunal mesentery.

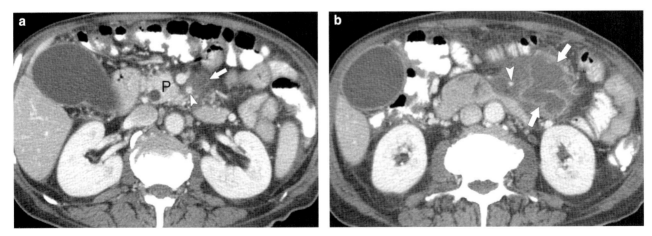

Fig. 4-14. Lymphoma of the jejunum with perforation into the mesentery tracking toward its root.

(a) CT at the level of the head of the pancreas *(P)* demonstrates low-density fluid *(arrow)* adjacent to the superior mesenteric artery *(arrowhead)* at the root of the jejunal mesentery.

(b) At a lower level, fluid collections *(arrows)* in the jejunal mesentery are seen around the mesenteric vessel *(arrowhead)*.

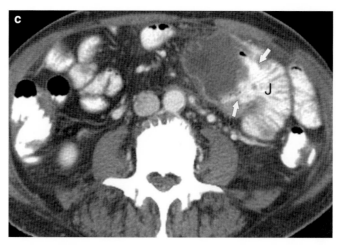

Fig. 4-14 *(Continued).* **Lymphoma of the jejunum with perforation into the mesentery tracking toward its root.**

(c) The fluid collection can be tracked to originate from an ulcerated lymphomatous mass *(arrows)* of the jejunum *(J)* into its mesentery.

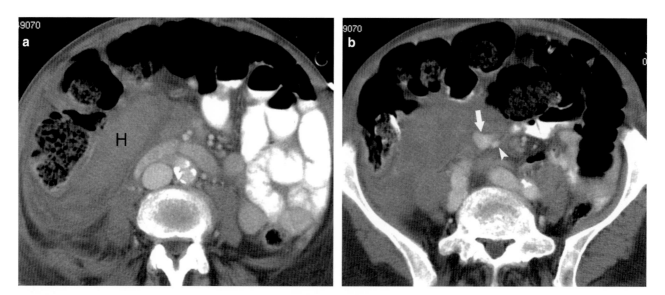

Fig. 4-15. Hematoma in the root of the mesentery caused by bleeding from the ileocolic artery.

(a) At the level of the third portion of the duodenum, a hematoma *(H)* occupies the mesentery.

(b) There is extravasation *(arrow)* of contrast material from the ileocolic artery *(arrowhead)*. Hemorrhage from the ileocolic vessel dissects into the root of the mesentery and the ascending mesocolon.

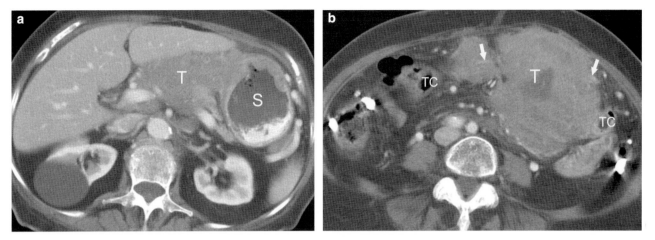

Fig. 4-16. Lymphoma of the stomach infiltrates into the gastrocolic ligament.

(a) The tumor *(T)* spreads along the lesser curvature of the stomach *(S)* in the gastrohepatic ligament.

(b) CT at a lower level shows the tumor infiltrate along the greater curvature of the stomach. The gastroepiploic vessels *(arrows)* indicate the gastrocolic ligament displacing the transverse colon *(TC)* caudally.

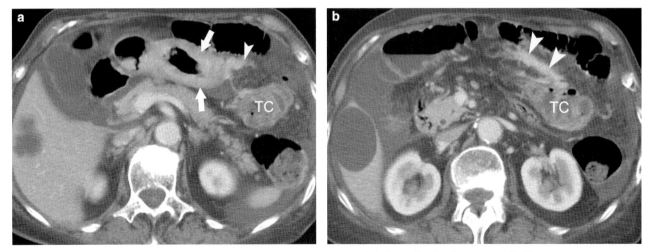

Fig. 4-17. Metastatic lobular carcinoma of the breast to the stomach infiltrating in the gastrocolic ligament.

(a) The wall of the gastric antrum is thickened *(arrows)*. Note the hyperdense soft tissue infiltrate *(arrowheads)* along the greater curvature of the stomach. *TC* = transverse colon.

(b) This infiltrate *(arrowheads)* extends to the anterior surface of the left transverse colon *(TC)* along the plane of the gastrocolic ligament. Ascites is present.

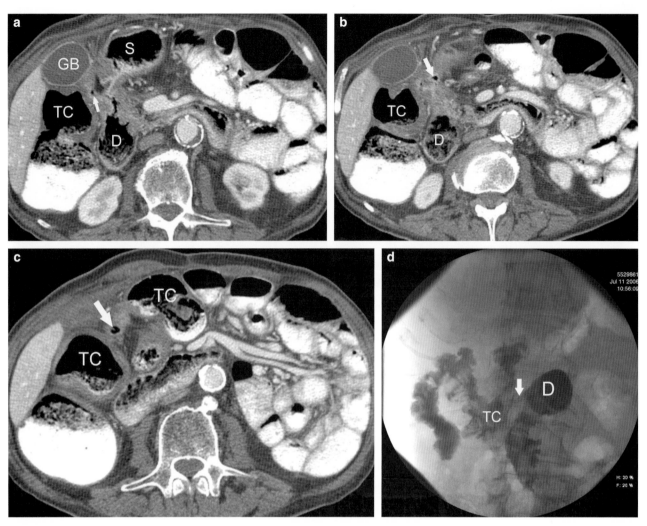

Fig. 4-18. Duodenocolic fistula secondary to a perforated duodenal ulcer.

(a) CT at the level of duodenum *(D)* shows the duodenal bulb with a fistulous tract *(arrow)*. *TC* = right transverse colon, *GB* = gallbladder, *S* = stomach.

(b) The fistula *(arrow)* is in the duodenocolic ligament, the bridge of the right transverse mesocolon. *D* = duodenum, *TC* = right transverse colon.

(c) The tract *(arrow)* enters the hepatic flexure of the transverse colon *(TC)*.

(d) Radiograph from gastrografin enema at the level of the right transverse colon *(TC)* illustrates the fistula *(arrow)* to the duodenum *(D)*.

● ● ● ────────────

림프계와 림프절에 의한 복막하 질병전파
Subperitoneal Spread by Lymphatics and Lymph Node Metastasis

림프절 전이는 모든 악성 종양들의 흔한 전이 패턴이다. 종양 세포들은 림프혈관에 들어가면 림프배액 경로를 따라 림프절로 이동한다. 통상 림프관과 림프절은 장기를 배액하거나 공급하는 혈관을 따라 위치하며, 이들 림프관과 림프절 모두는 인대, 장간막, 결장간막, 복막외 내의 복막하 공간에 위치한다.

림프절으로의 전이는 보통 순차적 단계로 최근접에 위치한 림프절위치*nodal station*에 먼저 발생하는데, 이 림프절의 위치는 원발 종양에 가장 근접해 있는 림프절을 의미하며, 이 위치를 벗어나서는 림프배액 경로를 따라서 원격 전이를 하게 된다. 간혹 드물게 원발성 종양의 최근접 림프절을 침범하지 않고 멀리 떨어진 다른 림프절로 전이가 일어나는 경우가 있는데, 이를 도약전이*skip metastasis*라 한다. 각각 장기의 림프배액 경로를 이해하는 열쇠는 이들 장기로의 인대, 장간막, 결장간막 부착, 동맥혈 공급, 정맥 배출*venous drainage*에 대한 개념을 이해하는 것이고, 이들에 대해서는 다음 장에서 더 자세히 다루게 될 것이다.

이들 각각의 장기에 대한 림프배액 경로를 이해하면 세 가지 중요 이점이 있다. 첫째, 종양의 원발 위치가 밝혀지면 원발 장기에 붙어있는 인대, 장간막, 혹은 결장간막들로의 동맥 공급 또는 정맥 배출을 따라 발생하는 림프전이의 발생 경로를 정확히 예측할 수 있다(Figs. 4-19, 4-20).[14-16] 둘째, 종양의 원발 부위가 임상적으로 불분명할 때 특정 인대, 장간막 혹은 결장간막에 위치하는 림프절을 역추적하여 원발부위를 인지할 수도 있다(Figs. 4-21, 4-22). 셋째, 치료된 원발종양에서 멀리 떨어진 림프절들을 감시함으로 치료 후 종양의 진행, 림프전이 유무, 혹은 재발의 발생 가능 부위를 미리 예측하고 대비할 수 있는 이점이 있다(Figs. 4-23, 4-24).

● ● ●

동맥주위와 신경주위 전파에 의한 복막하 질병 전파 Subperitoneal Spread by Periarterial and Perineural Spread

동맥주위와 신경주위 침범은 절제된 수술 검체의 연구에서 질병 전파의 흔한 방식의 하나로 알려져 왔다. 신경 섬유들이 보통 동맥을 따라 동반되지만, 영상 검사에서는 이들 신경 섬유들이 대개 보이지 않으므로, 동맥주위와 신경주위 전파가 한데 묶인 전이의 방식으로 분류되어 왔다. 이러한 종양 전파 방식은 복막하 전파의 하나로 또한 분류되어 왔는데, 이는 동맥과 신경이 인대, 장간막, 결장간막들과 함께 복막하 공간내로 주행하기 때문이다.

종양이 원발 장기에 국한된 경우, 이러한 전이 방법이 나쁜 예후를 가지게 될지에 관하여는 아직 정답이 없다 (아직까지 TNM병기에 포함되지 않음). 그러나 원발 장기를 벗어난 동맥주위와 신경주위에 침범이 존재한다면 두 가지 측면에서 임상적 치료에 영향을 줄 수 있다. 첫째,

원발장기의 바깥으로 소동맥을 포함하는 동맥주위 침범이 있으면, 주요동맥을 포함할 가능성이 있어 근치적 절제를 방해할 수 있다. 예를 들면, 췌장암이 하췌십이지장동맥*inferior pancreaticoduodenal artery*을 따라 상장간막동맥까지, 또는 위십이지장동맥*gastroduodenal artery*을 따라 총간동맥으로 종양침윤이 존재하면 종양을 절제할 수 없거나 절제한다 하더라도 양성변연*positive margin*을 남기게 되는 결과를 초래한다. 둘째로, 원발장기 바깥으로의 신경주위 침윤이 복강신경총*celiac plexus*과 같은 주신경총*major nerve plexus*까지 진행된다면 통증 조절이 필요한 만성 통증증후군이 발생하기도 한다.[17, 18]

이러한 방식의 종양 전이 패턴을 흔히 보이는 병들은 췌장선암*pancreatic ductal adenocarcinoma* (Figs. 4-25, 4-26), 간문 담도암*hilar cholangiocarcinoma* (Fig. 4-27), 이행상피세포암*transitional cell carcinoma*, 그리고 림프종 등이다. 영상검사에서 이러한 종양전이 방식을 진단하는데 어려움이 있는데, 그 이유는 동맥 주위에 존재하는 신경 섬유들을 직접 보는 것이 영상검사에서 매우 어렵고, 또한 종양에 의해 야기된 염증성 조직들과 혈관 주위의 종양 침범 자체를 구분하기가 매우 어렵기 때문이다. 일반적으로, 원발종양과 인접하고 있는 동맥주위 조직들을 따라 진행하고, 주신경총으로 향해 진행하는 종양의 침윤성 반응들은 신경주위 혹은 동맥주위 종양 침습이 있는 것으로 간주되어야 한다.[17, 18]

● ● ●

정맥 전파에 의한 복막하 전파 Subperitoneal Spread by Transvenous Spread

정맥을 통한 전파는 종양전이의 흔한 방법 중 하나이다. 소화기관의 염증 혹은 장의 허혈성 질환의 후유증으로 장벽에 발생한 공기는 내장*splanchnic* 정맥을 통해 간으로 퍼져갈 수 있다.

여기서 논지의 초점은 이들 종양세포가 어떻게 내장 혹은 전신 정맥으로 퍼져나가느냐가 아니라, 원발장기의 인대, 장간막, 결장간막이 위치한 복막하 공간으로 어떻게 원발 종양으로부터 발생한 종양 색전이 정맥으로 자라 들어가느냐 이다. 종양혈전*tumor thrombus*은 간암, 신장암,

정맥성 평활근육종*leiomyosarcoma*, 흑색종*melanoma*, 췌장 신경성 암종에서 흔히 보인다(Figs. 4-28~30). 그 외 다른 종양에서 이러한 종양 전파 방식은 보기 어렵고, 주로 가는 정맥을 포함하므로, 특히 영상 검사에서는 관찰하기 어렵다.

종양 혈전의 가장 특별한 징후는 신생 종양성 혈관들이

존재한다는 점과 원발종양을 배액하는 주 정맥내에서 발견되는 종양 혈전이 조영증강 된다는 점이다. 이에 반하여, 비종양성 혈전은 종양이 인접한 정맥에 음영 결손*fill-ing defect*을 야기할 수 있지만, 신생혈관이 없고 색전에 조영증강이 보이지 않는다.

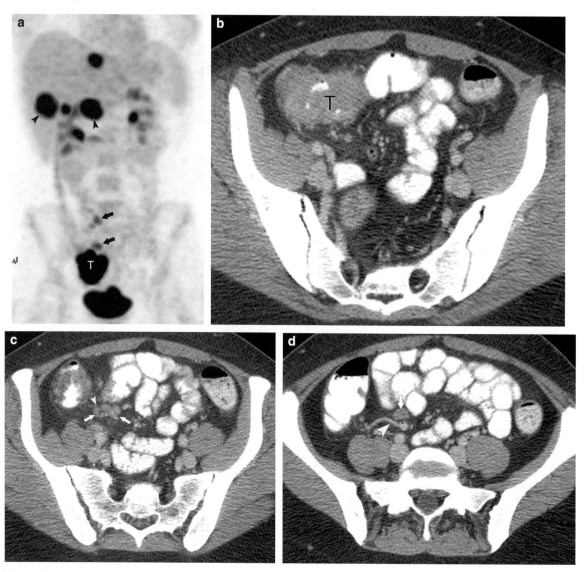

Fig. 4-19. Metastatic carcinoma of the cecum to the nodes in the ileocolic mesentery demonstrated on PET imaging and CT.

(a) Coronal view of MIP image from PET imaging shows a primary cecal carcinoma *(T)* with metastases to nodes *(arrows)* along the ileocolic mesentery and to the liver *(arrowheads)*.

(b) CT at the level of the cecal carcinoma defines the tumor mass *(T)*.

(c) CT at a higher level shows nodal metastases *(arrows)* along the marginal vessels *(arrowhead)* of the cecum. By following the ileocolic vessels to the root of the mesentery, the expected pathway of nodal metastases of carcinoma of the cecum can be identified.

(d) At a higher level, another enlarged node *(arrow)* is conspicuous along the ileocolic vessels *(arrowhead)*, the expected drainage pathway.

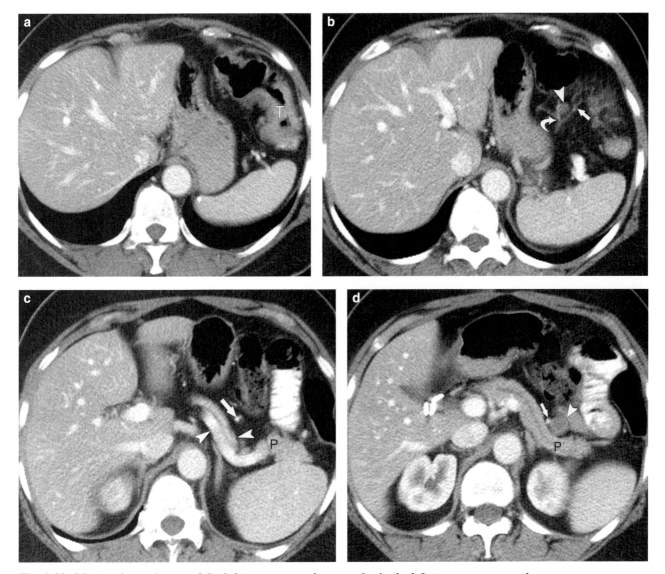

Fig. 4-20. **Metastatic carcinoma of the left transverse colon to nodes in the left transverse mesocolon.**

(a) CT shows primary tumor *(T)* of the splenic flexure of the transverse colon.

(b) By following the vasa recta *(arrow)* to marginal vessels *(curved arrow)* of the left transverse colon on this CT image, a node *(arrowhead)* can be identified along the marginal vessels (the paracolic node).

(c) At a lower level are left middle colic vessels *(arrow)* in the left transverse mesocolon anterior to the tail of the pancreas *(P)* and splenic vessels *(arrowheads)*.

(d) Following the left middle colic vessels *(arrow)* further down toward the inferior mesenteric vein caudal to the tail of the pancreas, another enlarged node *(arrowhead)* becomes apparent adjacent to the left middle colic vessels, the intermediate mesocolic node. These nodes were confirmed to be metastatic adenopathy at surgery. They were in the left transverse mesocolon.

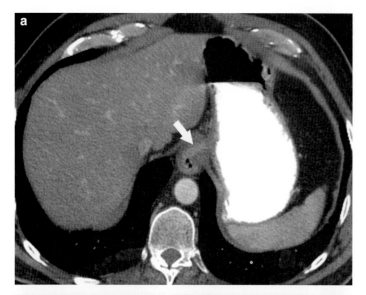

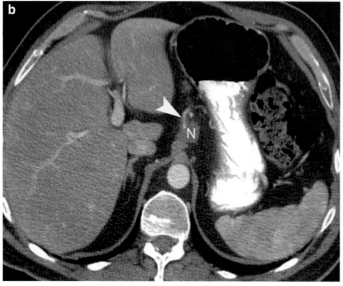

Fig. 4-21. Metastatic carcinoma of unknown primary.

(a) T at the level of the distal esophagus shows a slight wall thickening *(arrow)*. The diagnosis of carcinoma of the esophagus would be difficult to make based on this finding alone.

(b) An enlarged node *(N)* is seen along the left gastric vessels *(arrowhead)*. This node is a common lymphatic drainage site of the distal esophagus and the lesser curvature of the stomach.

Upper GI endoscopy confirmed the primary tumor in the distal esophagus.

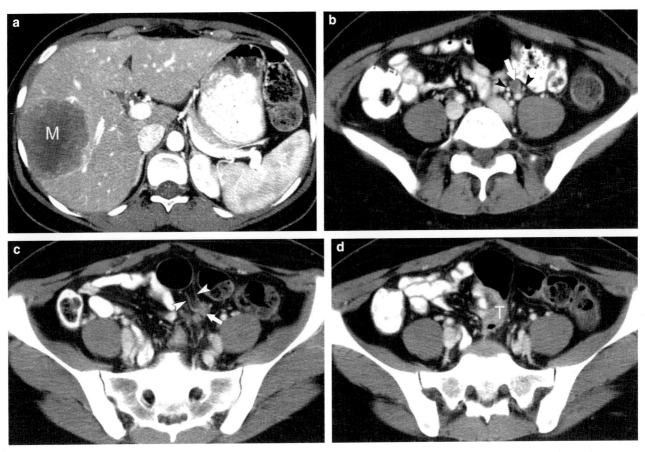

Fig. 4-22. Adenocarcinoma of unknown primary in the liver initiallythought to be an intrahepatic cholangiocarcinoma.

(a) CT of the liver shows a large, hypodense mass *(M)* in the right liver.

(b) CT of the pelvis shows a low-density node *(arrow)*, which is located in the sigmoid mesocolon adjacent to sigmoidal vessels *(arrowheads)*.

(c) At a lower level, enlarged nodes accompany the sigmoidal vessels and vasa recta *(arrowheads)* of the sigmoid colon in the sigmoid mesocolon.

(d) The observation of these enlarged nodes in the sigmoid mesocolon led to the identification of the mass *(T)* of sigmoid colon in this image. Carcinoma of the sigmoid colon was found at endoscopy.

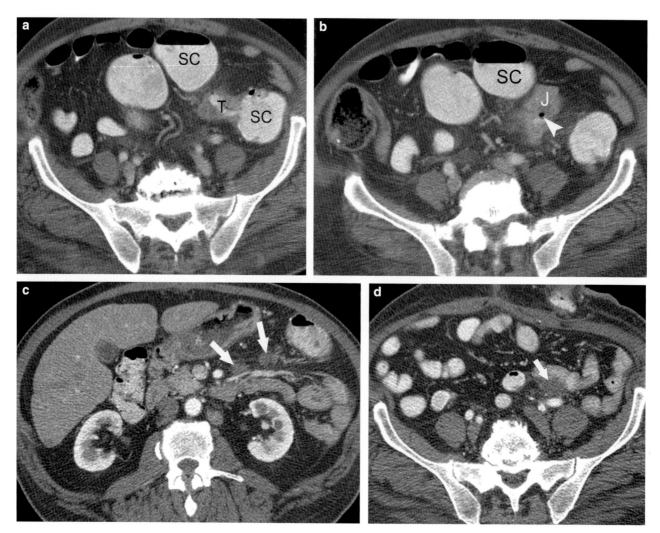

Fig. 4-23. Recurrent disease after resection of a carcinoma of sigmoid colon with a fistula to the jejunum.

(a) T before surgery shows a tumor *(T)* of the sigmoid colon *(SC)*.

(b) A fistula *(arrowhead)* is seen connecting the sigmoid colon *(SC)* to a loop of jejunum *(J)*.

(c) Three months after surgery, metastatic nodes *(arrows)* develop in the jejunal mesentery.

(d) CT at lower level also defines recurrent nodal disease *(arrow)* in the descending mesocolon.

This case demonstrates recurrent disease at the two separate sites based on lymphatic drainage of the sigmoid colon and the jejunum.

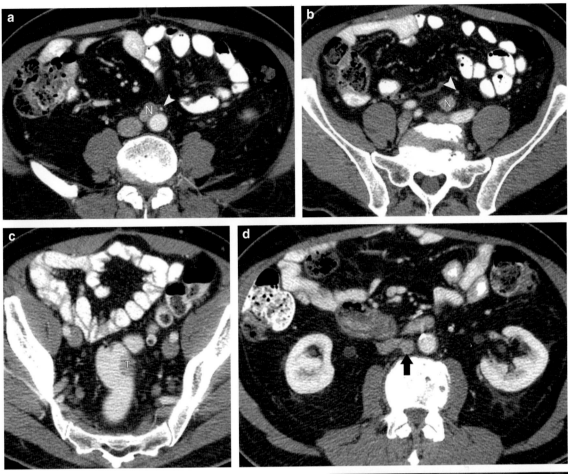

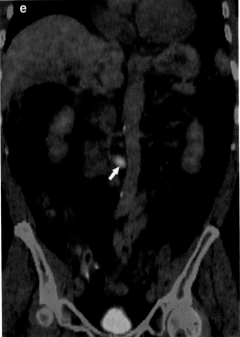

Fig. 4-24. Expected pathways of recurrent disease in a patient with rectal cancer.

(a), (b), (c) are CT images at first recurrence in a patient who had a rectal cancer resected 1 year prior.

(a) A metastatic node *(N)* is evident at the origin of the inferior mesenteric artery *(arrowhead)*.

(b) Another node *(N)* accompanies the sigmoidal vessel *(arrowhead)* in the sigmoid mesocolon.

(c) Recurrent tumor *(T)* is seen at the anastomotic site.

(d), (e) are CT and PET-CT images after surgical resection of the recurrent disease seen in (a)-(c).

(d) At the level of the mid-left kidney, there is an enlarged node *(arrow)* between the aorta and the inferior vena cava.

(e) PET-CT in a coronal plane shows a high glucose uptake in the aortocaval node *(arrow)* seen in image (d).

This case show stepwise progression and recurrent diseaseafter treatment. It follows the expected path of lymphatic drainage from the sigmoid mesocolon to a metastatic node at the origin of the inferior mesenteric artery.

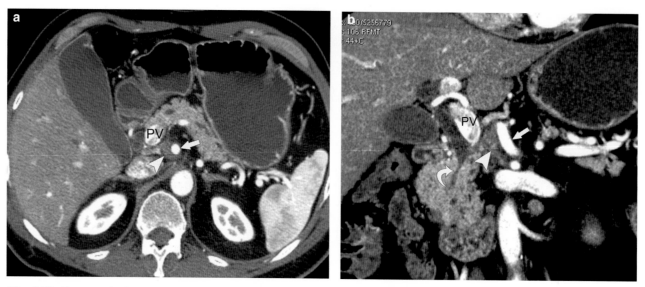

Fig. 4-25. Pancreatic ductal adenocarcinoma with perineural invasion to the celiac plexus.

(a) CT of a patient with obstructive jaundice and back pain displays a hypodense, soft-tissue density *(arrowhead)* between the portal vein *(PV)* and the origin of the celiac axis *(arrow)*.

(b) Coronal view of CT at the head of the pancreas shows stricture of the common bile duct *(curved arrow)*. Hypodense infiltration *(arrowhead)* is apparent between the celiac axis *(arrow)* and the portal vein *(PV)* along the celiac plexus. Surgery revealed pancreatic ductal adenocarcinoma in the head of the pancreas with extrapancreatic perineural invasion to the celiac plexus.

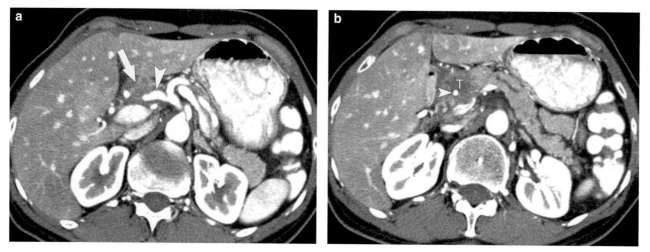

Fig. 4-26. Pancreatic ductal adenocarcinoma with periarterial infiltration.

(a) CT shows tumor infiltration *(arrow)* along the common hepatic artery (CHA) *(arrowhead)*.

(b) CT at the cephalad portion of the head of the pancreas identifies a hypodense tumor *(T)* surrounding the gastroduodenal artery (GDA) *(arrowhead)*.

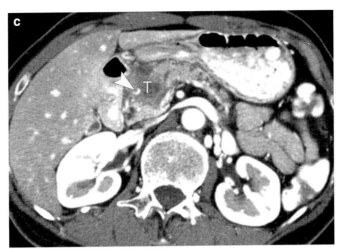

Fig. 4-26 *(Continued)*. Pancreatic ductal adenocarcinoma with periarterial infiltration.

(c) The hypodense neoplasm *(T)* in the head of the pancreas is adjacent to the GDA *(arrowhead)*. The tumor has extended from the head of the pancreas along the GDA to the CHA. Pathologic specimen did not demonstrate perineural invasion.

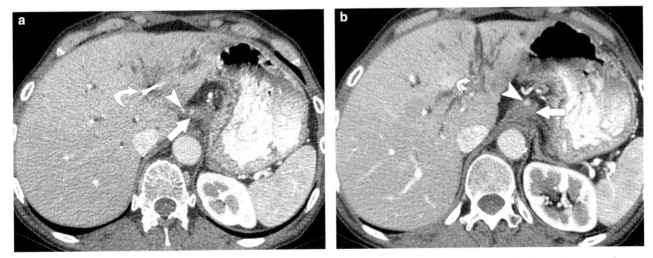

Fig. 4-27. Hilar cholangiocarcinoma and periarterial / perineural infiltration along the replaced left hepatic artery in the gastrohepatic ligament.

(a) CT shows intrahepatic bile duct dilatation. A stent *(curved arrow)* is in the left hepatic duct. A hypodense infiltration *(arrow)* is evident along the left hepatic artery *(arrowhead)*, which is replaced from the left gastric artery. This vessel runs in the gastrohepatic ligament from the lesser curvature of the stomach to the hilum of the liver.

(b) Tumor infiltration *(arrow)* courses along the left gastric artery *(arrowhead)*. Note the primary tumor *(curved arrow)* in the left hilar fissure.

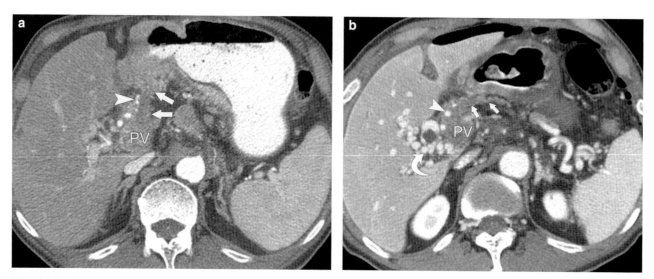

Fig. 4-28. Carcinoma of the gastric antrum with tumor thrombus in the right gastric vein extending into the portal vein.

(a) CT during arterial phase shows hypodense infiltration *(arrows)* adjacent to the right gastric artery *(arrowhead)* along the lesser curvature of the stomach in the gastrohepatic ligament directing toward the portal vein *(PV)*.

(b) The portal venous phase demonstrates a hypodense tumor thrombus in the right gastric vein *(arrows)* accompanying the right gastric artery *(arrowhead)* extending into and occluding the portal vein *(PV)*. Note venous varices *(curved arrow)* around the bile duct and the gallbladder.

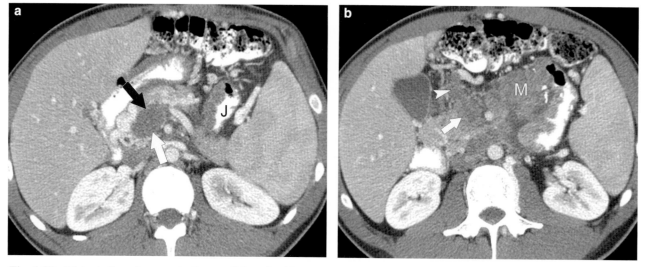

Fig. 4-29. Metastatic melanoma to the small bowel with tumor thrombus in the jejunal veins, superior mesenteric vein and portal vein.

(a) CT at the level of the main portal vein shows tumor thrombus in the portal vein *(arrows)*. Note a metastatic lesion in the jejunum *(J)*.

(b) CT at a lower level delineates a mass *(M)* in the jejunal mesentery with tumor thrombus in the superior mesenteric vein *(arrow)* and the gastrocolic trunk *(arrowhead)*.

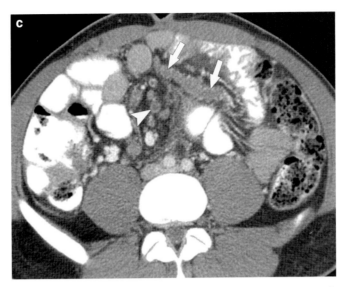

Fig. 4-29 *(Continued)*. Metastatic melanoma to the small bowel with tumor thrombus in the jejunal veins, superior mesenteric vein and portal vein.

(c) CT at a lower level demonstrates thrombus is in a jejunal vein *(arrows)* and branches of ileal veins *(arrowhead)*.

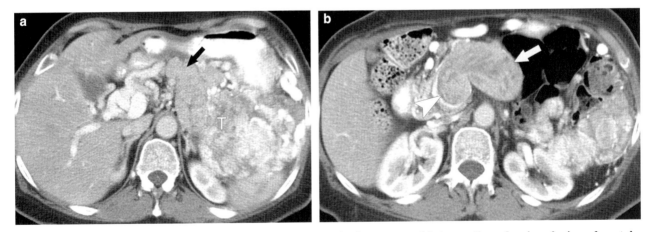

Fig. 4-30. Large non-functioning islet cell carcinoma of the tail of pancreas with tumor thrombus in splenic and portal veins.

(a) CT demonstrates a large hyperdense enhancing tumor *(T)* in the tail of the pancreas with tumor thrombus in the splenic vein *(arrow)*.

(b) CT at lower level reveals tumor thrombus in the markedly dilated splenic vein *(arrow)* and portal vein *(arrowhead)*.

관내 전파를 통한 복막하 전파
Subperitoneal Spread by Intraductal Spread

간담도, 췌장관, 요관과 같이 장기의 분비물을 배액하는 관을 가진 장기에서 이들 관을 통한 종양의 전파 방식은 드문 편이다. 이들 관성 구조물 역시 복막하 공간에 위치하며, 종양전파의 통로가 될 수 있다.

간암과 간내 담관암이 담관을 통해 지속적으로 자라 나가는 대표적 원발성 종양으로 알려져 있다. 대장암, 유방암, 흑색종으로부터의 간전이암, 그리고 드물지만 담관낭샘종biliary cystadenoma 이 원발 종양에 의한 상부 담도 폐쇄와 함께 담관내에서 퍼져 자라나갈 수 있다.[19-24] 원발 종양과 비슷한 조영증강양상이 담관내의 종괴에서 보이고, 담관 스텐트가 담관벽 쪽으로 밀려있는 소견을 보이면, 종양의 담관내 전이를 생각할 수 있다(Fig. 4-31).

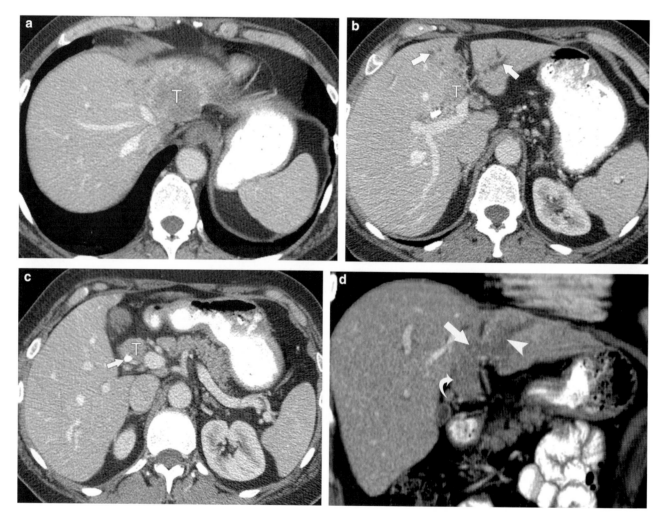

Fig. 4-31. Intrahepatic cholangiocarcinoma with tumor growth into the left hepatic duct and common hepatic duct in the hepatoduodenal ligament.

(a) CT of the liver shows a mass *(T)* in segment 2 of the liver.

(b) The tumor *(T)* fillsthe left hepatic duct with dilatation of the intrahepatic duct *(arrows)* of segment 3 and 4 upstream to the left hepatic duct.

(c) The tumor *(T)* is in the common hepatic duct in the hepatoduodenal ligament and displaces the stent *(arrow)* against the wall of the bile duct, indicating the intraluminal mass.

(d) Coronal view CT reveals intraductal tumor growth from a segment 2 bile duct *(arrowhead)*, to the left hepatic duct *(arrow)* and common hepatic duct *(curved arrow)*.

담도 조영술을 내시경적으로 혹은 경피적 담관배액술 (PTBD)을 통해 시행하였을 때, 협착보다는 폐쇄의 끝부분에 폴립모양*polypoid*의 음영 결손이 보이면, 이는 종양의 담관내 침범 성장의 진단에 대한 열쇠가 될 수 있다.

요약 Summary

복부와 골반은 하나의 공동으로 연결된 공간인 복막하 공간, 그리고 하나의 잠재적 공간인 복막내 공간으로 개념화되어있다. 이 장은 복부에서 질병의 복막하 전파의 개념을 설명하였는데, 복부와 골반내 장기들에 붙어있는 인대, 장간막, 그리고 결장간막이 질병 전파에 있어서 파이프 같은 역할을 담당한다. 인대, 장간막, 장간막내에 존재하는 혈관이 해부학적 랜드마크가 되어, 전이의 방식을 규정하고 설명한다.

◈ 참고문헌

1. Oliphant M, Berne AS: Computed tomography of the subperitoneal space: Demonstration of direct spread of intraabdominal disease. J Comput Assist Tomogr 1982; 6(6):1127-1137.
2. Oliphant M, Berne AS: Holistic concept of the anatomy of the abdomen: A basis for understanding direct spread of disease. Contemp Diagn Radiol 1985; 8(10):1-6.
3. Meyers MA, Oliphant M, Berne AS et al: The peritoneal ligaments and mesenteries: Pathways of intraabdominal spread of disease. Annual oration. Radiology 1987; 163:593-604.
4. Oliphant M, Berne AS, Meyers MA: The subperitoneal space of the abdomen and pelvis: Planes of continuity. AJR 1996; 167:1433-1439.
5. Meyers MA: The spread and localization of acute intraperitoneal effusions. Radiology 1970; 95: 547-554.
6. Meyers MA: Distribution of intra-abdominal malignant seeding: Dependency on dynamics of flow ofascitic fluid. AJR Radium Ther Nucl Med 1973; 119:198-206.
7. Carmignani PC, Sugarbaker TA, Bromley CM, Sugarbaker PH: Intraperitoneal cancer dissemination: Mechanisms of the patterns of spread. Cancer Metastasis Rev 2003; 22:465-472.
8. Oliphant M, Berne AS, Meyers MA: Spread of disease via the subperitoneal space: The small bowel mesentery. Abdom Imaging 1993; 18:109-116.
9. Oliphant M, Berne AS, Meyers MA: Bidirectional spread of disease via the subperitoneal space: The lower abdomen and left pelvis. Abdom Imaging 1993; 18:117-125.
10. Oliphant M, Berne AS, Meyers MA: Direct spread of subperitoneal disease into solid organs: Radiologic diagnosis. Abdom Imaging 1995; 20:141-147.
11. Meyers MA, Evans JA: Effects of pancreatitis on the small bowel and colon: Spread along mesenteric planes. AJR Radium Ther Nucl Med 1973; 119:151-165.
12. Meyers MA, Whalen JP: Roentgen significance of the duodenocolic relationships: An anatomic approach. AJR Radium Ther Nucl Med 1973; 117:263-274.
13. Oliphant M, Berne AS, Meyers MA: Imaging the direct bidirectional spread of disease between the abdomen and female pelvis via the subperitoneal space. Gastrointest Radiol 1988; 13:285-298.
14. Granfield CAJ, Charnsangavej C, Dubrow RA et al: Regional lymph node metastases in carcinoma of the left side of the colon and rectum: CT demonstration. AJR 1992; 159:757-761.
15. Charnsangavej C, Dubrow RA, Varma DGK et al: CT of the mesocolon: Pathologic considerations. RadioGraphics 1993; 13:1309-1322.
16. McDaniel K, Charnsangavej C, Dubrow RA et al: Pathway of nodal metastasis in carcinoma of the cecum, ascending colon, and transverse colon: CT demonstration. AJR 1993; 161:61-64.
17. Hirai I, Kimura W, Ozawa K et al: Perineural invasion in pancreatic cancer. Pancreas 2002;24:15-25.
18. Takahashi T, Ishikura H, Motohara T, Okushiba S, Dohke M, Katoh H: Perineural invasion of ductal adenocarcinomas of the pancreas. J Surg Oncol 1997; 65:164-170.
19. Okano K, Yamamoto J, Moriya Y et al: Macroscopic intrabiliary growth of liver metastases from colorectal cancer. Surgery 1999; 126:829-834.
20. Tajima Y, Kuroki T, Fukuda K, Tsuneoka N, Furui J, Kanematsu T: An intraductal papillary component in associated with prolonged survival after hepatic resection for intrahepatic cholangiocarcinoma. Br J Surg 2004; 91: 99-104.
21. Okano K, Yamamoto J, Okabayashi T et al: CT Imaging of intrabiliary growth of Colorectal liver metastases: A comparison ofpathologic findings of resected specimens. Br J Radiol 2002; 75: 497-501.
22. Takamatsu S, Teramoto K, Kawamura T et al: Liver metastasis from rectal cancer with prominent intrabile duct growth. Pathol Int 2004; 54:440-445.
23. Uehara K, Hasegawa H, Ogiso S et al: Intrabiliary polypoid growth of liver metastasis from colonic adenocarcinomas with minimal invasion of the liver Parenchyma. J Gastroenterol 2004; 39: 72-75.
24. Lee JW, Han JK, Kirn TK et al: CT features of intraductal intrahepatic cholangiocarcinoma. AJR 2000; 175:721-725.

05

복막내 감염의 전파 및 전이의 파종
Intraperitoneal Spread of Infections and Seeded Metastases

복막내 감염 : 전파 경로와 국소화
Intraperitoneal Infections: Pathways of Spread and Localization

지난 수십년간 횡격막하 농양과 간밑 농양의 역학은 눈에 띄게 변해왔다. 과거에 가장 흔한 원인은 위궤양이나 십이지장궤양의 천공과 괴저성 충수염의 파열이었으나, 오늘날에는 농양의 60~71%가 수술 후에 생기는 것이며, 주로 위나 담도계 수술 후나 대장 수술 후에 발생한다.[1, 2] 수술 후 농양의 대부분은 문합부 유출로 인해 이차적으로 발생한다. 최근에는 위장관궤양 및 급성 충수염과 같은 질환의 진단이 좀더 빨리 이루어짐에 따라 조기에 수술적 치료가 이루어지고 있으며, 따라서 수술 후 발생하는 농양의 비율이 높아지게 되었다. 농양의 원인이 되는 박테리아는 대체로 호기성과 혐기성이 혼재되어 있다. 호기성으로는 *Escherichia coli* 및 *Streptococcus, Klebsiella, Proteus* 등이 있으며, 혐기성으로는 *Bacteroides*와 cocci 등이 있다.

이러한 역학적 변화와 함께 임상적 양상 또한 변해왔다. 전통적으로 기술되어오던 전격적인 경과는 더 이상 일반적으로 나타나지 않으며, 오늘날에는 대부분 잠행성의 양상으로 나타난다. 전형적으로 경한 복통이나 권태감, 미열의 양상으로 나타나며, 이후 종괴, 어깨나 갈비뼈 밑으로의 방사통이나 옆구리 통증의 양상으로 나타날 수도 있다. 임상적 스펙트럼을 다음과 같은 말로 표현해 볼 수 있겠다:

환자가 급성 병증을 느껴서 명확한 진단이 가능한 경우도 있지만, 한편으로는 미열 등의 경미한 증상으로만 나타나서 수 주나 수개월 뒤에야 예상치 못한 증상의 발현이 생길 수 있다. 또 다른 경우에는 가끔 우르릉 소리를 내는 것 외에는 분명히 사화산 같은 화산과 같이, 단지 건강이 안 좋은 정도로만 느껴질 수 있다.[3]

치료가 늦어질수록 질병 이환율과 사망률이 높아지므로, 영상의학적으로 복막내 농양을 감별해 내고 위치를 알아내는 것이 매우 중요하다고 할 수 있다. 진단은 오염된 물질들의 복막내의 전파 경로를 이해함으로써 더 정확하고 적절하게 할 수 있다.

● ● ● ●

해부학적인 고려사항들 Anatomic Considerations

▌후방복막부착 The Posterior Peritoneal Attachments

Fig. 5-1은 복막내 창자들의 장간막부착에 관하여 그려놓은 것이며, Fig. 5-2는 창자와 간, 비장의 뒤쪽 복벽에서의 복막 반사*peritoneal reflection*를 그려 놓은 것이다. 횡행결장간막*tranverse mesocolon*은 복막내 공간을 상결장간막 구획과 하부결장간막 구획으로 구분하는 중요한 경계이다. 사선으로 위치하는 장간막의 기시부분은 하부결장간막구획을 다시, (a) 아래쪽으로 상행결장과 장간막의 연결지점으로 경계 지어지는 더 작은 우측 하결장 공간*right infracolic space*과, (b) 해부학적으로 골반으로 열려있는

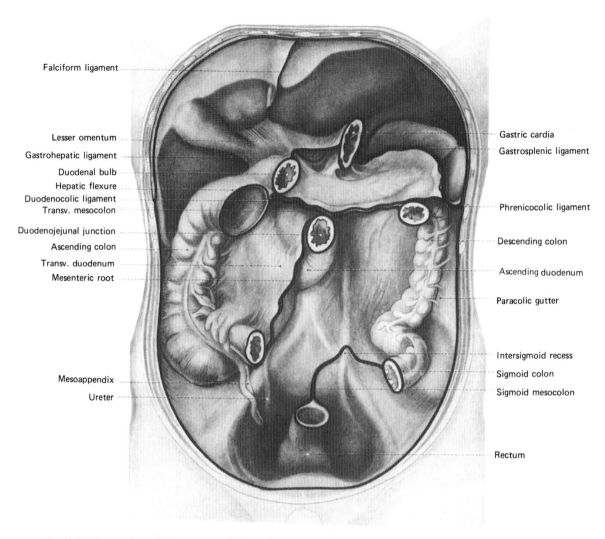

Fig. 5-1. The peritoneal investment of the extraperitoneal segments of the alimentary tract.
The mesenteric portions of the gut have been removed, including the stomach, small bowel, transverse colon, and sigmoid colon.

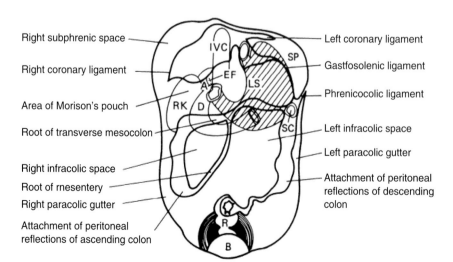

Fig. 5-2. Posterior peritoneal reflections and recesses.

SP = spleen; *LS* = lesser sac; *IVC* = inferior vena cava; *EF* = epiploic foramen of Winslow; *RK* = right kidney; *D* = duodenum; *A* = adrenal gland; *SC* = splenic flexure of colon; *R* = rectum; *B* = urinary bladder.
The removed stomach is indicated.
(Reproduced with permission from Meyers.[18])

더 큰 공간인 좌측 하결장 공간*left infracolic space*의 두 개의 공간으로 구분한다.

골반은 복강의 약 1/3을 차지하며 앙와위나 기립 시 모두 복강 중에서 가장 아래쪽에 위치한다. 이는 해부학적으로 상행과 하행결장의 외측에 있는 결장주변오목인 양쪽 부대장홈*paracolic gutter*과 연결성을 갖는 구조이다. 우측 부대장홈은 넓고 깊으며 위쪽으로 우측 간밑공간*subhepatic space*과 연결되어 있고 후상방으로 간 주변으로 깊숙하게 이어지는데, 이는 임상적으로 모리슨오목*Morison's pouch*이라고 알려져 있다.[4] 우측 간밑 공간은 해부학적으로 우측 관상인대*coronary ligament*의 외측 가장자리를 둘러싸고 있는 우측 횡격막하 공간과 연결되어 있다. 관상인대가 실질적으로 뒤쪽에서 복벽으로부터 간의 우엽을 지지해주고 있다는 사실에 주의해야 한다(Fig. 5-3).[5] 간우엽을 둘러싸고 있는 복막오목*preitoneal recess*은 전체적으로 횡격막하 공간과 간밑 공간으로 구분된다. 좌측 부대장홈은 좁고 얕으며, 횡격막결장인대에 의해 좌측 간밑 공간(비장주변 혹은 좌측 간주변 공간)과의 연결성이 끊어져있다. 횡격막결장인대는 대장의 비장만곡부에서부터 좌측 횡격막까지 이어지는 구조물이다.

: 우측 간밑공간 The Right Subhepatic Space

간우엽의 내장표면 아래로, 우측 간밑공간은 두 개의 구획으로 구성된다(Fig. 5-4):

1. 전방 간밑공간*anterior subhepatic space*은 아래쪽으로 횡행결장과 결장간막의 시작부분까지로 제한되어 있다.
2. 후방 간밑공간*posterior subhepatic space*은 우측 신장을 둘러싸고 있는 뒤벽측 복막과 밀접하게 연관되어 있다. 이는 위쪽으로 튀어나와 있어 간의 신장자국과 우측 신장의 상극 사이에 오목을 형성하게 된다. 우측 간밑공간은 후상방으로는 우관상인대까지 확장되는데, 이 공간을 간콩팥오목*hepatorenal fossa* 또는 모리슨오목이라고 한다.

모리슨오목은 앙와위에서 우측 척추주위홈*paravertebral groove*의 가장 아래쪽 공간으로, 복막내 감염의 확산이나 국소화에 있어 굉장히 중요한 공간이다.

Fig. 5-5와 5-6은 이러한 중요한 해부학적 관계를 그려 놓은 것이다. 아래쪽으로는 간성만곡부와 횡행결장 시작 부위의 복막 반사*peritoneal reflection*에 의해 경계 지어지

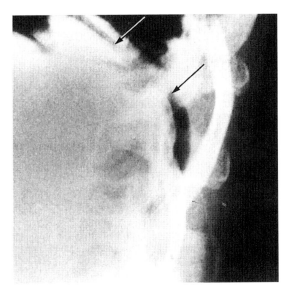

Fig. 5-3. Reflections of the right coronary ligament (*arrows*) suspending the right lobe of the liver are outlined by free peritoneal air in the lateral view.
The inferior leaf is at the level of the 12th rib. The nonperitonealized bare area of the posterior surface of the right lobe lies between the reflections of the ligament.

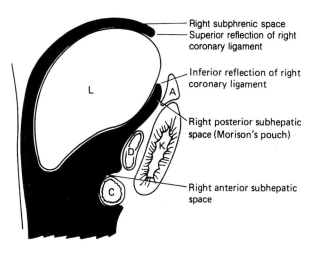

Fig. 5-4. Right parasagittal diagram.
The right subhepatic space is composed of anterior and posterior (Morison's pouch) compartments and is anatomically continuous with the right subphrenic space. The reflections of the coronary ligament mark the site of the nonperitonealized "bare area" of the liver (*L*). *K* = right kidney; *A* = adrenal gland; *D* = descending duodenum; *C* = transverse colon.

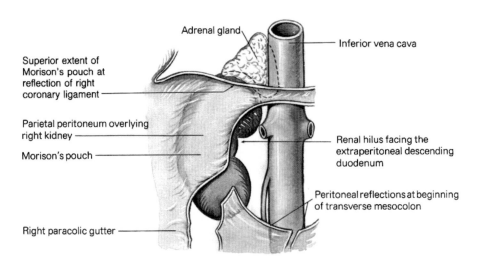

Fig. 5-5. **Frontal view of the anatomic relationships of Morison's pouch facing the deep visceral surface of the right lobe of the liver.**

며, 내측으로는 신문부의 앞쪽으로 내려가는 십이지장의 두 번째 부분에 의해 경계 지어진다. 외측으로는, 우관상인대의 경계 주변 및 우부대장홈 위에 있는 횡격막하 공간인 간 주변 공간의 깊은 부분과 교통한다.

이러한 두 개의 구획이 해부학적으로 자유롭게 통하지만, 종종 고름막에 의해 분리되기도 한다.

: 우측 횡격막하 공간 The Right Subphrenic Space

우측 횡격막하 공간은 간우엽의 횡격막표면에서부터, 후

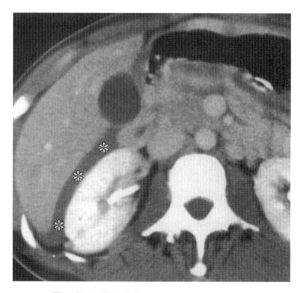

Fig. 5-6. **Fluid-filled Morison's pouch.**
Ascites occupies the hepatorenal fossa (*).

하방으로는 우관상인대로 경계 지어지는 커다란 연속적인 구획이다. 여기에는 실제로 전방과 후방 횡격막하 공간으로 분리시키는 해부학적 구조는 없지만, 농양의 경우 고름막에 의해 구획이 나누어지기도 한다.

: 좌측 횡격막하 공간 The Left Subphrenic Space

간좌엽을 지지하는 관상인대의 경우 우측과는 다르게 위쪽으로 부착되어 있으며, 거의 복부 중앙으로 우측 관상인대와 삼각인대보다 앞쪽으로 부착되어 있다.[6-8] 이는 상당히 작은 공간이고, 보통은 농양강의 경계를 지우는데 중요한 역할을 하지 않는다. 간좌엽을 둘러싸는 해부학적인 공간들은 서로 자유롭게 소통되므로 일반적으로 왼쪽 전체가 하나의 잠재적인 농양구역으로 여겨진다.[5,7] 비신장인대나 위비장인대, 소망과 같은 좌상사분역의 장간막들은 염증성 유착이 생길 경우에 횡격막하(횡격막과 위바닥 사이)나 간밑(간의 내장표면과 위 사이), 비장주변으로 농양을 구획화 시키는 역할을 할 수 있다(Fig. 5-7).

복부의 좌상사분역에서 특히 중요한 구조로는 횡격막결장*phrenicocolic* 인대가 있다(Figs. 5-7, 5-8, 5-9).[9] 이는 결장의 비장만곡부에서 11번째 늑골 높이의 횡격막까지 뻗어있는 강력한 낫모양의 복막주름이다. 이전 문헌들에서는 이 구조물이 비장 끝에 위치하면서 떠받치는 기능을 하기에 이를 비장받침돌기*sustentaculum lienis*라고 불렀다. 이 구조물은 해부학적 구조상 비장주변공간을 좌측

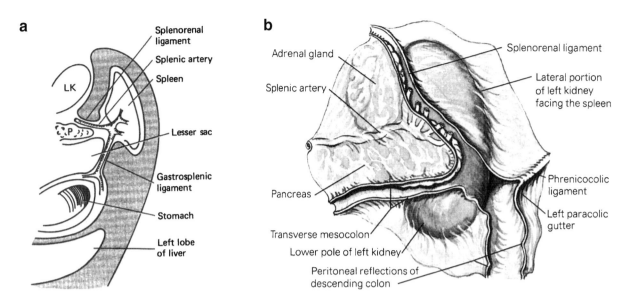

Fig. 5-7. Peritoneal attachments and recesses of the left upper quadrant.

(a) Diagram of horizontal section. The intraperitoneal spaces around the left lobe of the liver and the spleen are freely continuous *(gray area)*. The perisplenic space is bounded by the splenorenal and gastrosplenic ligaments. *LK* = left kidney; *P* = tail of pancreas.

(b) Frontal drawing *(spleen removed)*. The phrenicocolic ligament partially bridges the junction between the perisplenic space and the left paracolic gutter. The lesser sac resides above the transverse mesocolon and medial to the splenorenal ligament.

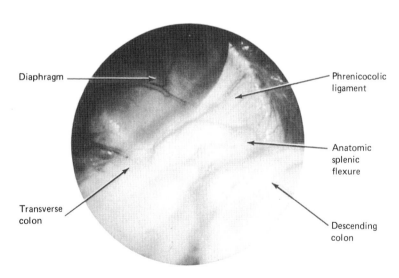

Fig. 5-8. The phrenicocolic ligament as seen in vivo by peritoneoscopy.

부대장홈과 일부 분리시켜줌으로써 감염의 전파를 차단하는 역할을 한다.

: 소낭 The Lesser Sac

소낭은 배아기에 일어나는 배측 위간막*dorsal mesogastrium*의 발생과 위의 회전에 의해 나머지 복막강과 분리되는 복막의 만이다. 좁은 입구를 Winslow 공*foramen of Winslow* (epiploic foramen)이라고 부른다.[10]

Winslow 공은 위로는 간의 미상엽, 뒤로는 대정맥, 앞으로는 간십이지장인대와 내부구조물(간문맥, 간동맥, 담관)에 의해 경계 지어진다.

크기는 다양하지만, 일반적으로 손가락 하나(약 4.5 cm

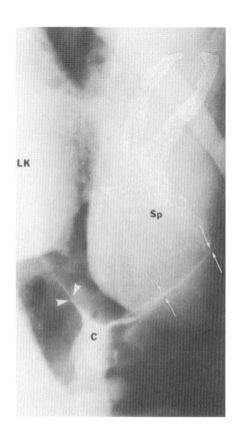

Fig. 5-9. Prone peritoneography outlines the phrenicocolic ligament (arrows).

This structure supports the spleen *(Sp)* as it extends from the splenic flexure of the colon *(C)* to the left diaphragm and is in continuity with the gastrosplenic ligament *(arrowheads)* seen on end. The close relationship of the posterior margin of the spleen to the left kidney *(LK)* is shown. (Reproduced with permission from Meyers.[19])

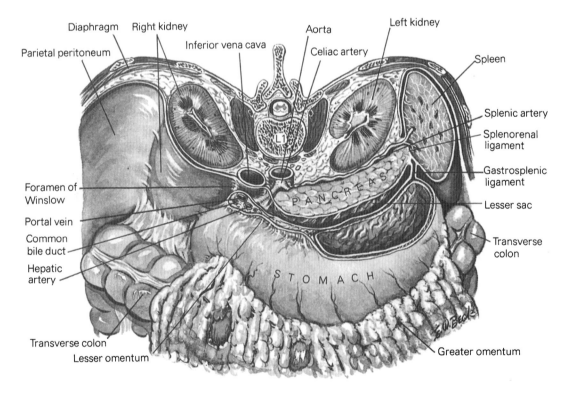

Fig. 5-10. The lesser sac and its relationships.

The foramen of Winslow is generally only large enough to admit the introduction of one to two fingers, but in vivo it represents merely a potential communication between the greater and lesser peritoneal cavities.

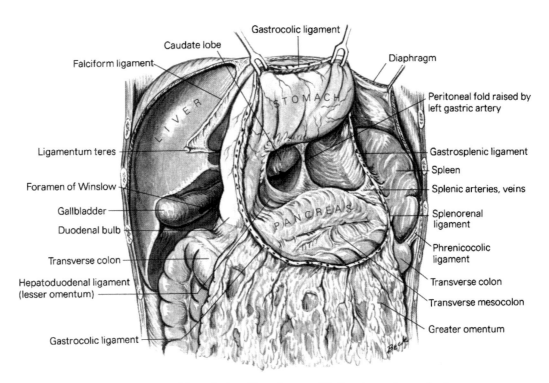

Fig. 5-11. The lesser sac and its relationships, shown with the stomach upraised. Foramen of Winslow *(arrow).*

둘레) 또는 두 개(약 9 cm 둘레) 크기 만큼 되며,[11] 정상적인 상황에서는 중피세포*mesothelial*로 덮여있는 잠재적인 개구부이다.

소낭은 소망과 위, 십이지장 구부, 위결장인대 뒤쪽에 놓여있다(Figs. 5-7a, 5-10, 5-11). 아래쪽으로는 횡행결장과 결장간막에 의해 경계 지어지며(Figs. 5-12, 5-13), 일부 환자에서는 대망의 앞접힘과 뒤접힘*anterior and posterior reflection* 사이에 있는 아래쪽 오목*inferior recess*이 남아 있는 경우도 있다. 소낭은 뒤쪽으로는 주로 췌장의 대부분에 의해 경계 지어지며, 우측으로는 이 주머니의 위쪽 오목으로 간의 미상엽이 뻗어있게 된다(Figs. 5-14, 5-15).[12]

복막의 중요한 주름인, 비스듬히 주행하는 위췌장주름 *gastropancreatic plica*은 좌위동맥에 의해 후복벽에서 생긴다. 이 주름은 세모꼴의 지방 구조물로 바닥부분에서는 횡단면상 지름이 2~3 cm 정도로 측정되며 위의 후벽을 향해 경사져 있다(Fig. 5-16).[13] 이 주름은 종종 소낭을 두 개의 구획으로 구분한다:

1. 더 작은 오른쪽의 내측 구획은 간 미상엽이 해부학적 기준점인 소낭의 전정*vestibule*(Fig. 5-11)과 간좌엽의 내측엽의 뒤쪽의 위오목*superior recess*을 구성한다.

2. 좌하방의 큰 외측 구획(Fig. 5-11).

주름의 바닥은 전형적인 위치와 연관된 혈관에 의해 간접적으로 확인할 수 있으며(Fig. 5-16), 액체가 저류될 경우는 직접 확인할 수 있다(Fig. 5-17).

왼쪽으로 소낭은 비장부착물들 – 앞쪽으로는 위비장인대, 뒤쪽으로는 비신장인대에 의해 경계 지어진다(Fig. 5-7a). 오른쪽으로 이 공간은 중앙선 바로 오른쪽까지 이어지며, 소망의 자유 변연부 뒤쪽으로 Winslow 공을 통해 우측 간밑공간과 잠재적으로 연결된다(Figs. 5-11, 5-18).

컴퓨터단층촬영(CT)은 소낭의 해부학적인 특성을 명확하게 보여준다.[14, 15] 소낭에 생긴 액체저류는 간주변 공간이나 간틈새*hepatic fissure*에 생긴 액체저류와 쉽게 구분될 수 있다.[16] 자세한 소견들은 자기공명영상(MRI)에서도 확인할 수 있다.[17]

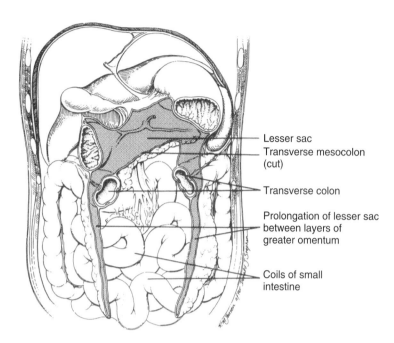

Lesser sac
Transverse mesocolon (cut)

Transverse colon

Prolongation of lesser sac between layers of greater omentum

Coils of small intestine

Fig. 5-12. Extent of lesser sac within greater omentum.

Lesser omentum and stomach cut and section removed from greater omentum and transverse colon. Drawing shows potential inferior extension of lesser sac between the layers of the greater omentum.

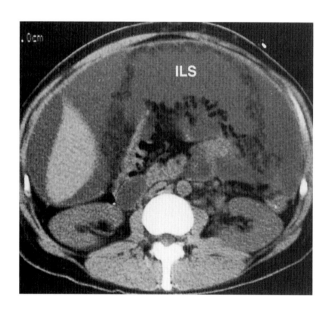

Fig. 5-13. Ascites between the leaves of the greater omentum.

In a patient with metastatic adenocarcinoma, ascitic fluid has dissected into the inferior recess of the lesser sac (*ILS*) between the unfused anterior and posterior leaves of theomentum. These are each evident by virtue of their fat-laden nature. Marked ascites is also present in the greater peritoneal cavity.

(Courtesy of Robert Mindelzun, MD, Stanford University, Palo Alto, CA.)

● ● ●

영상의학적 소견 Radiologic Features

복막내 농양의 국소화와 전파 The Spread and Localization of Intraperitoneal Abscesses

Meyers는 복강내의 감염의 전파는 다음에 의해서 결정된다고 기술하였다. (a) 위치, 성질, 내장 내용물 유출의 속도, (b) 장간막구획과 복막오목, (c) 중력(복막내 압력과 자세).[9, 18-20]

복막내액 흐름의 통로는 성인 어른의 복막조영술 연구로 확립되었다.[18, 19] 복막오목과 복막반사는 복막내 감염의 전파와 국소화를 파악하는데 있어 중요한 역할을 한다 (Table 5-1).

복강내 농양은 영상의학적으로 다음과 같이 나타날 수 있다:

(a) 연조직 종괴

(b) 장관외가스

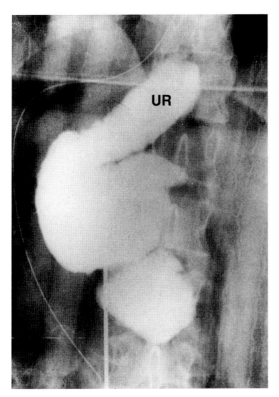

Fig. 5-14. Opacification of the lesser sac in vivo.
Following percutaneous puncture before a drainage procedure and contrast injection, the anatomic extent of the vestibule and the upper recess *(UR)* of the lesser sac is clearly depicted.
(Courtesy of Jacques Pringot, MD, Brussels, Belgium.)

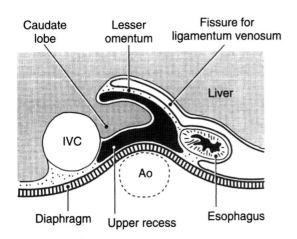

Fig. 5-15. Boundaries of superior recess of the lesser sac.
The borders of this cul-de-sac include the diaphragm posteriorly, the caudate lobe of the liver anteriorly, the intraabdominal segment of the esophagus to the left, and the inferior vena cava *(IVC)* to the right. *Ao* = aorta.
(After Sauerland.[83])

Table 5-1. 복강내 농양의 영상의학적 - 해부학적 분류	
상부결장간막 *supramesocolic*	하부결장간막 *inframesocolic*
우횡격막하 *right subphrenic*	골반 *pelvic*
앞쪽 *anterior*	결장옆 *paracolic*
뒤쪽 *posterior*	우측 *right*
우측 간밑 *right subhepatic*	좌측 *left*
앞쪽 *anterior*	결장하 *infracolic*
뒤쪽 *posterior*	우측 *right*
(모리슨 오목 *Morison's pouch*)	좌측 *left*
좌횡격막하 *left subphrenic*	
소낭 *lesser sac*	

(c) 내장 전위

(d) 정상 구조물의 소실

(e) 정상적으로는 유동성인 장기의 고정

(f) 교통하는 농양강과 누공의 음영 증가

간접 징후는 척추측만증, 횡격막의 상승 혹은 고정, 국소 혹은 전반적 장 폐쇄, 그리고 폐 기저부의 변화이다. 이런 통로 및 국소화 징후는 전통적인 단순 X선 촬영뿐만 아니라 초음파, 핵의학 검사, 컴퓨터단층촬영으로 확인할 수 있다.[21] 감염전파 경로의 우선순위와 이에 따른 구획을 아는 것은 처음 발생한 장소에서 떨어져 생긴 농양의 조기진단에 도움이 된다.[18, 20, 21]

: 골반 농양 Pelvic Abscesses

하부결장간막*inframesocolic*구획으로 들어온 액체는 대부분 바로 골반강으로 들어와 더글라스오목의 중앙부위(맹낭*cul-de-sac*)[22]를 채운 뒤 외측 방광주위오목*lateral paravesical fossae*으로 흘러가게 된다(**Fig. 5-19**). 좌측 결장하공간의 소량의 액체도 이러한 진로를 따라 흐르게 되지만, 우측 결장하 공간에서는 소장의 장간막과 대장의 합류부에 막혀 골반강으로의 흐름이 방해받게 되며, 액체의 양이 많아 넘치게 되면 비로소 골반내 의존부위로 흐른다. 이 통로는 중력에 의해 기능을 하게 되며 광범위한 복막염 이후에 농양이 대부분 골반강에 생기는 이유를 설명할 수 있다(**Figs. 5-20, 5-21**).

골반강으로의 액체저류는 전산화단층촬영과 초음파 검사로 확인할 수 있다.[23]

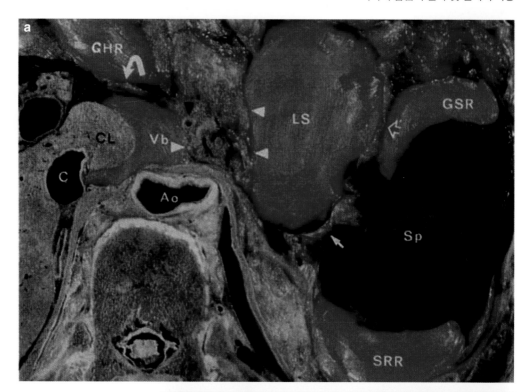

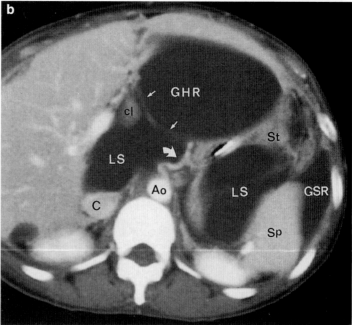

Fig. 5-16. Anatomy of the lesser sac and the gastropancreatic plica.

(a) Anatomic specimen with spaces injected. The gastropancreatic plica *(white arrowheads)*, within which courses the left gastric artery *(black arrowhead)*, is a structure of some dimension. It separates the vestibule *(Vb)* in relationship to the caudate lobe *(CL)* from the larger lateral recess of the lesser sac *(LS)*. The latter is separated by the gastrosplenic ligament *(open arrow)* from the gastrosplenic recess *(GSR)* and by the splenorenal ligament *(white arrow)* from the splenorenal recess *(SRR)*. The vestibule is separated by the gastrohepatic ligament *(curved arrow)* from the gastrohepatic recess *(GHR)*. Ao = aorta; C = inferior vena cava; Sp = spleen. (Reproduced with permission from Kumpan.[13])

(b) In a case of ascites, CT demonstratesthe gastropancreatic plica through which the left gastric artery courses *(curved arrow)* separates the fluid collections within the two recesses of the lesser sac *(LS)*. This is bounded anteriorly by the gastrohepatic ligament *(small arrows)* from fluid in the gastrohepatic recess *(GHR)* and laterally and posteriorly by the gastrosplenic and splenorenal ligaments from fluid in the gastrosplenic *(GSR)* and splenorenal recesses, respectively. Ao = aorta; C = inferior vena cava; cl = papillary process of caudate lobe; St = stomach; Sp = spleen.

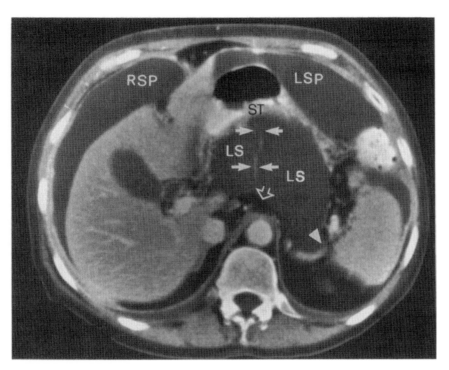

Fig. 5-17. CT anatomy of the lesser sac.

The lesser sac *(LS)*, distended with ascites, is traversed by the stretched peritoneal fold *(arrows)* in which the left gastric artery courses to reach the lesser curvature of the stomach *(ST)*. Based on this anatomic feature, the potential clinical loculation of fluid to one or the other compartment can be anticipated. The subperitoneal fat near the base of origin within the gastropancreatic plica is identifiable *(open arrow)*. On the left, note the posterior extent of the lesser sac bounded by the splenorenal ligament within which distal splenic vessels course *(arrowhead)*. Ascites within the right *(RSP)* and left *(LSP)* subphrenic spaces is separated by the falciform ligament.

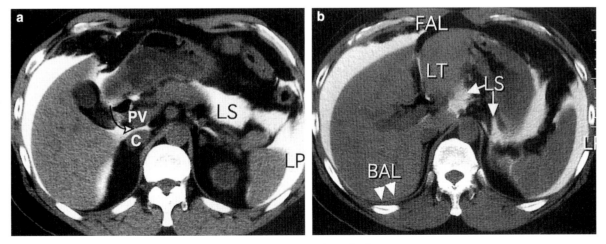

Fig. 5-18. CT anatomy of the foramen of Winslow entrance into the lesser sac.

(a and b) CT scans of the abdomen following intraperitoneal injection of contrast show communication of the greater peritoneal cavity with the lesser sac *(LS)* via the epiploic foramen of Winslow *(curved arrow)*, between the inferior vena cava *(C)* and portal vein *(PV)*. Perihepatic contrast is limited anteriorly by the falciform ligament *(FAL)*, where some tracks along the ligamentum teres *(LT)*, and posteriorly at the level of the bare area of the liver *(BAL)*. LP = left perisplenic space. (Courtesy of Hiromu Mori, MD, Oita Medical University, Oita, Japan.)

: 우측 간밑 그리고 횡격막하 농양
Right Subhepatic and Subphrenic Abscesses

골반에서 액체는 양측 부대장홈을 따라 상행할 수 있다. 좌측으로의 흐름은 더 얕고 느리며 횡격막결장인대로 인해 막혀있다.[18] 따라서 우측 부대장홈이 골반으로부터의 흐름의 주요 통로가 된다. 우측 부대장홈을 타고 올라온 액체는 간의 아래 경계까지 올라와 우측 간밑 오목, 특히 모리슨오목으로 들어가게 된다(Fig. 5-22). 우측 부대장홈은 또한 삼출액 전파의 통로가 된다. 농양형성은 상부 간밑 공간에서 유합, 국소화될 수 있지만 흔하지 않다. 액체는 가장 낮은 부위인 모리슨오목으로 먼저 모이게 된다. 이것은 하행십이지장의 외측면과 우측 신장의 바로 앞쪽, 횡행결장간막 바로 위에 위치하는 삼각형모양의 홈으로 형성되어 있다(Fig. 5-23). 따라서 액체는 모리슨오목 대부분을 차지하게 된다. 이 골반강에서 형성되는 액체 흐름의 경로는 일정해서 우측 부대장홈을 "고랑 *gutter*"이라고 하며, 오염된 물질은 "하수구*sewer*"를 통해 모리슨오목으로 모이게 된다.

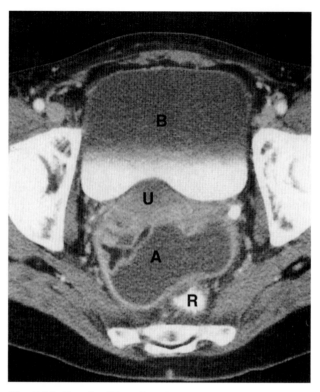

Fig. 5-20. Pouch of Douglas abscess.
CT demonstrates an abscess with an enhancing wall *(A)*, secondary to appendicitis, that has localized in the cul-de-sac between the rectum *(R)* and the uterus *(U)*. *B* = urinary bladder.

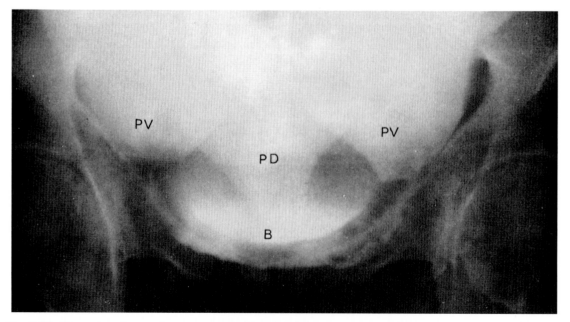

Fig. 5-19. Erect view shows a larger amount of intraperitoneal contrast medium distending the midline pouch of Douglas *(PD)* and the lateral paravesical fossae *(PV)*.
The urinary bladder *(B)* is opacified.

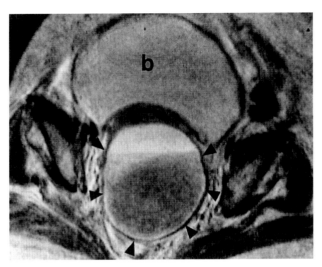

Fig. 5-21. T2-weighted fat-suppressed MR image reveals a complex fluid collection *(arrowheads)* behind the urinary bladder *(b)*.

Low-signal intensity debris is layered in the dependent portion of the abscess.

(Reproduced with permission from Semelka et al.[82])

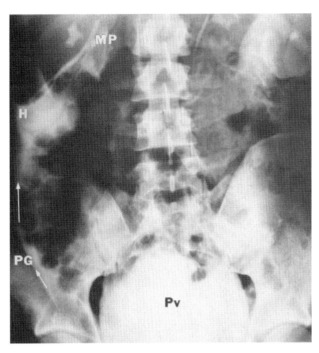

Fig. 5-22. Preferential spread up right paracolic gutter.

Peritoneography in a patient demonstrates that contrast material, after first filling the pelvis *(Pv)*, then extends directly up the right paracolic gutter *(PG)*. It then outlines the hepatic angle *(H)* and progresses preferentially into Morison's pouch *(MP)*.

(Reproduced with permission from Meyers.[18])

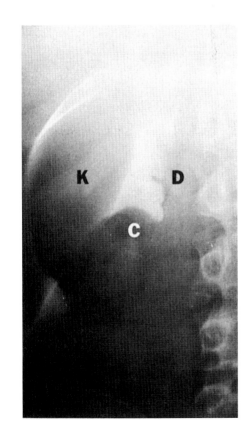

Fig. 5-23. The triangular dependent recess of Morison's pouch is opacified by a small amount of contrast medium. This is bounded posteriorly by the kidney *(K)*, medially by the descending duodenum *(D)*, and inferiorly by the proximal transverse colon *(C)*. The outline particularly of gaseous collections at this site has been referred to as the *Doge's cap sign*, since its configuration typically has the shape of a peaked cap reminiscent of "Il corno," the renaissance headgear worn by the Doge of Venice.[24]

(Reproduced with permission from Meyers.[18])

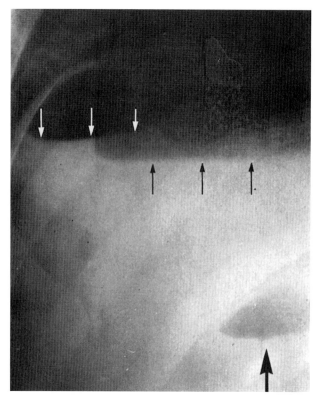

Fig. 5-24. Right subhepatic and subphrenic abscesses.
Upright film demonstrates an abscess within Morison's pouch *(single arrow)* and two air-fluid levels beneath the diaphragm *(arrows)*, representing collections in the right subphrenic spaces over the dome of the liver.

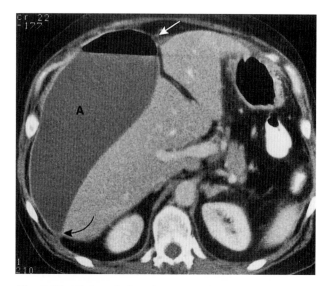

Fig. 5-25. Right subphrenic abscess, followingperforation of a duodenal ulcer.
CT demonstrates a large gas-containing abscess *(A)* compressing the right lobe of the liver. It is demarcated by the attachments of the falciform ligament anteriorly *(arrow)* and the superior coronary ligament posteriorly *(curved arrow)*.

모리슨오목이 먼저 감염되고 나서 우측 횡격막하로 감염된 물질이 모이는 것은 매우 중요한 사실이다(Fig. 5-24).

액체는 간의 아래경계주위나 우측 관상인대의 하연과 모리슨오목의 외측면으로 퍼져 나와 간의 지붕부위보다 위쪽 공간으로 올라오게 된다. 뒤쪽 우측 횡격막하 공간의 액체저류는 관상인대의 부착부위보다 내측으로 퍼져 나가지 못한다(Fig. 5-25). 우측 횡격막하 공간에서 좌측 횡격막하 공간으로의 통로는 겸상인대로 인해 막혀있기 때문이다.

이런 액체의 흐름은 여러 임상연구에서 보고된 복막내 농양의 발생률과 위치를 설명할 수 있다. 횡격막하 그리고 간밑 농양의 빈도는 좌측에 비해 우측에서 2~3배 더 높았으며, 가장 흔한 장소는 모리슨오목이었다. 단독으로 우측 간밑 공간의 앞쪽에 농양이 생기는 것은 상대적으로 드물었다. 모리슨오목과 우측 횡격막하 공간의 농양은 흔히 동시에 발생되었다. 하지만 우측 횡격막하 공간에만 농양이 한정되어 있는 것은 드물지 않았는데, 이는 이미 우측 간밑 공간의 뒤쪽에 농양이 발생하였다가 염증성 유착만으로 남아있는 소견을 보일 가능성이 있다.

정수압적 고려 Hydrostatic considerations. 해부학적 통로와 중력의 힘에 더하여, 다양한 복막내의 압력 또한 복막강 액체의 분포에 영향을 미치게 된다. 골반강에서 나와 액체가 위로 올라가는 것은 단순한 흐름이 아니다. 액체는 환자가 누워있든지 서 있든지 간에 천골곶*sacral promontory*과 옆구리근육을 이겨내고 위로 올라간다. Autio[25]는 수술 후에 환자에게 주입된 조영제가 서 있는 자세에서도 상부 복강 오목으로 이동하는 것을 처음으로 보고하였다. 조영제는 우측 부대장홈을 통해 골반으로 내려갔다가 다시 우측 횡격막하 공간으로 올라가는 양쪽 방향으로의 액체 흐름을 보였다.

복강 내용물의 정수압은 복벽의 유연성과 더하여 복강 내의 압력을 대부분 결정하게 된다. Overholt[26]는 동물에서 횡격막하 공간의 정수압은 어느 복강내의 압력보다 낮고 호흡에 따라 다양하다고 서술하였다. 상복부의 복막내 압은 대기압보다 약간 낮고 흡기 시에 더 낮아진다. 이런 횡격막하 공간의 압력과 호흡과의 관계는 서 있거나 누워

있는 자세와 관계 없이 유지된다. 이것은 흡기 시에 갈비뼈가 바깥쪽으로 움직여 상부 복강의 공간이 넓어지고 횡격막이 아래로 내려오는 것으로 설명될 수 있다. Salkin[27]은 그 후에 50명을 대상으로 한 연구에서 복막내 압력이 0에서 -30 mm H_2O를 보이고, 하복부보다 상복부에서 압력이 낮다고 확인했다. Drye[28]는 누운 자세에서 복막내 압력이 평균 8 cm H_2O 정도이고, 서 있는 자세에서는 하복부의 압력이 거의 누운 자세보다 3배 더 증가한다고 기술했다. 복막내압이 자세와 호흡에 따라 달라지는 것은 다른 연구자들에 의해서도 확인되었다. 하복부와 상복부의 이러한 정수압의 차이는 서 있는 자세에서도 감염물질의 상향 전달을 가능하게 한다.

　액체는 우측 상결장간막 부위로 비슷한 통로를 통해 올라간다.[18] 우세한 흐름은 곧장 모리슨오목으로 가서 우측 횡격막하 공간으로 간 다음 우측 부대장홈을 따라 골반강으로 이동하는 것이다. 우측 부대장홈이 감염이 상부 그리고 하부 복강내 구역간에 전파되는 주요 통로이다. 이것은 복강내압의 차이의 효과와 몸의 움직임에 따른 액체의 흐름을 보는 Meyers의 복막조영술이 개발되기 전에는 영상의학적으로 정확히 관찰되지 않았던 사실이다.[18, 19]

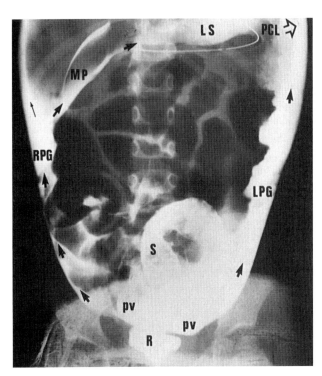

Fig. 5-26. Extension of intraperitoneal fluid into the lesser sac.

Contrast enema performed in a child following perforation of the rectosigmoid junction (*R* = rectum; *S* = sigmoid colon). Extravasation opacifies the paravesical fossae *(pv)* and the right paracolic gutter *(RPG)*. Flow continues to Morison's pouch *(MP)*, through the epiploic foramen to the lesser sac *(LS)*. Extension up the left paracolic gutter *(LPG)* is impeded at the phrenicocolic ligament *(PCL)*.
(Courtesy of William Thompson, MD)

∶ 소낭 농양 Lesser Sac Abscesses

해부학적으로 모리슨오목은 소낭과 망낭공*epiploic foramen* (Winslow 공)을 통해 연결되어 있다. 감염되지 않은 복강내액은 큰 복막강에서 생겨서 소낭으로 들어갈 수 있다(Fig. 5-26). 하지만 이러한 틈새와 같은 연결 통로는 유착에 의해 쉽게 폐쇄되며, 따라서 소낭의 벽 자체에서 감염이 생기는 경우를 제외하면 소낭은 전반적인 복막염이 생기더라도 쉽게 오염되지 않는다. 따라서 소낭의 농양은 췌장염이나 위후벽 혹은 십이지장 구부 궤양의 천공이 있을 때 생긴다(Figs. 5-27, 5-28).

　전형적인 소낭의 농양은 공간을 넓히면서 위장을 앞쪽으로, 횡행결장을 아래쪽으로 민다. Meyers는 좌위동맥에서 생긴 복막주름에 유착이 있을 경우 가끔 농양이 두 개의 주요 구획으로 나뉜다고 하였다(Fig. 5-29a). 이것은 이후 다른 연구자들에 의해 증명되었다.[13]

　소낭내의 액체저류는 아래쪽 오목으로 뻗어나가서 때로 대망을 구성하는 두면 사이를 벌릴 수 있다(Fig. 5-29).

　복강내 식도 후면의 천공은 소낭까지 바로 퍼질 수 있다.[29]

∶ 좌측 횡격막하 농양 Left Subphrenic Abscesses

좌측 횡격막하 농양은 위 혹은 십이지장 구부*bulb* 전벽 궤양의 천공으로 생길 수 있지만, 특히 비장절제술이나 위나 결장수술 후 발생하는 문합부위 누출에 의해서도 생길 수 있다.

　좌측 상사분역에서 생기는 액체의 가장 일반적인 흐름은 전형적으로 농양이 형성되는 위치인 횡격막하 공간으로 올라가는 것이다(Fig. 5-30). 이것은 호흡과 관련된 횡격막하 공간의 음압 때문에 일어나는 현상이다.

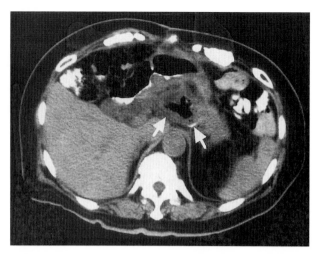

Fig. 5-27. Lesser sac abscess following gastric surgery.

CT demonstrates a gas-containing abscess *(arrows)* in the lesser sac, displacing the stomach and thickening its posterior wall.

(Courtesy of Hiromu Mori, M.D., Oita Medical University, Oita, Japan.)

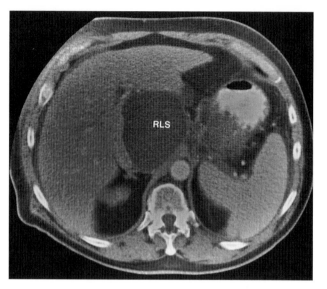

Fig. 5-28. Pancreatic pseudocyst within medial compartment of lesser sac.

The encapsulated collection has localized to the right medial compartment of the lesser sac *(RLS)*.

(Courtesy of Richard Gore, MD, Evanston Hospital, Evanston, IL.)

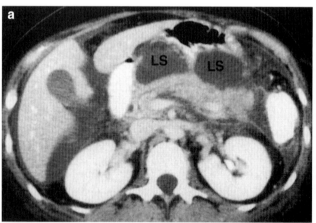

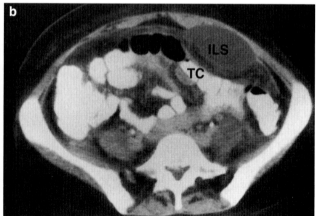

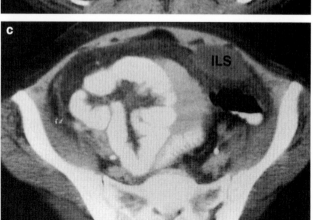

Fig. 5-29. Acute pancreatitis with development of lesser sac pseudocysts and extension into greater omentum.

(a) Loculated fluid collections have developed within the lesser sac *(LS)* separated by the peritoneal fold raised by the left gastric artery. Ascites and extrapancreatic effusion within the left anterior pararenal space are present.

(b and c) Pancreatic pseudocyst extends within the inferior recess of the lesser sac *(ILS)* between the reflections of the greater omentum anterior to the transverse colon *(TC)* and into the pelvis.

(Courtesy of Michiel Feldberg, MD, University of Utrecht, The Netherlands.)

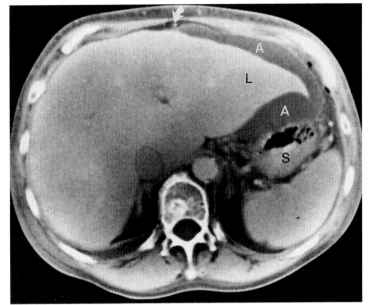

Fig. 5-30. Left subphrenic abscess. secondary to anterior perforation of a gastric ulcer. The abscess *(A)* is bordered by the falciform ligament *(arrow)*, the anterior peritoneal reflection of the stomach *(S)*, and liver *(L)*. Gas is present around the pars transversus of the left portal vein.
(Courtesy of Richard Gore, MD, Evanston Hospital, Evanston, IL.)

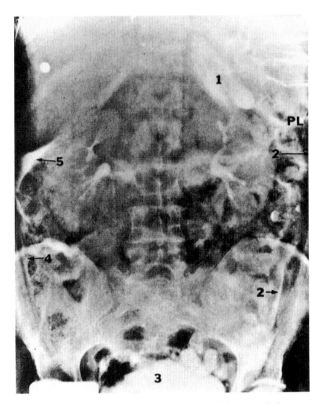

Fig. 5-31. Extravasated contrast material in the left upper quadrant. *(1)* at the time of percutaneous splenoportography can be traced to overflow the phrenicocolic ligament *(PL)* and proceed down the left paracolic gutter *(2)* to the pelvis *(3)*. From here it ascends the right paracolic gutter *(4)* to the subhepatic spaces *(5)*. This illustrates the dynamic pathways of fluid across the four quadrants of the abdomen.

좌측 횡격막하 공간의 감염된 물질의 양이 많아지면, 한 개 또는 두 개의 통로가 열린다:

1. 겸상인대 경계부 밑으로 중앙선을 넘어 우측 간밑, 횡격막하 공간으로 퍼질 수 있으며, 이후 우측 부대장홈으로 간다.

2. 감염된 물질은 횡격막결장인대로 천천히 흘러가게 된다. 보통, 좌측 횡격막하 공간에서 감염된 물질이 아래쪽으로 퍼지는 것은 이 단단한 복막주름에 의해 막히게 된다. 하지만 많은 양의 감염물질이 있을 경우에는 좌측 부대장홈을 지나 골반강으로 가게 된다(Figs. 5-31, 5-32). 여기서부터 감염물질은 우측 부대장홈을 통해서 우측 간밑 그리고 우측 횡격막 공간으로 올라가게 된다.

골반에서 시작된 감염은 얕은 좌측 부대장홈을 따라 위로 올라갈 수 있지만, 횡격막결장인대가 좌측 횡격막하 공간으로 퍼지는 것을 막아주며, 이것이 광범위한 복막염 이후에 좌측 상사분역 농양이 흔하지 않은 이유이다. 하지만 횡격막결장인대가 비장절제술을 받아 이전에 절제된 경우에는 감염이 좌측 부대장홈을 지나 횡격막하 공간으로 쉽게 퍼질 수 있다(Fig. 5-33).

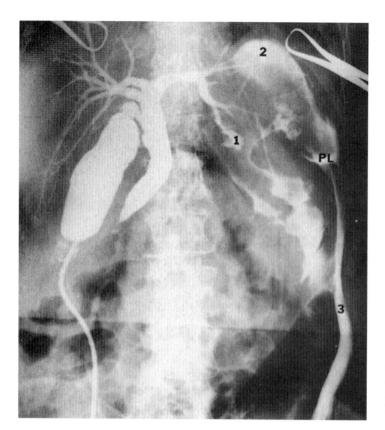

Fig. 5-32. Stab wound of liver.
Injection through cholecystotomy tube shows extravasation from left lobe of liver *(1)*. This seeks the left subphrenic space *(2)*, overflows the phrenicocolic ligament *(PL)*, and progresses down the left paracolic gutter *(3)* to the pelvis.

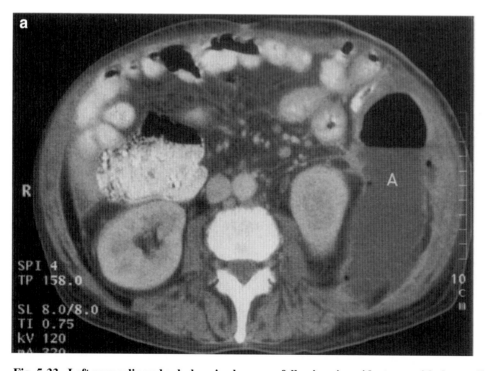
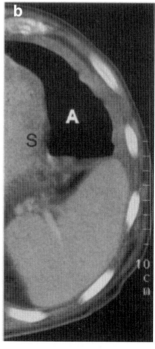

Fig. 5-33. Left paracolic and subphrenic abscesses, following sigmoidectomy with descending colostomy for perforated diverticulitis.

(a) CT shows a large fluid and gas-containing abscess *(A)*, displacing bowel and the left kidney.

(b) At a higher level, continuity to a prominent abscess in the left upper quadrant anterior to the gastrosplenic ligament lateral to the stomach *(S)* has developed.

(Courtesy of Ann Singer, MD, Cleveland Clinic, Cleveland, OH.)

: 전파경로의 요약 Summary of Pathways

Fig. 5-34에서 복막내 감염의 주요 전파경로를 요약했다. 전파의 경로를 이해함으로써 오염의 시작부위를 인지할 경우 멀리 떨어진 특정 부위의 농양 생성을 예측할 수 있다.

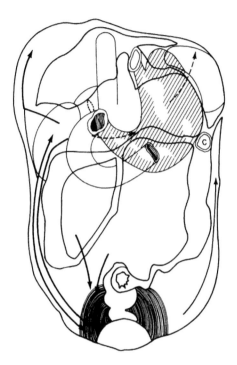

Fig. 5-34. Diagram of the pathways of flow of intraperitoneal exudates.
(See **Fig. 5-2**) *Broken arrows* indicate spread anterior to the stomach to the left subphrenic area. *C* = splenic flexure of colon.
(Modified with permission from Meyers.[18])

복막내 종양 파종 : 전파경로와 국소화
Intraperitoneal Seeding : Pathways of Spread and Localization

Meyers 등은 악성종양의 복강내 파종의 패턴과 각각의 결과가 특징적인 영상의학적 소견으로 나타날 수 있다고 하였다.[30-33] 이러한 소견은 특징적인 해부학적 관계와 복수의 역동적인 흐름에 기반을 두고 있다.

이것은 다음과 같은 이유로 실제적인 중요성을 지닌다:

(a) 발병기전과 영상의학적 변화는 밀접한 연관을 보이며, 이것을 인지함으로써 합리적이고 체계적인 판독이 가능하다.

(b) 악성종양이 복강내 전이나 침범으로 발현되는 경우가 드물지 않기 때문에, 이차 병소의 인지를 통해 일차 병변을 찾을 수 있다. 만일 이차 병소로 의심되는 병변이 장관에 있다면, 특징적인 전파경로를 인지한 후 원발 병변을 찾기 위한 추가적인 검사를 결정하는데 있어 영상의학과 의사가 중요한 역할을 하게 된다.

(c) 원발종양을 알고 있는 환자에서 위장관 증상이 생길 경우 특징적인 전파경로에 입각하여 가장 가능성이 높은 부위에 영상의학적 주의를 기울일 수 있다. 알려진 또는 임상적으로 잠복된 원발암이 있는 환자에서 단지 비특이적인 복부증상만으로 복막내 전이를 예견할 수 있다. 종종, 이러한 증상은 다른 위장관 질환이나 항암제의 부작용으로 인해 일어날 수도 있다.

(d) 복강내 파종의 특징을 이해한다면 방사선치료나 항암치료 계획을 세울 때 도움이 될 수 있다.

전통적으로 체강을 통한 전파는 예측할 수 없거나 원발종양의 장막 착상을 통해 일어난다고 믿어져 왔다. 그러나 파종된 종양의 착상과 성장은 복강내 오목내의 복수의 흐름에 좌우된다.[31] 원발종양 혹은 복강내 림프절 전이가 복강내로 파열되면 악성 세포가 복수에 포함되게 된다. 복수의 양을 측정하는 것은 악성세포의 전파나 착상과 큰 연관이 없다. Meyers 등은 복막내 액체는 고여

있는 것이 아니라 끊임 없이 복강내를 순환하고 있다고 하였다.[18, 19, 31]

이러한 순환 경로의 분포와 순차적인 전파는 중력과 횡격막하 음압에 의한 것 뿐만 아니라 장간막 반사*mesenteric reflection*와 복강내 오목과도 밀접한 연관이 있다.

● ● ●

복수 흐름의 경로 Pathways of Ascitic Flow

횡행결장간막, 소장간막, S자결장간막과 상행결장, 하행

결장의 복막부착은 복수 흐름의 방향을 결정하는 분수령으로 작용한다(Fig. 5-35).

중력에 의해 복강내 액체는 복강오목의 바닥에 모이게 된다. 결장간막하 구획의 액체는 우선적으로 골반강으로 모이게 된다. 좌측 결장하 공간의 일부 액체는 잠시 S자 결장간막의 위측 면을 따라 멈추었다가 서서히 골반강으로 흐르게 된다. 우측 결장하 공간의 액체는 소장간막을 따라 전파되며, 회장과 맹장이 합쳐지는 부위에 액체가 충분히 고이기 전에 골반강내로 액체가 흐르지 않는다. 더글라스오목이 가장 먼저 채워지고, 그 후에 대칭적으로

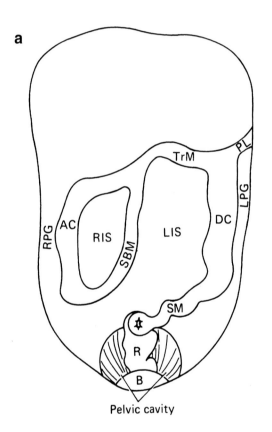
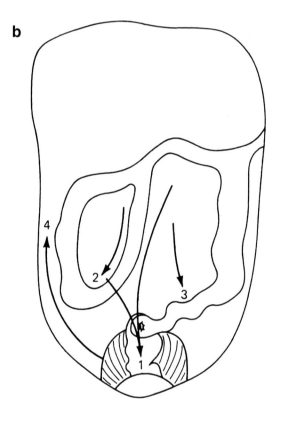

Fig. 5-35. (a) Posterior peritoneal reflections and intraabdominal spaces.

TrM = transverse mesocolon; *PL* = phrenicocolic ligament; *SBM* = small bowel mesentery; *AC* = attachment of ascending colon; *DC* = attachment of descending colon; *SM* = sigmoid mesocolon; *R* = rectum; *B* = urinary bladder; *RIS* = right infracolic space; *LIS* = left infracolic space; *RPG* = right paracolic gutter; *LPG* = left paracolic gutter.

The main axis of the small bowel mesentery, nevertheless, is directed toward the right lower quadrant in relation to the terminal ileum and cecum. The right infracolic space terminates at their junction. The left infracolic space is open anatomically to the pelvis to the right of the midline; toward the left, it is restricted from continuity with the pelvic cavity by the sigmoid mesocolon. The right and left paracolic gutters represent potential communications between the lower abdomen and pelvis below with the supramesocolic area above. On the left, however, the phrenicocolic ligament partially separates the paracolic gutter from the perisplenic (left subphrenic) space. This ligament extends from the splenic flexure of the colon to the diaphragm at the level of the 11th rib. The compartments of the pelvis include the midline cul-de-sac or pouch of Douglas (rectovaginal pouch in the female and rectovesical pouch in the male) and the lateral paravesical recesses.

(b) Diagram of the pathways of flow of intraperitoneal fluid and the four predominant sites in the lower abdomen.

외측 부대장홈이 채워진다. 이때부터 액체는 양측 부대장홈을 따라 올라가기 시작한다. 얕은 좌측 부대장홈에서 액체의 상승은 천천히, 약하게 일어나고, 횡격막결장인대에 의해 막히게 된다. 골반강에서의 주된 액체의 상승경로는 우측 부대장홈을 통한 것이다. 이것은 우측 간밑 공간과 횡격막하 공간으로 이어진다. 우측 부대장홈은 또한 상복부 구획과 하복부 구획 사이의 주된 연결통로 역할을 한다. 우측 상사분역의 이동 가능한 액체저류는 이 연결통로를 통해 골반강으로 다시 내려간다.

하복부에서 복수가 잘 생기고 잘 머무는 곳이 네 군데가 있다: (a) 골반강, 특히 더글라스오목, (b) 소장간막이 끝나는 우측 하사분, (c) S자결장간막의 위쪽, (d) 우측 부대장홈. 이 경로들은 Fig. 5-35b에 그려져 있다.

● ● ● ─────────

파종 위치 Seeded Sites

복수가 고이고 정체되면 악성세포가 파종, 착상되어 성장하게 된다. 파종 후 착상된 종양들은 뭉친 후 빠르게 생기는 섬유소 결합에 의해 장막표면에 고정된다.[34]

악성종양의 복막내 파종의 위치는 복수의 흐름과 일치한다.[31] 남성에서는 원발종양은 주로 위장관에서 기원하는 것들이고(위암, 결장암, 췌장암), 여성은 주로 생식기관에서 기원하는 것이다(난소).

▌더글라스오목 (직장S자결장 연결부) : ▌영상의학적 소견 Pouch of Douglas ▌(Rectosigmoid Junction) : Radiologic Features

복막내 액체는 끊임 없이 복강내에서 가장 아랫쪽이자 뒷쪽인 더글라스오목으로 모이게 되고, 그 다음 외측 방광주위 오목을 채우게 된다. 더글라스오목으로 구성된 복막반사의 아랫쪽 경계는 두 번째 천골하부에서 네 번째 천골상부정도에 위치한다(Fig. 5-36). 이러한 위치의 변화는 복막과 드논빌리어근막Denonvillier's fascia (직장질 혹은 직장방광 사이막)의 발생학적 결합과 방광과 직장의 확장정도에 따라 좌우된다.[35] 이것은 특히 직장과 S자결장을 경계 짓는 유용한 이정표로 쓰인다. 또한 당연히 직장 S자

결장 연결부의 앞쪽은 더글라스오목과 접하게 된다.

이 위치로의 파종이 가장 흔하며 약 50% 정도를 차지한다. 바륨관장술에서 이것은 직장 S자결장 연결부의 앞쪽에 특징적인 고정된 주름이나 결절성 자국으로 나타난다(Fig. 5-37).[31] 이러한 변화는 딱딱한 섬유성 반응의 융합을 반영하며, 임상적으로 촉지될 경우 브루머 선반Blumer's shelf 이라고 한다.[35, 36] 직장선반 종양rectal shelf tumor 의 생성에 필수적인 요소는 드논빌리어근막의 가장 윗부분에 생기는 병적인 고정pathologic fixation 이며, 단면 영상에서 이 부위의 파종이 잘 나타난다(Fig. 5-38). 더글라스오목의 파종으로 인한 직장 S자결장 연결부 앞쪽에 결절상 자국은 자궁내막증, 직장주위염증, 종양, 정낭의 염증, 방사선치료 후에도 비슷하게 보일 수 있다.[35, 37] 하지만 복수가 있다면 이러한 소견이 복막암종증에 의한 것임을 시사한다.

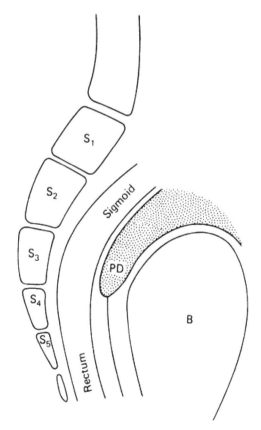

Fig. 5-36. Sagittal view of relationships of pouch of Douglas (PD).
This is the lower continuation of the peritoneal cavity between the rectosigmoid and the urinary bladder (B). (Reproduced with permission from Meyers.[31])

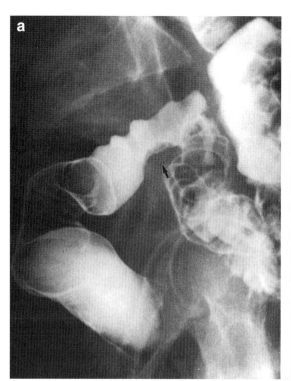
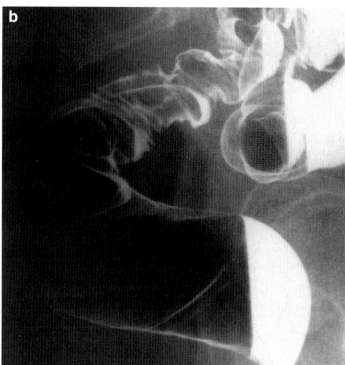

Fig. 5-37. Two different cases of metastatic seeding in the pouch of Douglas.
Associated desmoplastic response characteristically results in **(a)** nodular mass or **(b)** infiltrations and mucosal tethering involving the rectosigmoid junction. The primary tumors were **(a)** carcinoma of the pancreas and **(b)** carcinoma of the ovary.
(**a**: Reproduced with permission from Meyers MA, McSweeney [30], **b**: Courtesy of Stephen Rubesin, MD, Hospital of the University of Pennsylvania, Philadelphia.)

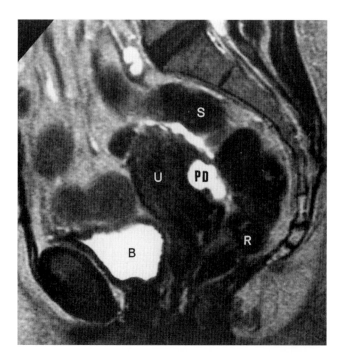

Fig. 5-38. Metastatic seeding in the pouch of Douglas.
Sagittal MR image shows seeded deposits from a primary carcinoma of the ovary in the rectouterine pouch of Douglas *(PD)*. *R* = rectum; *S* = sigmoid colon; *U* = uterus; *B* = urinary bladder.
(Courtesy of Michiel Feldberg, MD, PhD, University of Ultrecht, The Netherlands.)

하부 소장장간막(회장말단부와 맹장) : 영상의학적 소견 Lower Small Bowel Mesentery (Terminal Ileum and Cecum) : Radiologic Features

소장장간막근*root of small bowel mesentery*은 두 번째 요추의 좌측에서 기시하여 우측 아래방향으로 진행해 대동맥과 하대정맥을 건너 우측 천장골 관절까지 뻗어있는 약 15 cm 정도 길이의 구조물이다. 이 소장장간막근에서부터 장간막 주름들이 나와 소장을 지지한다(Fig. 5-39). 이러한 부채꼴의 장간막 주름들은 파도모양을 보이며, 약 15~20피트(4.5~6.1 m) 길이로 소장을 구불구불하게 감기게 하는 역할을 한다. 말단으로 가면 장간막은 대부분 맹장결장 연결부에 부착된다. 일련의 복강 오목은 주름진 소장간막의 우측을 따라 비스듬하게 우측 하사분역으로 주행한다. Meyers는 이러한 점이 복수의 저류에 작용한다고 밝혔다(Figs. 5-40, 5-41) [30-32]. 이곳으로의 전파는 단계적으로 한 소장장간막 주름에서 다음 주름으로, 소장장간막의 축 방향을 따라 일어나 말단 회장이나 맹장쪽 우측 하사분역으로 진행한다(Figs. 5-42). 소장장간막 내

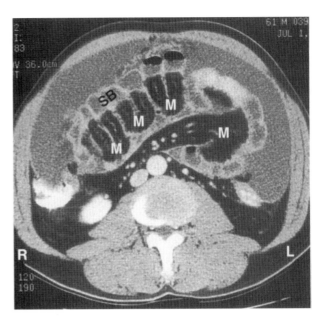

Fig. 5-40. Relationships of small bowel mesentery to pooled ascites.

CT in a patient with a large amount of ascites and peritoneal thickening shows multiple mesenteric leaves that are separated from each other clearly by thickened peritoneum and pools of ascites. Linear vessels course with the fat-laden mesenteric leaves that display U-shapes reflecting their ruffled nature as they extend from the evident broad-based root.

SB = small bowel, *M* = mesentery.

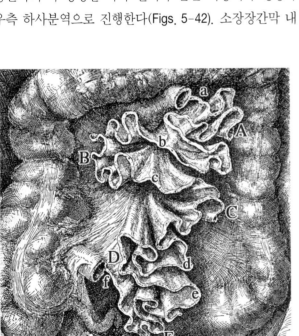

Fig. 5-39. The small bowel mesentery, illustrating its ruffled nature.

A series of peritoneal recesses is formed along its right side. (Reprinted with permission from Kelly.[84])

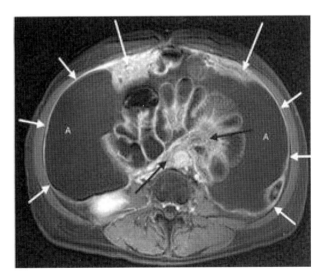

Fig. 5-41. Small bowel mesentery involved by peritoneal carinomatoses.

Gadolinium-enhanced MRI demonstrates enhancement of the small bowel mesentery *(black arrows)* along with that of a bulky omental tumor *(long white arrows)*, the free peritoneal surfaces and paracolic peritoneum *(short white arrows)* secondary to diffuse seeding from ovarian cancer. Considerable ascites *(A)* is present.

(Reproduced with permission from Low.[53])

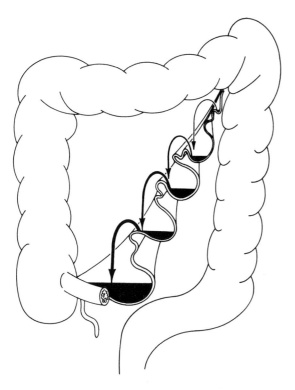

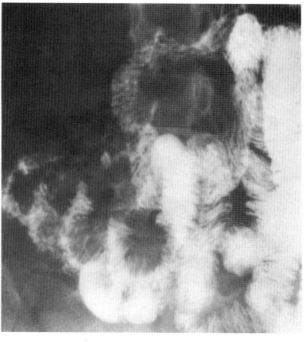

Fig. 5-43. Seeded ovarian carcinoma along lower small bowel mesentery.
There is striking scalloped displacement of multiple ileal loops in the right lower quadrant, following the axis of the mesenteric recesses. The mucosal folds are mildly tethered.
(Reproduced with permission from Meyers.[30])

Fig. 5-42. The flow of ascites forms a series of pools within the recesses of the small bowel mesentery.
The most consistent drainage is to its lower end, in relation to distal ileal loops and the cecum.
(Reproduced with permission from Meyers.[32])

의 아랫쪽 오목이 골반강으로 액체가 넘치기 전에 가장 먼저 저류가 일어나는 곳이다.

우측 결장하 공간 중에 소장장간막*small bowel mesentery*의 아래쪽 오목에 착상된 파종은 임상적으로 약 40%에서, 말단 회장이 밀리게 되면서, 혹은 맹장과 상행결장의 내측 윤곽에 압박효과를 주면서 발견된다. 인접한 소장장간막 오목들에서 대칭적인 성장이 일어나면 우측 하사분역의 말단 회장들이 각각 분리되어서 보인다. 점막주름의 각진 뭉침은 동반된 섬유화 반응을 의미한다. 이러한 영상소견과 장막 종괴는 장간막 주름에 의해 지지되는 오목면을 따라 보인다[32]. 침범된 소장루프 뿐만 아니라 장막 종괴의 축도 소장장간막의 축과 일치한다. 파종들이 자라게 되면서 그것들은 소장루프를 아치 모양으로 옆으로 밀게 된다(Fig. 5-43). 종괴 크기의 대칭성과 소장장간막이 종괴에 의해 밀리는 것, 우측 하사분역의 소장장간막 주름의 방향 등을 관찰하면 종양 파종에 의한 소견임을 짐

작할 수 있다. 우측 하사분역의 회장 루프의 장막측에 파종된 전이병변은 일반적으로 장간막의 오목면에 위치하지만, 크기가 커지면 소장 주변을 완전히 둘러쌀 수도 있다(Fig. 5-44).

만일 파종된 전이병변에 따른 섬유화성 반응이 심할 경우, 우측 하사분역에서 회장루프의 뚜렷한 고정과 각짐 현상이 나타난다. 하지만 이러한 협착과 급격한 반응에도 불구하고, 장폐쇄는 뚜렷하지 않을 수 있다.

만일 파종된 전이병변의 크기가 증가함에도 의미 있는 섬유화성 반응이 없을 경우, 외부 종괴로 인한 장관의 위치가 밀리는 현상을 볼 수 있다(Fig. 5-45). 그러나 장간막 종괴들은 다발성인 경우가 많고 하부 소장장간막의 오목면에 주로 보이는 소견 자체는 차이가 없다(Fig. 5-46).

대부분의 소장장간막은 맹장결장 연결부에 부착하기 때문에, 맹장으로 파종된 전이병변은 회맹판막 아래쪽의 내측 하방에 잘 생긴다[32].

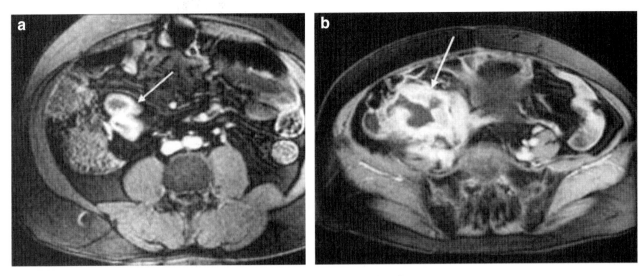

Fig. 5-44. Two different cases of seeded carcinoma involving the terminal ileum.

(a) Enhanced MR image depicts serosal metastases from colon cancer as mural thickening and enhancement of the terminal ileum *(arrow)* without an obstructing mass.

(b) In a more advanced case of seeding from ovarian cancer, there is a confluent enhancing mass *(arrow)* enveloping the terminal ileum.

(Reproduced with permission from Low.[53])

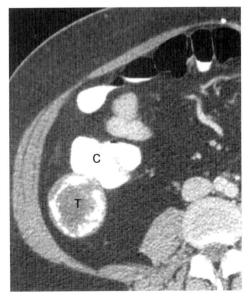

Fig. 5-45. Seeded ovarian teratoma along lower small bowel mesentery.

CT demonstrates a seeded metastasis *(T)*, with calcifications, implanted adjacent to the cecum *(C)*.

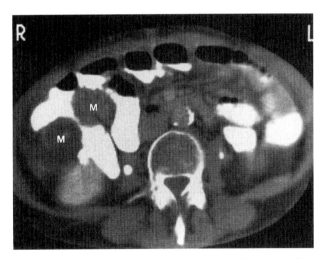

Fig. 5-46. Seeded ovarian carcinoma along lower small bowel mesentery.

Metastatic masses *(M)* compress the ileocecal region and an adjacentileal loop. There is early tethering of mucosal folds. Ascites is present.

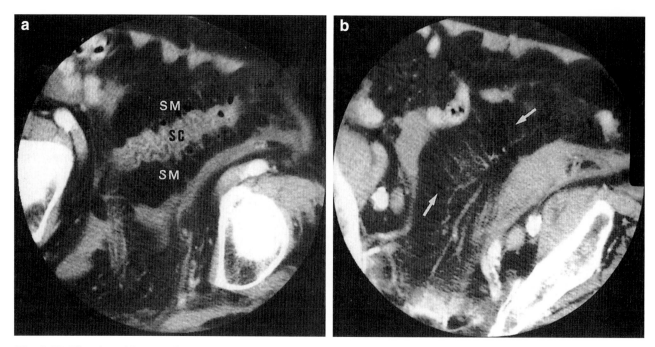

Fig. 5-47. The sigmoid mesocolon.
(**a** and **b**) CT identifies the fat-laden sigmoid mesocolon *(SM)* and its relationship to the sigmoid colon *(SC)*, which in this case bears diverticula, and to sigmoid and superior rectal vessels *(arrows)*.

S자결장 : 영상의학적 소견
Sigmoid Colon : Radiologic Features

S자결장간막은 좌측 천장관절 레벨에서 비스듬하게 접혀 앞쪽에서 쳐진 S자결장을 잡아주는 역할을 한다. 좌측 총 장골동맥이 나눠지는 부위에 위치한 첨부는 뒤집힌 "V" 모양을 보인다. 좌측 부위는 좌측 대요근*major psoas muscle*의 내측을 따라 내려간다.[38, 39] 우측 부위는 골반강으로 내려가 세 번째 천골 레벨에서 끝난다. 보통 S자결장 간막 내에는 약간의 지방이 있어 두 겹의 복막 사이를 지나는 S자결장혈관과 상직장혈관이 보인다(Fig. 5-47). 그래서 복수와 파종된 전이병변은 보통 "S자결장 사이 오목 *intersigmoid recess*" 이라 불리는 S자결장간막 근처에 모이게 된다(Fig. 5-48). 좌측 하사분역에 착상된 병변의 성장은 S자결장간막에 의해 막히게 되어 특징적으로 S자결장의 위쪽 면을 따라 모이게 된다. 동반된 섬유화성 반응에 의해 점막주름의 뭉침이 일어나게 된다. 이러한 반응으로 인하여 장의 내강과 비교할 때 수직이었던 점막주름의 축이 각이 지게 되고, 장간막내의 특정 위치에 있는 이차성

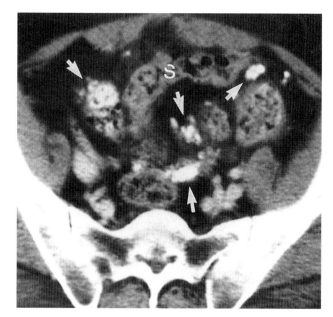

Fig. 5-48. Calcified seeded metastases on the sigmoid mesocolon.

Calcified deposits *(arrows)* from a serous cystadenocarcinoma of the ovary have lodged on the mesocolon adjacent to the sigmoid colon *(S)*.
(Courtesy of Michiel Feldberg, MD, PhD, University of Utrecht, The Netherlands.)

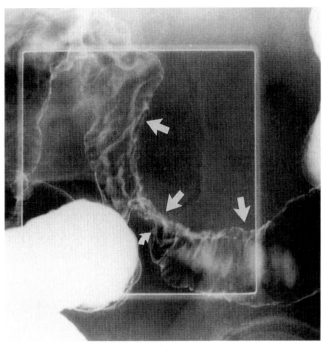

Fig. 5-49. Metastatic seeding in the sigmoid mesocolon from pancreatic carcinoma.
Double-contrast study demonstrates that seeded deposits accompanied by desmoplastic reaction result in mass compression with tethered mucosal folds on the superior border of the sigmoid colon *(arrows)*. At one point, the process has become annular *(curved arrow)*.
(Courtesy of Stephen Rubesin, MD, Hospital of the University of Pennsylvania, Philadelphia.)

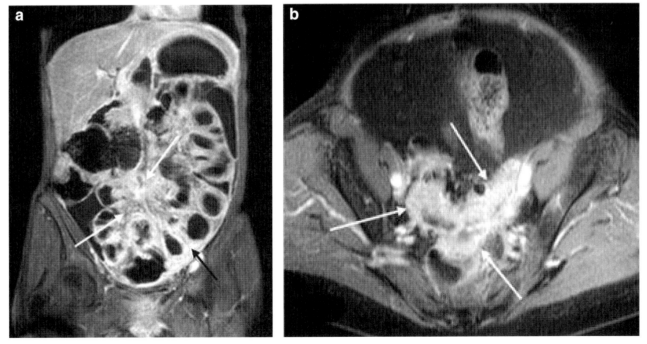

Fig. 5-50. Two different cases of serosal metastases involving the sigmoid colon.
(a) Enhanced MR image displays enhancing left lower quadrant tumor *(black arrow)* adjacent to the sigmoid colon from ovarian cancer accompanied by an enhancing mesenteric tumor *(white arrows)*.
(b) In a more advanced case, a confluent enhancing mass *(arrows)* seeded from ovarian cancer encases the sigmoid colon.
(Reproduced with permission from Low.[53])

병변을 향해 점막주름의 축이 모이는 현상을 보일 수도 있다. 간혹 파종된 전이 병변에 의해 결장이 둘러싸일 수 있지만(Fig. 5-50), 보통은 S자결장의 위쪽을 따라 병변이 진행된다. S자결장 부위의 전이성 파종은 복막암종증 중 20% 이상에서 일어난다.

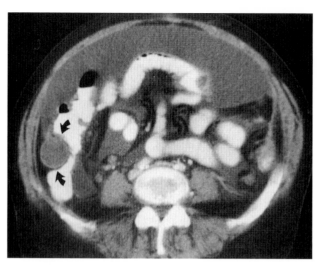

Fig. 5-52. Intraperitoneal seeding in right paracolic gutter from ovarian carcinoma.

A cystic metastatic implant *(arrows)* indents the lateral aspect of the ascending colon. Ascites is present.
(Courtesy of Michiel Feldberg, MD, University of Utrecht, The Netherlands.)

우측 부대장홈(맹장, 상행결장)과 모리슨오목: 영상의학적 소견 Right Paracolic Gutter (Cecum and Ascending Colon) and Morison's Pouch: Radiologic Features

골반으로부터 우측 부대장홈으로 상행하는 복수의 흐름에 따라 이 복막오목에서의 파종된 복막 전이의 침착과 성장은 맹장과 근위부 상행결장의 외측, 후방의 종괴 효과로 나타난다(Figs. 5-51, 5-52). 종종 더 위쪽의 우측 간밑 공간에도 파종된 전이의 침착이 발견된다(Figs. 5-53, 5-54).

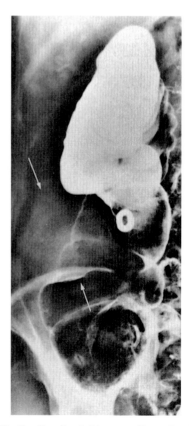

Fig. 5-51. Seeding in right paracolic gutter from ovarian carcinoma.

Metastatic mass displaces the lateral aspect of the ascending colon *(arrows)*.

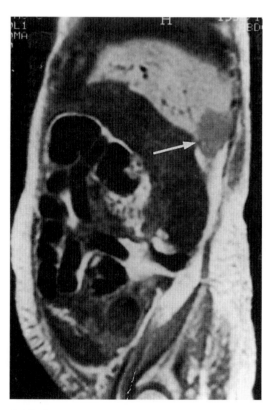

Fig. 5-53. Intraperitoneal seeding in Morison's pouch from ovarian carcinoma.

MRI, T1-weighted sagittal image, demonstrates a prominent implant in the right posterior subhepatic space *(arrow)*.
(Reproduced with permission from Chou et al.[81])

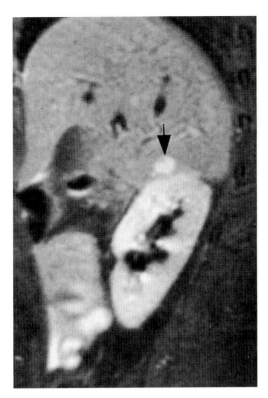

Fig. 5-54. Seeded deposit in Morison's pouch from ovarian carcinoma.

Sagittal gadolinium-enhanced T1-weighted MR image displays an implant discretely in Morison's pouch *(arrow)*. (Reproduced with permission from Forstner.[80])

간주위와 횡격막하의 파종 전이 Seeded Perihepatic and Subdiaphragmatic Metastases

환자의 CT에서 파종 전이가 상결장간막구획으로 퍼지는 경로가 Fig. 5-55에 표시되어 있다. 모리슨오목과 우측 횡격막하 공간으로 파종된 종양 침착은 드물지 않다(Fig. 5-56).

체액, 입자, 세포가 횡격막 아래쪽 면으로 향하는 경체강 이동은 호흡에 따른 복막내압의 변화와 복막오목들의 위치에 의해 결정된다.[18, 31]

난소암에서 원발종양의 피막에 있는 육안적 혹은 현미경적인 종양 돌출물에서 종양 세포들이 떨어져 나오게 된다. 이 세포들은 복강으로부터 횡격막에 위치한 림프관에서 제거된다.[40, 41] 그러나 횡격막에서의 흡수는 전횡격막 *whole diaphragmatic*의 표면에서 고루 일어나는 것이 아니고 간을 감싸는 오른쪽에서 더 많이 일어난다.[42, 43] 림프액은 근육을 통과하여 흉막에서 기원하는 유사한 망과 서로 통하는 횡격막의 중피하모세림프관으로 배액된다. 횡격막의 림프배액은 주로 전종격동 림프절로 일어난다.[44-47] 따라서 복부 CT(컴퓨터 단층촬영)의 가장 상위 레벨은

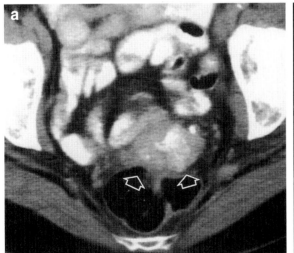
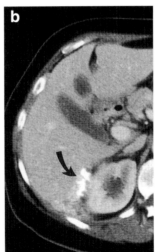
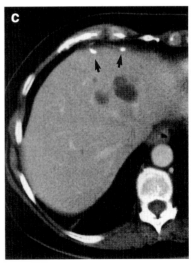

Fig. 5-55. Extension of seeded deposits from primary carcinoma in the pelvis to Morison's pouch and the right subphrenic space.

Calcifications in the primary ovarian serous cystadenocarcinoma and seeded implants following chemotherapy facilitate the documentation of the avenue of spread.

(a) The calcified primary ovarian mass *(arrows)*, deep to opacified small bowel loops, is identified.

(b) Following cephalad passage up the right paracolic gutter, deposits are lodged in Morison's pouch *(arrow)*.

(c) Responding to the subatmospheric pressure below the diaphragms, spread occurs in the perihepatic right subphrenic space *(arrows)*. Note that the medial extent of these lesions typically ends at the level of the falciform ligament.

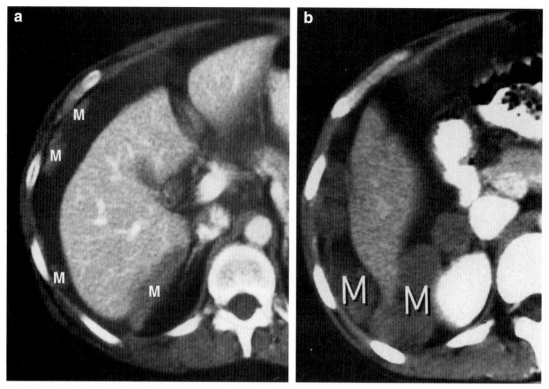

Fig. 5-56. Simultaneous metastatic seeding in Morison's pouch and the right subphrenic space.
Two different examples illustrate the range of magnitude from minimal deposits to masses *(M)* of varying sizes and shapes. The primary tumors were:
(a) Endometrial carcinoma;
(b) Pineal germinoma, with peritoneal dissemination via a ventriculoperitoneal shunt.
(Courtesy of Hiromu Mori, MD, Oita Medical Center, Oita, Japan.)

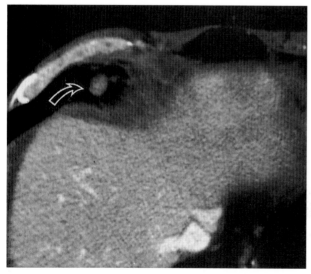

Fig. 5-57. Pericardiac lymphadenopathy secondary to metastatic pancreatic carcinoma.

CT demonstrates an enlarged anterior mediastinal lymph node *(arrow)*.

이 악성전이의 통과지점을 항상 평가해야 한다(Fig. 5-57). 이 경로는 복강에서 일어나는 전이세포의 80%를 제거하는 가장 중요한 경로이다. 난소암 종양세포로 인한 횡격막 림프관의 부분적이거나 완전한 폐쇄는 악성복수의 축적과 복강의 다른 부위로의 종양 세포의 이식에 유리한 조건을 형성한다.[40] 난소암 환자의 부검에서 거의 90%의 환자에서 복막으로의 전이암의 파종이 있으며, 60~70%에서 복수가 있다.[48]

파종된 난소 전이암이 우횡격막과 간피막을 따라 흔하다는 사실은 널리 알려져 있다. 복막경을 이용한 연구에서 난소암 환자의 61%에서 횡격막 전이가 있었고,[49] 횡격막 전이가 없었다면 1기, 혹은 2기로 진단될 환자의 21~34%에서도 횡격막 아래쪽 면, 특히 오른쪽에 파종이 있었다.[50] 이 전이암들의 크기는 보통 직경 2~3 mm에 불과하지만(Fig. 5-58) 수 cm에 이르기도 한다.

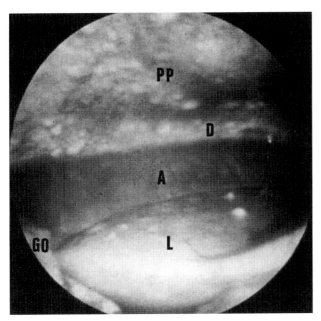

Fig. 5-58. Perihepatic seeded ovarian carcinoma shown by peritoneoscopy.

Multiple small nodules are present on the liver *(L)* and the parietal peritoneum *(PP)* of the abdominal wall and diaphragm *(D)*. A = ascites; *GO* = greater omentum. (Courtesy of Charles Lightdale, MD, New York.)

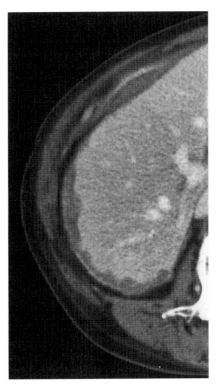

Fig. 5-59. Perihepatic seeded implants from ovarian carcinoma.

Multiple deposits on the liver capsule result in a scalloped contour.

난소암의 간주위 파종은 최신식 CT에서 더 자주 발견된다. 복막 전이암은 결절형, 판상 혹은 종이장 같이 얇은 판상의 종괴로 보이고(Figs. 5-56, 5-59, 5-60), 5 mm 정도로 작은 전이암도 복수에 의해 경계 지어지는 경우 CT에서 보일 수 있다. 중요한 파종 위치는 겸상인대와 간엽 사이열이다(Figs. 5-61, 5-62). 세포감소*cytoreductive* 수술에서 직경이 1.5 cm 이상인 모든 복부 종괴를 제거했을 때 생존율이 향상되므로 복막 전이의 정확한 발견이 특히 중요하다.[51] 하지만 간문과 간엽 사이열의 전이암은 수술이 불가능함을 의미한다.[52]

복막의 조영증강을 동반한 벽측복막의 비후는 복막이 복벽을 따라 매끈한 혹은 결절성의 선으로 보이게 하고 이는 융합된 전이암을 의미하며 CT에서 뚜렷하게 보일 수 있다(Fig. 5-63). 최신 기종을 이용한 MRI에서도 CT와 유사한 복막암종증의 소견을 관찰할 수 있다(Fig. 5-64).[53] 결핵성 복막염, 복막의 다른 감염성 질환, 중피종, 복막자궁내막증에서도 이런 소견이 보고되었다.[54-56]

난소의 점액성 낭선암에서 파종된 전이에서 생성된 교질성의 물질은 처음에 우간의 표면을 덮는 장막처럼 보일 수 있다(Fig. 5-65).

복막가성점액종*pseudomyxoma peritonei*의 특징적인 소견은 낭성병변들과 격막에 의해 나뉘어진 복수에 의해 간 모서리가 부채꼴로 변하는 것이다.[57] 이 질환의 원발종양은 대개 충수돌기나 난소에서 기원한다. 고분화세포는 부착능력이 떨어지므로, 연동운동이 활발한 장의 표면에는 종양이 없는 것이 특이적이다. 그래서 종양의 대부분은 횡격막 아래와 골반에 있으며, 대망과 소망에도 비교적 많은 종양이 발견된다.

난소의 장액성 낭선암에서는 간주위에 석회화된 전이성병변을 볼 수 있다.[58] 장액성 낭선암은 가장 흔한 난소 종양이고, 약 30%에서 조직학적으로 석회화와 사종체*psammoma body*를 갖는다.[59] 간주위 석회화는 우횡격막과 간표면에서 보이고(Fig. 5-66), 겸상인대와 횡격막하 공간에도 보인다(Fig. 5-62b). 석회화된 전이는 우측 부대장홈과 모리슨오목, 비장에 인접해서도 보인다.

난소암의 피막하 간전이는 CT와 MRI에서 간피막과 간

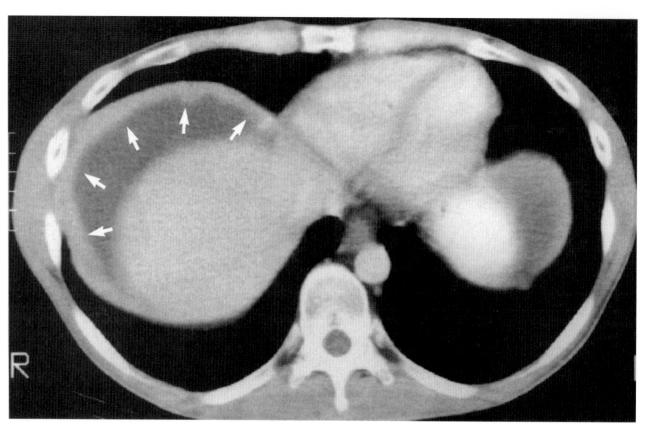

Fig. 5-60. Plaque-like seeding on diaphragmatic peritoneum.

Intraperitoneal seeding from an anaplastic carcinoma, site unknown, results in marked thickening of the diaphragmatic parietal peritoneum, particularly on the right *(arrows)*. Ascites is present.

(Courtesy of Emil Balthazar, MD, New York University School of Medicine, New York.)

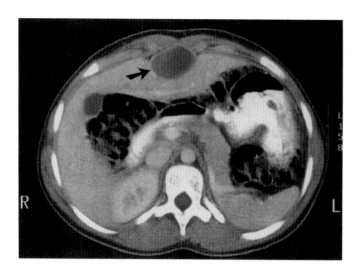

Fig. 5-61. Falciform ligament implant.

A large metastasis from a myxoid liposarcoma of the pelvis has deposited on the falciform ligament *(arrow)*.

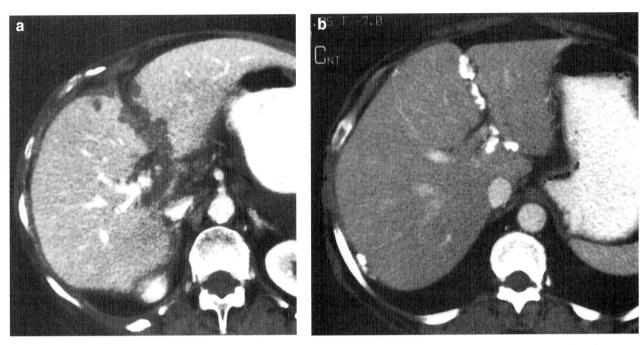

Fig. 5-62. Metastatic seeding on the falciform ligament in the interhepatic fissure, in two different examples of ovarian carcinoma.

CT demonstrates **(a)** a track of multiple nodular masses, and **(b)** calcified implants that also extend into the fissure for the ligamentum venosum.

(Courtesy of Michiel Feldberg, MD, PhD, University of Utrecht, The Netherlands.)

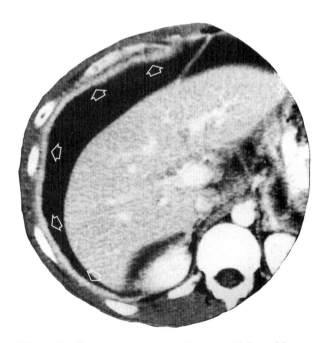

Fig. 5-63. Enhancement of peritoneum thickened by seeded metastases.

There is striking contrast enhancement of the perihepatic thickened parietal peritoneum *(arrows)*.

(Courtesy of Emil Balthazar, MD, New York University School of Medicine, New York.)

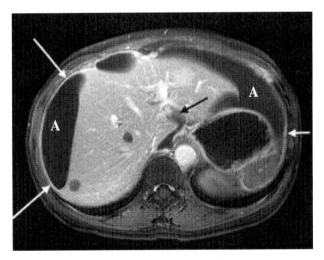

Fig. 5-64. Seeded metastases from ovarian cancer.

Gadolinium-enhanced MR image displays a thin enhancing subphrenic line on the right *(long white arrows)* and on the left *(short white arrow)* reflecting small volume peritoneal tumor and carcinomatosis. Metastatic tumor is also seen in the upper recess of the lesser sac *(black arrow)*. Loculated ascites *(A)* is also noted.

(Reproduced with permission from Low.[53])

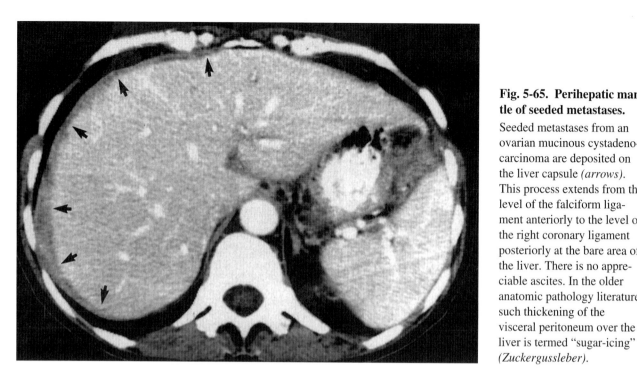

Fig. 5-65. Perihepatic mantle of seeded metastases.

Seeded metastases from an ovarian mucinous cystadenocarcinoma are deposited on the liver capsule *(arrows)*. This process extends from the level of the falciform ligament anteriorly to the level of the right coronary ligament posteriorly at the bare area of the liver. There is no appreciable ascites. In the older anatomic pathology literature, such thickening of the visceral peritoneum over the liver is termed "sugar-icing" *(Zuckergussleber)*.

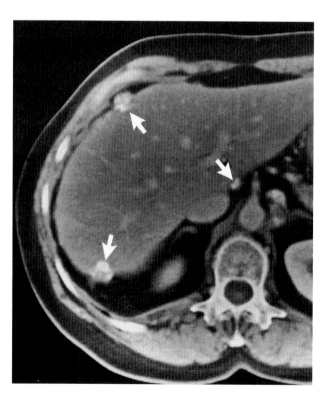

Fig. 5-66. Calcified perihepatic implants from ovarian carcinoma.

Calcified seedings are seen on the liver surface *(arrows)*.

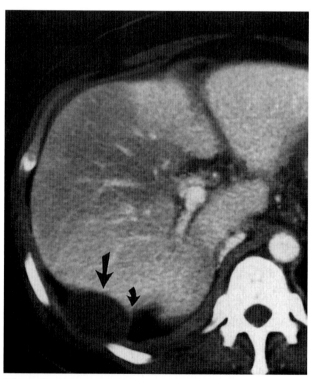

Fig. 5-67. Subcapsular liver metastasis from ovarian carcinoma.

A cystic mass *(large arrow)* indents the posterior contour of the right lobe of the liver. A "claw-sign" *(small arrow)* along one of its margins indicates its relationship to the parenchyma.

실질 사이에서 원형 및 타원형의 저음영, 또는 고신호강도 병변으로 보이고, 대개는 직경 0.5~1 cm이지만 드물게 8 cm에 이른다(Fig. 5-67).[60] 특징적으로 우측 간의 뒤쪽 내측과 외측 부분에 위치하고 모리슨오목에 생긴 복막전이와 관련된다. 아마도 간 표면에 이식된 종양세포가 간 실질과 함께 피막에 침윤하여 이곳에 피막하 전이를 만드는 것으로 생각되며, 이 병변은 항암화학치료 후 흔히 작아지거나 사라진다.

CT와 MRI에서 피막하 전이와 간실질내 전이의 구분은 중요한데, 전자는 세포감소수술의 금기가 아니기 때문이다. 수술 전에 간실질 전이(잠재적으로 간절제로 치료가능), 간장막의 병변, 횡격막의 복막 전이를 구분하는 것은 어렵고, 뒤의 둘은 복막 전이의 성장을 의미한다.[60, 61] 피막하 간 전이는 표재성 신낭종에서 보이는 것과 유사하게 양면 볼록렌즈모양의 특징적인 발톱*claw*징후을 보인다.

FDG PET-CT는 높은 종양표지자 수준과 음성 혹은 불확실한 기존의 영상소견을 보이는 환자나 완전한 세포감소치료를 위해 작은 종양도 발견할 필요가 있는 환자에게서 주로 이용된다.[61a]

대망의 파종전이 Seeded Metastases on the Greater Omentum

대망은 특징적으로 지방으로 된 앞치마 모양으로 보이고, 유백반*milky spot*이라고 알려진 림프조직이 분포한다. 유백반은 모세혈관주름을 둘러싸는 수많은 대식세포와 림프구 응집으로 이루어진다.[62, 63] 대망을 덮는 중피세포는 성기게 결합되고 기저막이 없으며,[64] 복막액을 흡수하는 개방된 림프 열공처럼 작용하여 다량의 종양세포를 대망으로 이동시킨다.[65] 이것이 대망 케이크*omental cake*가 형성되는 원리이다.

파종에 의한 암종증은 난소암에서 가장 흔한데, 대망에 파종된 전이는 단면영상에서 잘 보인다. 암종증의 소견은 대망 지방의 연부조직 침범, 잘 구별되는 선상 혹은 결절성 음영에서 "케이크*caking*"라고 일컫는 두꺼운 고형의 대망 종괴 등으로 다양하다.[61]

대망의 심한 파종전이는 원발성 종양, 감염, 염증, 외상, 정맥류, 경색 등과 구분되어야 한다.[66, 67]

복막암종증의 두 가지 흔치 않은 장소
Two Unusual Sites of Peritoneal Carcinomatosis

: 메리 조세프 수녀 결절 Sister Mary Joseph's Nodule

전이암 확산의 결과 중 하나는 메리 조세프 수녀의 결절로 알려진 배꼽의 병변이다. 최초로 복부내 악성종양에 의해 발생되는 징후에 관심을 가졌던 Wiliam Mayo 박사[70]의 수술조수 Hamilton Baily 경에 의해 명명되었고,[68, 69] 현재는 수백 가지의 증례가 보고되었다.[71] 이 병변은 위, 난소, 대장, 췌장의 종양에서 이차적으로 생기는 경우가 가장 흔하다. 이 배꼽의 결절은 대개 1~1.5 cm이지만(Fig. 5-68), 10 cm에 이르는 것도 보고되었다(Fig. 5-69).

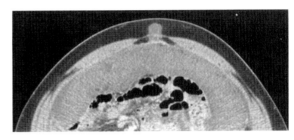

Fig. 5-68. Sister Mary Joseph's nodule.
A soft tissue mass is present in the subcutaneous tissue at the level of the umbilicus, metastatic from a mucinous carcinoma of the appendix. Note that it causes no discernible bulge of the skin surface. Omental caking is present.

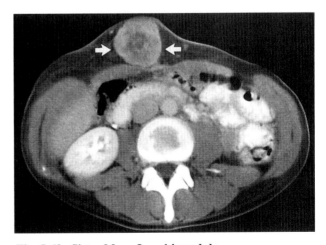

Fig. 5-69. Sister Mary Joseph's nodule.
CT demonstrates a large umbilical nodule with central necrosis *(arrows)*. In this 33-year-old male with adenocarcinoma of the esophagogastric junction, carcinomatosis included a lesser omental mass (coronary lymphadenopathy) and bilateral adrenal metastases.

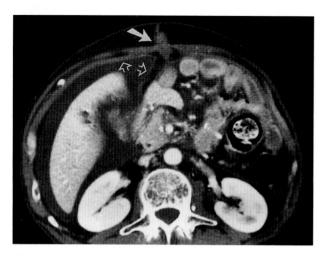

Fig. 5-70. Incisional recurrence mimicking a Sister Mary Joseph's nodule.
Tumor cells seeded at a surgical incision yield a subcutaneous mass *(closed arrow)* that appears to extend into the fat pad of the falciform ligament. This is associated with enhancement and thickening of the peritoneum *(open arrows)* and ascites in this patient with peritoneal carcinomatosis. It remains questionable whether the mass truly represents an umbilical metastasis that developed after the surgical procedure.

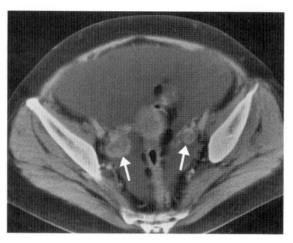

Fig. 5-71. Bilateral Krukenberg tumors of the ovaries secondary to gastric carcinoma.
The ovarian masses are clearly evident *(arrows)*, highlighted by massive ascites.

메리 조세프 수녀 결절이 복강내에 있는 일차성 악성종양의 첫 임상 발현일 수도 있다. 대부분 환자는 이 결절이 발견된 뒤 수개월 내에 사망한다. 배꼽으로 퍼지는 여러 가지 경로가 제시되고 있는데, 복부주름을 통한 림프성 혹은 혈행성 전이에서부터 파종된 종양까지 다양하다. 이 질환은 수술 절개 중에 생긴 전이암의 이식과 구분되어야 한다(Fig. 5-70).

ː크루켄버그 종양 Krukenberg Tumors

파종의 두드러진 표적 경로로 난소의 크루켄버그 종양을 들 수 있다.[72-74] 대부분 위 혹은 대장의 점액성선암에서 이차성으로 나타나고, 대개 양측성이며 복수가 동반된다 (Fig. 5-71). 난소의 난포가 파열된 곳이나 성선주위 지방 유백반으로 파종된 세포가 고착되고, 유입되는 것이 가능성 있는 발병기전으로 보고되었다.[75] MRI을 이용한 연구에서 이 병변의 대부분은 특징적인 강한 결합조직형성 반응에 의해 다양한 저신호강도의 고형 성분으로 보였다 (Fig. 5-72).[74]

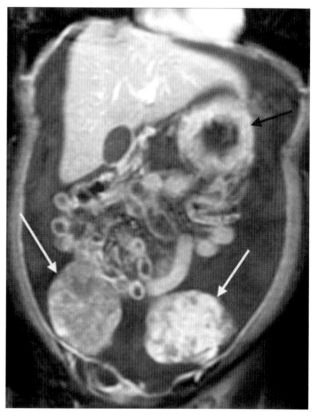

Fig. 5-72. Bilateral Krukenberg tmors of the ovaries secondary to gastric carcinoma.
Gadolinium-enhanced MR image shows primary gastric cancer as marked wall thickening of the stomach *(black arrows)* and bilateral Krukenberg tumors *(white arrows)* representing peritoneal metastases involving both ovaries.
(Reproduced with permission from Low.[53])

암종증의 유사질환 Mimicry of Carcinomatosis

복막암종증의 많은 영상소견은 결핵성 복막염, 드문 질환인 복막중피종, 복막림프종증, 전이성 복막성 평활근종증, 복막성 평활근육종증, 경화성 장간막염, 복막장액성 유두상암종과 매우 유사하다.

기구, 수술, 바늘길에 의한 종양 파종
Instrumental, Operative, and Needle Track Seeding

복강경수술이나 경피적 조직검사 혹은 인터벤션 시술 중 사용하는 도구에 의한 종양세포의 이식은 드물다.[76, 77] 종양파종이 생기는 경우 판상의 피하침윤이 대망 케이크와 유사하게 보일 수 있고,[78] 경우에 따라서는 명확히 구분되는 복막결절[79]로 보일 수도 있다.

◈ 참고문헌

1. Connell TR, Stephens DH, Carlson HC et al: Upper abdominal abscess: A continuing and deadly problem. AJR 1980; 134:759-765.
2. Wetterfors J: Subphrenic abscess: A clinical study of cases. Acta Chir Scand 1959; 117:388-408.
3. Annotation: Subphrenic abscess: A changing pattern. Lancet 1970; 2:301.
4. Morison R: The anatomy of the right hypochondrium relating especially to operations for gallstones. Br Med J 1894; 2:968.
5. Boyd DP: The subphrenic spaces and the emperor's new robes. N Engl J Med 1966; 275:911-917.
6. Mitchell GAG: The spread of acute intraperitoneal effusions. Br J Surg 1940; 28:291-313.
7. Whalen JP, Bierny JP: Classification ofperihepatic abscesses. Radiology 1969; 92:1427-1437.
8. Min P-Q, Yang Z-G, Lei Q-F et al: Peritoneal reflections of left perihepatic region: Radiologicanatomic study. Radiology 1992; 182:553-557.
9. Meyers MA: Roentgen significance of the phrenicocolic ligament. Radiology 1970; 95:539-545.
10. Winslow JB: Exposition anatomique de la structure du corps humain. G. Desprez et J. Dessesartz, Paris, 1732.
11. Estrada RL: Internal Intra-abdominal Hernias. RG Landes, Austin, 1994.
12. Auh YH, Rosen A, Rubenstein WA et al: CT of the papillary process of the caudate lobe of the liver. AJR 1984; 142:535-538.
13. Kumpan W: Computertomographische Analyse Postoperativer Abdomineller Kompartments. Radiologie 1987; 27:203-215.
14. Dodds WJ, Foley DW, Lawson TL et al: Anatomy and imaging of the lesser peritoneal sac. AJR 1985; 144:567-575.
15. Meyers MA, Oliphant M, Berne AS et al: The peritoneal ligaments and mesenteries: Pathways of intraabdominal spread of disease. Annual oration. Radiology 1987; 163:593-604.
16. Auh YH, Lim JH, Kirn KW et al: Loculated fluid collections in hepatic fissures and recesses: CT appearance and potential pitfalls. RadioGraphics 1994; 14:529-549.
17. Chou C-K, Liu G-C, Chen L-T et al: MRI demonstration of peritoneal ligaments and mesenteries. Abdom Imaging 1993; 18:126-130.
18. Meyers MA: The spread and localization of acute intraperitoneal effusions. Radiology 1970; 95:547-554.
19. Meyers MA: Peritoneography: Normal and pathologic anatomy. AJR 1973; 117:353-365.
20. Meyers MA, Whalen JP: Radiologie aspects of intraabdominal abscesses. In Ariel I, Kazarian K (ed) The Diagnosis and Treatment of Intraabdominal Abscesses. Williams & Wilkins, Baltimore, 1971.
21. Meyers MA: Abdominal abscesses. In Donner MW, Heuck FHW (eds) Radiology Today. Springer, Berlin, 1981, pp 186-190.
22 Douglas J: A Description of the Peritoneum, and of that Part of the Membrana Cellularis Which Lies on Its Outside. With an Account of the True Situation of All the Abdominal Viscera, in Respect of These Two Membranes. J Roberts, London, 1730.
23. Auh YH, Rubenstein WA, Markisz JA et al: Intraperitoneal paravesical spaces: CT delineation with US correlation. Radiology 1986; 159:311-317.
24. Hajdu N, deLacy G: The Rutherford Morison pouch: A characteristic appearance on abdominal radiographs. Br J Radiol 1970; 43:706-709.
25. Autio V: The spread of intraperitoneal infection. Studies with roentgen contrast medium. Acta Chir Scand 1964; 321:1-31.
26. Overholt RH: Intraperitoneal pressure. Arch Surg 1931:22:691-703.
27. Salkin D: Intraabdominal pressure and its regulation. Am Rev Tubercu 1934; 30:436-457.
28. Drye JC: Intraperitoneal pressure in the human. Surg Gynecol Obstet 1948: 87:472-475.
29. Alien KS, Siskind BN, Burrell MI: Perforation of distal esophagus with lesser sac extension: CT demonstration. J Comput Assist Tomogr 1986; 10:612-614.
30. Meyers MA, McSweeney J: Secondary neoplasms of the bowel. Radiology 1972; 105:1-11.
31. Meyers MA: Distribution of intra-abdominal malignant seeding: Dependency on dynamics of How of ascitic fluid. AJR 1973; 119:198-206.

32. Meyers MA: Metastatic seeding along small bowel mesentery: Roentgen features. AJR 1975; 123:67-73.

33. Meyers MA: Intraperitoneal spread of malignancies and its effect on the bowel. Second Annual Leeds Lecture. Clin Radiol 1981; 32:129-146.

34. Sampson JA: Implantation peritoneal carcinomatosis of ovarian origin. Am J Pathol 1931; 7:423-443.

35. Hultborn KA, Morales O, Romanus R: The socalled shelf tumour of the rectum. Acta Radiol Suppi 1955; 124:1-46.

36. Blumer G: Rectal shelf: Neglected rectal sign of value in diagnosis of obscure malignant and inflammatory disease within abdomen. Albany MedAnn 1909; 30:361.

37. Theander G, Wehlin L, Langeland P: Deformation of the rectosigmoid junction in peritoneal carcinomatosis. Acta Radiol Diagn 1963; 1:1071-1076.

38. Charnsangavej C, DuBrow R, Varma DGK et al: CT of the mesocolon. Part 1. Anatomic considerations. RadioGraphics 1993; 13:1035-1046.

39. Charnsangavej C, DuBrow R, Varma DGK et al: CT of the mesocolon. Part 2. Pathologic considerations. RadioGraphics 1993; 13:1309-1322.

40. Feldman GB, Knapp RC: Lymphatic drainage of the peritoneal cavity and its significance in ovarian cancer. Am J Obstet Gynecol 1974; 119:991-994.

41. Simer PH: The drainage of particulate matter from the peritoneal cavity by lymphatics. Anat Rec 1944; 88:175-192.

42. Feldman GB, Knapp RC, Order SE: The role of lymphatic obstruction in the formation of ascites in a murine ovarian carcinoma. Cancer Res 1972; 32:1663-1666.

43. Higgins GM, Graham AS: Lymphatic drainage from the peritoneal cavity in the dog. Arch Surg 1929; 19:453-465.

44. Bettendorf U: Lymph flow mechanism of the subperitoneal diaphragmatic lymphatics. Lymphology 1978; 11:111-116.

45. French GE, Florey HW, Morris BL: The absorption of particles by the lymphatics of the diaphragm. Q J Exp Biol 1960; 45:88-103.

46. Vock P, Hodler J: Cardiophrenic angle adenopathy: Update of causes and significance. Radiology 1986; 159:395-399.

47. Mittal BR, Maini A, Das BK: Peritoneopleural communication associated with cirrhotic ascites: Scintigraphic demonstration. Abdom Imaging 1996; 21:69-70.

48. Bergman F: Carcinoma of the ovary: A clinicopathological study of 86 autopsied cases with special reference to mode of spread. Acta Obstet Gynecol Scand 1966; 45:211-231.

49. Rosenoff SH, DeVita VT, Hubbard S et al: Peritoneoscopy in staging and follow-up of ovarian cancer. Semin Oncol 1975; 2:223-228.

50. Dagnini G, Marin G, Caldironi MW et al: Laparoscopy in staging, follow-up, and restaging of ovarian carcinoma. Gastrointest Endosc 1987; 33:80-83.

51. Meyer JI, Kennedy AW, Friedman R et al: Ovarian cancer: Value of CT in predicting success of debulking surgery. AJR 1995; 165:875-878.

52. Forstner R, Hricak H, Occhipinti KA et al: Ovarian cancer: Staging with CT and MR imaging. Radiology 1995; 197:619-626.

53. Low RN: MR imaging of the peritoneal spread of malignancy. Abdom Imaging 2007; 32:267-283.

54. Auh YH, Lim JH, Jeong YK et al: Anatomy of the peritoneal cavity and reflections. In Gourtsoyiannis NC, Yamada R, Itai Y, Meyers MA, Nolan D, Ros P, Stevenson G (eds) Abdominal and Gastrointestinal Imaging Multimedia Virtual Textbook. (http://medic-online.net/abdo/).

55. Hamrick-Turner JE, Chiechi MV, Abbit PL et al: Neoplastic and inflammatory processes of the peritoneum, omentum, and mesentery: Diagnosis with CT. RadioGraphics 1992; 12:1051-1068.

56. Nardi PM, Ruchman RB: CT appearance of diffuse peritoneal endometriosis. J Comput Assist Tomogr 1989; 13:1075-1077.

57. Ronnett BM, Zahn CM, Kurman RJ et al: Disseminated peritoneal adenomucinosis and peritoneal mucinous carcinomatosis: A clinicopathologic analysis of 109 cases with emphasis on distinguishing pathologic features, site of origin, prognosis, and relationship to "pseudomyxoma peritonei". Am J Surg Pathol 1995; 19:1390-1408.

58. Mitchell DG, Hill MC, Hill S et al: Serous carcinoma of the ovary: CT identification ofmetastatic calcified implants. Radiology 1986; 158:649-652.

59. Ferenczy A, Talens M, Zoghby M et al: Ultrastructural studies on the morphogenesis of psammoma bodies in ovarian serous neoplasia. Cancer 1977; 39:2451-2459.

60. Triller J, Goldnirsch A, Reinhard J-P: Subcapsular liver metastasis in ovarian cancer: Computed tomography and surgical staging. Eur J Radiol 1985; 5:261-266.

61. Walkey MM, Friedman AC, Sobotra P et al: CT manifestations of peritoneal carcinomatosis. AJR 1988; 150:1035-1041.

61a. DeGaetano AM, Calcagni ML, Rufini V et al: Imaging of peritoneal carcinomatosis with FDG PET-CT: Diagnostic patterns, case examples and pitfalls. Abdom Imaging 2009; 34:391-402.

62. Liebermann-Meffert D, White H: The Greater Omentum: Anatomy, Physiology, Pathology, Surgery, with an Historical Survey. Springer, New York, 1983, pp 1-173.

63. Shimotsuma M, Kawarta M, Hagiwara A et al: Milky spots in the human greater omentum: Its macroscopic and histological identification. Acta Anat 1989; 136:211-216.

64. Shimatsuma M, Shields JW, Simpson-Morgan MW et al: Morphophysiological function and role of omental milky spots as omentum-associated lymphoid tissue (OALT) in the peritoneal cavity. Lymphology 1993; 26:90-101.

65. Holm-Nielsen P: Pathogenesis ofascites in peritoneal carci-

nomatosis. Acta Pathol Microbiol Scand 1953; 33:10-21.

66. Sompayrac SW, Mindelzun RE, Silverman PM et al: The greater omentum. AJR 1997; 168:683-687.

67. Karak PK, Millmond SH, Neumann D et al: Omental infarction: Report of three cases and review of the literature. Abdom Imaging 1998; 23:96-98.

68. Bailey H: Demonstration of Physical Signs in Clinical Surgery, 13th ed. Williams & Wilkins, Baltimore, 1960.

69. Key JD, Shephard DAE, Walters W: Sister Mary Joseph's nodule and its relationship to diagnosis of carcinoma of the umbilicus. Minn Med 1976; 59:561-566.

70. Mayo WJ: Metastasis in cancer. Proc Staff Meet MayoClin 1928; 3:327.

71. Shetty MR: Metastatic tumors of the umbilicus: A review 1830-1989. J Surs Oncol 1990- 45:212-215.

72. Krukenberg F: Ueber das Fibrosarcoma ovarii mucocellulare (Carcinomatodes). Arch Gynecol 1896; 50:287-321.

73. Mata JM, Inaraja L, Rams A et al: CT findings in metastatic ovarian tumors from gastrointestinal tract neoplasms (Krukenberg tumors). Gastrointest Radiol 1988; 13:242-246.

74. Ha HK, Baek SY, Kirn SH et al: Krukenberg's tumor of the ovary: MR imaging features. AJR 1995; 164:1435-1439.

75. Sugarbaker PH, Averbach AM: Krukenberg syndrome as a natural manifestation of tumor cell entrapment. In Sugarbaker PH (ed) Peritoneal Carcinomatosis: Principles of Management. Kluwer, Boston, 1996, pp 163-191.

76. Goletti O, De Negri F, Pucciarelli M et al: Subcutaneous seeding after percutaneous ethanol injection of liver metastases. Radiology 1992; 183:785-786.

77. Smith E: Complications of needle biopsy. Radiology 1991; 178:253-258.

78. La Fianza A, Di Maggio EM, Preda L et al: Infiltrative subcutaneous metastases from ovarian carcinoma after paracentesis: CT findings. Abdom Imaging 1997; 22:522-523.

79. Kurl S, Farin P, Rytkohen H et al: Intraperitoneal seeding from hepatocellular carcinoma following percutaneous ethanol ablation therapy. Abdom Imaging 1997; 22:261-263.

80. Forstner R, Hricak H, Powell CB et al: Ovarian cancer recurrence: Value of MR imaging. Radiology 1995; 196:715-720.

81. Chou C-K, Liu G-C, Su J-H et al: MRI demonstration of peritoneal implants. Abdom Imaging 1994; 19:95-101.

82. Semelka RC, Ascher SM, Reinhold C: MRI of the Abdomen and Pelvis. Wiley-Liss, New York, 1997.

83. Sauerland EK: Grant's Dissector, 10th ed. Williams & Wilkins, Baltimore, 1991

84. Kelly HA: Appendicitis and Other Diseases of the Vermiform Appendix. Lippincott, Philadelphia, 1909.

복막외 공간: 정상 및 병적 해부학
The Extraperitoneal Spaces : Normal and Pathologic Anatomy

서론 Introduction

복강의 복막외 공간extraperitoneal space은 해부학적 정의, 임상적 평가, 영상의학적 진단이 어려운 영역으로 간주되어왔다. 해부학적으로 복막외 공간은 뚜렷한 근막fascia의 경계가 없는 복강의 뒤쪽 절반의 모호한 영역으로 여겨졌다. 복막외 공간의 삼출액은 청진, 촉진, 타진 등 임상 수기로는, 평가가 어렵고, 증상과 징후가 모호하며, 늦게 나타나고, 비특이적이고, 잘못 해석되는 경우가 많아 임상적 진단이 어려운 것으로 알려져 왔다.

복막외 공간은 복강peritoneal cavity과 달리 균 감염 시 급격하거나 심한 반응을 보이지 않는다.[1] 일정량의 균이 복막내로 유입되면 급성 복막염이 발생하고 극적인 전신증상이 나타나게 되지만, 복막외 공간의 균 감염은 이와는 달리 증상 발현이 적고 잠행성인 경우가 흔하다. 따라서 복막외 공간의 농양은 임상적 발견까지 오랜 증상기간을 가지는 경우가 흔하다.[2]

몇몇 연구들은 비단 심한 복막외 감염이라도 임상적으로 인지하기가 어렵다는 사실을 강조하고 있으며, 대규모 연구에서 환자의 25~50% 정도에서 복막외 감염이 완전히 간과되었음이 보고되었다.[2, 3] 복막외 농양은 조기진단과 치료가 이루어지지 않는다면 오랜 유병기간과 높은 사망률과 관련된다.

복막외 감염은 인접한 후복막강retroperitoneal 혹은 복막안peritoneal 장기의 감염, 외상, 악성종양의 합병증에 따라 이차성으로 발생하는 경우가 흔하다. 드물게 세균혈증bacteremia이나 화농성 림프절염suppurative lymphadenitis의 결과로 발생하는 경우도 있다.

복막외 감염의 대표적 증상은 열, 오한, 복부 혹은 옆구리 통증, 구역, 구토, 야간 발한, 체중 감소 등이다. 임상경과는 흔히 잠행성이고, 초기증상은 비특이적이어서 정확한 진단이 어려운 경우가 많다. 국소화징후가 나타나기까지 전신증상이 수주에서 수개월간 지속되는 경우도 있다. 복막외 신경의 압박에 의해서 복부나 등의 통증이 없이 서혜부, 고관절, 대퇴부, 무릎 등에 연관통referred pain이 발생할 수 있다. 비뇨기증상은 드물고, 비단 신장주위 농양의 경우라도 비뇨기증상이 없는 경우가 많다.

옆구리 종괴나 종창은 약 50% 정도에서 촉진되는데,[3] 늑골의 아래쪽에 위치한 크고 국소화된 병변인 경우에만 촉진된다. 대부분의 환자는 농양부위의 압통을 호소한다. 척추측만증scoliosis, 요근 연축psoas spasm, 농루sinus tract 등이 동반될 수 있다. 백혈구 증가leukocytosis는 대부분 동반되지만, 소변검사는 신장주위 농양을 포함한 대부분의 경우에서 정상이다.

복막외 농양의 드문 합병증으로는 복강내 파열과 연부조직으로의 진행성 박리이다. 병변은 전복벽, 등과 옆구리의 피하지방층, 횡격막하 공간subdiaphragmatic space, 종격mediastinum, 흉강, 요근psoas muscle, 대퇴부, 고관절 등으로 전파될 수 있다. 누공fistula은 신장에서부터 장관의 복막외 부위와 기관지까지 연결될 수 있다.

복막외 혈종은 흔히 외상, 동맥류 파열, 악성종양, 출혈성향, 과량의 항응고제 투여 등의 결과로 발생한다.

복막외 공기는 염증성 괴양성 질환, 둔상과 관통 외상blunt and penetrating trauma, 이물, 외인성iatrogenic 손상에 의한 장관 천공이나 복막외 장기의 공기형성 감염에 의해 발생한다. 복막외 공기를 유발하는 기저질환은 임상적으로는 만성적이고 잠재적occult이며, 때로는 약간 의심스러운 정도일 경우도 있다. 따라서 가끔씩은 방사선학적으로 공기음영이 발견될 때까지 복부의 급성 질환이 있다는 사실이 임상적으로 인지되지 않는 경우도 있다. 복막외 공기는 조직 내의 반상mottled 공기음영이나 근막을 따라 주행하는 선형음영으로 보인다.

단순촬영에서 요근psoas muscle의 외측 경계가 소실되는 것이 복막외 삼출effusion의 특징적 소견으로 알려졌지만, 실제 이러한 소견은 신뢰하기 힘든 소견으로 정상인의 25~44%에서만 요근의 경계가 명확하게 관찰된다.[4,5]

Lancet에 실린 한 사설에는 이런 문제를 비참하게 강조하고 있다:[6]

의학적 명성은 복막의 뒤쪽에 묻혀있다. 근막으로 모호하게 경계 지워진 이 낙오된 중간엽의 내류지역에서 임상의는 흔히 자신의 재능과 자신을 이끌어줄 최선의 진단 원칙만을 가진 채 버려지게 된다.

그러나 우리는 이것이 더 이상 진실이 아니라는 것을 알아야 한다. Meyers와 그 동료들은 X선-해부학 연구에서 복막외 공간을 세 가지의 분명한 구역으로 나누는 근막간의 상호관계를 밝힌 바 있다.[7-12] 각 구역은 분명한 경계와 해부학적 연관관계를 가지고 있다. Meyers가 후복막강 공기조영술retroperitoneal pneumography로 신장주위 공간perirenal space을 둘러싸는 신장근막renal fascia을 방사선학적으로 확인한 후,[13] 이 구조는 요로조영술urography과 신장단층촬영술nephrotomography을 통해서도 확인되었으며,[11, 12, 14-16] 이후 컴퓨터단층촬영술을 통하여 확실히 증명되었다.[7, 17-19] 다양한 위치에서 발생한 질병의 파급 경로와 복막외 감염 및 삼출액의 경계는 고정된 근막면fascial plane과 저항이 가장 적은 경로에 의해 결정된다. 이런 정보는 복막외 조직의 액체 혹은 공기 저류의 존재와 양 그리고 위치를 진단하고, 또한 액체의 기원과 성상을 정확하게 예측할 수 있게 한다.

● ● ●

해부학적 고려사항 Anatomic Considerations

복막외 근막면과 구역compartements, 그리고 이들 간의 관계에 대한 지식은 임상 및 방사선학적 소견을 이해하기 위해 필수적이다. 후복막강retroperitoneal space은 골반 가장자리pelvic brim에서 횡격막까지 이어지는 공간으로 앞쪽으로는 뒤벽측 복막posterior parietal peritoneum에 의해, 뒤쪽으로는 횡근막transversalis fascia에 의해 경계 지워진다. 후복막강에 위치하는 중요한 장기와 구조물은 아래와 같다:

(a) 부신, 신장, 요관
(b) 십이지장의 하행, 횡행, 상행 부위 및 췌장
(c) 대동맥과 대정맥 및 분지혈관들
(d) 상행과 하행결장

세 가지 복막외 구역과 신장주위 근막
The Three Extraperitoneal Compartments and Perirenal Fasciae

복막외 공간은 명확하게 구분되는 근막면에 의해 경계 지워진다(Fig. 6-1). Fig. 6-2a는 신장 하극lower pole 높이 옆구리부분 수평horizontal 절편의 확대 사진이다. 복막외 공간의 중심에는 전/후신장근막이 있다. 후신장근막posterior renal fascia이 Zuckerkandl[20]에 의해 처음으로 기술되었고(Fig. 6-3), 이후 전신장근막anterior renal fascia이 Gerota[21]에 의해 기술되었는데(Fig. 6-4), 이 두 신장 근막 모두를 묶어서 Gerota 근막Gerota's fascia이라 부른다.[22]

신장근막은 두꺼운 아교질collagenous, 탄력elastic 결체조직으로 신장과 주위 지방을 감싸고 있다. 전후신장근막의 두 층은 상행 혹은 하행결장의 뒤쪽에서 만나 합쳐져 단층의 외측 원뿔근막lateroconal fascia을 형성하고, 이 외측원뿔근막은 다시 옆구리부위에서 복막과 만나서 부대장홈paracolic gutter을 형성한다. Fig. 6-2b는 이런 중요한 근막 구조의 관계를 전산화단층촬영을 통해 보여주고 있다. Meyers는 세 가지의 복막외 구역을 정의하였고 각각의 경계를 이루는 근막구조는 Fig. 6-2c에 나와있다:

1. **전신주위 공간**anterior pararenal space : 후벽측 복막에
   서 전신장근막까지의 공간을 의미하며, 외측으로는 외
   측 원뿔근막에 의해 경계 지워짐.
2. **신장주위 공간**perirenal space : 신장kidney과 신주위 지

방을 포함하는 공간이며, 신주위 지방층은 신장 하극
lower pole의 뒤쪽과 약간 외측 부분에서 가장 풍부하
며, 신장주위perirenal 농양과 혈종의 진단에 있어서 중
요하다.

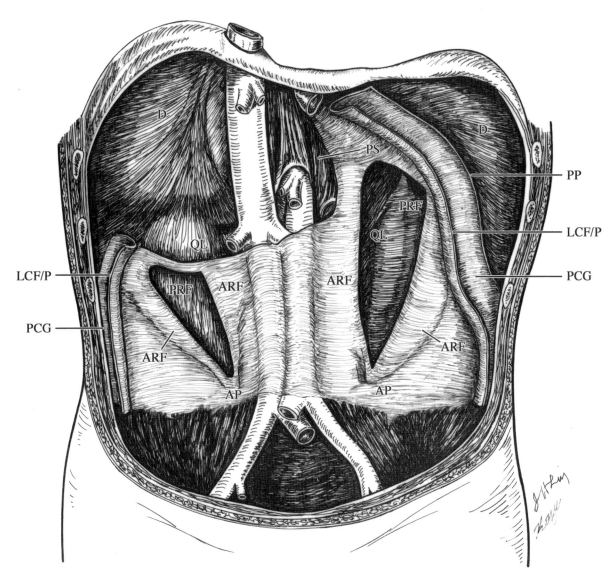

Fig. 6-1. Overview of retroperitoneal fascial anatomy as derived from Congdon and Edson's concept of the renal cone.[25]
Frontal anatomical view of the renal fasciae after removal of visceral organs, both kidneys, pancreas, duodenum, and colon. The parietal peritoneum was cut and removed and only the right and left paracolic gutters *(PCG)* remain. The anterior renal fascia stretches from the right paracolic gutter to the left paracolic gutter covering both kidneys, inferior vena cava and abdominal aorta. On the right side, the upper margin of the anterior renal fascia fuses to the visceral peritoneum forming the right inferior coronary ligament, whereas, on the left, the fascia stretches all the way up to the left diaphragm fusing to the left diaphragmatic fascia. The posterior renal fasciae *(PRF)* are visible through the windows of the anterior renal fascia. Note that the insertion line of the posterior renal fascia onto the quadratus lumborum muscle and diaphragmatic fascia moves laterally as the line goes upward from the bottom. *ARF* = anterior renal fascia; *LCF/P* = lateroconal fascia/peritoneum covering the colon; *PP* = parietal peritoneum; *D* = diaphragm; *PS* = psoas muscle; *QL* = quadratus lumborum muscle; *AP* = apex of renal cone (Courtesy of Jae Hoon Lim, MD, as revised with permission from Feldberg.[17])

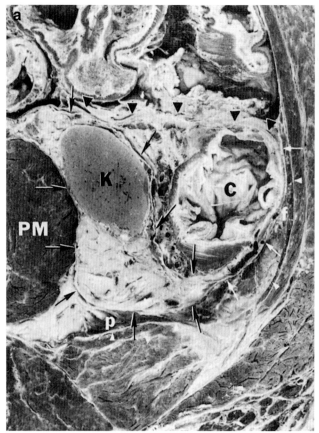

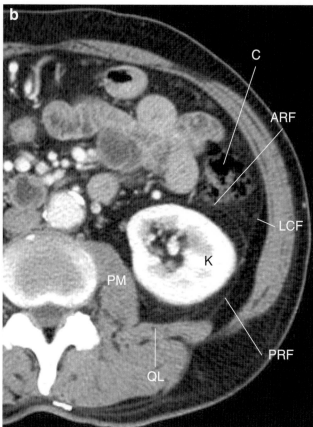

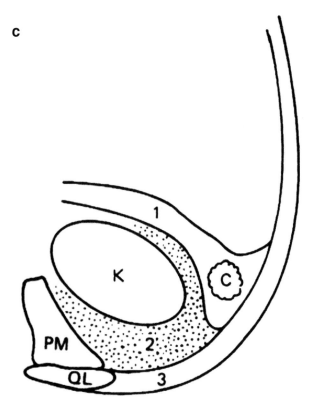

Fig. 6-2. Extraperitoneal anatomy of the flank.

(a) Transverse cross section. The anterior and posterior renal fasciae *(black arrows)* envelop the kidney *(K)* and perirenal fat. From their line of fusion, the lateroconal fascia *(white arrows)* continues behind the descending colon *(C)* to the parietal peritoneum *(black arrowheads)*. The posterior pararenal fat *(p)* is continuous with the flank fat *(f)* deep to the transversalis fascia *(white arrowheads)*. *PM* = psoas muscle.

(b) CT scan demonstrates the anterior *(ARF)* and posterior renal fasciae *(PRF)* and the lateroconal fascia *(LCF)*, which demarcate the extraperitoneal fat. Note their relationships to the kidney *(K)* and descending colon *(C)*, psoas muscle *(PM)* and quadratus lumborum muscle *(QL)*.

(c) The three extraperitoneal spaces: *1* = the anterior pararenal space; *2* = the perirenal space; *3* = the posterior pararenal space.

3. 후신주위 공간*posterior pararenal space* : 후신장근막에서 횡근막까지의 공간이며, 얇은 지방층으로 이루어진다. 후신주위 공간의 가장 눈에 뛰는 특징은 이 공간이 외측 원뿔근막의 바깥쪽에 있는 복벽의 복막전 지방*properitoneal fat*과 연결된다는 점이다. 방사선 검사에서 보이는 옆구리선*flank stripe*은 외측 원뿔근막의 바깥쪽에서 횡근막까지의 후신주위 공간 지방층과 연결된 지방층을 의미한다(Figs. 6-5, 6-6)

Fig. 6-7은 복막외 근막의 상호 관계와 세 가지 복막외 구역을 도식화한 그림이다.

전신주위 공간*anterior pararenal space*은 상/하행결장, 십이지장, 췌장을 포함한다. 즉, 소화 기관의 복막외 부분이 이 공간내에 위치한다고 할 수 있다. 전신주위 공간의 양측 부분은 중간에서 잠재적 연결이 있지만, 압력이 높은 액체저류라 할지라도 중간까지만 이르고, 반대쪽으로 건너가는 경우는 드물다(Fig. 6-8). 임상적으로 좌우 한 쪽에서 발생한 액체저류나 공기는 발생한 쪽에 머물러있고 반대쪽까지 파급되는 경우는 드문데, 한 가지 예외는 췌장액 유출*pancreatic extravasation*의 경우이다. 그 이유는, (1) 췌장 자체가 양쪽에 걸쳐져 있고, (2) 췌장 효소, 특히 트립신*trypsin*은 근막면을 박리시킴으로써 췌장액이 좀

Fig. 6-3. Emil Zuckerkandl (1849-1910), at the age of 25.
The Austrian Zuckerkandl was the favorite pupil of the eminent Professor of Anatomy Josef Hyrtl in Vienna, and he subsequently became Professor of Anatomy in Graz and Vienna. He was a universal and productive anatomist, especially active in the field of otorhinology. Among his many publications, of special interest are his descriptions of collections of chromaffin tissue near the origin of the inferior mesenteric artery in 1901, called the *organ of Zuckerkandl* and the posterior renal fascia in 1883, sometimes called the *fascia of Zuckerkandl.*
(Courtesy of Michiel Feldberg, MD, of the Institut fuer Geschichte der Medizin der Universitaet Wien, Museum Josephinum, Vienna.)

Fig. 6-4. Dimitrie Gerota (1867-1939).
Gerota received his medical education in Bucharestand published his classic article in 1895 on the fixation of the kidneys and the presence of the anterior renal fascia, sometimes selectively called *Gerota's fascia.* In 1898, he wrote the book *The Röntgen Rays or the X-rays.* He initiated academic radiologic education in Romania but was obliged to abandon radiology because of radiodermatitis and epithelioma of the hand, which required amputation. From 1913 onward, he continued as Professor of Anatomy in Bucharest and owner and principal of the leading private hospital at that time, The Gerota Sanitorium.
(Courtesy of Michiel Feldberg, MD, and Prof Dr Nicolae Marcu of University of Bucharest.)

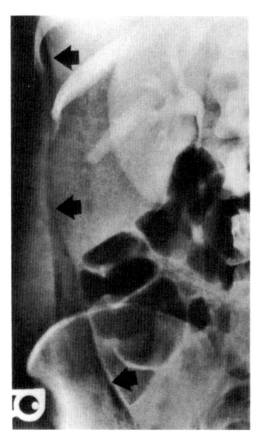

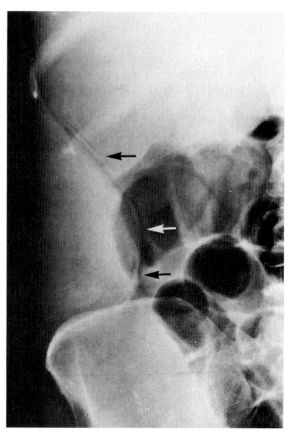

Fig. 6-5. Flank stripe highlighted by air post-laparoscopy.
Following laparoscopy, air inadvertently entering the anterior abdominal wall is seen as it courses around the flank extraperitoneally *(arrows)*. Here, it lies deep to the transversalis fascia, within the flank extension of the posterior pararenal fat.

Fig. 6-6. Flank hematoma.
Theblood is seen as a prominent soft-tissue mass displacing the intact flank stripe medially *(arrows)*. These features localize the hematoma to be superficial to the transversalis fascia and therefore subcutaneous in position.

더 자유롭게 퍼질 수 있도록 한다. 전신주위 공간은 해부학적으로는 그 앞쪽의 소장장간막 및 횡행결장간막*transverse mesocolon* 과 연결된다.[23, 24]

신장주위 공간*perirenal spaces* 은 일반적으로 중간에서 양측의 연결이 없다. 내측으로 뒤쪽 근막층*posterior fascial layer* 은 요근 및 허리 네모근*quadratus lumborum* 근막과 합쳐지고, 전신장근막은 췌장과 십이지장 뒤, 소장장간막 뿌리*roots of the small bowel mesentery* 부위에서 대동맥과 정맥을 둘러싸는 두꺼운 결체조직과 합쳐지게 된다(Fig. 6-9).[26] Gerota는 양측 신주위 공간이 전신장근막 깊은 부위에서 서로 연결이 있다고 기술하였다. 신주위 공간내의 압력이 매우 높아지게 되면, 신문부*renal hilar* 에서 파열이 발생하고, 먼저 전신장근막, 다음으로 복막이 파열된다.[27] 대부분의 해부학적 박리 및 주입 실험과 CT를 이

용한 관찰에 따르면, 양측 신주위 공간의 실질적인 연결은 없다고 알려져 있다.[8, 9, 12, 17] CT를 이용한 연구들은 동측의 전후신장근막은 신문부의 혈관과 합쳐져서 양측 신주위 공간이 중간에서 소통하지 못하게 한다는 Martin 등의 연구 결과를 입증하고 있다(Fig. 6-10).[17] 하지만 L3-5의 아래쪽 부위에서는 양측의 잠재적 연결의 증거가 보고된 바 있다(Fig. 6-11~13).[27, 29, 30] 신장에 시작된 질환의 경우, 반대측으로의 액체의 파급은 섬유성 격막과 매우 좁은 잠재적 소통 경로 때문에 제한된다.[27, 31] 실제로 최근 임상연구들은 이런 매우 드물게 보이는 중간 부위의 소통은 실제로는 후장간막면*retromesenteric plane* 을 통해서 발생한다는 점을 강하게 시사한다. 발생학적 근막 결합에 근거한 이런 전신주위 공간 단면 내의 액체 박리현상은 다시 주목을 받고 있다.[32-36] 상장간막동맥*superior* *mesenteric artery* 기시부의 바로 아래 위치에서, 액체는 대동맥, 하대정맥, 그리고 좌신정맥의 앞쪽, 장간막뿌리*root of mesentery*의 뒤쪽을 따라 파급되며, 이것이 바로 중심선을 지나는 후복강 액체저류의 특징적인 위치이다.

전신장근막*anterior renal fascia*은 오른쪽 신장과 부신의 위쪽 부위에서 결손이 있다. 따라서 신주위 공간의 위쪽은 간의 노출부*bare area*와 통해 있다.[37-39] Lim 등은 오른쪽에서 전신장근막이 후벽측 복막의 일부분과 합쳐져서 하관상인대*inferior coronary ligament*를 형성하고, 후신장근막은 횡경근막*diaphragmatic fascia*과 합쳐짐을 증명하였다. 따라서 우측 신주위 공간은 위쪽으로 열려있고, 우측 신주위 공간의 액체나 공기는 쉽게 간의 노출부로 파급되며, 그 반대 경로로의 이동도 쉽게 일어난다(Figs. 6-14~17).[38] 이런 해부학적 관계는 임상적으로 매우 중요하다. 간의 우측 후분절*right posterior segment*의 열상이 간의 노출부로 파급된 경우, 복막강 출혈 보다는 후복막강 출혈이 발생하게 된다(Fig. 6-16).[40, 41] 따라서 고식적인 복막소견*peritoneal findings*은 보이지 않을 수 있고, 또한 복막세척*peritoneal lavage*시 복막 출혈이 보이지 않을 수 있다. 아메바성 간 농양의 후복막강 파열에 의한 유사한 해부학적 경로를 통한 질병 파급도 보고된 바 있다.[42]

후신주위 공간*posterior pararenal space*의 경계는 횡근막과 근육막이 융합되어 형성되므로, 후신주위 공간의 내측 경계는 요근이다. 이 공간은 바깥쪽과 아래쪽(골반강쪽)으로는 열려있다(Fig. 6-18). 양측 후신주위 공간은 횡근막 안쪽의 복막전 지방*properitoneal fat*을 통해서 잠재적인 소통이 있다. 다른 두 가지 복막외 공간과 달리, 후신주위 공간에는 장기가 포함되어 있지 않다. Fig. 6-19는 질병파급의 이해와 임상영상에 필요한 해부학적 소견을 보여준다. Fig. 6-7b는 특히 진단적 중요성이 높은 해부학 구조물의 시상면 영상이다.

1. 전후신장근막의 결합으로 형성되는 면은 질병의 파급과 복막외 삼출물의 저류의 원인이 된다. 신주위 공간은 아래로 갈수록 좁아져서 뒤집어진 원뿔모양을 형성한다(따라서 신장근막 바깥으로 연결되는 근막을 외측 원뿔근막이라고 부른다). 아래쪽에서 전후신장근막은 서로 약하게 융합되거나 장골근막*iliac fascia*과 합쳐진다. 신주위 공간이 아래쪽에서 좁아짐에 따라 전후신장근막은 요관주위 결체조직*periureteric connective tissue*과 약하게 융합된다. 신주위 공간의 아래쪽(원뿔의 꼭지점)이 열려있는지 여부에 대해서는 연구자마다 견해가 다양하다. 일부는 다층결합*multilaminar fusion*이라고 기술한 반면, 장골와*iliac fossa*쪽으로 연결이 있다는 설도 있다. 하지만 임상적으로는 신장이나 신주위 공간에서 발생한 감염이나 삼출물은 대부분 신주위 공간에 국한되는데, 이는 염증 초기에 잠재적 출구가 염증에 의해 폐쇄되거나 원뿔(신주위 공간)의 출구가 급격한 팽창에 의해 자동적으로 폐쇄되기 때문으로 추정된다.

2. 장골능선*iliac crest* 부위, 신장근막 원뿔의 아래쪽에서, 전후신장주위 공간은 잠재적으로 소통이 있다.

3. 이 부위에서 외측 원뿔근막이 없어지므로, 전신주위 공간은 옆구리선의 복막전 지방 층과 연결된다.

4. 위쪽으로는 후신주위 공간은 횡격막 아래의 얇은 복막외 지방층으로 연결된다.

신문부*renal hilum* 높이에서, 후신장근막은 요근의 중간부분에서 끝난다. 더 아래쪽에서는 허리네모근을 향해서 뒤로 물러나고(Fig. 6-20), 신장근막 원뿔의 꼭지점 부근에서 다시 요근의 후외측 부위와 합쳐진다.[17, 28, 44, 55]

근막면의 정상적 두께는 1~2 mm이다. 후신장근막은 전신장근막보다 CT에서 더 자주 보인다. 근막이 국소적으로 비후되거나 2~3 mm 보다 두꺼우면 일반적으로 비정상으로 간주된다.[19, 45] 신장근막의 비후는 부종*edema*, 충혈*hyperemia*, 섬유화*fibrosis*, 지방분해*lipolysis*에 의해 발생한다.[46] 이러한 소견은 염증, 악성종양, 외상 등 다양한 질환에서 보일 수 있으며, 신장주위 공간, 신주위 공간,[7, 8, 11, 19, 49] 복막내 구조물의 질환 등 다양한 원발 병소의 질환에 의해 유발된다.[50]

앙와위*supine* CT에서 복강(특히, 좌측 후복강) 뒤쪽의 액체저류는 두꺼워진 근막과 유사하게 보일 수 있다. 부대장홈의 액체 층은 두꺼워진 외측 원뿔근막이나 후신장근막으로 오인될 수 있다. 비신장골*splenorenal recess*의 아랫쪽이나 후췌장골*retropancreatic recess*의 드문 변이에 위치한 액체는 전신장근막으로 오인될 수 있다. 이러한 경우 근막 비후와의 감별에 도움이 되는 소견은 다음과

a

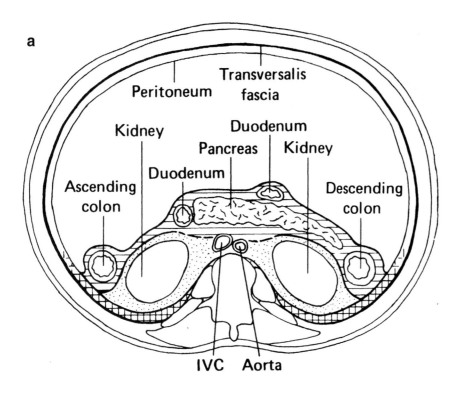

b

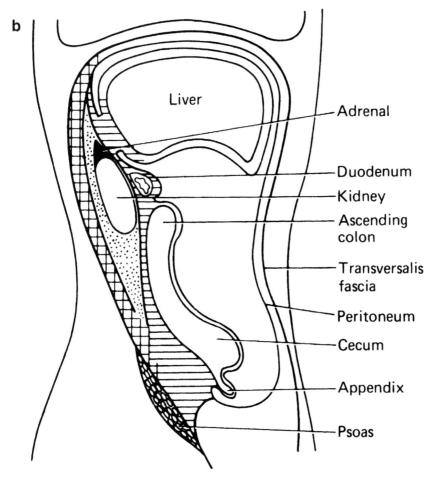

Fig. 6-7. The three extraperitoneal compartments.

(a) and **(b)** *Striped areas* = anterior pararenal spaces;
stippled areas = perirenal space;
cross-hatched areas = posterior pararenal space;
IVC = inferior vena cava.
(Reproduced with permission from Meyers.[8])

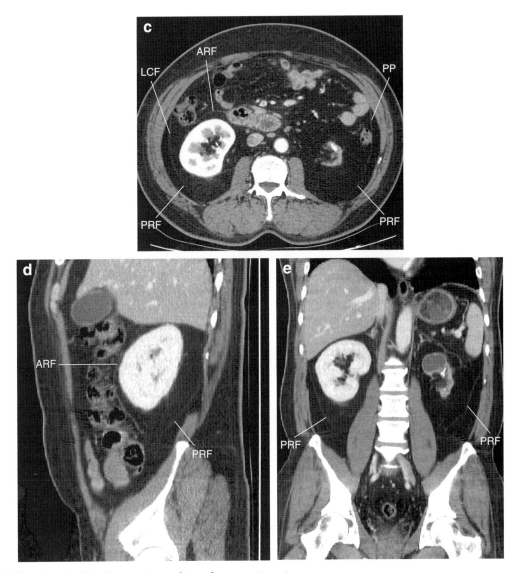

Fig. 6-7 *(Continued).* **The three extraperitoneal compartments.**
(c) Axial, **(d)** coronal, **(e)** sagittal CT scans show anterior renal fascia *(ARF)*, posterior renal fascia *(PRF)* and lateroconal fascia *(LCF)*, and parietal peritoneum *(PP)* in patient with atrophic left kidney due to renal stone and chronic pyelonephritis.

같다: (a) 복막내 액체는 측와위*decubitus* 혹은 엎드린 자세에서 시행한 CT에서 위치가 바뀐다. (b) 하행결장[53, 54]의 장막고정에는 다양한 변이가 있지만(Fig. 6-21), 하행결장의 복막외 부위*extraperitoneal attachment*의 침범은 전신주위 공간의 액체저류를 의미한다.

후신장근막*posterior renal fascia*은 신장에서부터 다양한 지점에서 두 층으로 나뉘어 진다.[55] 얇은 앞층은 전신장근막과 연결되고, 두꺼운 뒤층은 외측 원뿔근막이 된다. Figs. 6-22~24은 3명의 다른 환자에서 이러한 두 개의 층을 잘 보여준다. 후신장근막의 두 층 사이에 존재하는 잠

재적 공간은 전신주위 공간과 해부학적으로 연결된다 (Fig. 6-25).[55] 복막외 조직*extraperitoneal tissue*의 층화된 *laminated* 근막면은 질병파급의 경로로 작용할 수 있다.[36]

복부단순촬영에서, 외측 원뿔근막은 가끔 신장 외측의 얇은 띠로 보이고(Fig. 6-26), 오른쪽에서 좀 더 흔히 보인다. 특징적으로 외측 원뿔근막 음영은 아래로 가면서 약간 내측으로 기울어져 보인다. 신장근막층이 외측 원뿔근막과 합쳐지게 되면서 내측의 신장주위 지방층과 후신주위 지방층이 구분되게 되고, 후신주위 지방층은 옆구리선 *flank stripe*으로 연결된다. 과거 이러한 근막선*facial line*

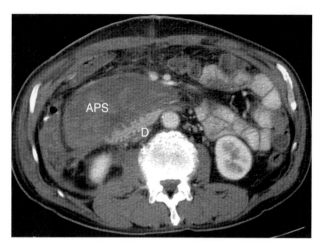

Fig. 6-8. Hemorrhage in anterior pararenal space extending to midline.

Owing to blunt abdominal trauma, extravasation of remarkable volume has occurred within the anterior pararenal space *(APS)*, where it spreads anterior to the third portion of the duodenum *(D)* behind the superior mesenteric vessels in the midline but not to the contralateral side.

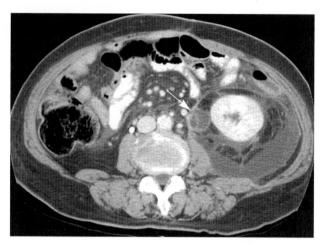

Fig. 6-10. Medial fascial closure of the perirenal space.

In a patient with left perirenal urinoma, CT demonstrates accentuated renal fascial planes fusing medially around the renal pedicle *(arrow)*.

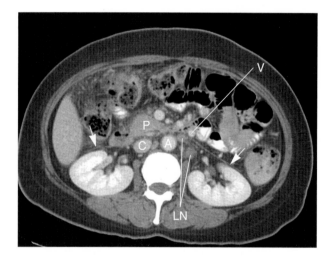

Fig. 6-9. Midline termination of anterior renal fascia.

CT shows left anterior renal fascia *(arrows)* blending into tissue near the midline around the renal pedicle in relationship to the jejunal vein *(V)*. There is no evidence of continuity across the midline. *A* = aorta; *P* = pancreas; *C* = inferior vena cava; *LN* = lymph node.

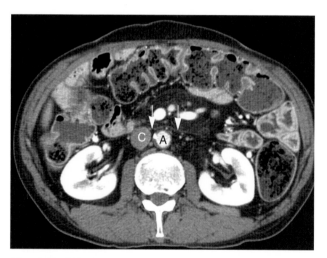

Fig. 6-11. Midline continuity of the anterior renal fascia.

At the level of the renal hilum, the anterior renal fascia is identified to be continuous across the midline *(arrows)*, anterior to the inferior vena cava *(C)* and aorta *(A)*.

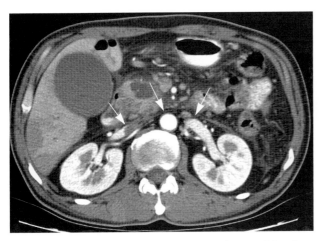

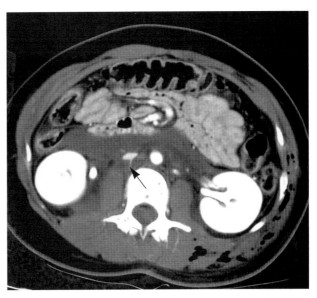

Fig. 6-12. Midline continuity of the anterior renal fascia.

In patient with alcoholic pancreatitis, at the level of the renal hilum, reactive thickening allows clear identification of the anterior renal fascia as continuous across the midline anterior to the inferior vena cava and aorta *(arrows)*.

Fig. 6-13. Perirenal bleeding from rupture of the inferior vena cava.

Rupture of the inferior vena cava from the posterior wall *(arrow)* results in right and left perirenal bleeding indicating communication of each perirenal space across the midline around the inferior vena cava and aorta. Gas is present in the posterior abdominal wall on the right.

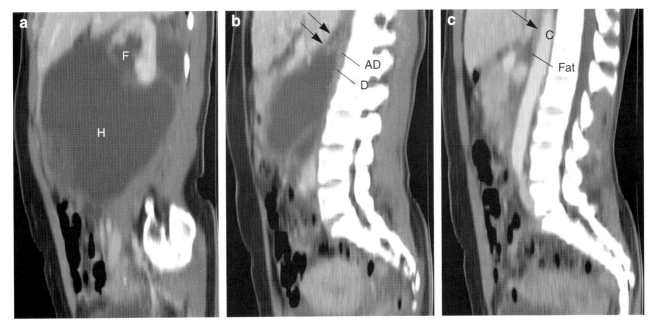

Fig. 6-14. Extension of perirenal hemorrhage to bare area of liver.

(a–c) Sagittal reconstructed CT images (from the right side toward midline) in patient with right kidney fracture *(F)* show perirenal hemorrhage *(H)* extending up to the bare area of the liver *(arrows)*. The anterior margin of the hepatic segment of the inferior vena cava *(C)* is surrounded by hemorrhage. Note scanty amount of perirenal fat *(Fat)*, right adrenal gland *(AD)*, and the right diaphragmatic crus *(D)*.

(Courtesy of Jae Hoon Lim, MD., Samsung Medical Center, Seoul, Korea)

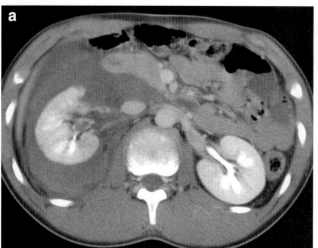
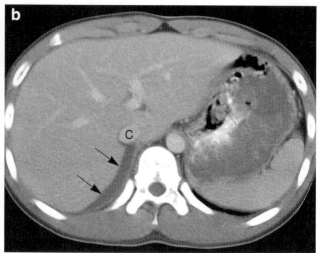

Fig. 6-15. Communication between the right perirenal space and the bare area of the liver.

(a and **b)** Injury to the right kidney due to blunt abdominal trauma results in massive right perirenal hemorrhage. At a higher level, the blood has risen to the site of the bare area of the liver *(arrows)* and encircles the inferior vena cava *(C)*.

(Courtesy of Jae Hoon Lim, MD., Samsung Medical Center, Seoul, Korea)

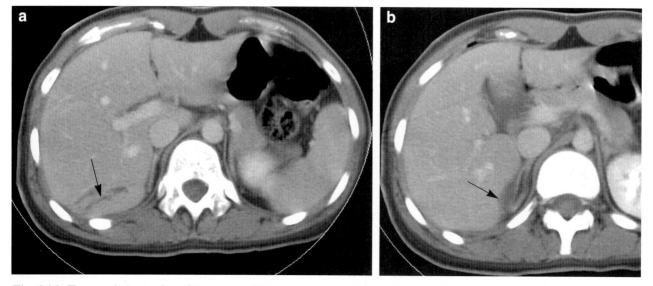

Fig. 6-16. Traumatic laceration of bare area of liver with communication to periadrenal tissue.

(a) CT shows that simple hepatic laceration *(arrow)* involving the bare area is associated with hemorrhage. No free fluid was seen in Morison's pouch or in the pelvis.

(b) At a level 1 cm inferiorly, a hematoma *(arrow)* surrounds the lateral limb of the right adrenal gland.

(Courtesy of Jae Hoon Lim, MD., Samsung Medical Center, Seoul, Korea)

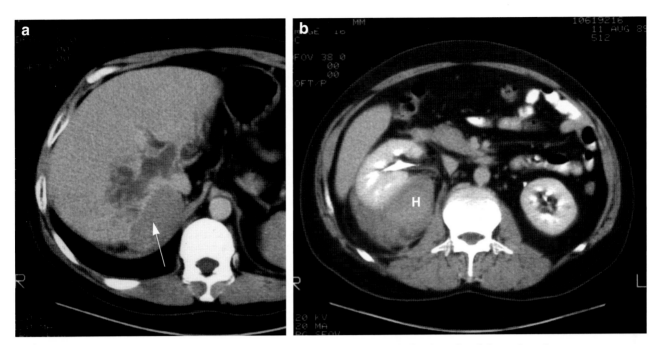

Fig. 6-17. Hepatocellular carcinoma in the bare area of the liver with bleeding into the right perirenal space.

(a) CT shows a low-attenuating mass in the bare area of the liver *(arrow)* and portal vein tumor thrombi.

(b) CT at midportion of the right kidney shows a hematoma in the perirenal space *(H)* surrounding the posterior surface of the right renal cortex.

(Courtesy of Jae Hoon Lim, MD., Samsung Medical Center, Seoul, Korea)

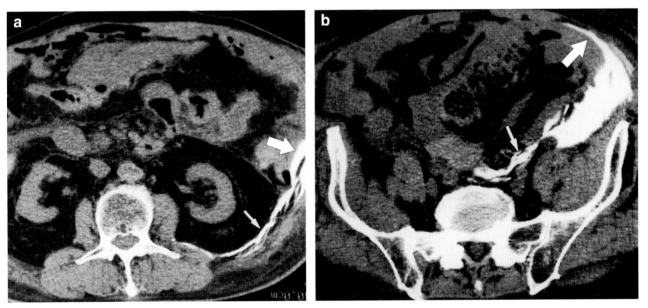

Fig. 6-18. Anterolateral extension of posterior pararenal space and its communication to extraperitoneal spaces in the pelvis.

(a) CT scan of prone cadaver after injection of 100 mL of contrast medium into the left posterior pararenal space *(small arrow)* documents its anterolateral extension around the flank within the properitoneal fat *(large arrow)*.

(b) CT scan of prone cadaver after injection of 300 mL of contrast medium into the left posterior pararenal space shows its connection with infrarenal space *(small arrow)* and its extension anterolaterally *(large arrow)* en route to prevesical space.

(Reproduced with permission from Mindell et al.[30])

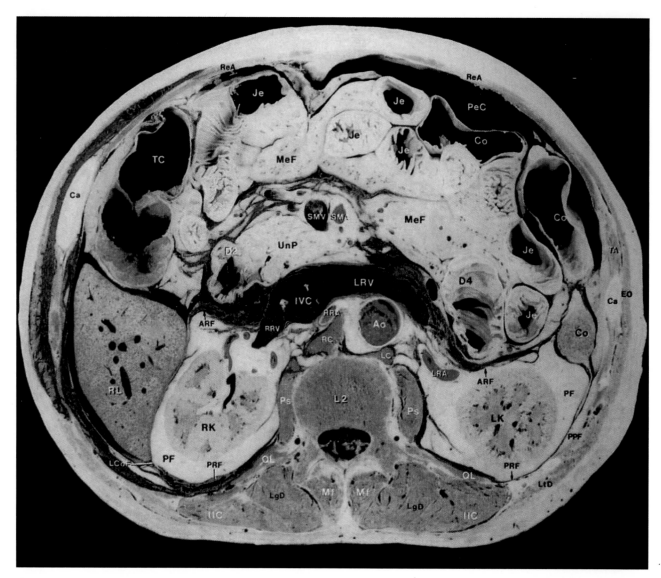

Fig. 6-19. Transverse anatomic cross-sections. Connective tissues of spaces as well as mesenteries and fasciae are stained by dye permeation.

(a) Level of uncinate process of pancreas and renal arteries.

(b) Level of third portion of duodenum and the infrarenal abdominal aorta. These stained sections demonstrate particularly relevant features:

1. Anatomically, the anterior pararenal space is potentially continuous across the midline.

2. The perirenal spaces at these levels share no bilateral continuity; there is midline termination of the anterior renal fascia.

3. The anterior pararenal space ventrally is anatomically continuous with the roots of the small bowel mesentery and similarly of the transverse mesocolon. Lesions of the perirenal contents, including the kidneys and adrenals, are providedanatomic continuity along their major vessels to the aorta and inferior vena cava and thereby to the small bowel mesentery and transverse mesocolon. Extraperitoneal and intraperitoneal structures constitute the continuum designated as the subperitoneal space. This is fully discussed in Chapter 3.

4. Rupture of an abdominal aortic aneurysm can be anticipated as likely occurring into the perirenal space or dissecting into the posterior pararenal space or psoas muscle on the left. Anatomic considerations include the point of rupture both on the circumference of the aorta and on the cephalocaudal level. Other factors include the acuity, force, and volume of the rupture and preexisting adhesions.

(Reprinted with permission from Han and Kim.[220])

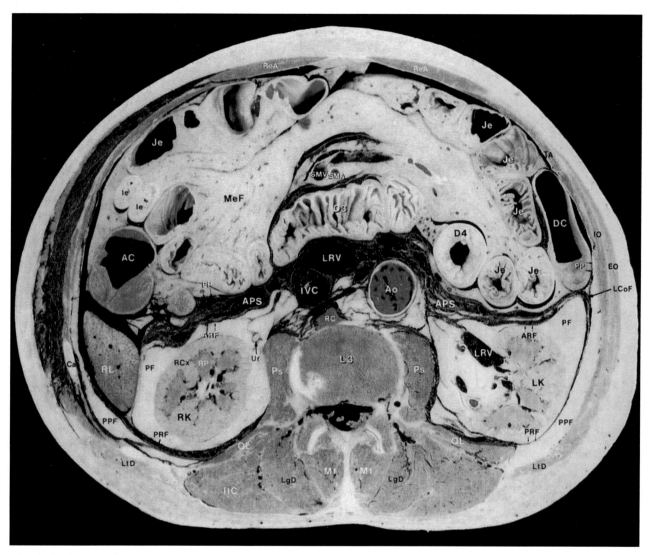

Fig. 6-19 *(Continued).*

AC = Ascending colon
APS = Anterior pararenal space
ARF = Anterior renal fascia
Ao = Aorta
Ca = Cartilage
Co = Colon
D2 = Second portion of duodenum
D3 = Third portion of duodenum
D = Fourth portion of duodenum
DC = Descending colon
EO = External oblique muscle
IO = Internal oblique muscle
IVC = Inferior vena cava
IE = Ileum
IlC = Iliocostalis muscle
Je = Jejunum
L1-2 = L1-2 intervertebral disc

L2 = L2 vertebral body
L3 = L3 vertebral body
LC = Left diaphragmatic crus
LCoF = Lateroconal fascia
LK = Left kidney
LRA = Left renal artery
LRV = Left renal vein
LgD = Longissimus dorsi muscle
LtD = Latissimus dorsi muscle
MeF = Mesenteric fat
Mf = Multifidus muscle
PF = Perirenal fat
PP = Parietal peritoneum
PPE = Posterior pararenal fat
PRE = Posterior renal fascia
PeC = Peritoneal cavity
Ps = Psoas muscle

QL = Quadratus lumborum muscle
RC = Right diaphragmatic crus
RCx = Renal cortex
RK = Right kidney
RL = Right lobe of liver
RP = Renal pelvis
RRA = Right renal artery
RRV = Right renal vein
ReA = Rectus abdominis muscle
Ri = Rib
SMA = Superior mesenteric vein
TA = Transversus abdominis muscle
TC = Transverse colon
UnP = Uncinate process of pancreas, head
Ur = Ureter

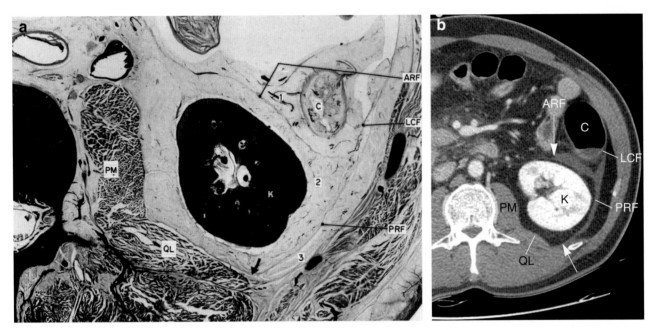

Fig. 6-20. Medial insertion of posterior renal fascia.

Anatomic cross-section **(a)** and CT **(b)** below midlevel of left kidney *(K)* show termination of the posterior renal fascia in relationship to the quadratus lumborum muscle *(arrow)*. The quadratus lumborum has variable width and thus the medial extent of the posterior pararenal space varies from patient to patient. *PM* = psoas muscle; *C* = descending colon; *ARF* = anterior renal fascia; *LCF* = lateroconal fascia; *PRF* = posterior renal fascia; *1* = anterior pararenal space; *2* = perirenal space; *3* = posterior pararenal space.

이 복막 반사*peritoneal reflection*로 오인되어 영상의학적인 질병의 위치 판단에 혼선을 초래하였지만, 이러한 근막선*facial line*은 완전한 복막외 구조이다. 드물게 보이는 신장 뒤쪽에 위치한 대장이나 이 부위까지 퍼진 복수는 외측 원뿔근막의 기시부의 정상 변이 때문이다(Fig. 6-27). 외측 원뿔근막과 신주위 근막이 합쳐지는 부위는 환자마다 다양하며, 위아래 위치와 좌우 위치도 다양하여 신장의 앞쪽에서 만나기도 하고 뒤쪽에서 만나기도 한다. 신주위 지방은 여성보다 남성에서 더 풍부하고, 이런 지방조직의 결핍은 대장의 위치 변이, 즉 신장의 바깥쪽 혹은 뒤쪽에 대장이 위치하는 변이의 원인 중 하나이다. 신장 뒤쪽에 위치한 대장을 인지하는 것은 신장에 침습적 시술을 시행하는데 있어서 임상적으로 중요하다.

Kunin은 세 가지 그룹의 결체조직 격막이 신주위 공간을 비교적 잘 구분되는 구역으로 나눈다고 하였다. 이런 격막들에는 신장피막*renal capsule*과 신주위 근막을 연결하거나 전후신장근막을 서로 연결하는 섬유성 층판*fibrous lamellae*과 뚱뚱한 사람에서 잘 볼 수 있는 후신장 신장 연결 격막*posterior renorenal bridging septum*이 있다. 이 후신장신장 연결 격막은 신장피막에만 붙는 구조물로 신장의 표면과 평행하게 주행하며, 신장의 후내측과 후외측 경계 사이에서 다양한 길이로 존재한다(Figs. 6-28, 6-29). 이 격막은 수직으로 상당한 길이에 걸쳐있고 신주위 근막의 비후를 유발할 수 있는 원인들에 의해서 두꺼워질 수 있다.[61, 62] 이러한 격막은 신주위 공간에 위치한 신정맥 폐색*renal vein occlusion*[45, 63]에 따른 정맥 측부순환*collaterals*이나 종양[45]에 의한 과혈관성*hypervascularity*과의 감별이 필요하다.

요근 The Psoas Muscle

요근의 방사선 해부학은 복막외 공간의 해부를 통해 잘 밝혀져 있다. 요근의 상하부 분절*segment*은 주변 복막외 지방과 대조되어 보여진다.

신장 정도의 높이에서 요근의 외측 경계는 신장주위 지방*perirenal fat*에 의해 형성된다. 하지만 신장의 아래쪽에

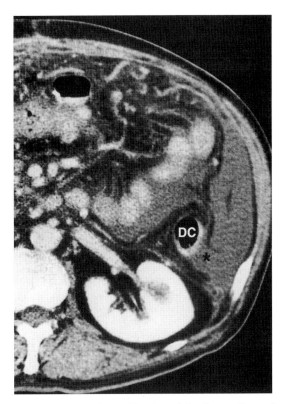

Fig. 6-21. Partial peritonealization of the descending colon.
CT shows the descending colon *(DC)* in this case is partially peritonealized, secondary to incomplete posterior fusion of the descending mesocolon, allowing posterior extension of the left paracolic gutter *(asterisk).*

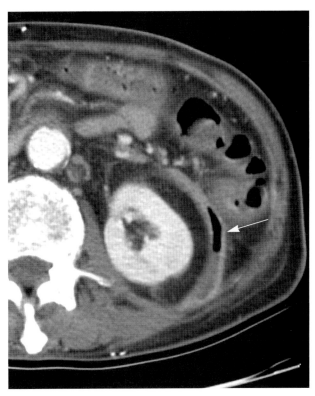

Fig. 6-23. In vivo identification of the two layers of the posterior renal fascia.
CT in patient with necrotizing pancreatitis shows thickened anterior renal fascia and gas *(arrow)* accumulated between the two layers of posterior renal fascia.

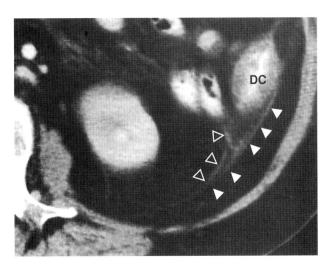

Fig. 6-22. In vivo identification of the two laminae of the posterior renal fascia.
CT demonstrates the inner layer of the posterior renal fascia merging with the anterior renal fascia *(open arrowheads)* and the outer layer continuing as the lateroconal fascia *(closed arrowheads).* Mural thickening with luminal narrowing of the descending colon *(DC)* in this instance is due to ischemic colitis.

서는 신장근막*renal fascia* 원뿔의 융합되면서, 후신주위 지방*posterior pararenal fat*에 의해 요근의 경계가 형성된다.

단순촬영에서 요근 경계의 소실은 주의해서 해석해야 한다. 정상인에서도 단측의 요근 경계의 소실은 자주 보이는 소견이며, 척추측만증*scoliosis* 이나 환자 자세의 경미한 회전이 있는 경우 요근 경계가 보이지 않을 수 있다. 또한 급격한 체중감소로 수척해진 환자에서 복막외 지방이 적어서 보이지 않는 경우도 있다.

그러나 부분적 요근 경계의 소실은 신뢰할 만한 소견이다. 사진의 중심이 잘 맞춰진 적절하게 촬영된 영상에서 보이는 이러한 비대칭성은 특정 복막외 구역의 액체저류의 진단을 가능하게 한다. 신주위 공간의 국소적 질환에서는 요근의 위쪽 경계가 소실되지만, 후신주위 공간의 액체저류의 경우에는 그 범위에 따라 요근의 아래쪽 경계 혹은 전체 경계가 소실된다.

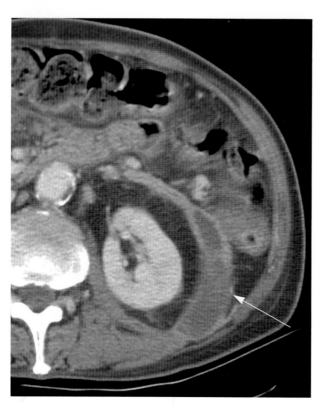

Fig. 6-24. In vivo identification of the two laminae of the posterior renal fascia.

CT in patient with acute pancreatitis demonstrates two layers of thickened anterior renal fascia and two layers of posterior renal fasciae containing fluid in between *(arrow)*.

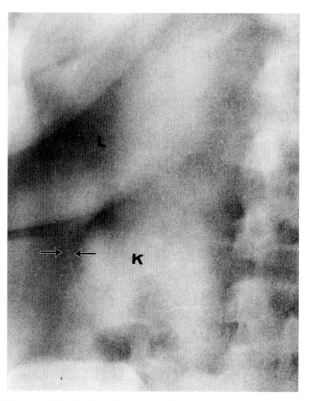

Fig. 6-26. Plain film demonstration of the edge of the lateroconal fascia *(arrows).*

This projects as a thin density inferior to the angle of the liver *(L)* and lateral to the kidney *(K)*. This demarcates the extraperitoneal adipose tissue into the perirenal fat medially and posterior pararenal fat laterally, extending into the flank fat.

(Reproduced with permission from Meyers et al.[12])

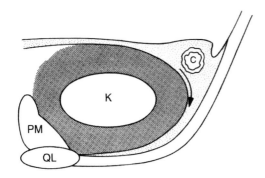

Fig. 6-25. Anatomic continuity of the posterior pararenal space between the two leaves of the posterior renal fascia.

K = kidney; *C* = descending colon; *PM* = psoas muscle; *QL* = quadratus lumborum muscle.

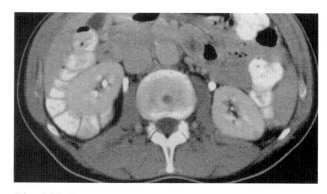

Fig. 6-27. Retrorenal colon.

The transverse colon and hepatic flexure are insinuated deeply lateral and posterior to the right kidney. This is explained by the variable origin of the lateroconal fascia.

(Courtesy of Jay P. Heiken, M.D., Mallinckrodt Institute of Radiology, St. Louis, MO.)

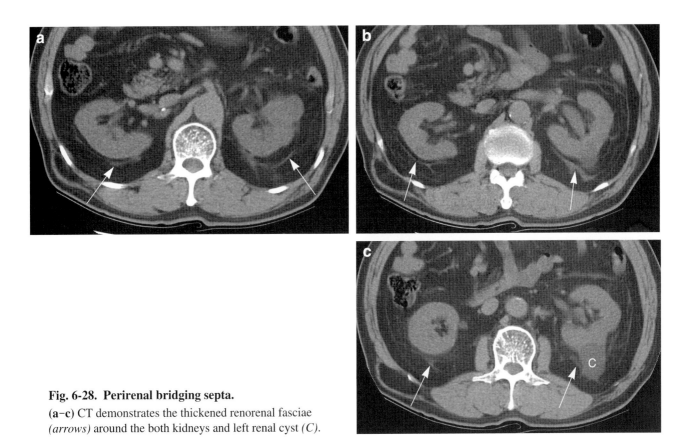

Fig. 6-28. Perirenal bridging septa.
(a–c) CT demonstrates the thickened renorenal fasciae (*arrows*) around the both kidneys and left renal cyst (*C*).

Fig. 6-29. Bridging renal septa.
(a and b) In a patient with urinoma (*U*), there are multiple edematous interconnecting bridging septa.

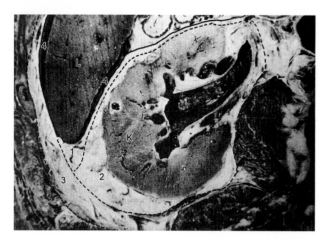

Fig. 6-30. Transverse anatomic section shows the hepatic angle embedded in extraperitoneal fat.
Infiltration of any of the three compartments as well as of the intraperitoneal space may result in loss of radiographic visualization of the hepatic angle. *1* = anterior pararenal fat; *2* = perirenal fat; *3* = posterior pararenal fat; *4* = intraperitoneal space; *K* = kidney; *L* = liver.

▌간과 비장각 The Hepatic and Splenic Angles

간과 비장의 뒤와 아래쪽 경계에 해당하는 간과 비장각은 인접한 복막외지방에 의해 형성된다. [65] Fig. 6-30은 간과 비장각의 외측 부위가 후신주위 지방의 외측부와 인접해 있고, 이들 각의 내측 부위는 전신주위 지방 및 신주위 지방과 인접해 있음을 보여준다. 간과 비장각의 소실은 다양한 부위의 질환에 의해 발생하는데, 복막내 액체저류나 세 가지 복막외 구역의 질환은 이들 각을 지방층에서 멀어지게 할 수 있다.

● ● ●

전신주위 공간 Anterior Pararenal Space

▌저류의 위치와 분포에 대한 방사선 해부학
Roentgen Anatomy of Distribution and Localization
▌of Collections

사체의 전신주위 공간에 조영제를 주입하면 Fig. 6-31에서 볼 수 있듯이 특징적인 국소화 양상 및 파급 경로를 알 수 있다. 우선적인 파급 경로는 장골와*iliac fossa*를 향한 아래쪽 방향이고, 조영제의 저류는 몇 가지 특징적인 양상을 보인다.

1. 종축방향이다.
2. 내측으로 조영제 저류는 요근*psoas muscle*의 바깥쪽 경계와 겹치고 척추에 근접한다.
3. 액체의 흐름은 외측으로는 외측 원뿔근막에 의해 제한되기 때문에, 저음영의 옆구리선은 유지된다.
4. 위쪽으로 신장의 윤곽은 유지된다. 간과 비장은 조영제가 차있는 복막외 지방층에 의해 밀리면서 윤곽이 소실된다. 오른쪽에서는 관상인대*coronary ligament*의 반사*reflections*를 통해서 간의 노출부*bare area*와 소통이 있다. 간의 노출부과 전신주위 공간의 해부학적 연결성은 복막외 감염, 특히 급성 충수염에서 간혹 동반되는 간의 노출부의 농양의 발생 기전을 설명한다. [66]

Fig. 6-32는 이런 소견을 생체내에서 증명하고 있다. Fig. 6-33은 이 연관성을 횡축방향에서 보여준다. Table 6-1은 국소화와 저류의 방사선학적 분석에 중요한 기준들이 요약되어 있다.

▌삼출의 원인 Sources of Effusions

전신주위 공간은 복막외 감염의 가장 흔한 위치다. Altemeier와 Alexander의 연구에 의하면,[3] 전체 160명의 복막외 농양 환자 중 84명(52.5%)에서 농양이 전신주위 공간에 국한되어 있었다. 복막외 농양의 대부분은 소화기계의 질환, 특히 대장, 복막외 충수, 췌장, 십이지장에서 기인한다. 삼출액*exudates*은 천공성 악성종양, 염증성 질환, 관통 소화 궤양*penetrating peptic ulcer*, 사고나 의인성*iatrogenic* 외상 등에 의해 발생된다. 복부 대동맥류*aortic aneurysm* 파열에 의한 출혈은 드물게 이 부위에 국소화된다. 전신주위 공간의 혈종은 비장의 노출부, 간과 비장 동맥 출혈, 그리고 자발성 복막외 출혈*spontaneous extraperitoneal bleeding*에서도 보고되어 있다.

: 대장과 충수의 복막외 천공 Extraperitoneal
Perforations of the Colon and Appendix

상행 혹은 하행결장의 천공에 의해 발생한 농양은 특징적인 근막 경계*fascial boundaries*에 의해 국소화된다(Figs. 6-34, 6-35).[68]

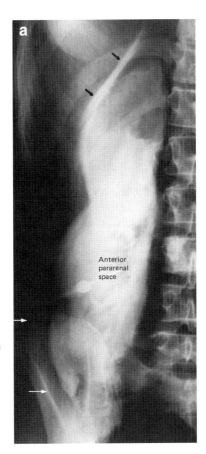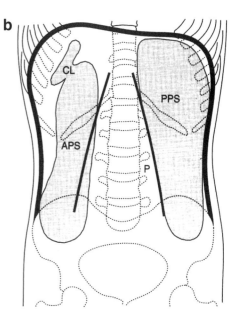

Fig. 6-31. (a) Postmortem injection into the anterior pararenal space.
The collection has a generally vertical axis. Laterally, the lucent flank stripe is intact *(white arrows)*. Medially, spread approaches the spine over the psoas muscle. Superiorly, it follows the obliquity of the kidney, and there is extension to the bare area of the liver at the site of reflection of the coronary ligament *(black arrows)*.
(Reproduced with permission from Meyers.[12])

(b) Diagram showing the characteristic spread and configuration of extraperitoneal fluid and/or gas collections in the anterior pararenal space (APS).
Superiorly, there is continuity to the bare area of the liver at the reflections of the right coronary ligament *(CL)*.
P = psoas muscle margin. Configuration of collection within the posterior pararenal space *(PPS)* on the opposite side is shown for comparison.

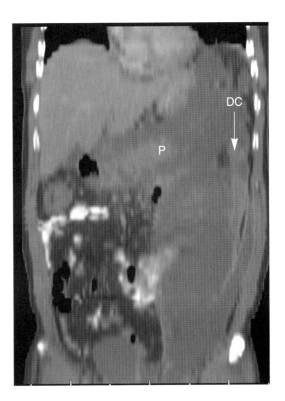

Fig. 6-32. Fluid in the anterior pararenal space.
In a patient with acute pancreatitis, coronal CT section reveals a fluid collection in the left anterior pararenal space with a vertical axis extending inferiorly to the pelvis.
P = pancreas; *DC* = descending colon and paracolic gutter.

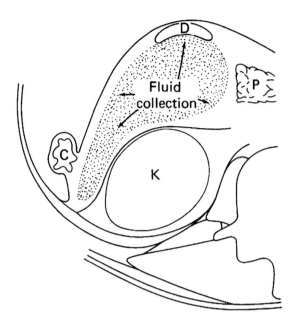

Fig. 6-33. Fluid collection in the right anterior pararenal compartment with viscus displacement.
K = kidney; *P* = pancreas; *D* = duodenum; *C* = colon.
(Reproduced with permission from Meyers et al.[12])

맹장 뒤에 위치한 충수는 대체로 복막외 구조물이고, 천공이 발생하면 우측 전신주위 공간에 농양을 형성할 수 있다(Fig. 6-36).[18, 70]

전신주위 공간 뒤쪽의 구조물과 결체 조직은 탄력이 없어서 다량의 농양이 고이게 되면, 이 공간이 확장되어 복강 쪽으로 튀어나와 소장을 밀어내게 된다.

소아에서 복막외 충수염과 이와 동반된 전신주위 공간의 농양은 흔히 신장근막 원뿔에서부터 요관이 나오는 부위를 압박한다. 특징적으로 5번 요추 혹은 요천골*lumbosacral* 경계부에서 국소적인 요관 폐색과 수신증*hydronephrosis* 이 발생한다. 성인에서는 악성종양의 천공이나 게실염*diverticulitis* 에 의해 유사한 병변이 발생할 수 있지만, 가장 흔하게는 Crohn's 병과 동반된 감염이 전신주위 공간으로 번지면서 발생한다(Fig. 6-37). 이것은 Crohn's 병에서 생기는 요관 합병증의 발생기전을 설명한다.

사체에 조영제 주입을 통하여 전신주위 공간과 간의 노출부가 관상인대*coronary ligament* 반전을 통하여 해부학적으로 연결이 있다는 사실이 증명되어 있다(Fig. 6-31). 이런 해부학적 연결 때문에 장관의 복막외 파열에 의한 병변이 간의 노출부로 파급될 수 있다.

: 십이지장 천공 Perforation of the Duodenum

십이지장 천공은 일반적으로 복부의 둔상*blunt trauma* 에 의해 발생하고, 자동차 안전벨트에 의한 손상의 형태로 발생한다. 십이지장은 단단히 고정되어 있고, 굴곡부가 예각을 이루며, 뒤쪽의 척추에 압박을 받기 때문에 외상에 심한 타격을 받는다. 흥미롭게도 십이지장이라는 이름은 기원전 335년에서 280년까지 알렉산드리아에 살았던 Herophilus에 의해 붙여진 "dodekadactilon"[72]이라는 명칭에서 기원하였는데, 이는 십이지장이 손가락 12개의 넓이 정도이기 때문에 생긴 명칭이다. 천공은 십이지장의 제 2부*second portion* 와 제 3부*third portion* 의 경계 부위에서 흔히 발생하고 다발성 천공도 가능하며, 외상성 췌장

Table 6-1. 복막외 삼출의 위치 추정을 위한 방사선 기준

방사선 소견	전신주위 공간	신장주위 공간	후신주위 공간
신주위 지방과 신장 윤곽	유지	소실	유지
음영의 축	종축	종축 (급성)	하외측 (요근 윤곽과 평행)
		하내측 (만성)	
신장의 이동	상측, 외측	전측, 내측, 상측	전측, 외측, 상측
요근 윤곽	유지	위쪽 절반 소실	아래쪽 절반 혹은 전체 소실
옆구리선	유지	유지	소실
간과 비장 각	소실	소실	유지 혹은 소실
상행 및 하행결장 이동	전측, 외측	외측	전측, 내측
하행십이지장 및 십이지장공장 이행부의 이동	전측	전측	전측

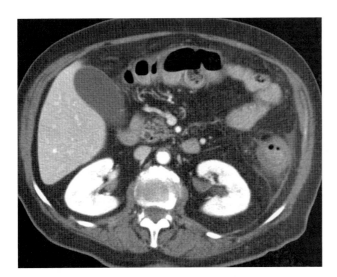

Fig. 6-34. Diverticulitis in sigmoid colon causes inflammatory fat stranding in the left anterior pararenal space and increased thickening of the left renal fascia and lateroconal fascia. Minimal fat stranding is noted in the posterior pararenal space.

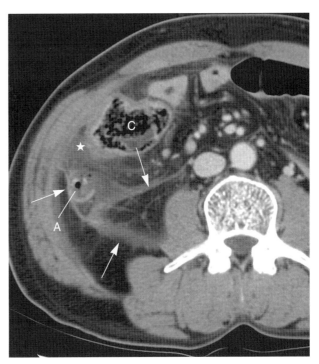

Fig. 6-36. Anterior pararenal phlegmon secondary to extraperitoneal appendicitis.
CT shows infiltrate in the right anterior pararenal space *(asterisk)* secondary to the inflamed appendix *(A)* in an ascending retrocecalposition. There is thickening of the lateroconal, anterior and posterior renal fasciae *(arrows)*. The ascending colon *(C)* shows bowel wall thickening.

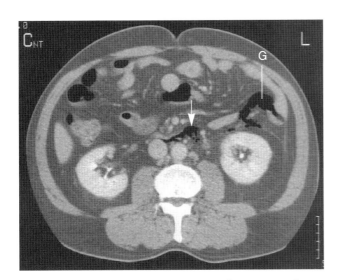

Fig. 6-35. Left anterior pararenal gas abscess secondary to perforated descending colon during polypectomy.
CT shows the gas collection *(G)* around the colon deep to the peritoneum between the anterior renal fascia and posterior peritoneum. Note gas *(arrow)* extending to the anterior pararenal space anterior to the vena cava and aorta.

염*traumatic pancreatitis*도 발생할 수 있다. 손상 후 24시간 이내에 수술을 시행한 환자의 사망률이 5%인데 반하여, 진단되지 않은 십이지장 천공의 사망률이 65%나 되기 때문에 조기 진단이 중요하다.[73]

복막외 공기 및 담즙과 췌장액의 누출은 전신주위 공간에 국한되어 특징적인 분포를 보인다. 복강외 공기의 진단에 있어서는 CT가 단순촬영에 비해 더 민감하다(Fig. 6-38).[74-77]

Fig. 6-39는 감염이 아래쪽으로 파급되어 신장근막 원뿔*cone of renal fascia*과 외측 원뿔근막*lateroconal fascia*의 끝부분보다 아래까지 파급된 경우, 공기는 복막전 지방*properitoneal fat*으로 직접적으로 퍼질 수 있다는 놀라운 소견을 보여준다. 공기음영은 옆구리 부위로, 좀 더 정확하게 이야기하면 장골능선*iliac crest* 높이에서 두부쪽 방향으로 파급되어 복막외 공간에서 관찰된다. 이러한 소견은 우측 전신주위 공간의 공기 파급에 전형적인 소견으로

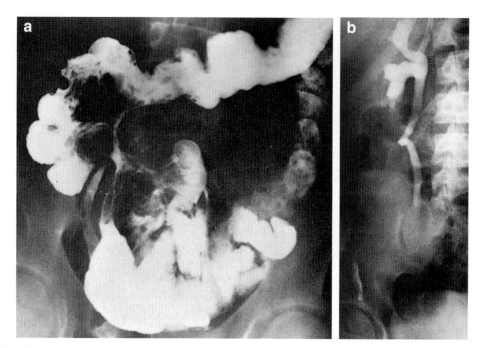

Fig. 6-37. Anterior pararenal space abscess from granulomatous ileocolitis.
(a) Barium enema reveals severe ileoileal, ileocolic, and colocolic fistulas secondary to Crohn disease.
(b) The associated abscess within the anterior pararenal space obstructs the right ureter after it has exited from the cone of renal fascia at the level of L5-S1.
(Reproduced with permission from Meyers.[8])

복막외 십이지장 천공 때 가장 흔히 보인다.

상부위장관 조영술*upper gastrointestinal series* 을 통해 천공 위치를 찾을 수 있지만, 항상 성공적이지는 않다.

둔상에 의한 복막외 십이지장 천공의 경우 근막 경계의 파괴는 우신장 주변의 공기음영으로 나타나고,[78, 79] 광범위한 후복막강 봉소염*cellulitis* 을 시사하는 소견과 동반된다. 그러나 CT는 삼출액이 실제로 신주위 공간으로 들어가는 것이 아니라, 신장근막 원뿔 주변의 전방 후신주위 공간에 위치한 것이라는 것을 보여줬다.[18, 74]

: 십이지장뒤와 십이지장벽내 혈종 Retroduodenal and Intramural Duodenal Hematoma

둔상이나 급성 감속*deceleration* 은 고정된 십이지장 제 2부*second portion of duodenum* 후면의 작은 혈관의 파열을 유발할 수 있다. 혈종은 우측 전신주위 공간에 고이게 된다.[12]

혈종의 진단과 위치 확인은 CT를 통해 가능하며, 또한 CT는 혈종의 추적 관찰에도 유용하다. 십이지장 벽내 혈종*intramural duodenal hematoma* 은 복부 둔상, 항응고제 치료, 출혈성 질환, 동맥류 파열, 대동맥장관루*aortoenteric fistula*, 급성 췌장염*acute pancreatitis* 등과 연관되어 발생할 수 있다.[80, 81]

: 췌장염 Pancreatitis

췌장염에 의한 근막의 반응*fascial reaction* 은 CT를 통해 자세히 연구되어 있다.[17] 전신장근막의 비후가 흔히 보이고(Fig. 6-40), 염증은 전형적으로 전신주위 공간으로 파급된다(Fig. 6-41).[7, 8, 12, 82-87] 염증의 전파는 췌장 미부*tail of the pancrea* 에서부터 왼쪽으로 진행된다. Gerota 근막이나 외측 원뿔근막의 비후는 췌장염이 소실된 이후에도 남아있을 수 있다(Fig. 6-42).

좌측 전신주위 공간에 삼출액이 있는 경우 단순촬영에서 침범되지 않은 반대쪽 신주위 지방의 뚜렷한 음영과 대조적으로 좌측 신장 주변의 방사선투과성의 저음영 띠*radiolucent halo* 는 좀처럼 보이지 않는다.[87, 88]

췌장 두부를 침범한 심한 췌장염이 있을 때는 우측 전

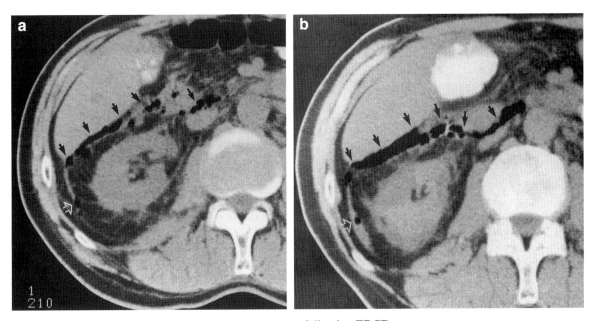

Fig. 6-38. Extraperitoneal perforation of the duodenum following ERCP.
(**a** and **b**) CT demonstrates gas loculations precisely within the right anterior pararenal space *(black arrows)*. Note that a few extend into the potential space between the two layers of the thickened posterior renal fascia *(white arrow)*. (Courtesy of Jay P. Heiken, MD, Mallinckrodt Institute of Radiology, St. Louis, MO.)

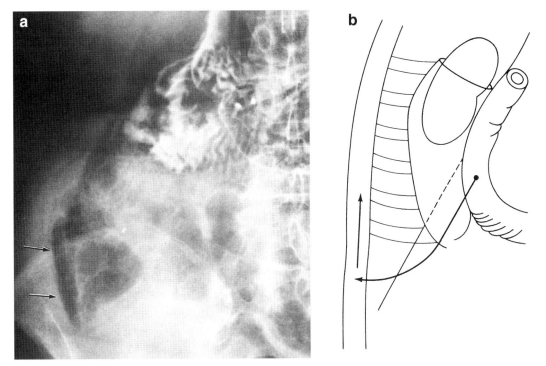

Fig. 6-39. Extraperitoneal perforation of the descending duodenum following blunt trauma with anterior pararenal space infection.
(**a**) Gastrografin GI series shows extravasation from the duodenum. Mottled gaseous lucencies extend inferiorly and laterally. Below the level of the cone of the renal fascia and the lateroconal fascia, the infection reaches and then ascends the flank fat *(arrows)*.
(**b**) Pathway of spread inferior to the lateroconal fascia to communicate with the flank fat.
(Reproduced with permission from Meyers.[8])

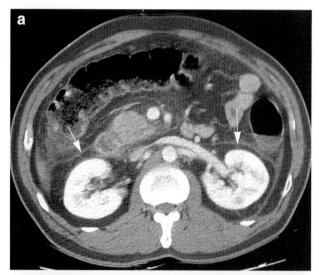

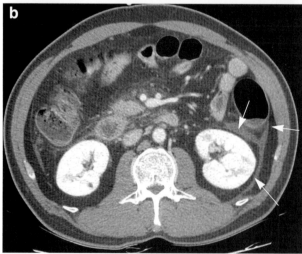

Fig. 6-40. Anterior renal fascial reaction in pancreatitis in two different patients.

(a) Thickened right and left anterior renal fasciae *(arrows)*.
(b) Very thickened left anterior renal fascia, lateroconal fascia and posterior renal fascia *(arrows)*.

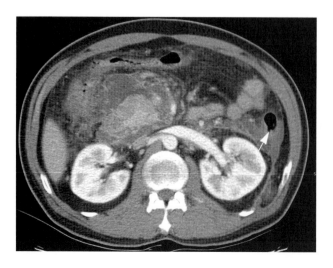

신주위 공간에 국한되거나 이 부위를 우선적으로 침범한다(Figs. 6-43, 6-44). 양측 전신주위 공간이 침범된 경우는 진행성 혹은 전격성*fulminating* 췌장염을 시사한다(Figs. 6-44, 6-45). 췌장외 삼출액은 양쪽 또는 한쪽의 후신장근막 내에서 혹은 장간막 경로*mesenteric pathway*를 따라 퍼져나간다.

기종성*emphysematous* 혹은 전격성 췌장염은 전신주위 공간의 한쪽에 국한되지 않는 경우가 많다. Fig. 6-46은 췌장의 공기형성 감염이 양측 구역 안에서 아래쪽으로 전파되는 양상을 보여준다. 요근과 겹쳐져서 공기의 저음영이 보이지만 중심선을 가로질러 양쪽이 연결된 증거는 보이지 않는데, 이는 췌장의 좌우측에서 독립적으로 염증이 파급되었음을 시사한다. 그러나 해부학적으로 전신주위 공간은 중심선을 지나 연결될 수 있고, 특히 췌장 효소가 유출된 경우에는 그러하다(Fig. 6-47).

전신주위 공간의 액체저류는 후신장근막의 두 개의 층으로 이루어진 잠재적 공간으로 파급될 수 있다(Figs. 6-48, 6-49). 중등도 또는 심한 췌장염에서 췌장 삼출액이나 연조직염*phlegmon*이 신장 뒤쪽의 이 잠재적 공간으로 흔히 파급된다(Figs. 6-44, 6-45).[35, 36, 55] 췌장염의 후방 파급의 전형적인 모양은 후신장근막의 확장이며 뒤쪽으로 갈수록 점점 가늘어진다. 하지만 후신장근막이 두 층으로 나뉘는 부위가 종축과 횡축 방향으로 심한 변이가 있어 이 부위의 액체저류의 양상 또한 다양하게 보인다(Fig. 6-50).

액체저류는 어떤 부분에서는 뒤쪽으로 허리네모근

Fig. 6-41. Pancreatitis extending through the anterior pararenal space.

CT scan shows fluid collection extending from the tail of pancreas through the anterior pararenal space on the left. Note its continuation to the bare area posteriorly of the descending colon *(arrow)*, where it is bounded laterally by the lateroconal fascia. There is fluid interposition within the posterior renal fascia. The perirenal space and flank fat remain uninvolved.

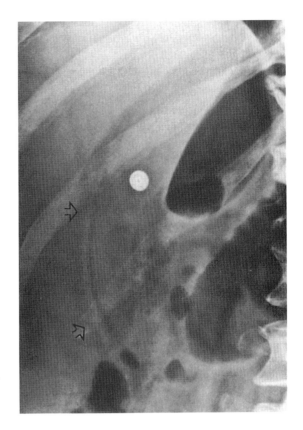

Fig. 6-42. Thickened renal fascia *(arrows)*.
This is identified on plain film as a curvilinear soft-tissue band separated by lucent perirenal fat from the lateral contour of the kidney. This finding persisted after resolution of acute pancreatitis.

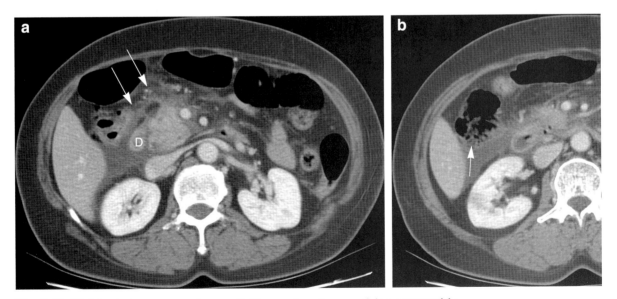

Fig. 6-43. Right anterior pararenal space fluid secondary to necrotizing pancreatitis.
(a) CT image shows enlarged pancreas surrounded by fluid in the right anterior pararenal space. D = duodenum. Note infiltration along the transverse mesocolon *(arrows)*.
(b) There is extension of fluid loculating predominantly within the anterior pararenal space on the right. The process involves the extraperitoneal fat of the bare area of the ascending colon *(arrow)*.

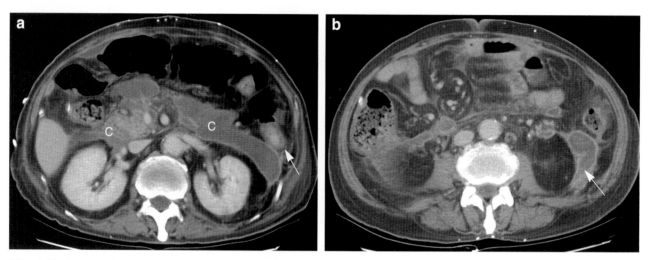

Fig. 6-44. Pancreatitis extending through the anterior pararenal space bilaterally.

(a and **b)** Fluid collection *(C)* extends to both anterior pararenal spaces and between the lamellae of the posterior renal fascia *(open arrow)*. On the left, the process involves the extraperitoneal fat of the bare area of the descending colon *(solid arrow)*. A mesenteric phlegmon is also present.

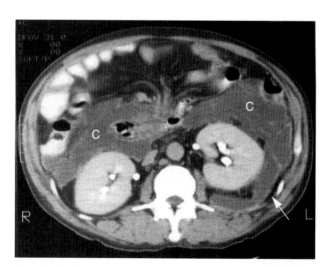

Fig. 6-45. Pancreatitis involving both anterior pararenal spaces.

Fluid collections *(C)* are evident bilaterally. It is difficult to ascertain whether this has occurred simultaneously on each side or is the result of midline communication. The process has reached both the ascending and descending colon and interposed within the posterior renal fascial on the left *(arrow)*.

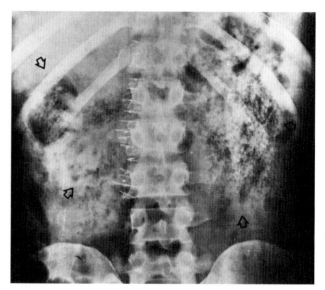

Fig. 6-46. Gas-producing infection of the pancreas.

Mottled lucencies are present diffusely throughout the pancreas and progress down both sides within the anterior pararenal spaces *(arrows)*, overlying the psoas muscle. The flank stripes are maintained.

(Reproduced with permission from Meyers.[9])

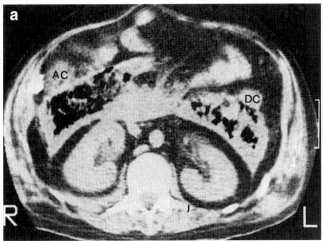

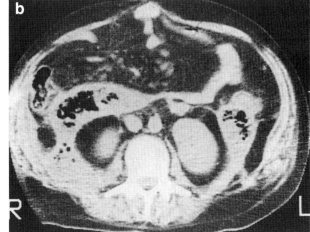

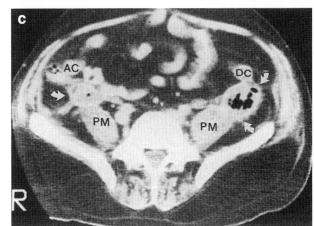

Fig. 6-47. Bilateral spread of emphysematous pancreatitis within anterior pararenal spaces.
(a) CT displays a gas-producing pancreatic phlegmon extending across the midline throughout both anterior pararenal spaces. *AC* = ascending colon; *DC* = descending colon.
(b) More inferiorly, the collection has fused into the anterior and posterior pararenal spaces.
(c) At the level of the iliac crests, CT shows the apex of the renal fascial cones *(arrows),* where anterior and posterior pararenal spaces communicate, just in front of and slightly lateral to the psoas muscles *(PM)* and immediately behind the ascending *(AC)* and descending colon *(DC).*
(Courtesy of Roger Parienty, MD, Neuilly, France.)

*quadratus lumborum*의 외측 경계와 연결된다. 심한 췌장염이 피부 징후 없이 복벽 뒤쪽으로 전파되는 것은 CT에서 드물지 않게 보이는 소견이다.[12, 35, 59, 90] 일부에 존재하는 옆구리의 해부학적 연약 부위는 질병의 전파가 더 잘 일어나는 곳이다. 요추부위*lumbar area*는 위쪽으로 12번째 갈비뼈, 아래쪽으로 장골능선, 내측으로 척추세움근군*erector spinae muscle group*, 바깥쪽으로는 외복사근*external oblique muscle*의 뒤쪽 경계에 의해 둘러싸인 12번째 갈비뼈에서 장골능선에 이르는 부위이다.[91] 이 요추 부위에는 근육이나 건막*aponeurosis*의 결손에 의해 생긴 두 개의 연약부가 있는데, 12번째 갈비뼈 아래의 Grynfeltt-Lesshaft 위쪽 요추 삼각부*superior triangle of Grynfeltt-Lesshaft*는 더 크고 일정하며,[92, 93] 이보다 작은 Petit의 아래쪽 요추 삼각부*lower lumbar triangle of Petit*는 장골능선 직상방에 있다(Fig. 6-51).[94] Fig. 6-52는 상부 요추 삼각부

와 복막외 구조 및 옆구리의 근막면과의 연관성을 보여준다. Petit 삼각부의 바닥은 내복사근*internal oblique muscle*과 복횡근*transversus abdominis muscle*으로 구성되어 있다. 이 삼각부는 드문 요추부 탈장*lumbar hernia*의 원인이 되는 해부학적 연약부로 알려져 있지만,[95-97] 이런 구조적 결손은 누출된 췌장 효소나 출혈성 액체가 옆구리의 피하지방층으로 전파되는 경로가 되기도 한다. 따라서 신장 및 신주위 지방 뒤쪽에 위치하는 액체는 후신주위 공간과 허리네모근 지방층의 바깥쪽 경계 사이의 틈, 즉 요추 삼각부 경로*lumbar triangle pathway*를 따라 파급된다(Figs. 6-53~56). 출혈이나 감염 역시 이러한 경로로 전파된다.

Meyers 등은 급성 췌장염의 전통적인 징후인 늑골척추각*costovertebral angle* 부위의 피하변색(Grey Turner 징후)이 이러한 경로 때문인 것을 보여주었다(Fig. 6-57).[98, 99] 심한 췌장염 환자에서는 체액의 혈관외 유출에 의해 CT

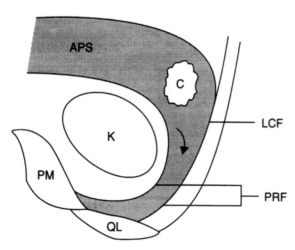

Fig. 6-48. Fluid in the anterior pararenal space may extend posteriorly between the two lamellae of the posterior renal fascia.

K = kidney; *C* = descending colon; *PM* = psoas muscle; *QL* = quadratus lumborum muscle; *APS* = anterior pararenal space; *PRF* = posterior renal fascia; *LCF* = lateroconal fascia.

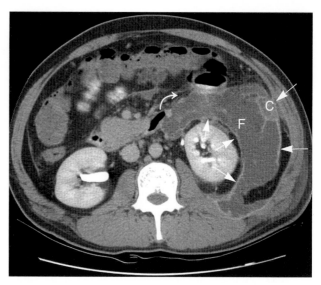

Fig. 6-49. Extrapancreatic fluid collection in the left anterior pararenal space between the two layers of posterior renal fascia.

Extrapancreatic fluid collection (*F*) in the left anterior pararenal space between the posterior parietal peritoneum (*curved arrow*) and the anterior renal fascia cleaves into the space between the two lamellae of the posterior renal fascia and extends behind the kidney toward the quadratus lumborum muscle. It can be seen that the inner layer of the posterior renal fascia is continuous with the anterior renal fascia (*three arrow*) and the outer layer is continuous with the lateroconal fascia (*two arrows*). The perirenal and posterior pararenal spaces are preserved. *C* = descending colon

상 옆구리 혹은 엉덩이 부분의 피하지방 내에 연조직 음영을 형성한다.[100] 증상 발현 3일에서 1주일 후에 출혈성 변화(특징적인 푸른 빛에서 황갈색 빛의 색깔 변화)가 옆구리 부분(흔히 왼쪽)에서 분명해 진다.[98, 99, 101, 102] 이런 색깔 변화는 피하지방 내의 혈관외 혈액 누출을 의미하는 것으로, 처음에는 색깔이 푸른 빛이 도는 검정색이다가 녹색으로 옅어지고, 결국에는 노랑색으로 변했다가 사라진다는 점에서 반출혈*ecchymosis* 과 유사한 양상을 보인다고 할 수 있다.[101] 피하지방 중 근막면 아래 부위[103, 104]가 대개 침범된다. Grey Turner 징후는 급성 췌장염 환자의 약 2% 정도에서 관찰된다.[99, 105]

Grey Turner 징후는 배꼽주변의 변색(Cullen 징후)과 자주 동반된다.[99, 105, 106] Cullen 징후는 누출된 췌장 효소가 간십이지장인대*hepatoduodenal ligament* 와 겸상인대*falciform ligament* 를 타고 앞쪽 복벽으로 파급되어서 생긴다.[23, 90] 겸상인대와 원인대*ligamentum teres* 의 복막하 조직*subperitoneal tissue* 은 복벽의 복막전 지방, 좌측 문맥주위 공간*periportal space*, 간문부*hepatic hilum*, 간십이지장인대, 위간인대*gastrohepatic ligament* 와 연결이 있다(Figs. 6-58, 6-59).[108-110] 따라서 후복강의 췌십이지장 영역과 전복벽 사이에 연속적인 경로가 존재한다. 이런 경로에

대한 과거 연구들이 있다. Podlaha는 개와 인간 사체에서 과산화수소를 유문부*pylorus* 에 주입하여 여기서 발생한 공기가 간십이지장인대, 간문부의 지방, 원인대, 그리고 결국은 배꼽주변의 피하지방층까지 이동한다는 것을 보고하였다.[111] 이러한 췌십이지장 영역에서 간문부로 이어지는 공기의 경로는 CT를 통해서도 확인할 수 있다(Fig. 6-60). 유사한 방식으로 췌장염이 간을 침범하여[108](Figs. 6-61, 6-62) 가성낭종*pseudocyst* 을 형성하기도 하며,[112] 겸상인대에서 국소화되거나(Fig. 6-63), 배꼽주변의 복막전 지방(Fig. 6-64)을 침범하기도 한다. 동일한 해부학적 연결 때문에 간동맥을 통하여 화학요법제*chemotherapeutics* 를 주입한 경우 왼쪽 혹은 중간 간동맥에서 기원하는 겸상인대동맥을 통하여 약물이 복막전 지방 층으로 전달되어서 상복부 복벽의 피부가 변색될 수 있다.[113, 114] 또 다른 더 직접적인 경로는 소장장간막이나 망*omentum* 에

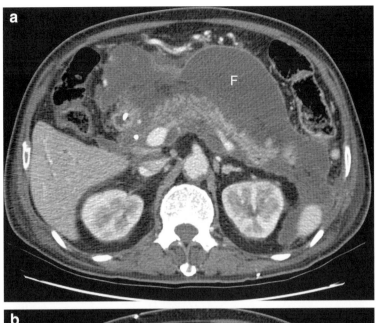

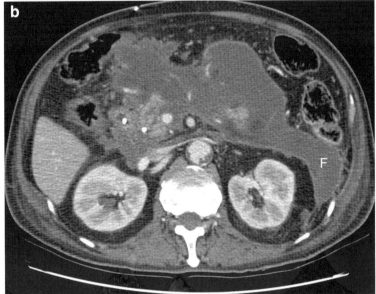

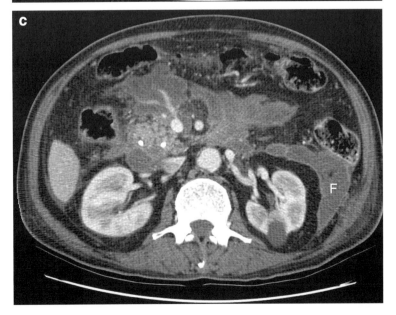

Fig. 6-50. Pancreatitis extending from anterior pararenal space to within the leaves of the posterior renal fascia.

(a-c) Three axial CT levels demonstrate pancreatic fluid collection (*F*) spreading from the left anterior pararenal space to the potential space between the bilaminated posterior renal fascia. Dissection through the posterior renal fascia thus appears most prominent in the portion related to the upper renal pole.

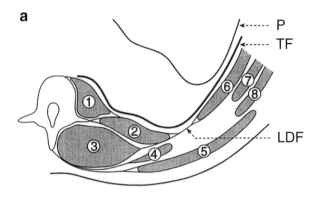

a

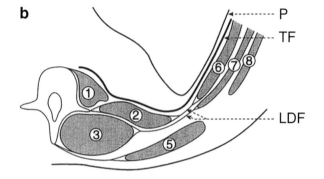

b

Fig. 6-51. Superior lumbar triangle (a) and inferior lumbar triangle (b).

1 = psoas muscle
2 = quadratus lumborum muscle
3 = sacrospinalis muscle
4 = serratus posterior inferior muscle
5 = latissimus dorsi muscle
6 = transverse abdominis muscle
7 = internal oblique muscle
8 = external oblique muscle
P = peritoneum
TF = transversalis fascia
LDF lumbodorsal fascia

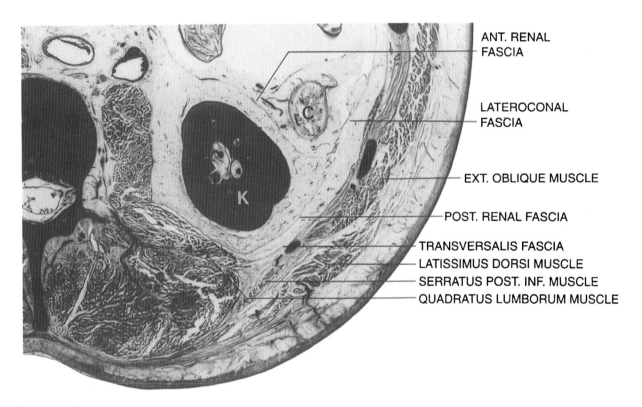

Fig. 6-52. The lumbar triangle.

Anatomic section of the left flank through the base of the superior lumbar triangle. Note the anatomic defect of the flank wall lateral to the quadratus lumborum muscle. *K* = kidney; *C* = descending colon.

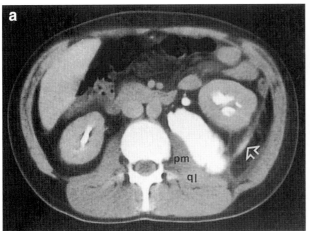 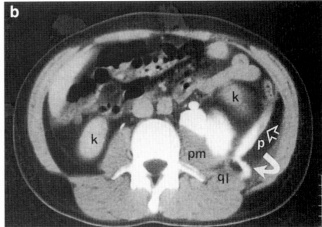

Fig. 6-53. Opacification of lumbar triangle pathway.

Contrast-enhanced CT shows extravasation from the left kidney after stone extraction.

(a) Gross extravasation localizes adjacent to the psoas major (*pm*) and quadratus lumborum (*ql*) muscles. Extravasated contrast has also dissected along perirenal bridging septa to the interlaminar plane of the posterior renal fascia (*open arrow*).

(b) At a lower level, fluid tracks through the lumbar triangle (*curved arrow*) through a defect between the posterior pararenal space (*p*) and the quadratus lumborum fat pad. *k* = kidney.

(Courtesy of Michiel Feldberg, MD, University of Utrecht, The Netherlands.)

Fig. 6-54. Extension of pancreatitis to posterior abdominal wall.

Fluid collection (*F*) progressing through the posterior renal fascia intrudes upon the flank wall lateral to the quadratus lumborum muscle (*QL*). Note thickened subcutaneous fascia along the left flank due to propagation of pancreatic inflammation to the subcutaneous fat layer (*arrow*).

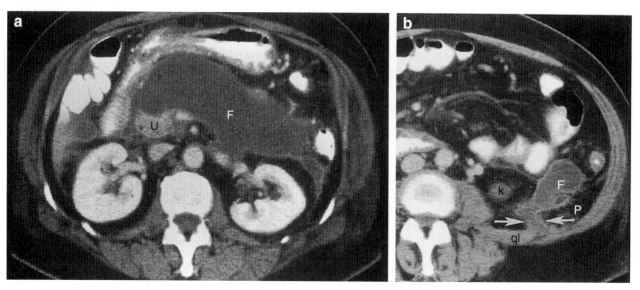

Fig. 6-55. Extension of pancreatitis to lumbar triangle pathway.

(a) Contrast-enhanced CT shows that the pancreas is largely liquified with voluminous fluid (*F*). A small amount of viable pancreas remains in the uncinate process (*U*).

(b) Pancreatic fluid (*F*) dissects along the posterior interfascial plane through the lumbar triangle (*arrows*) between the posterior pararenal fat (*p*) and the fat anterior to the quadratus lumborum muscle *(ql)* to contact the transversalis fascia. *k* = kidney. (Courtesy of James Brink, MD, Yale University School of Medicine, New Haven, CT.)

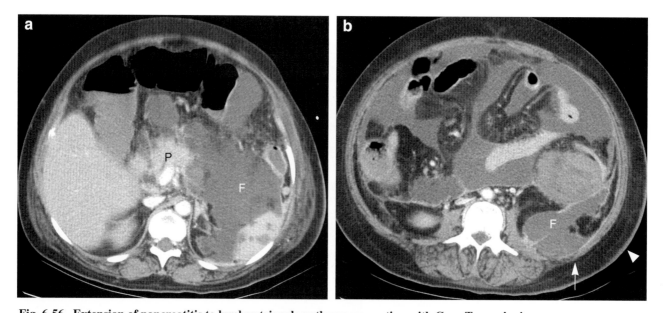

Fig. 6-56. Extension of pancreatitis to lumbar triangle pathway presenting with Grey Turner's sign.

(a–c) Contrast enhanced CT shows that the pancreas is largely liquefied with voluminous fluid (*F*). Small volume of pancreas head and body remain (*P*). Pancreatic fluid (*F*) dissects along the posterior interfascial plane through the lumbar triangle *(arrows)* between the posterior pararenal fat and the fat anterior to the quadratus lumborum muscle to contact the transversalis fascia. Note subcutaneous edema and thickened skin along the left flank presenting as Grey Turner's sign *(arrowheads)*.

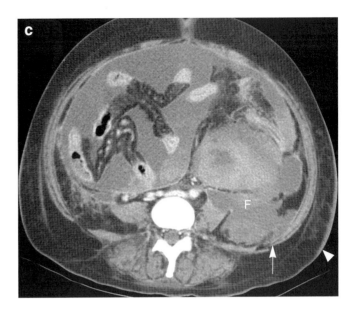

Fig. 6-56 *(Continued).* **Extension of pancreatitis to lumbar triangle pathway presenting with Grey Turner's sign.**

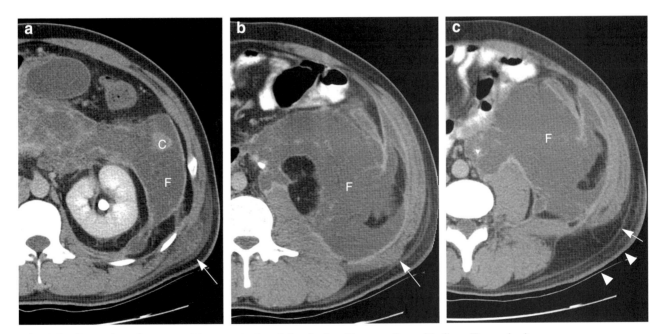

Fig. 6-57. Extension of pancreatitis to posterior abdominal wall presenting with Grey Turner's sign.

(a) There is a large loculation of fluid (*F*) in the pancreas tail and between the leaves of the posterior renal fascia immediately behind the descending colon (*C*). Note fluid infiltration in the subcutaneous fat layer *(arrow).*

(b) At a lower level, fluid collection (*F*) has dissected more posteriorly and comes into relationship with the posterior abdominal wall, presumably effacing the intervening segment of the posterior pararenal space *(arrow).*

(c) More inferiorly, fluid collection (*F*) in the anterior and posterior pararenal space extends downwards. Note diffusely thickened skin along the left flank *(arrowheads)* and subcutaneous edema *(arrows),* resulting in cutaneous discoloration, representing Grey Turner's sign.

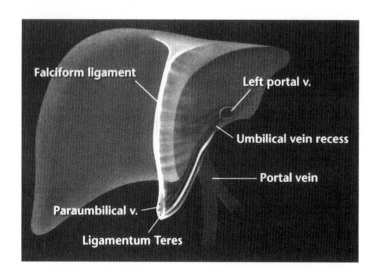

Fig. 6-58. Ligamentum teres and falciform ligament with vascular relationships.
Illustration depicts the paraumbilical veins running in the falciform ligament with the obliterated umbilical vein. The relationship to the left portal vein is also demonstrated.
(Reproduced with permission from Horton and Fishman.[109])

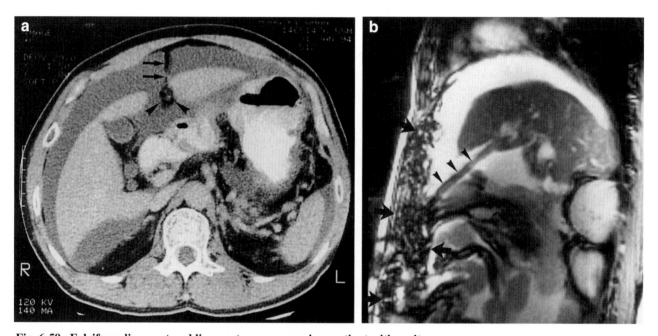

Fig. 6-59. Falciform ligament and ligamentum venosum in a patient with ascites.
(a) Fat-containing falciform ligament (*arrows*) extends from the anterior abdominal wall to the ligamentum teres (*arrowheads*). The falciform ligament is uneven in thickness, and the ligamentum teres contains small vessels.
(b) Sagittal MRI in a patient with liver cirrhosis shows entire extent of the ligamentum teres (*arrowheads*). Falciform ligament may be too thin to be visualized. The greater omentum (*arrows*) floats underneath the anterior abdominal wall.
(Reproduced with permission from Auh et al.[110])

서 발생한 염증이 원인대(*round ligament*)를 타고 배꼽아래의 복막전 지방으로 파급되는 경로이다.

심한 췌장염에서 누출된 소화 효소는 근막면을 따라 파급되어 전신주위 공간에서 중간의 신주위 공간을 거치지 않고 후신주위 공간으로 전달되는 독특한 질병 확산 양상

이 보일 수 있다. 이는 외측 원뿔근막이 파괴되어 발생될 수도 있고,[7, 18] 췌장에서 발생한 질환이 전신주위 공간으로 파급된 다음 아래로 내려가 뒤집어진 원뿔처럼 생긴 신주위 공간의 아래쪽(즉, 원뿔의 꼭지점)을 아래로 돌아서 후신주위 공간으로 파급되어 발생할 수 있다(Fig. 6-

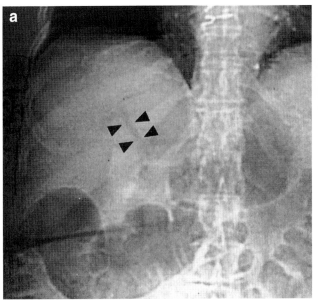

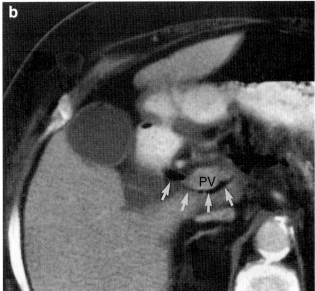

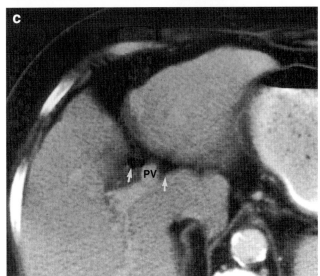

Fig. 6-60. Intrahepatic extension via the hepatoduodenal ligament.

ERCP with sphincterotomy resulted in duodenal rupture.
(a) Digital scout film shows periductal/periportal gas tracking cephalad within the hepatoduodenal ligament (*arrowheads*).
(b) CT demonstrates gas (*arrows*) deep to the portal vein (*PV*), anterior to the caudate lobe.
(c) At a higher level, gas is in the upper hilum near the falciform ligament.

Fig. 6-61. Tracking of pancreatic pseudocysts along hepatoduodenal ligament.

Multiple extrapancreatic loculations course along the hepatoduodenal ligament toward the ligamentum teres fissure, from which the potential pathway may further extend along this edge of the falciformligament to the umbilical region to present as Cullen's sign.
(Courtesy of Yong Ho Auh, MD, Weill Cornell Medical College - New York Presbyterian Hospital, New York City.)

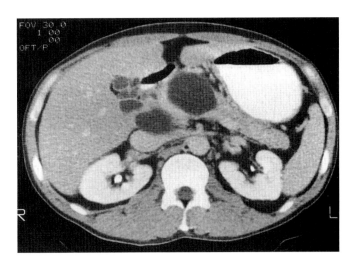

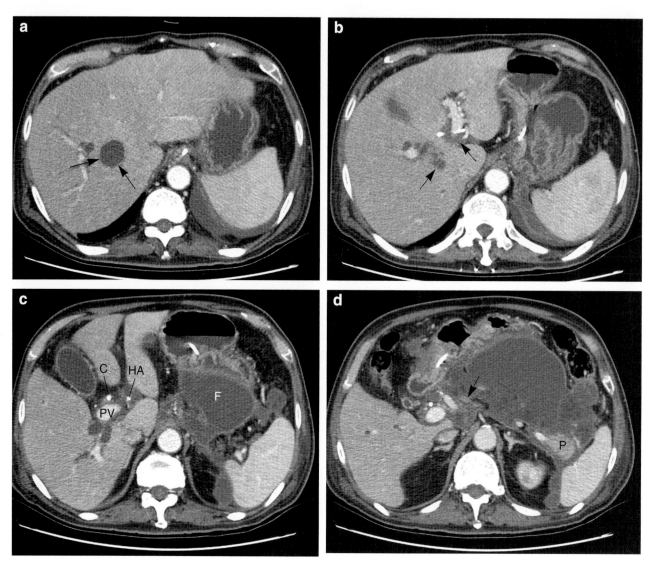

Fig. 6-62. Direct extension of pancreatitis into the liver through the hepatoduodenal ligament.

(a) CT scan through the middle of the liver shows a round cystic lesion *(arrow)* due to fluid tracking along the right branch of the portal vein forming cystic fluid collection.

(b) CT scan through the liver at the level of the left portal vein shows fluid tracking along the right and left branch of the portal vein *(arrows)*

(c) CT scan through the porta hepatis shows fluid tracking along the hepatoduodenal ligament, namely around the common hepatic artery *(HA)*, common hepatic duct containing a catheter *(C)* and main portal vein *(PV)*. Note a large fluid collection posterior to the stomach *(F)*.

(d CT scan at the level of the pancreas tail *(P)* shows a large peripancreatic fluid collection and in the hepatoduodenal ligament *(arrow)* surrounding the common hepatic artery, bile duct and portal vein. Two months later, the fluid collection in the peripancreatic space, hepatoduodenal ligament and cystic fluid collection in the right intrahepatic periportal space (image **a**) disappeared after resolution of pancreatitis.

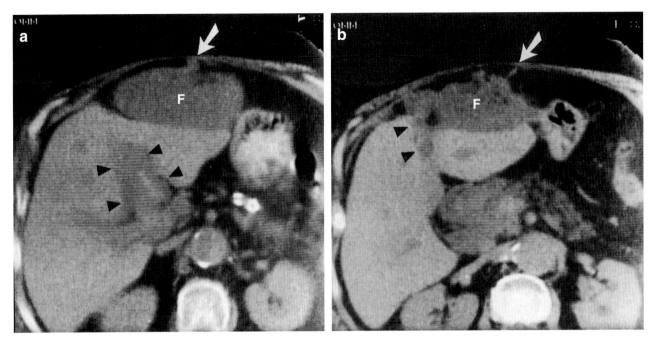

Fig. 6-63. Pancreatic fluid in falciform ligament.
This patient presented with a palpable epigastric mass after an episode of acute pancreatitis.
(**a** and **b**) CT images show a fluid collection (*F*) between the left hepatic lobe and the abdominal wall, within the falciform liga-ment (*arrow*). There is inflammatory thickening of the intrahepatic portion of the ligament (*arrowheads*), which communicates with the hepatic hilum and the hepatoduodenal ligament, through the left periportal space. Fine-needle aspiration yielded dark fluid with high amylase content.
(Reproduced with permission from Arenas et al.[66])

65, 6-66).[8, 12] 신장과 대장은 앞쪽으로 밀리고, 요근과 옆구리선 경계가 불분명해진다.

췌장액의 소화 작용에도 불구하고 신장근막을 넘어가는 경우는 거의 없다. 따라서 신주위 지방과 신장은 정상적으로 유지된다. 사실 급성 췌장염에서 췌장밖 액체저류가 신장 침범 없이 신주위 침범이 있는 소견을 CT에서 보는 것은 매우 드물다(Figs. 6-67, 6-68).[51, 115–122]

Ranson은 급성 췌장염의 중등도를 결정에 흔히 이용되는 검사 및 임상적 기준을 정의하였고, 이는 농양 형성 및 출혈 등 합병증의 발생을 예측하는 예후 인자로써의 중요성을 가진다.[123, 124] 몇몇 연구자들, 특히 Balthazar는 췌장염의 예후를 판정하는데 있어서의 CT의 이용을 보고하였다. 대부분의 보고에서 CT에서 보이는 췌장외*extrapancre-atic* 이상 소견이 Ranson 기준 및 향후 합병증의 발생과 연관성이 있었다.[125-131]

: 비장의 노출부, 비장 동맥, 간동맥에서의 출혈
Bleeding from Bare Area of Spleen, Splenic Artery, or Hepatic Artery

비장*spleen*의 문부*hilum*는 지지인대, 즉 위비장인대*gas-trosplenic ligament*, 비신장인대*splenorenal ligament*가 붙는 부위이다(Fig. 6-69). 비장의 노출부는 비신장인대가 신주위 지방의 표면과 합쳐지는 부분의 복막에 덮혀있지 않은 부분을 의미한다. 이 부위는 신장의 상부의 앞 부분과 일정한 관계를 가지며, 길이는 2~3 cm, 폭은 2 cm 정도 되는 부분이다.[132] 비신장인대는 비장의 노출부에서 좌측 전신주위 공간으로 출혈이 파급되는데 있어서 해부학적 교량 역할을 한다.[50, 133] 23명의 비장 외상 환자의 CT 분석 결과 전신주위 공간의 혈종은 3명(13%)에서 관찰되었다.[134] 간동맥과 비장동맥은 해부학적으로 전신주위 공간에 위치해 있다. 이 혈관들이 외상이나 동맥류에 의해 파열되면, 출혈은 출혈부위 쪽의 복막외 공간*extraperitoneal space*에 국소화 된다.

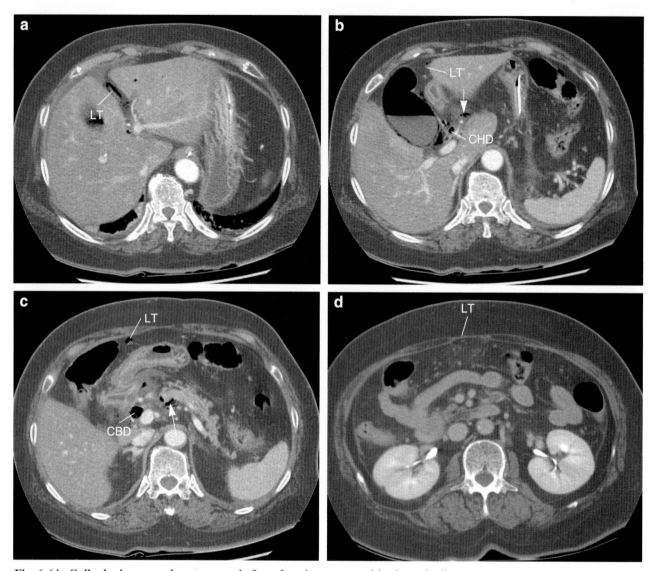

Fig. 6-64. Cullen's sign secondary to spread of gas-forming pancreatitis along the ligamentum teres.

(a) CT scan through the middle of the liver shows gas surrounding the ligamentum teres (*LT*).

(b) CT scan at the level of the gallbladder demonstrates a large amount of air in the lumen of the gallbladder as well as the gallbladder wall and within the common hepatic duct (*CHD*). Note an air bubble within the hepatoduodenal ligament *(arrow)* and around the ligamentum teres (*LT*).

(c) CT scan atthe level of the pancreas shows peripancreatic air bubbles *(arrow)* and gas within the common bile duct (*CBD*) and around the ligamentum teres (*LT*).

(d) CT scan at the level of the kidneys shows minimal infiltration around the ligamentum teres (*LT*) approaching the umbilicus. This extension may be manifested by clinical periumbilical discoloration (Cullen's sign).

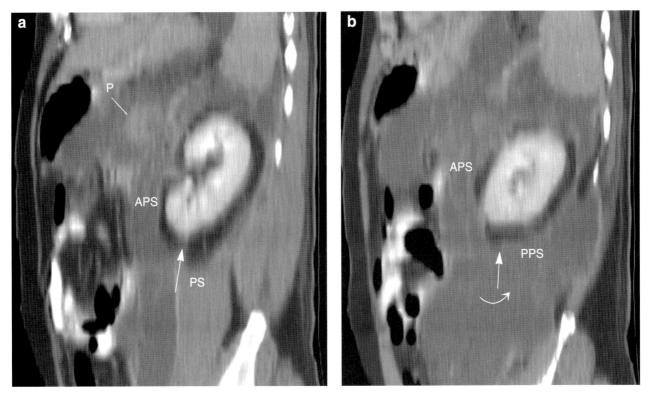

Fig. 6-65. Pancreatic extravasation with extension down the anterior pararenal space and then upward into the posterior pararenal compartment.

Sagittal diagram illustrates fluid collection in the left anterior pararenal space from the pancreas (*P*), and continuity on and around the cone of renal fascia into the posterior pararenal compartment.

(Reproduced with permission from Meyers.[8])

Fig. 6-66. (a and **b)** Oblique reconstruction CT images in patient with acute pancreatitis and fluid collection in the left anterior pararenal space. Fluid spreads from the pancreas (*P*), down the anterior pararenal space (*APS*), around the apex of the renal cone *(arrows)*, and then rises *(curved arrow)* posteriorly into the posterior pararenal space (*PPS*). *PS* = psoas muscle. The perirenal fat is generally intact.

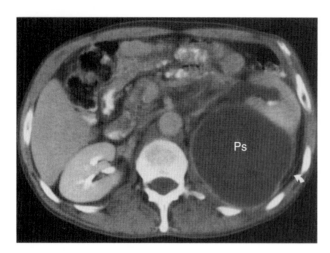

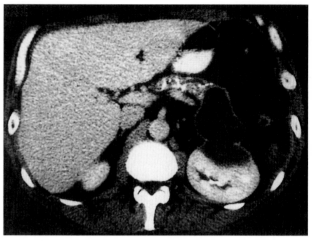

Fig. 6-67. Perirenal pancreatic pseudocyst.
A huge pancreatic pseudocyst (*Ps*) distends the perirenal space posteriorly, displacing the kidney. Posterior renal fascia remains evident (*arrow*). Fluid from the cyst was aspirated, diluted × 120, and had an amylase content of 25,870 IU/L.

Fig. 6-68. Subcapsular pancreatic pseudocyst of the kidney.
CT demonstrates a pseudocyst originating from the pancreatic tail entering the subcapsular space through the focally disrupted renal capsule. The pancreatic body and tail are shrunken and exhibit stones and dilated ducts.
(Reproduced with permission from Blandino et al.[122])

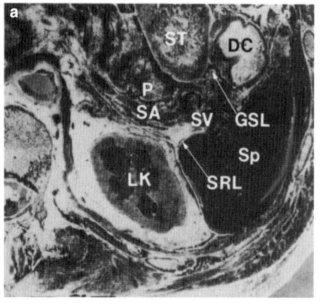

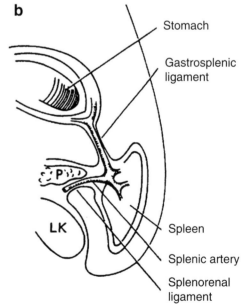

Fig. 6-69. Peritoneal attachments of the spleen.
(a) Transverse anatomic section demonstrates gastrosplenic ligament (*GSL*), within which course the short gastric and left gastroepiploic vessels, and the splenorenal ligament (*SRL*), which envelops the pancreatic tail and the proximal splenic vein (*SV*) and splenic artery (*SA*). *Sp* = spleen; *ST* = stomach; *P* = pancreas, *DC* = descending colon; *LK* = left kidney.
(b) Transverse drawing illustrates the intraperitoneal suspension of the spleen by the gastrosplenic and splenorenal ligaments.

비장동맥의 출혈 역시 비슷한 분포를 보이지만, 특이한 점은 대장의 비장 만곡부*splenic flexure of the colon*, 특히 그 외측 경계부에 국소적 변화가 흔히 동반되는데, 이는 출혈이 횡경막결장인대*phrenicocolic ligament* [135]로 파급되기 때문이다.

: **골반과 장관막 연결** Pelvic and Mesenteric Continuities

신장근막 원뿔 아래쪽에서 결합된 전후신주위 공간*anterior and posterior pararenal space*과 골반강의 복막외 공간의 해부학적 연결을 시사하는 임상적 증거들은 복강과 골반강의 복막하 공간*subperitoneal space*간의 양방향 소통을 증명한다. 대퇴동맥*femoral artery* 도관 삽입 시술의 합병증으로 발생한 출혈은 방광전 복막외 구역*prevesical extraperitoneal compartment*으로 들어간 다음 위아래로 퍼져서 벽측 복막*parietal peritoneum*의 안쪽 복강내 전후신주위 공간으로 전파된다. [140, 141] 한편, Fig. 6-70은 췌장염이 전신주위 공간에서 방광전 구역*prevesical pelvic space*으로 전파되는 것을 보여준다.

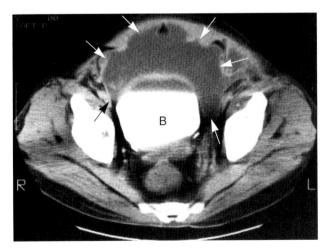

Fig. 6-70. Caudad extension of pancreatitis from the anterior pararenal space to the pelvis.
In a patient with fluid collection in the both anterior pararenal spaces secondary to severe acute pancreatitis, CT scan of the pelvis demonstrates the inflammatory process has descended into the extraperitoneal prevesical space assuming a characteristic "molar tooth" configuration *(arrows)* in relation to the urinary bladder *(B)*.

● ● ●

전신주위 공간의 구역화 Compartmentalization of the Anterior Pararenal Space

*Maarten S. van Leeuwen, M.D., Ph.D.**
*Michiel A.M. Feldberg, M.D., Ph.D.**

Meyers 등은 앞쪽은 후벽측복막, 뒤쪽은 전신장근막, 바깥쪽은 외측 원뿔근막으로 둘러싸인 공간을 전신주위 공간이라고 명명하였다.[12] 이 공간은 췌장, 십이지장, 상행 및 하행결장 등 복막외 공간에 위치한 소화기관을 포함한다. 액체저류나 염증, 가스 등의 질병 전파가 전신주위 공간 전체에 걸쳐 단일 구역의 양상으로 항상 존재하는 것이 아니므로, Dodds 등[32]은 전신주위 공간이 발생학적으로 세 개의 구역에서 기원함을 강조하였다. 이 세 가지 구역은 양측의 결장주변 공간*pericolic space*과 중심부의 췌십이지장 공간*pancreaticoduodenal space*이다. 그들은 앞쪽 후복막강*retroperitoneum*은 접혀지고 합쳐진 원시배측 장간막*primitive dorsal mesentery* 엽으로 구성된 층화된 공간*laminated space*이며, 이로 인하여 결장과 췌십이지장의 부구역*subcompartment*으로 나뉘어진다고 하였다. 이런 부구역은 불어 기원 용어인 fascia d'accolement라고 불리는 융합성 근막*fusional fascia*으로 나누어진다.[142, 143] 이런 융합성 근막면은 공기나 액체에 의해 다시 열리기도 하는데, 이러한 소견은 임상적으로 흔히 췌장염에서 보이고 십이지장 질환이나 대장 질환에서는 덜 흔하게 보이는 액체저류 양상을 설명한다.

▌ 융합성 근막 Fusional Fasciae

췌장 두부와 십이지장 뒤쪽의 여러 겹의 조직을 Treitz 췌장십이지장뒤 근막*retroduodenopancreatic fascia of Treitz*이라고 한다.[144] 소낭*lesser sac*의 뒤쪽 벽의 고정에 의해 발생된 췌장 뒤쪽의 융합성 근막은 Toldt 췌장뒤 근막*retropancreatic fascia of Toldt*으로 불린다.[145] 비슷하게 오른쪽과 왼쪽의 후복막화된*retroperitonealized* 결장간막은

*Department of Radiology, University Medical Center Utrecht, 3584 CX Utrecht, The Netherlands.

각각 좌우 Toldt 결장뒤 근막*retrocolic fasciae of Toldt* 이라고 불린다(Fig. 6-71). 이런 융합성 근막*fusional fascia* 은 대략적으로 주변 조직과 구분되며 움직임이 가능하다. 이들은 매우 얇은 결체조직층들(0.1~0.6 mm)로 구성되며, 가끔 1 mm 이하에서 수 mm 두께의 독립된 성긴 층*looser stratum* 으로 구성된 두 겹 구조를 보이기도 한다.[143]

외과의가 십이지장 루프 외측 절개를 통한 십이지장의 가동화*mobilization*(Kocher 술기)와 상행 및 하행결장 외측의 Toldt 선 절개를 통한 대장의 가동화를 쉽게 할 수 있듯이, 공기나 액체저류는 융합성 근막의 결합을 약하게 한다. 해부학적 단면은 이런 성긴 결체조직들을 잘 보여준다(Fig. 6-72).

■ 정상 영상소견 Normal Imaging Features

질병이 없는 상태에서는 후복강의 장간막은 개개의 구조가 구분되지 않고 지방 조직으로만 보인다. 대신 함께 주행하는 혈관들이 다양한 장간막을 구분할 수 있는 랜드마크가 된다(Fig. 6-73). 오른쪽에서 결장구역*colonic compartment* 의 아래쪽 경계는 상장간막동·정맥의 가장 원위distal 분지로 기시하는 맹장*cecal* 혈관과 회결장*ileocolic* 혈관을 통해서 알 수 있다. 더 위쪽으로는 이런 혈관들은 상장간막동·정맥에서 기시하는 우결장혈관과 연결된다. 간만곡부*hepatic flexure* 에서, 후복막화된 우결장구역*right colonic compartment* 과 고정되지 않은 횡행결장간막의 연결성은 우결장혈관*right colic vessels* 과 중결장혈관*middle colic vessels* 과의 연결성을 통해서 알 수 있으며, 중결장동맥*middle colic artery* 은 상장간막동맥의 초기 분지로 기시하고, 중결장정맥*middle colic vein* 은 위결장정맥간*gastrocolic trunk* 으로 들어간다. 왼쪽에서는 중장*midgut* 기원의 횡행결장간막과 후장*hindgut* 기원의 후복막화된 하행결장의 경계는 중결장혈관과 하장간막동맥/정맥*inferior mesenteric artery and vein* 기원인 좌결장혈관*left colic vessels* 간의 문합을 통해서 알 수 있다. 더 아래쪽에서 하장간막혈관*inferior mesenteric vessel* 은 고정되지 않은 S자결장간막*sigmoid mesentery* 내에 위치하는 S자결장*sigmoidal* 동맥과 정맥으로 이행된다. S자결장간막은 직장동맥*rectal artery* 과 정맥을 포함하는 복막외 공간의 직장간막

mesorectum 으로 이어진다. 우측 췌십이지장구역*pancreaticoduodenal compartment* 은 포함된 장기에 의해서 쉽게 구분된다. 이 부위는 복강동맥강*celiac trunk* 의 혈액공급을 받는 전장*foregut* 과 상장간막 혈관의 공급을 받는 중장의 경계부이고, 다수의 서로 문합된 혈관망에 의해 혈액공급을 받는다. 끝으로 좌측 췌장 구역*pancreatic compartment* 은 췌장 몸통과 미부를 포함하고 있으며, 비장혈관*splenic vessel* 의 혈액공급을 받는다.

■ 비정상 영상소견 Abnormal Imaging Features

질병진행에 따라 생성되는 공기나 삼출액에 의한 압력은 이러한 융합면들을 따라 각 면을 분리시키면서 전파되어 각각의 발생학적으로 상이한 해부학적 구조물들로 나누게 된다. 췌장 몸통에서 발생한 췌장삼출액은 아래쪽으로 전파되는 경향이 있으며, 앞쪽의(하행결장과 좌결장혈관*left colonic vasculature* 이 주행하는 장간막을 포함한) 좌측 결장주위 공간과 뒤쪽의 신주위 공간을 분리한다(Figs. 6-74, 6-75). 췌장 삼출액이 고인 전후로 명확하게 구분되는 이 분리면은 좌측 후장간막면*left retromesenteric plane* 이라고 불린다. 외측으로는 외측 원뿔근막을 따라 연장되어 결국 복강에 이른다. 좌측 전신주위 공간에 있는 췌장 삼출액이 뒤쪽으로 파급되면, 후신장근막을 전신장근막과 연결되는 앞층과 외측 원뿔근막과 연결되는 뒤층의 두 겹으로 분리시킬 수 있다(Fig. 6-74).[20]

따라서 신장후면*retrorenal plane* 이 형성되게 된다. 이 신장후면은 위쪽에서는 내측 경계가 조금 바깥쪽에 위치해 허리네모근 근처에서 형성되고, 아래쪽에서는 전후신장근막과 외측 원뿔근막이 합쳐져서 생긴 결합근막간면*combined interfascial plane* 으로 연결되는데, 이는 요관*ureter* 과 S자결장간막의 바깥쪽에 위치해 복강까지 이어지는 면으로 원추아래구역*infraconal compartment* 혹은 외측 경로*lateral pathway*[146]라고 불린다(Fig. 6-74c). 신장 후면의 액체가 뒤쪽으로 전파되는 경로는 허리네모근 주위 지방과 후신주위 지방*posterior pararenal fat* 사이의 하방요추경로*inferior lumbar pathway* 로써[35] 췌장염에서 옆구리 변색, 즉 Grey Turner 징후의 원인이 된다(Fig. 6-73b).

위쪽에서 좌측 후장간막면은 신주위 공간의 위쪽 부분

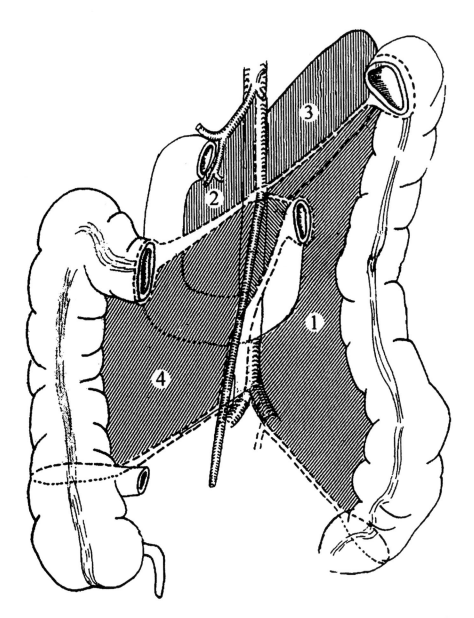

Fig. 6-71. Frontal diagram of the fusion fasciae of left and right colon, pancreatic head and duodenum and pancreatic body and tail.

The fusion fascia of the left colon *(1)* fixes the meso of the descending colon to the posterior primitive parietal peritoneum. The superior limit, which covers part of the retroperitonealized pancreatic body and tail, is the line connecting the origin of the superior mesenteric artery to the left angle of the transverse mesocolon. The medial limit is in front of the aorta. The inferior limit begins a little left from the midline, in front of the promontory, and descends along the inner border of the psoas muscle, at the upper root of the sigmoid mesocolon. The retroduodenopancreatic fusion fascia of the duodenal loop *(2)* fixes the mesoduodenum and pancreatic head to the posterior primitive parietal peritoneum and to the fusion fascia of the left mesocolon, respectively, right and left from the midline. The superior limit above the root of the transverse mesocolon is the common hepatic artery. The medial limit is infront of the aorta. The left limit, below the radix of the transverse mesocolon, is short, starting below the superior mesenteric artery and extending to the duodenojejunal angle. The retropancreatic fusion fascia *(3)* fixes the dorsal mesogastrium, containing pancreatic body and part of the tail, to the posterior primitive parietal peritoneum. The fusion fascia of the right colon *(4)*, located between cecum and transverse mesocolon, fixes the meso of the ascending colon to the posterior primitive parietal peritoneum and the duodenum and its fused meso, containing the caudal part of the pancreatic head.

(Adapted with permission from Grégoire and Oberlin.[221])

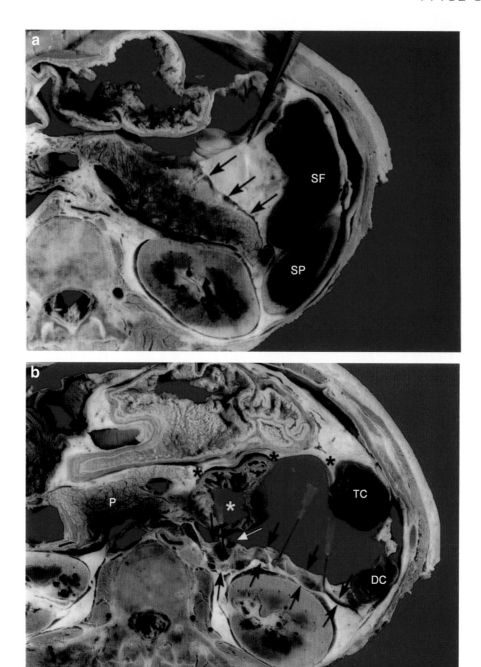

Fig. 6-72. Anatomic sections of fusion fasciae.

(a) Section at the level of the pancreatic tail, with slight anterior traction on the left colonic fat. The mesenteric fat medial to the splenic flexure *(SF)* of the colon portrays the continuity between transverse mesocolon mediocranially and left colonic compartment laterocaudally. Note the loose areolar tissue *(arrows)* between this mesenteric fat and the pancreatic tail, representing the fusion fascia posterior to the transverse mesocolon medially and the cranial extension of the left retromesenteric plane, also called left fascia of Toldt, laterally. A space, also bridged by loose areolar tissue *(arrowheads),* appears between the pancreatic tail and perirenal space, representing the fusion fascia between the left pancreaticoduodenal compartment and primitive retroperitoneum. *SP* = spleen.

(b) Section at the level of pancreatic head *(P)* and neck, with traction on the left colonic compartment. The left colonic compartment is demarcated from the primitive retroperitoneum by loose areolar tissue representing the left retromesenteric plane *(black arrows).* Anteriorly, the transverse mesocolon *(black asterisks)* attaches to the pancreatic neck, posterior to the stomach, and anterior to the duodenojejunal junction *(white asterisk)* in the left paraduodenal fossa. *White arrow* = inferior mesenteric vein; *DC* = descending colon; *TC* = transverse colon.

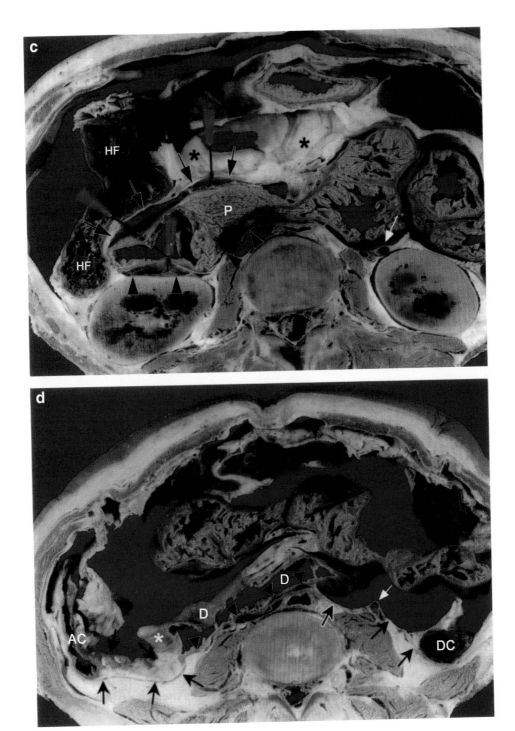

Fig. 6-72 (Continued). Anatomic sections of fusion fasciae.

(c) Section at the level of the pancreatic head *(P)*. The right pancreaticoduodenal compartment is demarcated posteriorly by the loose areolar tissue of the retropancreaticoduodenal fusion fascia *(arrowheads)*, also called fascia of Treitz, and anteriorly by the loose areolar tissue of the cranial extension of the right retromesenteric plane, also called right fascia of Toldt *(arrows)*. Note the continuity of the transverse mesocolon *(asterisks)* with the right colonic compartment, located anterior to the right perirenal space. *White arrow* = inferior mesenteric vein; *HF* = hepatic flexure.

(d) Section below the level of the pancreatic head, demonstrating the slender right and left colonic compartments at this level *(black arrows)*. Note how the right colonic compartment covers the right side of the pancreaticoduodenal compart-ment *(white asterisk)*, while the medial extension of the left colonic compartment *(black-and-white arrow)* lies posterior to the left extension of the horizontal part of the duodenum *(D)*. The retropancreaticoduodenal fusion fascia *(black arrow-heads)* is located posterior to the duodenum and anterior to the primitive retroperitoneum, aorta, and inferior caval vein. *AC* = ascending colon; *DC* = descending colon.

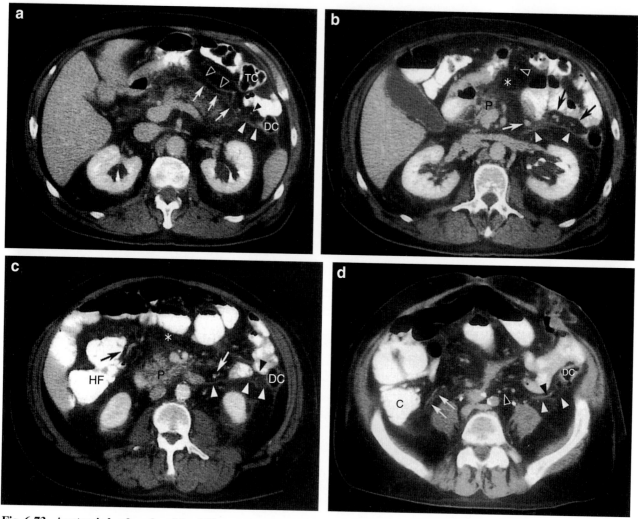

Fig. 6-73. Anatomic landmarks of the different components of the anterior pararenal space in a patient with pancreatitis.
(a) At the level of the pancreatic tail, the fusion fascia *(arrows)* dorsal to the transverse mesocolon is continuous with the left retromesenteric plane *(white arrowheads),* behind the cranial extent of the left colonic compartment. Note the vessels within the fat *(black-and-white arrowheads)* representing the continuity between middle colic vesselsin the transverse mesocolon and left colic vessels within the left colonic compartment. *DC* = descending colon; *TC* = transverse colon.
(b) More caudally, at the level of the renal veins, the left colonic compartment contains the left colic vessels laterally *(black arrows)* and the inferior mesenteric vein medially *(white arrow).* Note the accentuated left retromesenteric plane *(white arrowheads).* The transverse mesocolon *(asterisk),* containing the middle colic vessels *(black-and-white arrowhead),* is attached anterior to the pancreatic neck *(P).*
(c) At the level of the lower pole of the kidneys, the upper extension of the right colonic compartment is indicated by the vessels *(black arrow)* medial to the hepatic flexure *(HF),* representing the continuity between middle and right colic vessels. The pancreatic head *(P)* is located posterior to the right colonic compartment and transverse mesocolon *(asterisk).* Note left colic vessels *(black arrowhead)* in the left colonic compartment medial to the descending colon *(DC). White arrow* = inferior mesenteric vein; *white arrowheads* = left retromesenteric plane.
(d) At the level of the aortic bifurcation, the right colic vessels are continuous with the ileocolic vessels *(white arrows),* located medial to the cecum *(C),* within the caudal extension of the right colonic compartment. The left colic vessels *(black arrowheads),* within the left colonic compartment, are continuous with the branches from the inferior mesenteric vein *(black-and-white arrowhead)* within the cranial extension of the mesosigmoid. *DC* = descending colon; *white arrowheads* = caudal extent of left retromesenteric plane.

을 둘러쌀 수 있으며, 위의 노출부까지 이를 수 있다. 또한 이는 중심선을 가로질러서 췌장의 두부와 십이지장의 뒤쪽까지 이를 수 있으며(Fig. 6-76), 아래쪽으로는 골반강내의 S자결장간막 뒤쪽 부착점까지 이른다.

오른쪽에서는 췌장 두부에서 생긴 췌장삼출액은 상행결장*ascending colon*, 간만곡부와 그 장간막을 포함한 우

결장구역을 뒤쪽의 췌십이지장 구역 및 전신장근막과 분리시켜 우측 후장간막면*right retromesenteric plane*을 형성한다(Fig. 6-74). 왼쪽과 마찬가지로, 우측 후장간막면도 신주위 공간을 따라 뒤쪽으로 연결되어 신장후면을 형성한다(Fig. 6-77). 아래쪽으로 우측 후장간막면은 우측 골반강과 맹장 뒤쪽의 후복막화된 부분까지 연결된다.

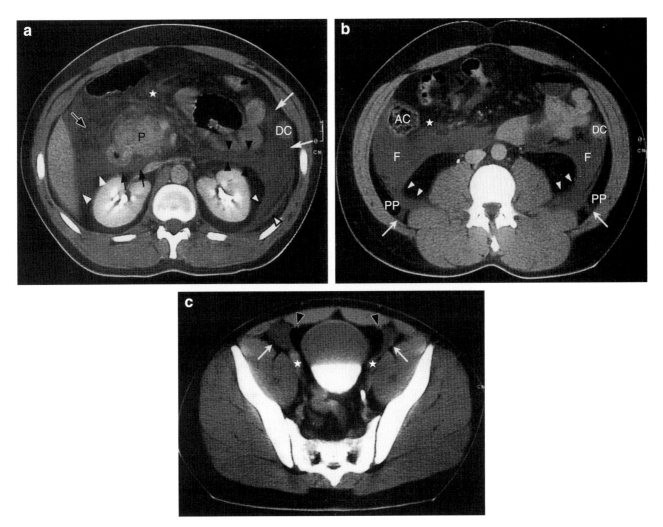

Fig. 6-74. Extensive spread of pancreatic fluid to retromesenteric and retrorenal spaces, with caudal extent.
(a) At the level of the pancreatic head *(P)*, fluid is present within the left colonic compartment *(white arrows)*, surrounding the descending colon *(DC)*, and in the left retromesenteric plane *(black arrowheads)*, left retrorenal space *(black-and-white arrowheads)*, right colonic compartment *(black-and-white arrow)*, right retromesenteric plane *(white arrowheads)*, and retropancreaticoduodenal fusion fascia *(black arrows)*. Fluid is also located ventrally in the transverse mesocolon *(asterisk)*.
(b) Bilateral extension of the retrorenal spaces *(arrowheads)* through a well-defined defect *(arrows)* at the posteromedial boundary of the posterior pararenal *(PP)* space, the lumbar triangle pathway. There is no extension in the flank tissues. Although the right and left retromesenteric planes have acquired large amounts of fluid *(F)*, little fluid is present within the right *(white asterisk)* and left *(black asterisk)* colonic compartments, medial to the ascending *(AC)* and descending colon *(DC)*, respectively.
(c) Distal extension of fluid *(arrows)* lateral to the inferior epigastric vessels *(arrowheads)* and ventral to the external iliac vessels *(asterisks)*.

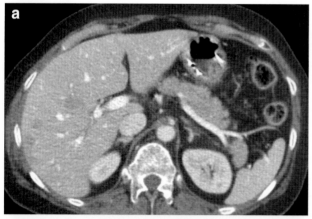

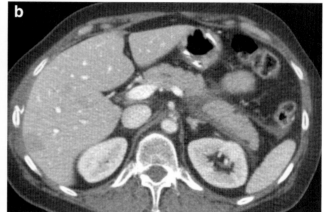

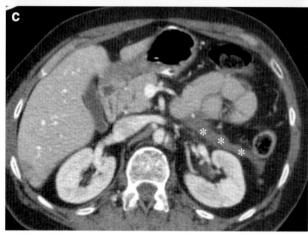

Fig. 6-75. Blunt abdominal trauma.
(a−c) Note various scattered hypodensities within the liver, indicating possible liver contusion, but no laceration. The pancreatic body and tail are somewhat swollen (a, b), and posterior to it, extending caudally (c) into the left retromesenteric plane (*asterisks*), fluid is present indicating significant trauma to the pancreatic parenchyma.

●●●
신장주위 공간 Perirenal Space

‖ 체액의 분포와 국소화의 해부학 Roentgen Anatomy of Distribution and Localization of Collections

신장주위 공간은 원뿔모양의 신장근막에 의해 경계가 지워진다(Figs. 6-78~80).

사체에서 이 구획에 선별적으로 조영제를 주입하면 하면 체액의 확산 경로와 국소화에 대하여 알게 된다(Fig. 6-81). 이 공간은 무척 넓은 공간으로, 특징적인 윤곽을 갖고 있다. 이 부분에 조영제를 주입하면 확장된 원뿔 형태인 신장근막의 아래쪽 경계가 장골능선과 겹쳐, 불룩한 형태로 보이게 된다. 생체내에서도, 급성 외상 환자에서 이러한 형태를 확인될 수 있다(Fig. 6-82). 이러한 윤곽선은 신장주위 액체저류의 특징적 형태로 단순촬영이나 다

른 검사에서 이를 확인하면 질병이 어느 구획을 침범하고 있는지 알 수 있다(Fig. 6-83).

신장주위 공간에서 체액의 분포와 국소화에 관한 소견은 Table 6-1(130쪽)에 요약되어 있다.

: 삼출액의 원인 Sources of Effusions

대부분의 신장주위 농양은 신장 감염에 의해 이차적으로 발생하게 된다. 기저원인은 신우신염, 결핵 혹은 큰 종기 *carbuncle*에 의한 경우가 가장 흔하며, 신장 피막의 천공을 통하여 신장주위로 확산되게 된다.

신장주위 농양은 두 가지 형태로 구분되는데, 한 가지 형태는 급성 가스형성 농양의 형성으로, 그 원인균은 *Escherichia coli*나 *Aerobacter aerogenes*가 있으며, 드물게, 당뇨환자에서 Clostridium이 원인균이 될 수 있다. 또 하나는 융합된 형태의 신장주위 농양으로 보이는 경우이며, 이 경우는 *E.coli, Bacillus proteus,* 혹은 streptococcus가 주로 원인균이 된다. 양측을 다 침범하는 경우는 드물며, 양측 신장 감염에 동반되어 나타난다. 소아에서 종기증, 상처 감염, 혹은 상기도 감염과 같은 원격 감염 병소에서 혈행성으로 신장주위 조직에 감염이 되기도 한다.[147]

집합계의 천공으로 인하여 소변이 신장주위 구획으로 만성적으로 유출되면 수뇨성*uriniferous* 신장 가성낭종(소변종)이 형성된다.

신장주위 공간 혹은 피막하의 혈종은 외상이나 종양 혹은 결절동맥주위염*periarteritis nodosa*과 같은 신장과 주변 혈관을 침범하는 다양한 병변에 의해 발생할 수 있다.[148]

: 신장주위 가스 형성 감염 Perirenal Gas-Producing Infection

신장주위 가스 형성 감염은 독특한 영상소견을 보이는데, 확장된 원뿔 형태인 신장 근막의 특징적 형태와 신장의 뒤쪽에 위치한 풍부한 신장주위 지방으로 가스가 잘 확산되는 점에 기인한다.

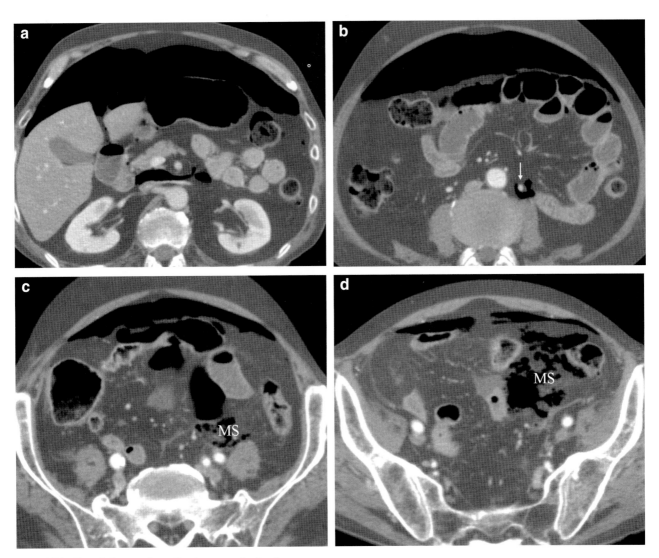

Fig. 6-76. Cranial extension of retromesenteric plane.
(**a–f**) Free air in the abdominal cavity, mesosigmoid and within cranial extension of left retromesenteric plane.
(**a**) At a cranial level abundant air in retromesenteric plane, posterior to pancreatic head and mesenteric root, continuous caudally with air posterior to IMV (*white arrow*) (**b**). Lower down (**c** and **d**), loculated air is present within mesosigmoid (*MS*), indicating sigmoid diverticulosis as cause for free and retroperitoneal air.

The Extraperitoneal Spaces : Normal and Pathologic Anatomy

■ 복막외 공간: 정상 및 병적 해부학

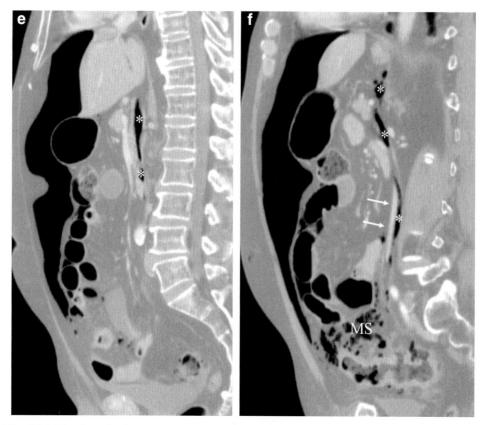

Fig. 6-76 *(Continued).* **Cranial extension of retromesenteric plane.**
(**e**) and through IMV *(white arrows)* (**f**).
Cranial extension of retromesenteric plane *(white asterisks)* is best perceived on sagittal reformat
through pancreatic head

가스는 신장을 둘러싸거나, 신장주위 지방 내부에 반점
상의 공기 집적의 형태로 보이게 된다. 다음의 세 가지 특
징적 소견을 통하여 신장주위 공간에 감염이 있음을 알
수 있다:

1. 삼출액이 신장 근막을 팽창시켜, 아래쪽 경계가 불룩
   한 모양으로 장골능과 겹쳐 보인다.
2. 가스가 신장 후방의 지방이 풍부한 부위에서 가장 많
   이 보인다.
3. 신장 근막의 염증성 비후가 보일 수도 있다.

팽창된 신장주위 공간이 아래쪽으로 볼록한 경계를 보
이는 것은 매우 신뢰할 만한 징후이다(Fig. 6-84). Fig. 6-
85a를 보면, 당뇨병 환자에서 신우신염과 발열 초기에 이
러한 징후가 보였고, 24시간 후에(Fig. 6-85b) 미만성의

가스 형성 감염이 신장주위 공간으로 확연히 보이게 되었
다. 감염이 국소화될 때는 주로 신장의 후방을 침범하게
된다(Fig. 6-86).

전격성 감염은 신장주위 근막 경계를 파괴시켜 가스가
다른 구획으로도 확산된다. Fig. 6-87에서 급성 감염이
근막을 파괴하여 가스가 옆구리 지방으로 확산됨을 볼
수 있다. 이렇게 되면 신장주위 공간이 감압되어, 아래쪽
으로 장골능까지 내려오지 않을 수 있으나, 아래쪽으로
볼록한 모양인 진단적인 실루엣은 유지되어 있는 경우가
많다.

양측 신장을 동시에 침범하는 가스 형성 감염은 흔하지
는 않지만, 그 형태는 매우 특징적이다(Fig. 6-88). 이러
한 경우, 패혈성 색전*septic emboli* 이나 방광으로부터의 역
행성 신우신염의 가능성을 반드시 고려해야 한다.

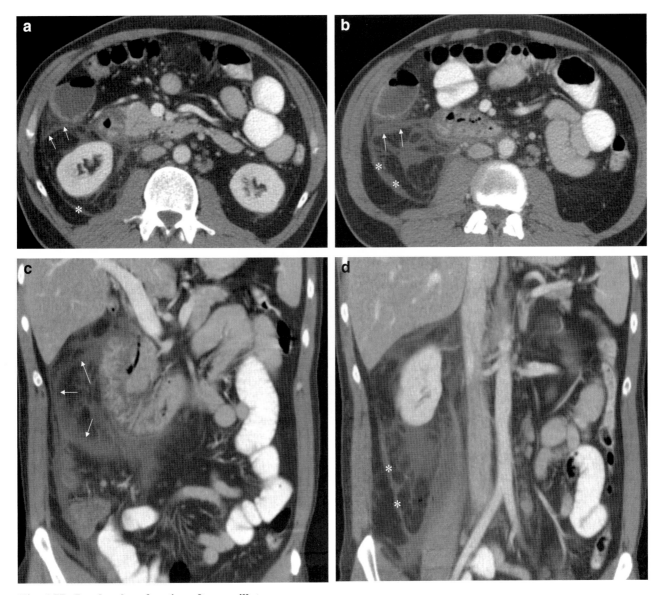

Fig. 6-77. Duodenal perforation after papillotomy.

(a) Note the accentuated right retromesenteric plane (*white arrows*), lateral to the edematous descending duodenum.

(b) Below the level of the kidney, the retromesenteric plane is continuous with the right retrorenal plane (*white asterisks*), and some accentuation of the septae within the perirenal space has occurred.

(c) On a coronal reformat the lateral extension of fluid from the duodenum along the retromesenteric plane, anterior to the perirenal space is well appreciated *(white arrows)*.

(d) More posteriorly the continuation of the retromesenteric plane into the retrorenal plane is demarcated.

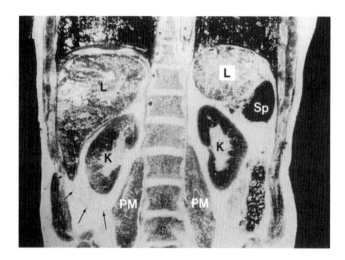

Fig. 6-78. Coronal anatomic section.

The cone of renal fascia *(arrows)* envelops the adrenal gland, kidney *(K)*, and perirenal fat. Medially it blends with the fascia of the psoas muscle *(PM)*. The perirenal fat is particularly abundant in relationship to the lower pole of the kidney. The hepatic angle abuts on pararenal and perirenal fat. *L* = liver; *Sp* = spleen. (Courtesy of Manuel Viamonte, Jr, MD.)

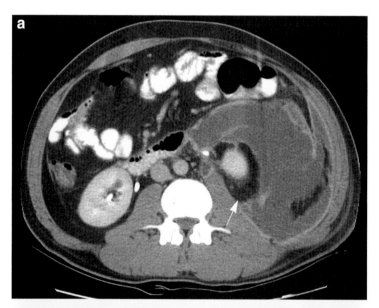

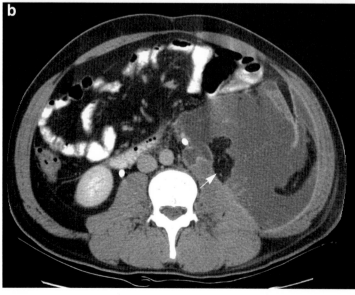

Fig. 6-79. The lower cone of renal fascia.

(a) CT shows the narrowed cone of the perirenal space *(arrow)* rendered visible by surrounding pancreatic fluid. At the level of the lower pole of the left kidney.

(b) CT scan 1.5 cm lower shows the apex of the left renal cone *(arrow)* containing a small amount of fat.

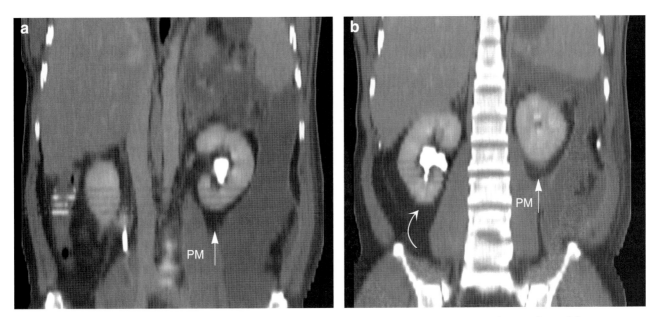

Fig. 6-80. **(a and b) Coronal CT images illustrating the lower pole of the renal cones** *(arrow)* **in a patient with acute pancreatitis and fluid collection in the left anterior and posterior pararenal spaces.**

Note the normal right posterior renal fascia and open right perirenal space inferiorly *(curved arrow)*. *PM* = psoas muscle.

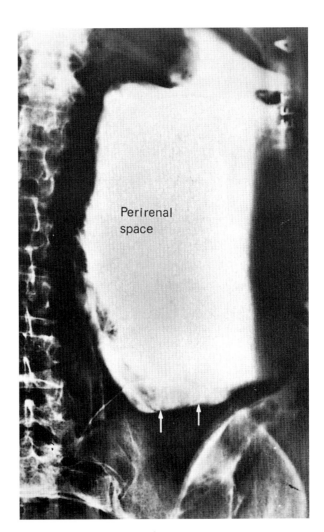

Fig. 6-81. Postmortem injection into the perirenal space.

After the introduction of 450 mL of contrast medium, the distended cone of renal fascia is vertical and presents an inferiorly convex border overlying the iliac crest *(arrows)*. This contour is highly characteristic of acute fluid distention of the perirenal space.

(Reproduced with permission from Meyers.[12])

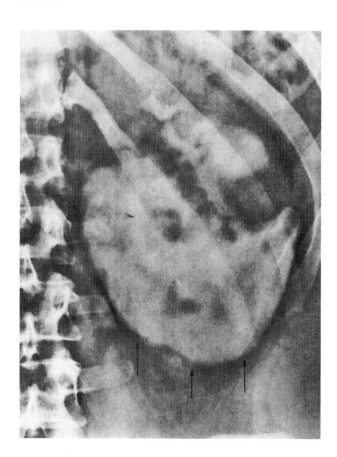

Fig. 6-82. Opacification of the perirenal space.
Gross extravasation during high-dose urography in a
case of traumatic fracture of the kidney opacifies the
distended perirenal space, demonstrating its convex lower
contour *(arrows)*.

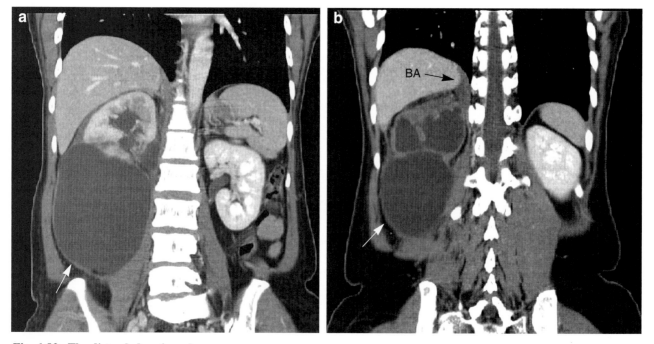

Fig. 6-83. The distended perirenal space.
(**a** and **b**) Coronal CT section reveals a large amount of fluid collection in the right perirenal space. The distended cone extends to
the level of the right iliac crest and presents an inferiorly convex border. As emphasized by Lim et al.[38] the base of the perirenal
space extends upward to the bare area of the liver (*BA*). Note thickened renal fascia *(arrows)* and closed right perirenal space
inferiorly.

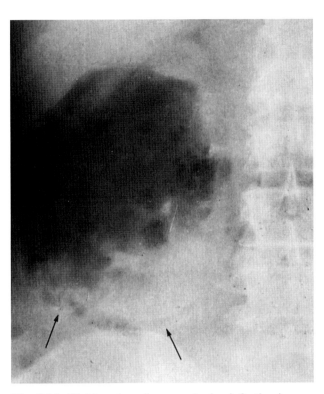

Fig. 6-84. Right perirenal gas-producing infection in a diabetic.
A convex lower border *(arrows)* at the level of the iliac crest characterizes the distended cone of renal fascia.

: 신장주위 농양 Perirenal Abscess

신장주위 공간으로 유입된 액체는 초기에는 신장주위 지방으로 골고루 퍼지게 된다. Meyers 등 연구에 의하면, 액체는 결국 신장 하극의 후외방에 위치한 풍부한 지방조직쪽으로 선택적으로 흐르게 된다(Figs. 6-89~91).[8, 12] 삼출액은 중력에 의해 가장 저항이 적은 조직으로 흐르게 된다는 사실은, 대부분의 신장주위 농양의 영상의학적 소견의 기초가 되므로 이를 이해하는 것은 매우 중요하다.[8, 12]

신장주위 농양의 단순촬영 소견은 일차 소견과 이차 소견으로 나눌 수 있다. 일차 소견은 다음과 같다:

1. *신장 아래쪽의 경계 소실 Loss of definition of the lower renal outline* : 음영의 증가 혹은 뚜렷한 종괴의 형태가 신장의 위치에 보인다.

2. *신장의 전위 혹은 축상 회전 Displacement and, perhaps, axial rotation of the kidney* : 신장 하극이 내측, 상방, 그리

고 전방으로 전위되며, 신장이 수직축을 중심으로 회전될 수도 있다. 전방 앙와위 촬영에서 감염된 신장이 확대되어 더 크게 보일 수도 있고, 측면 촬영에서는 앞쪽으로 전위될 수도 있다. 측면 촬영 시에는 감염이 의심되는 쪽 신장이 밑으로 오도록 해야 하는데, 정상적인 신장은 이러한 위치에서 요추보다 앞쪽으로 보이지 않기 때문이다.

3. *요근의 상부 경계의 소실 Loss of the upper segment of the psoas muscle margin*

4. *신우와 근위부 요관의 외부 압박 Extrinsic compression of the renal pelvis and proximal ureter* : 종괴 음영이 근위부 요관을 외측에서 압박하여, 근위부 요관이 전방 혹은 내측으로 전위될 수 있다. 압박이 너무 심하면, 상부 집합계의 확장이 생길 수도 있다.

5. *신장의 위치 고정 Fixation of the kidney* : 정상적으로 신장의 위치는 호흡에 따라 2~6 cm 정도 움직일 수 있는데,[149] 대부분의 환자에서 신장주위 공간의 질병이 생기면 신장의 위치가 고정되게 된다.

6. *신장주위 공간으로 조영제의 유출 Extravasation into the perirenal space* : 집합계와 신장주위 공간의 교통은 대부분의 경우 급성기의 신장주위 농양을 시사하는 소견이다. 조영제의 유출은 역행성 신우조영술이나 누공조영술에서 확인할 수 있다.

7. *인접한 장의 전위 Displacement of contiguous bowel* : 신장주위 공간에 농양이 고이게 되면, 인접한 장에 종괴 효과를 미칠 수 있다. 우측으로는 십이지장이 전 내측으로, 간막곡부의 결장이 아래쪽으로 전위될 수 있으며, 좌측으로는 원위부 횡행결장이 위쪽 혹은 아래쪽으로 전위될 수 있고, 십이지장공장 접합부의 내측 전위가 보일 수 있다.

8. *동맥조영술 소견 Arteriographic findings* : 일반 단순촬영 소견이 불명확하거나 신장 감염이 피막을 넘어 주변조직으로 침범하는 것이 의심되는 경우, 과거에는 동맥 조영술이 농양의 크기와 위치를 확인해 주는 중요한 의미가 있었다. 특징적으로, 신장으로 공급되는 관통 동맥들의 크기와 수가 증가하고, 농양 경계 부위의 피막 동맥 혹은 골반동맥들이 신전되며 두드러지게 보이고, 조영증강이 될 수 있다.

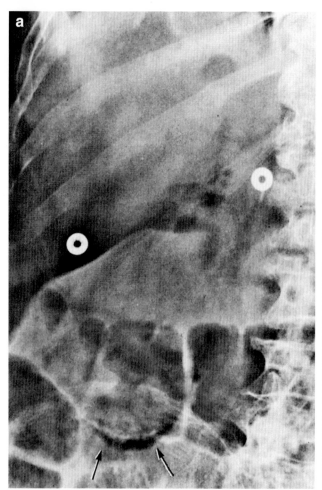
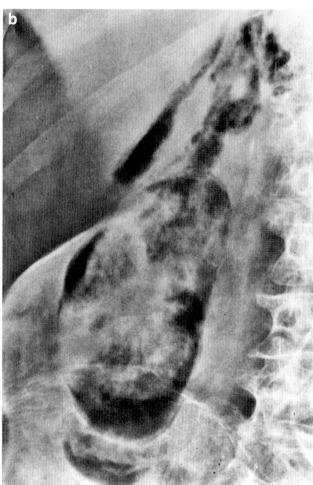

Fig. 6-85. Acute gas-producing perirenal infection.
(a) In addition to a few ill-defined mottled lucencies in the right flank, a crescentic gas collection *(arrows)* overlies the iliac crest.
(b) The next day, extensive infection developed throughout the perirenal space.

9. **옆구리선의 침윤** *Infiltration of flank stripe* : 이는 인접한 조직으로의 전격적 광범위한 확장을 뜻한다.

신장주위 농양의 이차 단순촬영 소견은 다음과 같다:

1. **척추 측만증** *Scoliosis* : 신장주위 농양 환자의 절반 이하에서 보일 수 있는 소견이다.

2. **횡격막 운동 제한과 폐 기저부 변화** *Restriction of diaphragmatic motility and pulmonary basilar changes* : Nesbit와 Dick[150] 등이 85명의 신장주위 농양 환자들을 대상으로 한 연구에 따르면, 14명(16.5%)에서 약간의 늑막염, 삼출액, 폐렴, 신기관지루 형성 등 다양한 폐 합병증이 발생했다고 한다. 동측 횡격막의(특히, 후방부에서) 움직임에 제한이 있거나 혹은 움직임이 보이지 않을 수도 있다.

신장주위 농양의 치료는 179, 181쪽에서 다루고 있다.

: 수뇨성 신장주위 가성낭종 (소변종)
Uriniferous Perirenal Pseudocyst (Urinoma)

편측 요관의 폐색이나 혹은 열상에 의하여, 급성으로 소변이 유출되어 신장주위부에 집적될 수 있다(Figs. 6-92, 6-93).[151] 만성 부분폐색이 있고, 반복적으로 신우동 *pyelosinus* 역류가 일어나는 경우에도 수뇨성 신장 가성낭종이 발생할 수 있다.[152]

신장주위 혹은 요관 주위 복막외 조직으로의 만성 소변

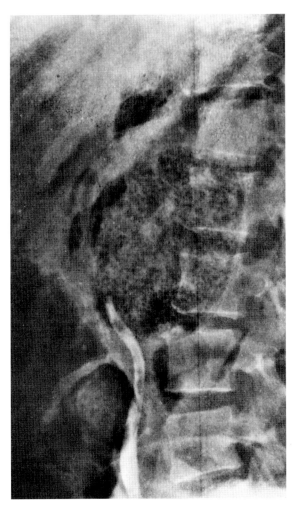

Fig. 6-86. Localized gas-producing perirenal infection.
The process has localized behind the kidney, displacing it
anteriorly (lateral view, retrograde study).

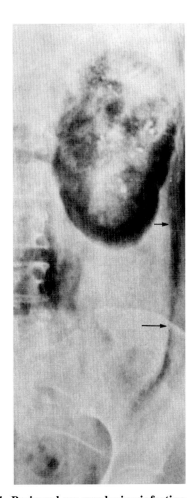

Fig. 6-87. Perirenal gas-producing infection.
The process has broken into and extends down the flank fat
(arrows).

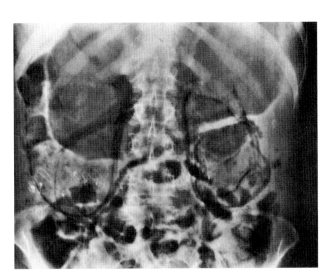

Fig. 6-88. Bilateral perirenal gas-producing infections.

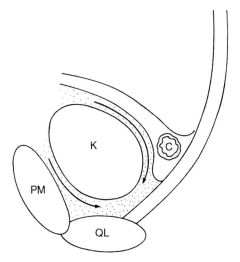

Fig. 6-89. Coalescence of perirenal effusion.
This typically develops behind and somewhat lateral to the
lower pole of the kidney. *K* = kidney; *C* = colon; *PM* = psoas
muscle; *QL* = quadratus lumborum muscle.

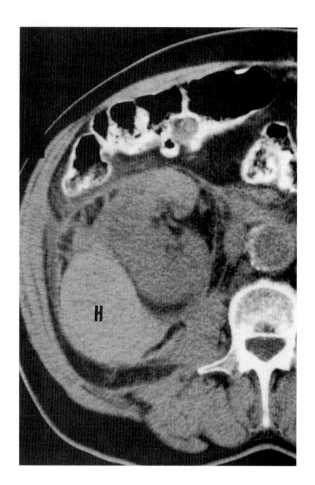

Fig. 6-90. Acute perirenal hematoma.
Unenhanced CT shows a high attenuation hematoma (*H*) posterolateral to the kidney, displacing it anteriorly, medially, and superiorly. The perirenal fascia is thickened, and there is tracking of blood along some of the bridging renal septa. (Courtesy of Jay P. Heiken, MD, Mallinckrodt Institute of Radiology, St. Louis, MO.)

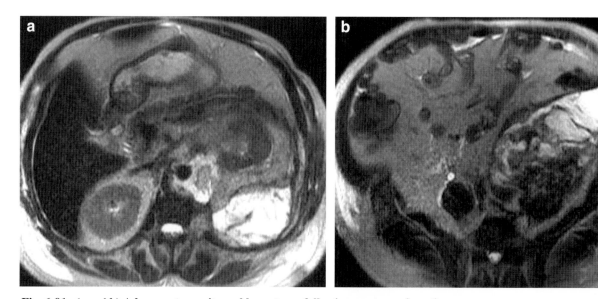

Fig. 6-91. (a and b) A large retroperitoneal hematoma following rupture of aortic aneurysm.
(a) Axial T2 weighted MRI, and
(b) coronal T2 weighted MRI.
The hematoma is predominantly in the posterior renal space, displacing the left kidney anteriorly. There is a small portion of it at the left renal hilum. There is no extension crossing midline to the right side.
(Courtesy of Yong Ho Auh, MD, Weill Cornell Medical College - New York Presbyterian Hospital, New York City.)

유출은 국소화된 소변 집적을 유발하며, 이는 특징적인 임상적, 영상의학적 소견을 보인다. 이러한 현상은 가성 수신증, 신장 수종*hydrocele renalis*, 신장주위 낭종*perirenal(perinephric) cyst*, 신주위 가성낭종*pararenal pseudocyst*, 소변종 등의 다양한 이름으로 불려왔지만, 이들은 대부분 잘못되거나 혹은 부정확한 명칭으로 생각되며, 발병기전과 특징적인 모양을 고려할 때, 수뇨성 신장 가성낭종이 가장 정확한 용어이다.[10]

신장주위 조직으로의 만성 소변 유출은 무균성 염증과 지방조직의 용해에 의한 내용물이 가성낭종의 벽이 되는 신장 근막의 내부에 국한되게 된다.[10]

원인과 발병 기전 Etiology and Pathogenesis. 대부분의 만성 소변 유출은 우발성 혹은 의인성 손상에 의한 것이다. 이전에는 교통 사고, 운동 경기 중 손상, 타박 혹은 낙상 등이 중요한 원인이었다. 임상적으로 증상이 발현되었을 때는 손상의 원인이 명확치 않은 경우가 많다. 최근에는 신장이나 요관의 수술, 진단적 방광경 시술 혹은 골반 수술시 우발적인 하부 요관의 손상 등의 원인이 증가하고 있다.[10] 유아와 소아에서는 비뇨계의 선천성 폐색이 원인이 될 수 있다.[153]

수뇨성 신장 가성낭종의 발생에는 세 가지 필요 요소가 있다:[154]

1. 신장 실질의 피막 관통성 손상이 신배*calyx*나 신우까지 침범하여야 한다.
2. 소변이 유출되기 전에 손상 부위가 혈전에 의해 치유되거나 막히지 않아야 한다. 신장주위 조직으로 소변이 유출되면 인접한 지방조직에서 신속한 지방 분해를 일으켜, 12일 내에 명확한 섬유성 낭(가성피막 혹은 가성낭종)을 형성한다.[155] 2,500 mL의 부피를 가진 가성낭종이 보고되기도 하였다. 내용물에는 지방성, 섬유성 부스러기나 변성된 혈전 혹은 소변성 염*urianry salt* 등이 포함되어 있을 수 있다.
3. 비뇨기계의 폐색이 있어야 한다. 비뇨기계의 폐색을 유발하는 일시적인 혈전, 손상에 의한 이차적 섬유화 등의 기저 병인이 있을 수 있다. 조직 반응은 비뇨기계 폐색의 악순환이 일어나는 연속적인 요소가 된다. 새로

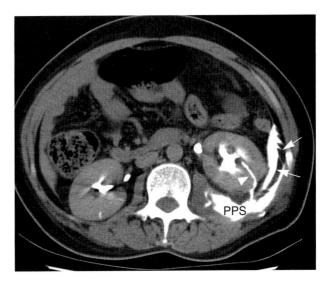

Fig. 6-92. Perirenal extravasated urine.
CT scan 2 hours after intravenous administration of contrast material demonstrates extravasation of opacified urine into the posterior pararenal space (*PPS*) and between the two layers of posterior renal fascia (*arrows*). Note fistulous tract between the left renal pelvis and posterior pararenal space (*arrowhead*).

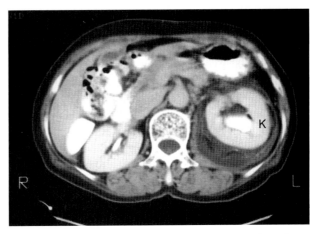

Fig. 6-93. Early development of uriniferous perirenal pseudocyst.
CT scan shows the left kidney (*K*) with mild hydronephrosis displaced anteriorly by perirenal urine collection. This occurred as a consequence of pyelosinus backflow secondary to partial distal ureteral obstruction from a left ovarian mass.

형성된 낭벽에 요관이 둘러싸이면, 반흔성 조직에 의해 요관이 고정되게 된다. 반흔성 조직이 서서히 형성되면서, 나중에는 종괴가 생기게 된다. 이러한 유체 동역학적 현상은 자가신장절제가 되어야만 안정화된다.

임상적 징후과 증상 Clinical Signs and Symptoms. 수뇨성 신장 가성낭종은 흔히 미약한 복부 불편감과 함께 촉지되는 옆구리 종괴로 발현된다. 종괴는 대부분 미약한 압통을 동반하며, 열감은 흔하지 않다. 요검사 결과는 정상인 경우가 많다. 전형적으로 복부 외상에서 회복된 후 발생한 옆구리 종괴로 나타나게 되며, 그 사이의 기간은 보통 1~4개월이다.[156] 종종 종괴의 크기가 급격히 증가하기도 한다.[154, 157] Sauls과 Nesbit[158]의 연구에 따르면, 외상 후 2년 뒤에 옆구리 종괴가 관찰된 경우도 있었고, Johnson과 Smith는 원인으로 추정된 외상이 있은지 37년 후에 석회화를 동반한 가성낭종이 발생한 경우를 보고하였다.[159]

영상의학적 소견 Radiologic Findings. 신장주위 액체는 중력의 영향에 의해 저항이 가장 적은 평면을 따라 국소화되기 때문에, 유출된 소변은 신장 근막의 원뿔형 아래쪽으로 이동하게 된다. 복잡한 영상의학적 소견의 이해하기 위해서는, 가성낭종이 신장 근막의 원뿔형의 형태에 입체적 변화를 일으킨다는 사실을 알아야 한다(Fig. 6-94). 이러한 소견은 수술장에서 보이는 소견과 같다(Fig. 6-95).[160] 느린 속도로 지속되는 삼출액은 특징적인 축을 유지하면서 신장 근막의 원뿔형을 팽창시키는 진단적 변화를 초래하게 된다(Fig. 6-96).[10]

특징적인 영상의학적 소견은 연조직 종괴로 보이는 가성낭종과, 이에 의한 신장과 요관에 대한 종괴 효과로 생긴다(Figs. 6-97~99). 또한 가성낭종 내부로의 소변 유출로 실제 유출 부위 혹은 집합계와 육안적 교통을 확인할 수도 있다.

가장 전형적이고 일관성 있게 보이는 소견은 수뇨성 신장 가성낭종의 축이 팽창된 신장 근막 원뿔의 축과 일치하는 것이다. 따라서 그 윤곽은 타원형이 되며, 하내측 *inferomedially* 으로 비스듬한 방향을 보인다. 위쪽 경계는 신장의 하극을 기준으로 하였을 때 옆구리 외측에서 보이며, 아래쪽 경계는 장골능 수준에서 요근과 겹쳐지며 좀 더 내측으로 위치하게 된다. 단순촬영에서 복막외 지방(특히 후신주위 구획의 지방)과 대조되어 잘 보이게 된다. 다량의 액체저류가 있을 경우, 신장 근막이 원뿔형이 더욱 팽창되어 좀 더 수직으로 보일 수 있다.

가성낭종은 연조직 음영으로 보이거나 혹은 조영증강

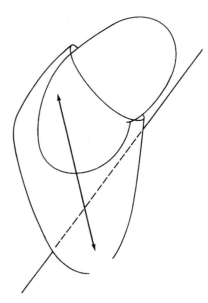

Fig. 6-94. Cone of renal fascia.
The two layers of renal fascia completely envelop the kidney and perirenal fat. They fuse in such a manner that the perirenal space bears an axis inferiorly (to the level of the iliac crest) andmedially (overlying the lower segment of the psoas muscle). (Reproduced with permission from Meyers.[8])

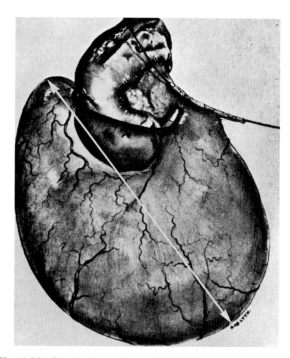

Fig. 6-95. Surgical specimen of uriniferous perirenal pseudocyst and nonfunctioning hydronephrotic kidney.
Operation was performed 3 months after a traumatic pelvilithotomy. Note that the findings show massive urine distention of the thickened cone of renal fascia, which nevertheless maintains its characteristic axis downward and medially. (Reproduced with permission from Pyrah and Smiddy.[160])

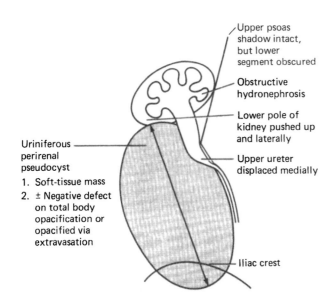

Fig. 6-96. Major characteristic radiologic changes secondary to uriniferous perirenal pseudocyst.
Basic are the axis and relationships of the chronically distended cone of renal fascia.
(Reproduced with permission from Meyers.[10])

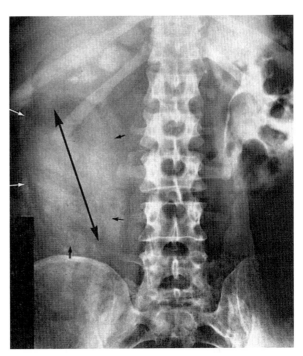

Fig. 6-97. Uriniferous perirenal pseudocyst after pelvilithotomy.
Intravenous urogram shows the lower pole of the partially obstructed right kidney displaced upward and laterally by a large elliptical soft-tissue mass (*small arrows*). The axis of the mass is characteristically oriented inferomedially. Its contours are further highlighted by the contrast provided by posterior pararenal fat into which it bulges posteriorly. The proximal ureter is displaced medially and is dilated, associated with caliectasis and a mild obstructive nephrogram. Incision and drainage of 1,500 mL of urine, nephrostomy, and a splinted ureterostomy were followed by marked improvement.
(Reproduced with permission from Meyers.[10])

된 신장에 대조되어 조영증강 결손으로 보일 수 있다. 가성낭종에 선택적으로 조영제를 주입하면 그 형태, 크기, 그리고 특징적인 축의 방향을 볼 수 있다.

신장은 보통 위쪽으로 전위되며, 하극은 외측으로 전위된다. 신장과 직접적으로 인접해있는 지방 조직과 요근의 상부 1/3은 경계가 완전히 보일 수 있지만, 요근의 아래쪽 경계는 가성낭종으로 인해 잘 보이지 않게 된다. 침범된 신장은 정맥신우조영술에서 기능 저하 혹은 조영제 배출이 거의 없이 보이게 된다. 수신증이 지연기 영상이나 역행성 신우조영술에서 보일 수 있다. 상방의 요관은 내측으로 전위되어 가끔 중앙선을 넘어 가기도 하지만, 이러한 소견들은 역행성 신우조영술을 시행해야만 보이는 경우도 있다. 역행성 신우조영술에서 도관이 요관의 상부 1/3 정도에서 잘 진행이 되지 않는 경우가 많다.

가성낭종으로 조영제가 유출되는 소견은 정맥신우조영술이나 역행성 신우조영술에서 보일 수 있다. 정맥신우조영술 시행 중 신장조영상*nephrogram*과 동시에 혹은 환자가 앙와위에서 복와위로 체위 변화 시에 보일 수도 있다.

동맥조영술은 종괴와 연관되어, 염증성 혹은 신생물성 혈관 증가가 없는 소견을 보이며, 종괴의 위치나 신장 기능을 평가할 때 유용할 수 있다.

초음파를 시행하면 종괴가 낭종임을 알 수 있고, 그 크기와 위치, 수신증 여부와 폐색의 수준 등을 파악하는데 유용하다.[161] 핵의학적 검사도 특징적인 소견을 보일 수 있다.[161, 162]

CT에서는 가성낭종의 크기와 위치, 주변 장기와의 관계 등을 알 수 있고, 조영증강 시 조영제 유출을 관찰할 수도 있다(Figs. 6-100, 6-101).[163]

특이한 위치에 생긴 수뇨성 가성낭종은 해부학적 구조의 손상을 초래하는 수술이나 기구 조작 혹은 관통 손상과 연관되어 있는 경우가 많다.[163]

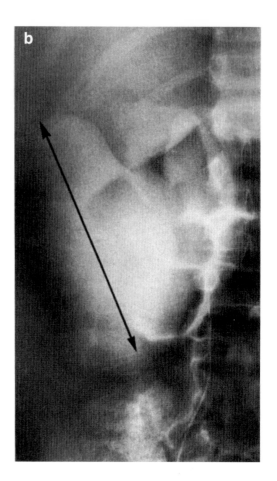

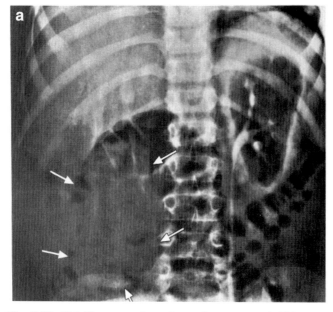

Fig. 6-98. Uniniferous perirenal pseudocyst postpelvilithotomy.

(a) Total body opacification during intravenous urography outlines a lucent mass (*arrows*). The right kidney is partially obstructed and is displaced upward and laterally.

(b) Contrast opacification of pseudocyst through drainage needle confirms its inferomedial axis. Residual contrast from retrograde pyelography shows obstructive uropathy proximal to the strictured and displaced ureter.

(Reproduced with permission from Meyers.[10])

치료 Treatment. 수술 전 정확한 진단은 수술 도중 신장 손상을 막기 위해 중요하며, 손상 후 2~3주 이내에 수술 적 치료를 시행해야 가장 좋은 결과를 얻을 수 있다. 이 시기가 지나면 조직의 섬유화와 요관의 반흔이 생겨서 결손을 복구하기가 어렵게 된다. 신루 설치술*nephrostomy drainage*과 복원된 요관의 삽관*intubation*이 가장 좋은 치료 방법이다. 만약 침범된 신장의 신기능이 없고, 반대측 신장의 기능이 정상이면 신장절제술을 시행할 수 도 있다.

: 신장주위와 피막하 액체저류 구분 Distinction Between Perirenal and Subcapsular Collections

신장주위 공간과 피막하의 농양이나 혈종은 비슷하게 보

일 수 있는데, 정확한 위치를 파악하는 것은 임상진단과 적절한 치료 결정에 중요하다. 농양과 혈종이 위치한 해 부학적 구조물에 따라 특징적인 양상이 보이게 된다.[11]

해부학적 고려사항들 Anatomic Considerations. 신장 피막 (Fig. 6-102)은 얇은 막으로 신장주위에 인접하여, 단단하 고 부드러운 매몰제 역할을 하고 있다. 주로 섬유성 조직 으로 이루어져 있지만, 내측에는 평활근 조직도 일부 포 함하고 있다. 신장 실질과 피막 사이에 지방 조직은 존재 하지 않는다. 피막은 쉽게 벗겨질 수 있으나, 실질 조직 연결부위와 작은 혈관들이 파괴되게 된다.

피막혈관은 신장 피막*renal capsule*과 근막*renal fascia* 사이에 존재하는 신장주위 지방에 혈액을 공급한다. "피

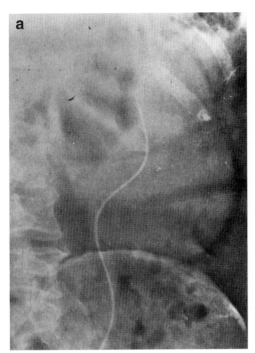

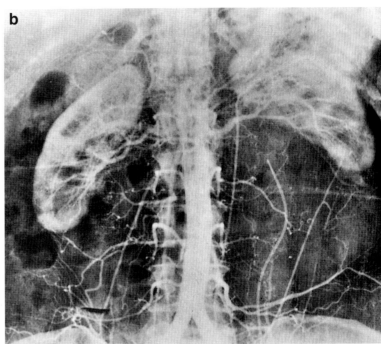

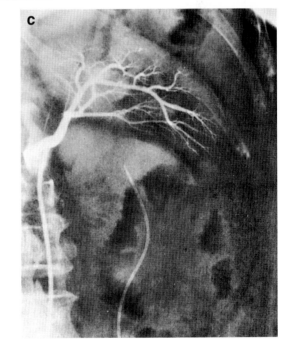

Fig. 6-99. Uriniferous perirenal pseudocyst 5 weeks after a hysterectomy.

(**a**) Plain film. Large soft-tissue mass extends to the level of the iliac crest. Ureteral displacement is shown by the opaque catheter, which could not be passed beyond the UP junction.

(**b**) Abdominal aortogram. The mass shows no hypervascularity and displaces the lower pole of the left kidney upward and laterally.

(**c**) By the time the left renal artery is selectively catheterized, extravasation into the pseudocyst becomes evident.

(Reproduced with permission from Meyers.[10])

막성*capsular*" 이라는 혼란스러운 용어는 신장주위 지방을 "신장의 지방성 피막*adipose capsule of the kidney*" 이라고 했던 오래된 용어에서 기인한 것이다. 피막혈관은 상부*superior*, 중부*middle*, 하부*inferior* 의 세 개의 경로로 이루어져 있다. 가장 두드러진 동맥연결계는 신장 외측의 신장주위 지방 조직내에서 신장 동맥의 분지들이 피막을 관통하면서 생기게 된다.

원인과 발병 기전 *Etiology and Pathogenesis.* 신장주위 농양은 신장의 감염이 피막을 뚫고 신장주위 지방 조직으로 파급되어 생기는 경우가 많다.

피막하 혹은 신장주위에 위치한 신장외 혈종은 외상성과 비외상성 원인이 있다. 1933년 발표된 Polkey과 Vynalek[148]의 비외상성 혈종의 원인에 대한 연구에 따르면, 178 증례 중 피막하 혈종*subcapsular hematoma*이

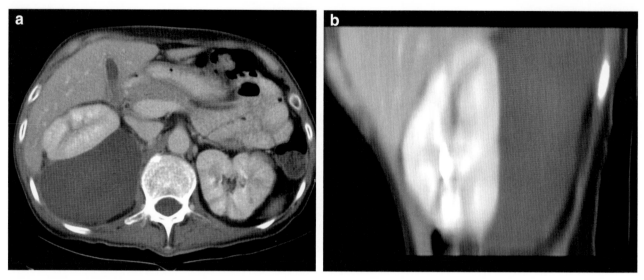

Fig. 6-100. Uriniferous perirenal pseudocyst.

(**a**) CT shows large uriniferous pseudocyst within the right perirenal space with anterior displacement of the kidney.

(**b**) Sagittal reconstruction demonstrates anterior displacement of the kidney by the large uriniferous pseudocyst confined within the cone of the perirenal space.

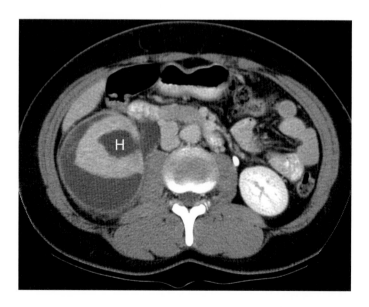

Fig. 6-101. Uriniferous perirenal pseudocyst.

CT in a patient with rectal cancer demonstrates the right kidney with hydronephrosis *(H)* displaced anteriorly by a uriniferous perirenal pseudocyst. Note thickened renal fascia.

18.5%, 피막외(신장주위 또는 신장 곁공간, 또는 두 구획을 모두 침범)의 경우가 81.5%였다. 92%에서 신장 자체나 신장 혈관의 병변이 발견되었다. 원인 질환을 빈도순대로 나열하면, 신장염, 종양, 신장 혈관의 동맥류, 동맥경화, 결절동맥주위염*periarteritis nodosa*, 결핵, 신장 낭종, 혈액 질환 등이다.

결절동맥주위염과 크기가 작은 잠재적 신장 종양이 신장외 혈종의 원인이 되었다는 증례 보고들이 점차 증가하고 있다.[164-167] 이전에 신장염으로 진단되었던 증례 중 많은 경우에서 결절동맥주위염이나 루푸스*lupus*에 의한 것임이 밝혀지기도 하였다. 최근의 보고들에 따르면, 비외상성 피막하 혹은 신장주위 혈종의 30~60%에서 신장세포암종이나 혈관근육지방종이 원인이 되며,[164, 168] 나머지 원인은 혈관질환, 염증성질환, 낭종, 그리고 혈액 질환이 차지했다.

신장으로 전이되는 융모막암종과 같은 과혈관성 종양이 드물게 신장주위 출혈을 유발할 수도 있다.[169]

경피적 신장 생검은 약 28%에서 피막하 혈종을 초래할 수 있고, 약간의 신장주위 출혈은 90%가 넘는 환자들에서 보인다. 이중 아주 소수의 경우만이 임상적으로 의미 있는 혈종을 초래한다.[170, 171] 체외충격파쇄석술*extracor-poreal shock wave lithotriptsy (ESWL)* 후 15%의 환자에서 피막하 혈종이 생길 수 있다.[172]

피질의 경색도 혈종 형성의 한 원인이 될 수 있다. 출혈은 단단한 피막에 국한될 수도 있고, 피막을 뚫고 신장 근막의 안쪽까지 확산될 수 있다. 신장주위 조직의 혈종은 압력이 높아져서 출혈 부위가 지혈될 때까지 크기가 증가하게 된다.

복부 대동맥류의 파열 시 출혈의 파급은 해부학적 위치, 출혈 부위, 유출된 혈액의 양에 따라 정해진다. 신장수준에서 대동맥은 전신장 근막의 뒤쪽에 위치하게 되며, 대동맥에서의 출혈은 신장주위 공간으로 직접적으로 확산되는 경우가 많다.[173, 174] CT에서 파열된 대동맥류에서 벽의 결손 부위를 직접 확인할 수도 있으며, 혈액 유출 부위를 찾을 수도 있다. CT에서 보이는 벽의 결손 부위는 실제 파열 부위보다 일반적으로 더 넓게 보인다.[175] CT에서 초승달모양으로 음영이 증가되어 보이는 부위가 있다면 급성 혹은 임박한 출혈을 시사하는 소견이다.[176, 177] 드물게, 대동맥류가 하대정맥으로 파열되어 고배출 대동정맥루*high-output aortocaval fistula*를 형성할 수도 있다(**Fig. 6-103**).[178, 179] 일부 환자에서는 컬러 도플러 초음파에서 대동정맥루 부위와 팽창된 하대정맥을 관찰할 수도 있다.

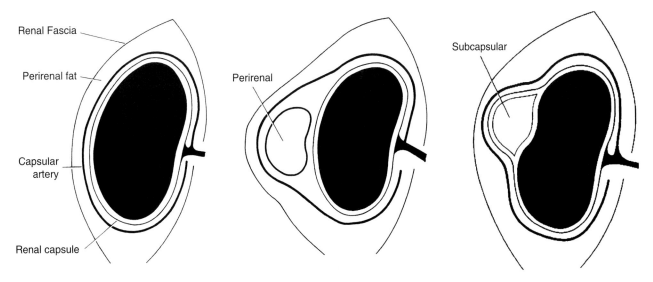

Fig. 6-102. Normal relationships of investing structures of kidney and major findings distinguishing a perirenal from a subcapsular collection.
Note particularly the relationships of the displaced renal capsule, perirenal fascia, and capsular arteries at the borders of the mass. Flattening of the underlying renal parenchyma is more commonly found in subcapsular collections.
(Repoduced with permission from Meyers.[11])

임상적 징후과 증상 Clinical Signs and Symptoms. 피막하 혹은 신장주위의 농양과 출혈은 임상적 증후와 증상이 거의 없거나 지연성 혹은 비특이적이어서, 임상적으로 진단하기는 쉽지 않다.

급성 출혈의 경우, 동통, 압통과 경직의 임상상이 나타날 수 있고, 오심, 구토와 복부 팽만이 동반될 수 있다. 내출혈의 징후들이 동반될 수 있으며, 혈색소 수치의 감소만이 나타나기도 한다. 혈종이 신장의 뒤쪽에 위치하고 있는 경우에는 종괴를 촉지하기가 어려울 수 있다. 피막하 혈종은 피막의 지지효과로 인해 그 크기가 아주 커지지 않는 경우가 많고, 일반적으로 신장 자체의 크기 정도로 국한된다. 급성으로 다량의 출혈이 있을 경우 여러 가지 후복막내 응급질환들과 비슷한 임상양상을 보일 수 있다. 혈종이 맹장 뒤쪽으로 확산될 경우, 급성 충수돌기염으로 진단될 수도 있다.[180] 드물게 복막내로 혈종이 터지게 되면, 복막염이나 심한 혈복강을 야기할 수도 있다.

아급성 혹은 만성 출혈의 경우, 동통은 뚜렷치 않고 빈혈이나 촉지되는 종괴로 나타날 수 있다.

큰 피막하 혈종[11, 181-183]이나 신장주위 혈종이 신장을 협착시켜, 고혈압이 발생할 수 있으며, 이를 *Page kidney* 라고 한다.[184] 이러한 병변이 특별히 오래되지 않았다면, 감압이나 신절제술을 통하여 고혈압은 쉽게 교정될 수 있다.

영상의학적 소견 Radiologic Findings. 피막하 혹은 신장주위 조직의 출혈이나 농양은 단순촬영술, 정맥신우조영술에서도 보일 수 있으며, 신장 단층촬영술이나 동맥조영술에서 뚜렷하게 확인될 수 있다. 단면영상의 시대에 들어 전술한 검사들이 예전보다 많이 시행되지 않는 것은 사실이지만, 기본적인 소견들은 여전히 진단적 가치가 있다. 신장 피막, 신장 근막, 신장 외형, 피막 혈관의 특징적 변화들을 보고, 신장외 공간 중 어디에 병변들이 위치하는지 정할 수 있다(Fig. 6-102):[11]

1. *신장 피막 혹은 근막의 전위* Visualization of the displaced renal capsule or fascia : 신장 피막 혹은 근막은 신장의 바깥쪽 경계부위에서 1~4mm 두께의 선상 음영으로 보일 수 있다. 신장주위 농양이나 혈종이 있는 경우, 신장 근막이 단순촬영이나 신우조영술에서 보이기도 하며 (Fig. 6-104), 신장외 공간을 침범하는 미만성 질환의 경우, 상당한 길이로 보인다.

Meyers 등의 연구에 의하면, 전위의 형태에 따라 피막하 혹은 신장주위 액체저류를 구별할 수 있다고 한다. 피막하 종괴의 경우, 그 변연부에 인접하여 신장 피막이 예리하게 전위되는 형태로 보이며, 다량의 액체저류가 있어도 전위되는 부분은 혈종의 경계를 따라 밀접하게 위치한다. 이는 신장 피막이 단단하며, 탄력성

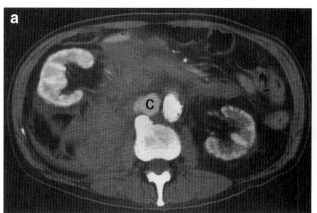
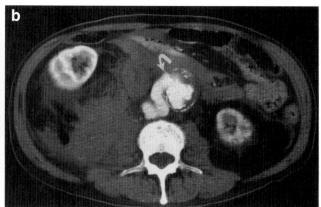

Fig. 6-103. Aortocaval fistula.

(a) Contrast-enhanced CT shows marked extraperitoneal hemorrhage on the right with gross displacement of the kidney. There is simultaneous enhancement of both the enlarged inferior vena cava *(C)* and the conspicuous abdominal aorta. Discrepant renal function is noted.

(b) At a lower level, rupture of the calcified abdominal aortic aneurysm into the cava is evident *(arrow)*.

이 적은 성질을 갖고 있기 때문이다. 반대로, 신장 근막은 신장주위 액체저류에 따라 신장의 경계로부터 외측으로 멀어지게 된다. 최대로 전위가 일어나는 부분은 신장주위의 혈종이나 농양이 있는 부분이며, 신장의 변연부로부터 다소 거리가 있게 보인다(Fig. 6-104). 이는 신장주위 지방과 신장 근막의 위치를 반영하는 것이다.

2. **혈종이나 농양의 가시화** *Visualization of the hematoma or abscess* : 피막하 혹은 신장주위 액체저류는 신장 실질과 융기된 신장 피막이나 근막 사이에서 보인다. 신장 하극의 후외방에서 주로 관찰된다.

3. **신장의 경계의 압박과 평활화** *Flattening and compression of the kidney* : 이러한 소견은 신장주위 액체저류에서도 드물게 보이기도 하지만, 피막하 혈종의 전형적 소견이다. 피막하 혈종으로 인한 압력은 인접한 신장 실질이 평활하게 되도록 작용한다.

4. **피막 혈관들의 전위** *Displacement of capsular arteries* : 피막 혈관들은 외측으로 전위될 수 있다. 피막 혈관들이 궁형으로 전위되고, 신전되는 소견은 피막하 혹은 신장주위 액체저류 양쪽 모두에서 관찰할 수 있음은 잘 알려져 있다. 혈관 조영술에서 피막 혈관들이 어느 수준에서 전위되는가를 보는 것이 감별진단에 중요하다. 혈관이 종괴의 변연부와 인접하여 있다면 피막하 액체저류를 뜻한다. 피막 혈관이 종괴와 다소 떨어져서 전위되어 있다면 신장주위 액체저류를 의미하는 것이다. 신장위축의 경우에도 피막 혈관들이 신장 피질의 변연부에서 분리되어 보이게 되므로 감별 진단시 염두에 두어야 한다.[185] 신장이 위축됨에 따라 신장주위로 지방 조직의 침윤이 증가하게 되고, 피막 혈관과 위축된 신장 사이의 거리가 증가한다. 이러한 소견은 피막하 혹은 신장주위 종괴에 의해 피막 혈관이 전위되는 것과 쉽게 구분될 수 있다.

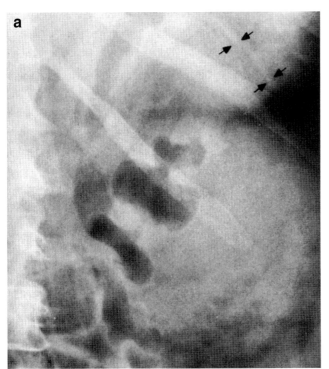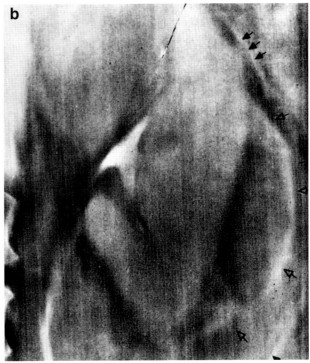

Fig. 6-104. Multiple perirenal abscesses.
(**a**) Plain film shows a large mass in relationship to the lower pole of the left kidney. Displaced renal fascia is seen as a striplike density (*arrows*) lateral to the upper pole.
(**b**) Nephrotomogram demonstrates perirenal mass displacing the renal fascia (*solid arrows*) and flattening the renal margin. In its upper portion, the displaced renal fascia approaches the renal contour (*upper arrows*). The thickened lateral wall of the perirenal mass itself is seen (*open arrows*). Another nonopaque mass compresses the upper pole medially.

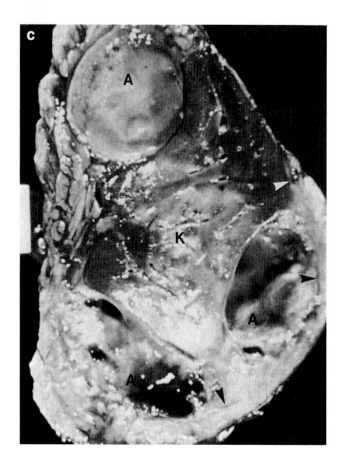

Fig. 6-104 (*Continued*). Multiple perirenal abscesses.
(**c**) Gross specimen. Three large perirenal abscesses (*A*) compress the kidney (*K*) and displace the thickened renal fascia (*arrowheads*). Displacement is maximal over the largest abscess but the fascia can be seen to be deflected laterally at some distance from this. This feature is clearly demonstrated radiologically.
(Meyers et al.[11])

5. *신장 집합계의 구조와 기능* Structure and function of the renal collecting system. : 신배와 신우의 왜곡은 신장 자체의 전위와 함께 나타날 수 있다. 신장주위 농양은 신장 감염이 일어난 부위에서 피막을 침범하여 생기게 되므로, 신배를 침범하는 만성 염증이 뚜렷하게 보일 수 있다. 신장내 농양이나 혈종이 집합계의 전위를 초래할 수 있다. 침범된 부위에서 조영제 배출이 보이지 않는 소견(편측 무뇨증unilateral anuria)이 신장주위 혹은 피막하 혈종에 의한 압박으로 인해 발생할 수 있다.[186] CT는 피막하 혹은 신장주위 출혈을 평가하는 빠르고, 비침습적이며, 정확한 수단이다.[7, 187–189] CT는 조직 음영의 작은 변화도 구분할 수 있으므로, 이를 통하여 액체저류의 정확한 위치를 정할 수 있다(Figs. 6-105~ 108).

교통 신장 격막 Bridging Renal Septa. 신장주위 공간에서 액체의 분포는 교통 신장 격막에 의해 제한을 받는다. 신장주위 지방 내부의 이 조직으로 인하여 액체들은 구획회되

며, 특히 후방부의 신장신장교통 격막renorenal bridging septa 은 피막하 액체저류처럼 보이기도 한다(Figs. 6-109, 6-110).[60] 액체는 계속해서 분지하는 격막 내부로 확산될 수 있으며(Fig. 6-111), 급속히 축적되는 액체를 분산하는 데 도움이 되기도 한다.

치료 Treatment. 피막하 혹은 신장주위 액체저류의 이해는 적절한 치료를 결정하는데 도움이 된다.[190, 191] 편측 신장만을 침범하는 질환인지 혹은 양측 신장을 침범하는 전신적인 질환인지 먼저 결정해야 한다. 신장의 감염에서 기인한 신장주위 농양의 경우 감염의 정도에 따라 수술적 배액술과 보존적 치료를 할 것인지 혹은 신장 절제술을 시행할 것인지 결정해야 한다. 현재는 경피적 배액술이 신장주위 농양에서 가장 추천되는 치료법이며, 대부분 근치적 치료가 가능하다.[191] 크기가 작은 병변의 경우, 영상 유도하에 도관을 넣는 것이 가장 좋은 방법이며, 다발성 혹은 다방성 병변의 경우 여러 개의 도관 삽입이 필요할 수도 있다. 경피적 배액술은 대부분 근치적 치료가 된다.

약 1/3에서 신장주위 농양은 수집계와 교통이 있으므로, 수집계가 막혀 있다면 이 부분 역시 배액이 필요하다. 신장 종양이나, 수신증, 신장 동맥류, 결석, 편측성 결핵과 연관되어 있는 피막하 혹은 신장주위 혈종의 경우, 신장 절제술을 하는 것이 좋다. 그러나 신장염, 동맥경화, 결절 동맥주위염 혹은 혈액 질환이 원인이 된 경우, 신장 절제술은 아주 위급한 경우를 제외하고는 시행되지 않아야 하며, 적절한 추적 검사를 통해 신장을 보존하는 것이 좋다.

혈종이 크지 않고 출혈 부위가 잘 확인되며, 간단한 봉합으로 출혈을 멈출 수 있는 경우에는 침범된 신장 조직만을 생검하는 것이 신장 절제술을 하는 것보다 선호된다.

: 신장주위 림프종 Perirenal Lymphoma

신장주위 공간의 림프종 침범은 일반적으로 신장 실질 조직의 림프종이 피막을 뚫고 나오거나 혹은 복막외 질환의 직접적인 확산에 의한 것이다. CT 소견은 성장 패턴, 신

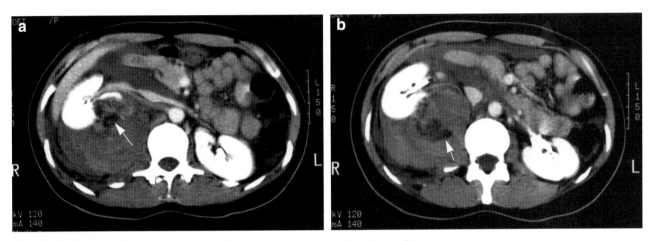

Fig. 6-105. Perirenal hemorrhage secondary to rupture of renal angiomyolipoma.
(a) CT scan demonstrates active bleeding within the right perirenal space.
(b) At a lower level, blood distends the perirenal space. A structure of low-attenuation *(arrow)* represents the angiomyolipoma.

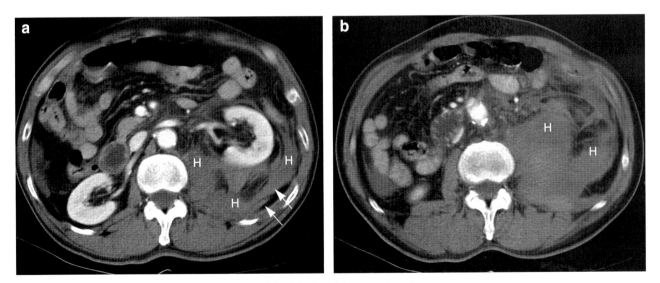

Fig. 6-106. Compartmentalization of perirenal blood by bridging renal septa.
(a and b) Multiple sites of acute perirenal hemorrhage *(H)*, secondary to ruptured atherosclerotic aneurysm, are loculated by bridging renal septa. The left kidney is displaced anteriorly. Blood is also accumulated within the two layers of the posterior renal fascia *(arrows)*.

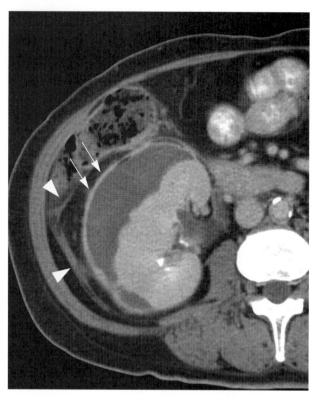

Fig. 6-107. Subcapsular hematoma.

CT demonstrates that a tense collection of blood has stripped the renal capsule *(arrows),* which is thickened and enhanced. The perirenal fat and Gerota's fascia *(arrowheads)* are maintained.

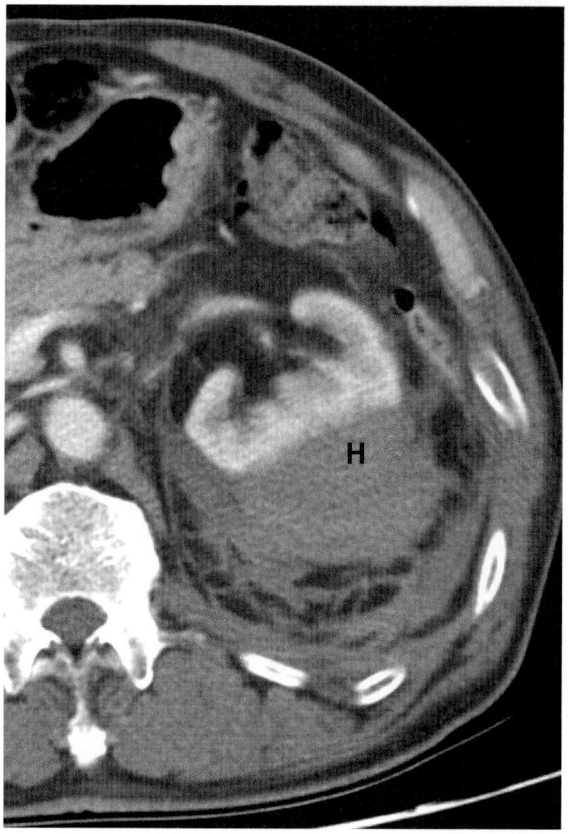

Fig. 6-108. Subcapsular and perirenal hemorrhage secondary to renal trauma.

CT demonstrates subcapsular hematoma *(H)* and bleeding gravitating to the posterior contour of the perirenal space.

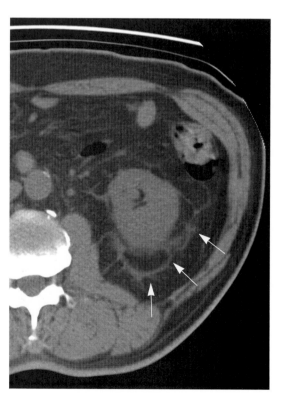

Fig. 6-109. The bridging dorsal renorenal septum.

Urine extravasation due to left ureteral obstruction shows fluid tracking along the bridging renal septa outlines clearly the dorsal renorenal septum *(arrows)*. Loculation of fluid deep to this can simulate a subcapsular renal fluid collection.

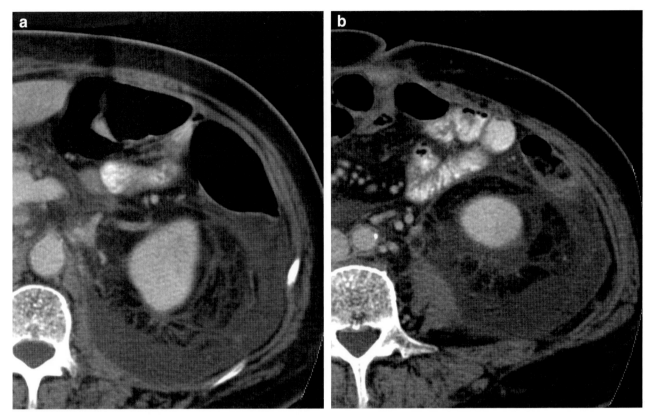

Fig. 6-110. Urine extravasation into the left perirenal space and thickening of the renorenal septum.
(a) CT scan shows posterior perirenal fluid collection and multiple thickened bridging septum.
(b) Fluid extends external to the left renal capsule along the posterior medial border simulating subcapsular collection.

장 주변 공간으로 확산의 기전 등의 요소에 따라 다양하다. 연조직 결절이나 판형으로 보일 수도 있고, Gerota 근막이 두꺼워진 소견, 작은 곡선형 음영, 혹은 인접한 실질 및 후복막 병변과 연속된 종괴 등으로 보일 수 있다(Fig. 6-112).[41, 192-195] 신장주위 공간만을 단독으로 침범하는 경우는 드문데, 이 경우 판형이나 껍질 형태로 신장의 일부 혹은 전체를 둘러싸는 것처럼 보이고, 조영증강 전에는 정상 신장 실질보다 높은 음영으로, 조영증강을 하였을 때는 낮은 음영을 보인다.

: 신장주위 후복막 섬유증 Perirenal Retroperitoneal Fibrosis

후복막 섬유증은 다양한 원인에 의해 후복막의 섬유조직이 비정상적으로 증식하여, 대동맥, 하대정맥 혹은 요관 등을 둘러싸는 것을 말한다.[196] 섬유증은 외측으로 신우

혹은 신장주위 공간을 통해 신장을 둘러싸는 형태로 확산될 수 있다. 후복막 섬유증의 신장주위 조직 침범은 결절형 종괴[195, 197]처럼 보일 수도 있고, 껍질 또는 판형의 형태로 신장을 둘러싸기도 한다(Fig. 6-113).[41, 198]

: 신장주위 골수외 조혈 Perirenal Extramedullary Hematopoiesis

골수 섬유증에서 골수외 조혈은 늑막, 폐, 소화기관, 피부, 경막, 신장, 부신 등의 기관에 광범위하게 나타날 수 있다. 발병 기전은 완전히 알려져 있지 않다. 기존에는 어떠한 자극에 의해 간이나 비장이 태생기 조혈 기능을 회복한다는 가설이 제시되었고, 최근에는 다능성*multipotent* 줄기 세포가 혈행성으로 기관이나 조직으로 퍼진 것이라는 설이 제시되었다. 신장주위 골수외 조혈은 아주 드문 소견이며, 몇몇 증례보고만이 알려져 있다.[199, 200]

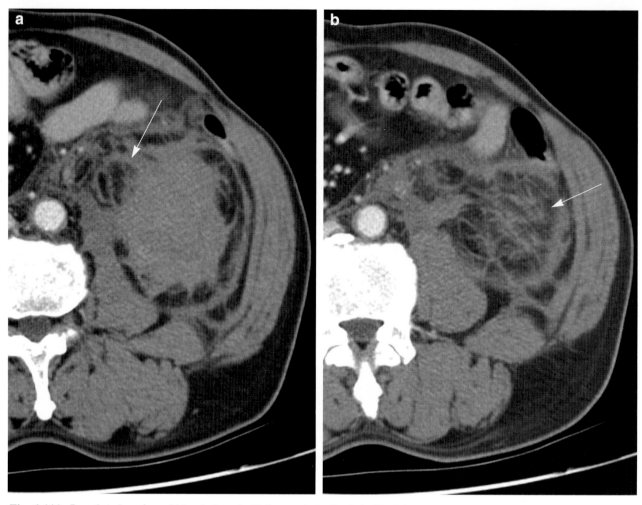

Fig. 6-111. **Loculated perirenal blood along bridging septa to the interfascial space.**
(**a** and **b**) CT in patient with left renal trauma demonstrates the pathway of perirenal hemorrhage to the intralaminar posterior renal fascia via bridging septum *(arrows)*.

: 신장주위 전이 Perirenal Metastases

관통성 피막 혈관들과 림프관으로 인해 흑색종, 유방암, 신장세포암, 이행세포암 등 많은 악성 종양에서 신장주위 공간으로 전이가 일어날 수 있다.[201] 원발성 병소가 신장이 아닌 경우, 전이성 암들은 일반적으로 신장은 침범하지 않는다.

후신주위 공간 Posterior Pararenal Space

체액의 분포와 국소화의 해부학 Roentgen Anatomy of Distribution and Localization of Collections

사체에서 이 구획에 선별적으로 조영제를 주입하면 체액의 선택적 확산 경로와 국소화에 대하여 알게 된다(Fig. 6-114). 중력의 영향, 요추 전만, 그리고 이 공간이 옆구리 쪽으로 개방되어 있다는 사실로 인하여, 확산은 하외측으로 일어난다. 체액은 요근과 평행한 축을 갖게 되며, 신장 하극을 외측, 전방, 상방으로 전위시킨다. 신장의 경계와 신장주위 지방 조직의 음영은 유지되어 있다. 이러

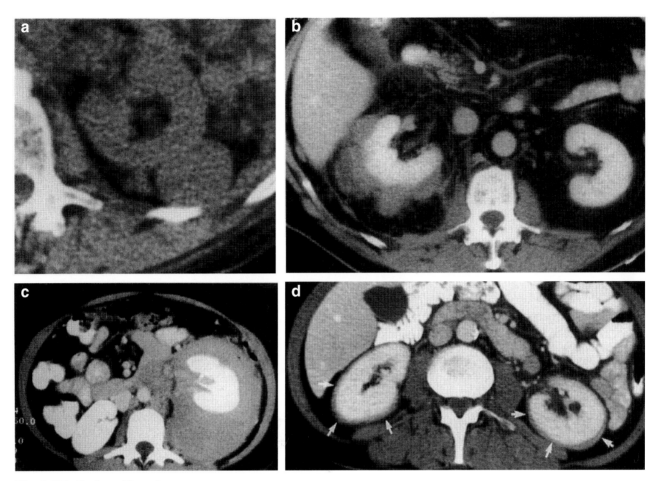

Fig. 6-112. Perirenal lymphoma.

Spectrum of findings illustrated in four different patients.

(**a**) Several discrete soft tissue nodules in the perirenal fat.

(**b**) Confluent lobulated perirenal masses are associated with parenchymal involvement on the right. Note plaquelike thickening of Gerota's fascia and the bridging septa.

(Reproduced with permission from Bailey et al.[194])

(**c**) Massive perirenal lymphomatous mass on the left with displacement of the kidney, contiguous with retroperitoneal adenopathy.

(Courtesy of SS Doda, MD, Diwan Chand Aggarwal Imaging Research Centre, New Delhi, India.)

(**d**) Bilateral perirenal "rinds" *(arrows)*. They are of lower attenuation than adjacent enhancing renal parenchyma. This patient is postsplenectomy for Hodgkin's lymphoma.

한 소견들로 인해, 신장주위 공간의 삼출액과 구별할 수 있다. 요근의 음영은 체액 저류가 있다면 보이지 않게 되며, 가스가 있다면 반대로 더욱 뚜렷하게 보이게 된다. 더 진행하게 되면, 상행결장과 하행결장을 내측으로 전위 시키게 되며, 옆구리 선을 침범하거나 혹은 보이지 않게 한다(Fig. 6-115).

후신주위 공간의 체액 저류의 구분과 국소화에 대한 기준은 Table 6-1(130쪽)에 정리되어 있다.

▌삼출액의 원인 Clinical Sources of Effusions

출혈 경향이 있거나 항혈전 치료를 과하게 받은 환자의 경우, 후신주위 공간은 자발성 출혈의 흔한 장소이다. 복부 대동맥류 파열에서의 출혈은 전형적으로 이 공간에 국소화되는 경우가 많다. 창상이나 늑골 골절과 같은 외상이나 후복막 림프액 유출 등도 이 공간의 삼출액의 원인이 될 수 있다.

이 공간만을 단독으로 침범하는 감염은 드물다. 후신주

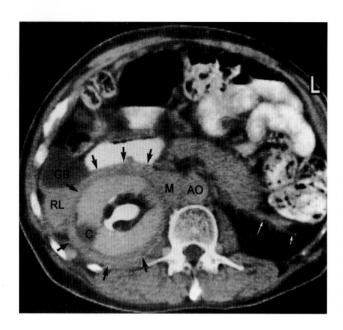

Fig. 6-113. Retroperitoneal fibrosis in perirenal space.

Mass *(black arrows)* around right kidney in perirenal space originates from fibrous mass *(M)* adjacent to aorta *(AO)*. Behind the pancreas, a linear fibrosis extends along the remnant of the left anterior renal fascia *(white arrows)*. *C* = renal cyst; *GB* = gallbladder; *RL* = right liver. (Courtesy of Michiel Feldberg, M.D., University of Utrecht, The Netherlands.)

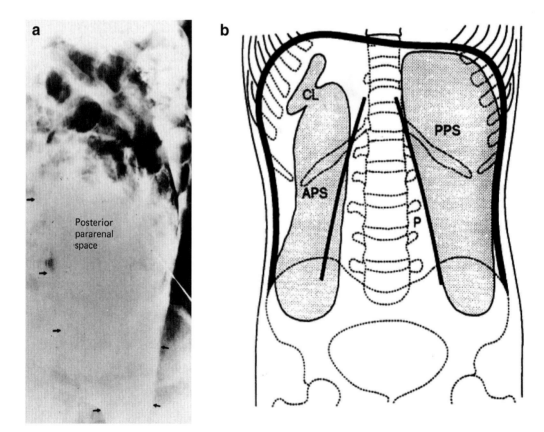

Fig. 6-114. (a) Postmortem injection into the left posterior pararenal space.

Medially the collection parallels the psoas muscle and obliterates its outline. Laterally there is direct extension into the flank fat. The axis of the collection is inferior and lateral.
(Reproduced with permission from Meyers et al.[12])

(b) Diagram showing the characteristic spread and configuration of extraperitoneal fluid and/or gas collections in the posterior pararenal space (PPS).

Configuration of collection within the anterior pararenal space *(APS)* on the opposite side is shown for comparison.
P = psoas muscle margin; *CL* = coronary ligament.

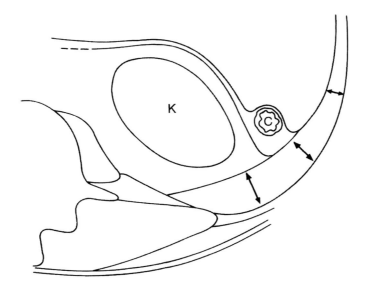

Fig. 6-115. Fluid collection in the posterior pararenal compartment with viscus displacement and extension into the properitoneal fat.

K = kidney; *C* = colon

(Reproduced with permission from Meyer.[12])

위 공간 자체에는 감염이 생길 만한 장기가 없다. 드물게 세균혈증에 의한 경우가 있으나, 이 공간의 감염은 척추나 12번째 늑골의 골수염 혹은 대동맥 이식편의 감염 등이 원인이 된다. 횡근막*transversalis fascia* 뒤쪽의 농양은 엄밀히 말하자면, 복막외 공간은 아니지만 근막후방 농양은(대부분 척추나 12번째 늑골의 결핵이나 방선균증 *actinomycosis* 감염에서 기인함) 해부학적 평면을 건너 후신주위 공간을 침범하는 경우가 많다.

직장이나 S자결장의 천공에서 유출물이 상방으로 이 구역을 침범할 수 있다.

: 출혈 Hemorrhage

신장의 외상이나 척추나 후방 늑골 골절이 후복막 출혈의 원인이 될 수 있다.

출혈질환이나 과도한 항혈전치료가 원인이 되는 복막외 출혈의 많은 경우에서 후신주위 공간에서 시작되는 경우가 많다. 영상의학적 소견으로 원발질환을 진단하는 데 도움이 될 수도 있다.

대동맥류의 파열은 이 공간을 침범할 수 있다. 단순 촬영에서 다량의 복막외 액체저류를 볼 수 있으며, 복막전

옆구리 선의 변화와 같은[202] 소견이나 지방 조직내의 선상 저음영은 후신주위 공간의 액체저류를 시사하는 소견이다(Fig. 6-116).[203] 역동적 조영증강 CT에서, 복부 대동맥류 파열로 인한 급성 광범위 출혈 후 신주위 공간에 선택적으로 국소화되어 있는 소견이 보고되었다.[204] 하방 부위에서 대동맥류가 파열된다면 출혈이 후 신주위 공간 내부에서 위쪽으로 선별적으로 이동하게 된다(Figs. 6-117, 6-118). 대동맥류는 요근으로 먼저 파열된 후, 후 신주위 공간으로 확산될 수 있다.[205]

대퇴부 혈관 도관술 도중 발생한 출혈은[140, 141] 골반 복막외 공간으로 확산된 후, 후신주위 공간에서 횡격막까지 상후방으로 진행한다(Fig. 6-119).

: 농양 Abcess

척추 골수염의 결과로 이 구역에 감염이 생기는 현상은 이전에 비해 현저히 감소하고 있다. 장이나 신장수술 혹은 심한 신장 질환에 의해 해부학적 경계를 넘어서 감염이 이 공간으로 전파될 수 있다. 결장이나 복막외에 위치하는 충수돌기의 천공(Fig. 6-120), 대동맥 이식편의 감염 등도 원인이 될 수 있다.[18, 206-208]

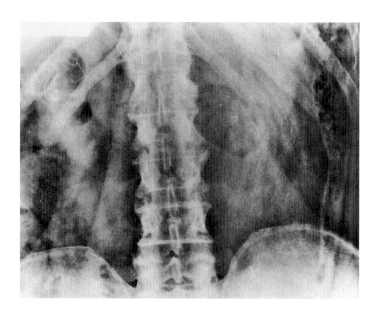

Fig. 6-116. Posterior pararenal hemorrhage from ruptured aneurysm of the abdominal aorta.

Plain film demonstrates streaky radiolucent lines on the left in an area of an ill-defined mass that also causes loss of visualization of the psoas muscle border. These changes are secondary to blood dissecting, often in sheets, through the posterior pararenal fat.

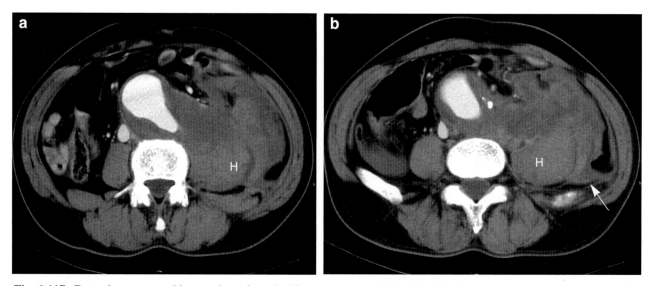

Fig. 6-117. Posterior pararenal hemorrhage from leaking aneurysm of the abdominal aorta.
(a) CT scan after intravenous contrast medium demonstrates saccular aneurysm with leftperirenal hemorrhage (*H*).
(b) CT at lower level shows periaortic hemorrhage extending to the left perirenal (*H*) and posterior pararenal space (*arrow*).

광범위한 복막외 가스
Diffuse Extraperitoneal Gas

Meyers에 의해 정리된 바에 따라, 단면연구, 사체 내부로 조영제 주입, 후복막 공기 조영술에 의해 얻어진 해부학적 지식을 바탕으로 복막외 가스의 영상의학적 위치 결정에 도움을 받게 된다.[9] 복막외 가스가 누출 부위에서 시작되어 근막과 조직 평면을 따라 전파되며 국소화되게 된다.

천골전 공기조영술에서 바늘이 직장의 뒤쪽 정중앙에 위치하였다면, 가스는 양측 방향으로 대칭적으로 상승하게 된다.[13] 신장과 부신이 현저히 뚜렷하게 보인다면 신장 주위 공간에 가스가 많이 있음을 시사한다. 많은 양의 공

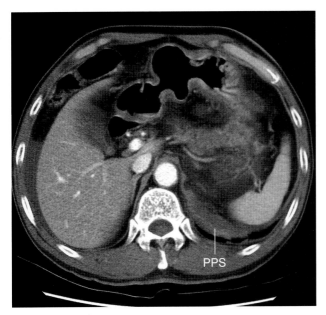

Fig. 6-118. Posterior pararenal hemorrhage from leaking abdominal aortic aneurysm.

From the site of extravasation from the infrarenal aorta, the hemorrhage has risen toward the left diaphragm within the posterior pararenal space (*PPS*).

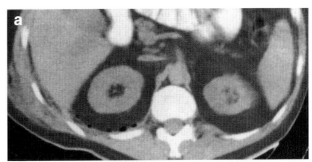

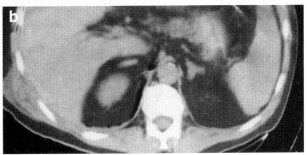

Fig. 6-120. Perforated retrocecal extraperitoneal appendicitis.

(**a** and **b**) Gas has risen into the posterior pararenal space on the right.

(Courtesy of Emil Balthazar, MD, New York University School of Medicine, New York, NY.)

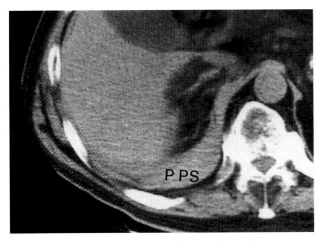

Fig. 6-119. Posterior pararenal hemorrhage from bleeding complication of femoral catheterization.

Postcatheterization bleeding on the right has risen from the pelvis to the diaphragm within the posterior pararenal space (*PPS*). Some perirenal blood tracks along upper bridging septa.

기가 장골와의 하방 통로를 통해 신장주위 공간으로 주입되지만, 또한 상당량의 공기가 후신주위 공간을 통해 확산되어, 간, 비장, 신장의 상극, 횡격막의 내각*medial crura*, 횡격막하 복막외 조직 주변에 위치하게 된다(Fig. 6-121). 신장 근막의 융합은 위쪽으로는 횡격막에서 이루어지기 때문에, 신장주위 공간의 가스는 종격동기흉*pneumomediastinum*이나 경부 기종을 일으킬 수 없고, 반대로 후신주위 공간의 가스는 이러한 부위로 잘 확산된다.

복막외 가스는 위치가 고정되어 있지 않고 이동이 가능하며, 이러한 소견은 앙와위*supine*와 정립상*erect* 영상에서 그 분포가 달라짐을 보면 알 수 있다(Figs. 6-122, 6-123).

일반적으로 복막외 구역은 전방과 외측 평면에서 Y자 형태를 띠고 있다고 한다. 앞뒤 평면에서는 골반으로부터 양측으로 연결되어 있다. 골반 부위나 장골와에서 생성된 가스는 전형적으로는 신장주위 공간으로 유입되지 않고, 전 혹은 후 신주위 공간을 따라 전파되는데, 이는 신장 근

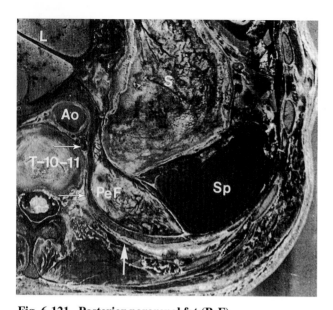

Fig. 6-121. Posterior pararenal fat (PeF).

This provides contrast to the medial crus *(small arrows)* and inferior margin *(large arrow)* of the diaphragm, and to the posteromedial border of the spleen *(Sp)*. *S* = stomach; *L* = liver; *Ao* = aorta.

막의 아래쪽 경계가 염증성 유착에 의해 쉽게 차단되기 때문이라고 추정된다. Fig. 6-124에서 세 개의 공간에 각각 있는 가스의 증례를 보여주고 있다.

골반에서 기인한 가스는 복막외 조직 평면을 따라 양측으로 전파되게 된다. 상복부에서 발생한 가스는 정중앙선을 가로질러 반대측으로 확산될 정도로 아래쪽(요천골접합부 수준)으로 내려가지 못하는 경우가 많다. 가스 형성성 췌장염의 경우에는 상복부에서 발생했음에도 편측으로 가스가 국한되지 않는데, 이는 소화성 효소 때문으로 생각된다. 좌상복부에서 기인하며, 그 공간에 국한되어 있는 가스는 드문데, 천공된 암종이나 근위부 하행결장의 게실염, 혹은 췌장 미부의 농양에 의해 발생할 수는 있다. 복막내와 복막외에 동시에 가스가 존재한다면 후방 벽측 복막과 같은 복막외 구조물에 천공이 있음을 뜻하는 것이다.[209]

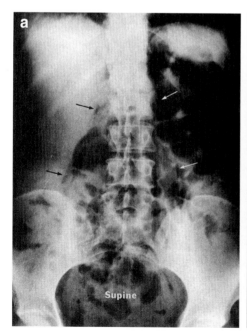
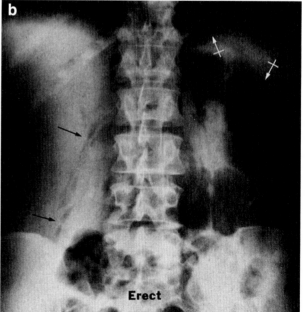

Fig. 6-122. Rectal perforation.

Supine and erect films demonstrate extraperitoneal gas paralleling the lateral borders of the psoas muscles *(arrows)*. Cephalad extension on the left outlines the upper pole of the kidney, the adrenal gland, the medial border of the spleen, the medial crus of the diaphragm, and the immediate subphrenic tissues *(crossed arrows)*. These findings localize the gas to the posterior pararenal compartments. The suprarenal and subphrenic gas collection increases in the erect position.

(Reproduced with permission from Meyers.[9])

Fig. 6-123. Perforated sigmoid diverticulitis. (a and b)

Extraperitoneal gas *(arrows)* extends anterior to the psoas muscle toward the spine within the anterior pararenal space. Superiorly, the gas extends within the posterior pararenal space outlining the adrenal gland *(A)* and the posteromedial border of the spleen, the medial crus of the diaphragm *(crossed arrows),* and segments of the extraperitoneal subdiaphragmatic tissue *(large white arrows).* Note that the latter do not follow the highest plane of the diaphragm, in contradistinction to free intraperitoneal air.

(Reproduced with permission from Meyers.[9])

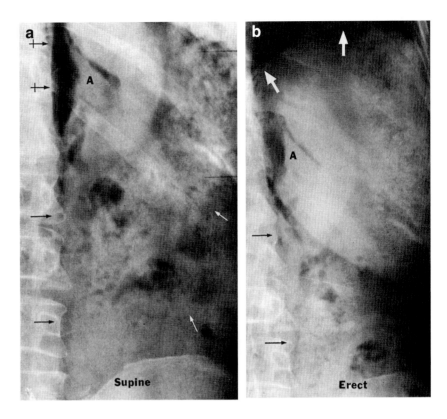

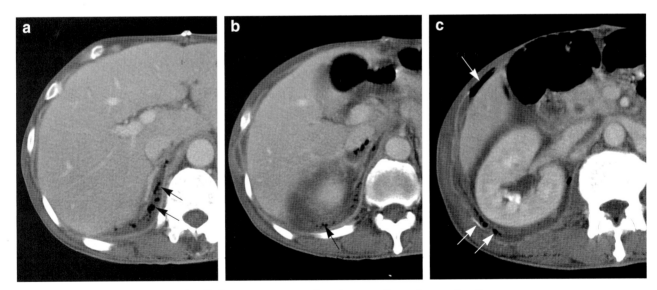

Fig. 6-124. Extraperitoneal gas in all three spaces secondary to ascending colon perforation.

Gas within the anterior pararenal space penetrate into the perirenal space extending upward to the bare area of the liver, penetrates into the posterior pararenal space and deep to the iliopsoas muscle down to the right femoral neck.

CT scan shows **(a)** gas in the bare area of the liver *(arrows),*

(b) gas within the posterior portion of the right perirenal space *(arrow)* and pericaval space.

(c) fluid and gas in the right posterior pararenal space *(arrows)* and extraperitoneal anterolateral abdominal wall *(arrow).*

(Courtesy of Jae Hoon Lim, MD., Samsung Medical Center, Seoul, Korea.)

▌직장 천공 Rectal Perforation

직장은 복막하subperitoneal 정중앙에 위치하고 있으므로, 직장에서 기인한 가스는 복막외 조직을 따라 양측으로 전파될 수 있다. 천공의 정확한 위치에 따라 편측으로 더 많이 갈 수는 있지만, 주로 양측으로 전파된다. 경험에 의하면, 주로 후방 구획을 따라 확산된다. 가스는 요근의 바깥쪽 경계와 평행하게 보이며, 신장 위쪽과 횡격막 아래 조직에서 잘 보인다(Figs. 6-122, 6-125).

▌S자결장 천공 Sigmoid Perforation

S자결장은 신장 근막의 원뿔형의 아래쪽 경계보다 하방에 위치하고 있으므로, 전후신주위 공간이 연결되어 있는 곳에 있다(Fig. 6-125). 따라서 S자결장에서 기인한 가스는 양측 공간을 다 침범할 수도 있다.

Meyers 등의 연구에 따르면 S자결장 게실의 75%가 복막외 조직과 연관이 있다고 한다. S자결장게실 천공에 따른 복막외 가스는 전형적으로 왼쪽으로 진행한다. 얼룩진 양상의 저음영이 요근의 내측을 따라 보일 수 있으며(Fig. 6-123), 후방 구획을 따라 주로 파급된다. 가스는 복막앞 옆구리 지방으로 직접적으로 전파될 수 있으며, 상방으로는 부신와 비장의 후내부 경계, 횡격막의 내각과 횡격막하 조직 평면으로 파급된다(Fig. 6-123). CT에서 저음영으로 보이는 가스의 위치와 주변 공간과의 관계를 잘 파악할 수 있다(Fig. 6-127).

장간막 사이로 S자결장 천공이 생겼을 경우에만 복막외 가스가 전신주위 공간에서 양측으로 파급된다(Fig. 6-128).[9]

▌횡격막하에서 기인한 복막외 가스
▌Extraperitoneal Gas of Supradiaphragmatic Origin

횡격막 상방에서 기인한 가스는 횡격막 구멍을 통해 직접적으로 후신주위 공간으로 파급될 수 있다. 가스가 흉벽으로 들어갔다면, 복부의 복막외 조직으로 전파되는 특징적 형태를 보이게 되는데, 흉부 혹은 경부에서 발생한 가스는 가슴속근막endothoracic fascia 의 심부를 지나, 벽측 흉막의 외측으로 해서 복벽으로 이어지게 된다.[9, 212, 213] 이 경우 일부는 후신주위 구획에서 보이지만, 많은 경우 옆구리 지방쪽으로 선별적으로 확장되게 된다(Fig. 6-129). 드물게 더욱 하방으로 가스에 의한 박리가 일어나서 고환 피하 기종을 유발할 수도 있다.[214]

▌소량의 횡격막하 가스의 감별 진단 Differential
▌Diagnosis of Small Amounts of Subdiaphragmatic Gas

후신주위 지방 내부에 주로 위치한 복막외 가스는 횡격막하 조직 평면으로 파급될 수 있다. 종종 복막외 가스가 횡격막 근육 다발의 경계를 잘 보이게 하기도 하지만, 그 외에 정립위 단순촬영 영상에서 발견되는 두 가지 특징이 복막외 가스와 복막내 가스를 감별하는데 유용하다.

1. 유리된 복막내 가스는 횡격막의 가장 높은 만곡부를 따라 위치하며, 아래쪽 경계는 평편하게 되는 경우가

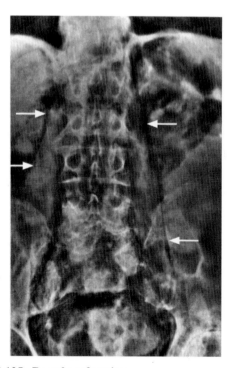

Fig. 6-125. Rectal perforation.
Bilateral gas in the posterior pararenal compartments outlines the complete lateral borders of the psoas muscles (*arrows*) and the upper poles of the kidneys and immediate subphrenic tissues.

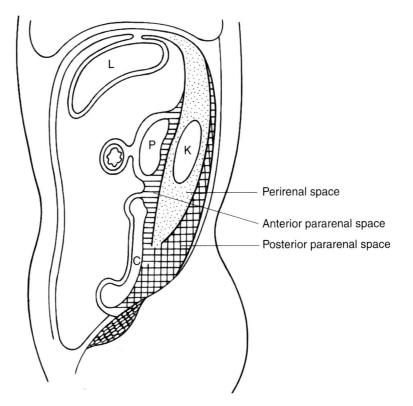

Fig. 6-126. Relationships and structures of the three extraperitoneal spaces on the left.

The sigmoid colon is in continuity with the posterior and anterior pararenal compartments. *L* = liver; *P* = pancreas; *K* = kidney; *C* = colon.
(Reproduced with permission from Meyers.[8])

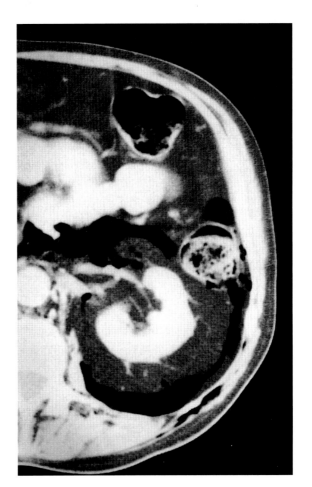

Fig. 6-127. Perforated sigmoid diverticulitis.

CT displays gas in the posterior and anterior pararenal spaces on the left, enveloping the cone of the renal fascia.

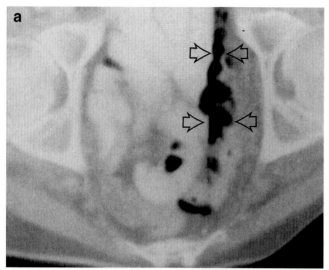

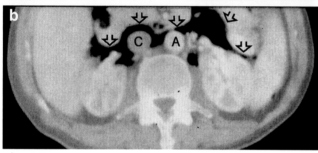

Fig. 6-128. Sigmoid perforation into mesocolon.
CT scans, imaged with wide window settings, demonstrate in the pelvis **(a)** that gas has dissected between the leaves of the sigmoid mesocolon *(arrows)* and at the level of the kidneys **(b)** the gas has arisen bilaterally in the anterior pararenal spaces *(arrows)*, outlining the aorta *(A)* and inferior vena cava *(C)*.
(Courtesy of Michiel Feldberg, M., University of Utrecht, The Netherlands.)

많다. 횡격막하 복막외 가스는 횡격막 내측 또는 외측에서 횡격막의 아래 평면과 평행한 형태를 보이는 경우가 많고, 초승달모양의 형태를 띤다(Figs. 6-122, 6-123).

2. 흡기시 복막내의 음압이 증가함에 따라 유리된 복막내 가스량은 흡기시 증가하고 호기시에 감소한다. 이와는 대조적으로, 정립상에서 복막외 가스는 호기시 증가하고, 흡기시에는 감소한다(Fig. 6-130). 복막외 조직은 호흡시의 복압의 변화에 영향을 받지 않으므로, 단순히 횡격막의 하강에 의해 복막외 가스가 더욱 눌리게 되어 호기시에 좀 더 얇은 초승달 모양을 보이게 된다.

세 구획의 복막외 공간의 해부학적 경계에 따라 복막외 가스의 이동과 확산이 일어나, 가스의 분포와 위치를 결정하게 된다. Table 6-2에 복막외 가스의 원인을 구별할 수 있는 영상의학적 소견이 요약되어 있다.

●●●●

요근 농양과 혈종 Psoas Abscess and Hematoma

횡근막*transversalis fascia* 보다 더 심부의 복막외 구획의 자발적 박리는 드물다.[3] 장요*iliopsoas* 구획은 장요근막으로 둘러싸인 복막외 구획이다. 요근은 제 12흉추와 요추에서 시작되어, 제 5요추와 제 2천추에서 장골근과 만나 장요근을 형성한다. 장요근은 허리인대를 통하여 대퇴골의 소전자*lesser trochanter*에 부착된다.[216, 217] 요근 농양은 요근 구획에서 시작되는 경우는 드물고, 대부분 인접한 복부 장기에서 시작된 농양이 파급되는 경우가 많다.[216] 요근 농양은 화농성인 경우가 많으며, 인접한 척추나 경막의 감염, Crohn's 병과 같은 장질환, 게실염, 충수돌기염, 천공된 대장암, 직장 주위 농양의 직접적인 전파에 기인한다. 일차성 농양은 드물고, 주로 원인을 잘 알 수 없는 특발성인 경우가 많다. 병원균은 S.aureus나 혼합 그람음

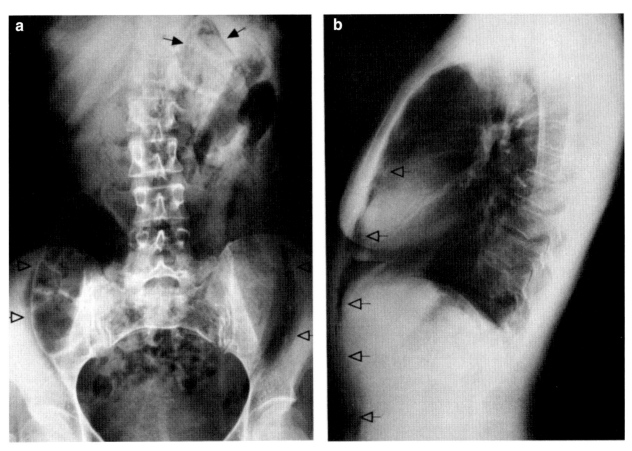

Fig. 6-129. Extraperitoneal gas following tracheostomy.

(a) Preferential spread into the flank fat *(open arrows).* A minimal amount outlines the left psoas muscle and suprarenal area *(solid arrows).*

(b) Lateral chest film demonstrates the continuous channel of gas from the chest to the abdomen deep to the endothoracic fascia and transversalis fascia *(arrows).*

(Reproduced with permission from Meyers.[9])

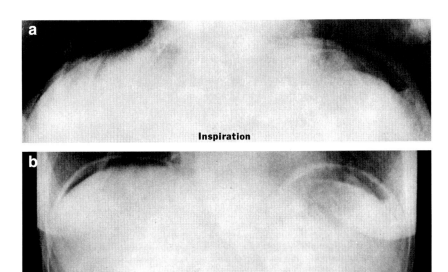

Fig. 6-130. Subdiaphragmatic extraperitoneal gas.

Erect films demonstrate a greater accumulation of subdiaphragmatic extraperitoneal gas within the posterior pararenal spaces during expiration.

(Reproduced with permission from Meyers.[9])

Table 6-2. 복막외 가스의 위치와 전파양상

복막외 구역	위치에 따른 영상 특징	복부내 위치	흔한 원인
전신주위 Anterior pararenal	내측 : 공기가 요근의 측면을 넘어 척추로 확장사위투사시 근육의 경 계가 보임 외측 : 신장근막의 원추아래 하부를 제외하고는 옆구리선까지 확장 이 없음 상부 : 신장의 경계는 유지됨	우측 좌측 양측	하행 십이지장 천공 S자결장게실 천공 결장간막으로의 S자결장 천공, 전격성 췌장염
신장주위 Perirenal	공기가 장골능선의 아래로 불록한 면을 따라 보임 신장후방의 지방에서 가장 두드러지게 보임 신장의 윤곽이 잘보임 신장근막의 염증성비후와 이동	우측 좌측	신장 감염, 간혹, 하행 십이지장 천공 신장 감염
후신주위 Posterior pararenal	내측 : 공기가 요근과 평행하게 보임 외측 : 공기가 옆구리선으로 확장 상부 : 공기가 신장상부영역, 횡격막, 간과 비장의 후방면의 윤곽으로 보임 횡격막으로의 확장은 기종격증과 경추 피하 공기증 유발	좌측 양측	S자결장 게실염 직장 천공 횡격막 상부 기원

성 병원균에 의한 것이 전형적이다. 후천성 면역결핍 증후군의 유병률이 증가함에 따라 결핵성 요근 농양도 증가하고 있고, Pott 질환(Pott's disease)과 연관되는 경우가 많다. CT이나 MRI에서 주변부 조영증강을 보이는 액체저류로 보이고 내부에 가스가 있을 수 있다(Fig. 6-131).[216, 218, 219]

요근으로 직접 조영제 주입을 하면, 요근 근막에 국한되어 있는 액체저류를 확인할 수 있다(Fig. 6-132). 이를 통하여 대퇴부로 파급되는 경로를 알게 될 수도 있다(Fig. 6-133). 요근내로의 출혈은 동맥경화증과 연관되어 자연적으로 발생할 수도 있으며, 혹은 외상, 출혈성 질환, 항응고 치료, 염증성 질환, 종양, 수술과 연관되어 이차적으로 발생할 수도 있다.

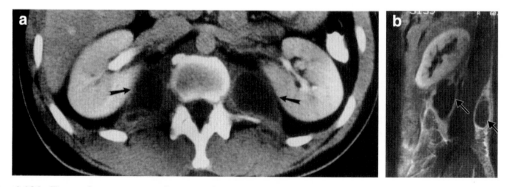

Fig. 6-131. Psoas abscesses secondary to tuberculous infection.
(a) Contrast-enhanced CT shows bilateral central lesions of low attenuation with rim enhancement (*arrows*) in the psoas muscles.
(b) Sagittal gadolinium-enhanced fat-suppression MR image demonstrates the localized bilateral low-signal intensity psoas abscesses with rim enhancement (*arrows*).
(Reproduced with permission from Torres et al.[218])

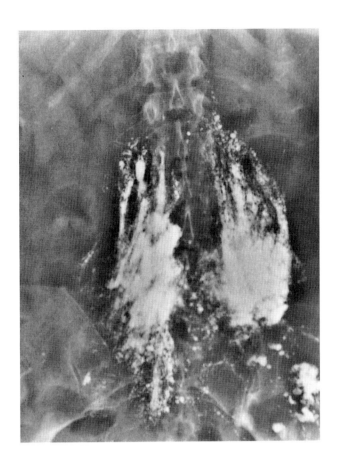

Fig. 6-132. Contrast injection into the psoas muscles.
The collections are restrained by the strong psoas fascia.

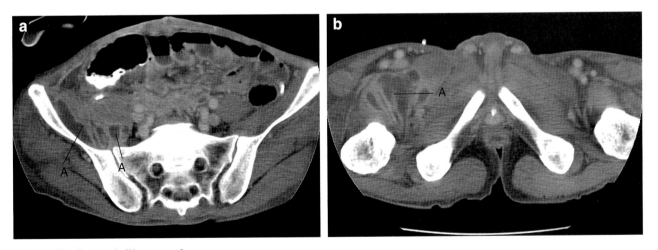

Fig. 6-133. Pyogenic iliopsoas abscess.
(**a** and **b**) CT show pus collection (*A*) within the iliacus and psoas muscles tracking along the groin and down to the anteromedial aspect of the right thigh.

● 참고문헌

1. Meyers HI: The reaction of retroperitoneal tissue to infection. Ann Surg 1934; 99:246-250.

2. Stevenson EO, Ozeran RS: Retroperitoneal space abscesses. Surg Gynecol Obstet 1969; 128:1202-1208.

3. Altemeier WA, Alexander JW:: Retroperitoneal abscess. Arch Surg 1961; 83:512-524.

4. Elkin M, Cohen G: Diagnostic value of the psoas shadow. Clin Radiol 1962; 13:210-217.

5. Williams SM, Harned RK, Hultman SA et al: The psoas sign: A reevaluation. Radiographics 1985; 5:525-536.

6. Editorial: Periureteric fibrosis. Lancet 1957;2:780-781.

7. Love L, Meyers MA, Churchill RJ et al: Computed tomography of extraperitoneal spaces. AJR 1981; 136:781-789.

8. Meyers MA: Acute extraperitoneal infection. Semin Roentgenol 1973; 8:445-464.

9. Meyers MA: Radiologic features of the spread and localization of extraperitoneal gas and their relationship to its source: An anatomical approach. Radiology 1974; 111:17-26.

10. Meyers MA: Uriniferous perirenal pseudocyst: New observations. Radiology 1975; 117:539-545.

11. Meyers MA, Whalen JP, Evans JA: Diagnosis of perirenal and subcapsular masses: Anatomicradiologic correlation. AJR Rad Ther Nucl Med 1974; 121:523-538.

12. Meyers MA, Whalen JP, Peelle K et al: Radiologic features of extraperitoneal effusions: An anatomic approach. Radiology 1972; 104:249-257.

13. Meyers MA: Diseases of the Adrenal Glands: Radiologic Diagnosis with Emphasis on the Use of Presacral Retroperitoneal Pneumography. Charles C Thomas, Springfield, 1963, pp 11-15, 20.

14. Barbaric Z: Renal fascia in urinary tract diseases. Radiology 1976; 118:561-565.

15. Kochkodan EJ, Haggar AM: Visualization of the renal fascia: A normal finding in urography. AJR 1983; 140:1243-1244.

16. Whalen JP, Ziter FMH Jr: Visualization of the renal fascia: A new sign in localization of abdominal masses. Radiology 1967; 80:861-863.

17. Feldberg MAM: Computed Tomography of the Retroperitoneum: An Anatomical and Pathological Atlas with Emphasis on the Fascial Planes. Martinus Nijhoff, Boston, 1983.

18. Meyers MA: Dynamic Radiology of the Abdo- men: Normal and Pathologic Anatomy, 2nd ed. Springer, New York, 1982.

19. Parienty RA, Pradel J, Picard JD et al: Visibility and thickening of the renal fascia on computed tomograms. Radiology 1981; 139:119-124.

20. Zuckerkandl E: Beitrage zur Anatomie des Menschlichen Korpers. Ueber den Fixationsapparat der Nieren. Med Jahr 1883; 13:59-67.

21. Gerota D: Beitraege zur Kenntnis des Befesti-gungsappa-rates der Niere. Arch Anat Entwick-lungsgesch, Leipzig, 1895, pp 265-286.

22. Chesbrough RM, Burkhard TK, Martinez AJ et al: Gerota versus Zuckerkandl: The renal fascia revisited. Radiology 1989; 173:845-846.

23. Meyers MA, Oliphant M, Berne AS et al: The peritoneal ligaments and mesenteries: Pathways of intraabdominal spread of disease. Annual oration. Radiology 1987; 163:3-604.

24. Oliphant M, Berne AS, Meyers MA: Spread of disease via the subperitoneal space: The small bowel mesentery. Abdom Imaging 1993; 18:109-116.

25. Congdon ED, Edson JN: The cone of renal fascia in the adult white male. Anat Rec 1941; 80:289-313.

26. Mitchell GAG: The renal fascia. Br J Surg 1950; 37:257.

27. Somogyi J, Cohen WN, Omar MM et al: Com- munication of right and left perirenal spaces demonstrated by computed tomography. J Cornput Assist Tomogr 1979; 3:270-273.

28. Martin CP: Anatomical notes: A note on the renal fascia. J Anat 1942; 77:101-103.

29. Kneeland JB, Auh YH, Rubenstein WA et al: Perirenal spaces: CT evidence for communication across the midline. Radiology 1987; 164:657-664.

30. Mindell HJ, Mastromatteo JF, Dickey KW et al: Anatomic communications between the three retroperitoneal spaces: Determination by CT-guided injections of contrast material in cadavers. AJR 1995; 164:1173-1178.

31. Raptopoulos V, Touliopoulos P, Lei QF et al: Medial border of the perirenal space: CT and anatomic correlation. Radiology 1997; 205:777-784.

32. Dodds WJ, Darweesh RMA, Lawson TL et al: The retroperitoneal spaces revisited. AJR 1986; 147:1155-1161.

33. Hureau J, Pradel J, Agossou-Voyeme AK et al: Les espaces interpariéto-péritoneaux postérieurs ou espaces rétropéritonéaux: Anatomie tomodensitometrique normale. J Radiol 1991; 72:101-106.

34. Hureau J, Pradel J, Agossou-Voyeme AK et al: Les espaces interpariéto-péritoneaux postérieursou espaces rétropéritonéaux: Anatomie tomodensitometrique pathologique. J Radiol 1991; 72:205-227.

35. Molmenti EP, Baife DM, Kanterman RY et al: Anatomy of the retroperitoneum: Observations of the distribution of pathologic fluid collections. Radiology 1996; 200:95-103.

36. Aizenstein RI, Wilbur AC, O'Neil HK: Interfascial and perinephric pathways in the spread of retroperitoneal disease: Refined concepts based on CT observations. AJR 1997; 168:639-643.

37. Lim JH, Yoon Y, Lee SW et al: Superior aspect of the perirenal space: Anatomy and pathological correlation. Clin Radiol 1988; 39:368-372.

38. Lim JH, Auh YH, Suh SJ et al: Right perirenal space: Computed tomography evidence of communication between the bare area of the liver. Clin Imag 1990; 14:239-244.

39. Kim KW, Auh YH, Chi HS et al: CT of retroperitoneal extension of hepatoma mimicking adrenal tumor. J Comput Assist Tomography 1993; 17:599-602.

40. Patten RM, Spear RP, Vincent LM et al: Traumatic laceration of the liver limited to the bare area: CT findings in 25 patients. AJR 1993; 160:1019-1022.

41. Bechtold RE, Dyer RB, Zagoria RJ et al: The perirenal space: Relationship of pathologic processes to normal retroperitoneal anatomy. RadioGraphics 1996; 16:841-854.

42. Tandon N, Karak PK, Mukhopadhyay S et al: Amoebic liver abscess: Rupture into retroperitoneum. Gastrointest Radiol 1991; 16:240-242.

43. Raptopoulos V, Lei QF, Touliopoulos P et al: Why perirenal disease does not extend into the pelvis: The importance of closure of the cone of renal fasciae. AJR 1995; 164:1179-1184.

44. Southam AH: Fixation of the kidney. Q J Med 1923; 16:283-308.

45. Parienty RA, Pradel J: Radiological evaluation of the peri- and pararenal spaces by computed tomography. Crit Rev Diagn Imaging 1983; 20:1-26.

46. Nicholson RL: Abnormalities of the perinephric fascia and fat in pancreatitis. Radiology 1981; 139:125-127.

47. Chintapalli K, Lawson TL, Foley WD et al: Renal fascial thickening in pancreatitis. J Comput Assist Tomogr 1982; 6:983-986.

48. Hadar H, Meiraz D: Thickened renal fascia: A sign of retroperitoneal pathology. J Comput Assist Tomogr 1981; 5:193-198.

49. Jeffrey RB, Federle MP, Crass RA: Computed tomography of pancreatic trauma. Radiology 1983; 147:491-494.

50. Sutton CS, Haaga JR: CT evaluation of limited splenic trauma. J Comput Assist Tomogr 1987; 11:167-169.

51. Feldberg MAM, Hendriks MJ, van Waes P et al: Pancreatic lesions and transfascial perirenal spread: Computed tomographic demonstration. Gastrointest Radiol 1987; 12:121-127.

52. Rubenstein WA, Auh YH, Zirinsky K et al: Posterior peritoneal recesses: Assessment using CT. Radiology 1985; 156:461-468.

53. William PL, Warwick R (eds): Gray's Anatomy, 36th ed. Churchill Livingstone, Edinburgh, 1980.

54. Saunders BP, Phillips RKS, Williams CB: Intraoperative measurement of colonic anatomy and attachments with relevance to colonoscopy. Br J Surg 1995; 82:1491-1493.

55. Raptopoulos V, Kleinman PK, Marks S Jr et al: Renal fascial pathway: Posterior extension of pancreatic effusions within the anterior pararenal space. Radiology 1986; 158:367-374.

56. Hopper KD, Sherman JL, Juethke J et al: The retrorenal colon in the supine and prone patient. Radiology 1987; 162:443-446.

57. Love L, Demos TC, Posniak H: CT of retrorenal fluid collections. AJR 1985; 145:87-91.

58. Sherman JL, Hopper KD, Greene AJ et al: The retrorenal colon on computed tomography: A normal variant. J Comput Assist Tomogr 1985; 9:339-341.

59. Hadar H, Gadoth N: Positional relations of colon and kidney determined by perirenal fat. AJR 1984; 143:773-776.

60. Kunin M: Bridging septa of the perinephric space: Anatomic, pathologic, and diagnostic considerations. Radiology 1986; 158:361-365.

61. Feuerstein IM, Zeman RK, Jatte MH et al: Perirenal cobwebs: The expanding CT differential diagnosis. J Comput Assist Tomogr 1984; 8:1128-1130.

62. McLennan BL, Lee JKT, Peterson RR: Anatomy of the perirenal area. Radiology 1986; 158:555-557.

63. Winfield AC, Gerlock AJJL, Shaff MI: Perirenal cobwebs: A CT sign of renal vein thrombosis. J Comput Assist Tomogr 1981; 5:705-708.

64. Skarby HG: Beitraege zur Diagnostik der Paranephritiden mit besonderer Berucksichtigung des Roentgen verfahrens. Acta Radiol Suppi 1946; 62:1-165.

65. Whalen JP, Berne AS, Riemenschneider PA: The extraperitoneal perivisceral fat pad. I. Its role in the roentgenological visualization of abdominal organs. Radiology 1969; 92:466-472.

66. Arenas AP, Sanchez LV, Albillos JM et al: Direct dissemination of pathologic abnormal processes through perihepatic ligaments: Identification with CT. RadioGraphics 1994; 14:515-527.

67. McCort J: Anterior pararenal-space infection. Mt Sinai J Med 1984; 51:482-490.

68. Feldberg MAM, Hendriks MJ, van Waes P: Role of CT in diagnosis and management of complications of diverticular disease. Gastrointest Radiol 1985; 10:370-377.

69. Meyers MA, Oliphant M: Ascending retrocecal appendicitis. Radiology 1974; 110:295-299.

70. Feldberg MAM, Hendriks MJ, van Waes P: Computed tomography in complicated acute appendicitis. Gastrointest Radiol 1985; 10:289-295.

71. Ginzburg L, Oppenheimer GD: Urological complications of regional ileitis. J Urol 1948; 59:948-952.

72. Galen C: On the Usefulness of the Parts of the Body. Translated by May MT. Cornell University Press, Ithaca, 1968.

73. Roman E, Silva Y, Lucas C: Management of blunt duodenal injury. Surg Gynecol Obstet 1971; 132:7-14.

74. Glazer GM, Buy JN, Moss AA et al: CT detection of duodenal perforation. AJR 1981; 137:333-336.

75. Rizzo MJ, Federle MP, Griffiths BG: Bowel and mesenteric injury following blunt abdominal trauma: Evaluation with CT. Radiology 1989; 173:143-148.

76. Mirvis SE, Gens DR, Shanmuganathan K: Rupture of the bowel after blunt abdominal trauma: Diagnosis with CT. AJR 1992; 159:1217-1221.

77. Kunin JR, Korobkin M, Ellis JH et al: Duodenal injuries caused by blunt abdominal trauma: Value of CT in differentiating perforation from hematoma. AJR 1993; 160:1221-1223.

78. Sperling L, Rigler LG: Traumatic retroperitoneal rupture of duodenum: Description of valuable roentgen observations in its recognition. Radiology 1937; 29:521-524.

79. Toxopeus MD, Lucas CE, Krabbenhoft KL: Roentgenographic diagnosis in blunt retroperitoneal duodenal rupture. AJR 1972; 115:281-288.

80. Vellacott KD: Intramural haematoma of the duodenum. Br J Surg 1980; 67:36-38.

81. Zeppa M, Forrest JV: Aortoenteric fistula manifested as an intramural duodenal hematoma. AJR 1991; 157:47-48.

82. Dembner AG, Jaffe CC, Simeone J et al: A new computed tomographic sign of pancreatitis. AJR 1979; 133:477-479.

83. Mendez G Jr, Isikoff MB, Hill MC: CT of acute pancreatitis: Interim assessment. AJR 1980; 135:463-469.

84. Meyers MA, Evans JA: Effects of pancreatitis on the small bowel and colon: Spread along mesen teric planes. AJR 1973; 119:151-165.

85. Myerson PJ, Berg GR, Spencer RP et al: Gallium-67 spread to the anterior pararenal space in pancreatitis: Case report. J Nucl Med 1977; 18:893-895.

86. Siegelman SS, Copeland BE, Saba GP et al: CT of fluid collections associated with pancreatitis. AJR 1980; 134:1121-1132.

87. Griffin JF, Sekiya T, Isherwood I: Computed tomography of pararenal fluid collections in acute pancreatitis. Clin Radiol 1984; 35:181-184.

88. Susman N, Hammerman AM, Cohen E: The renal halo sign in pancreatitis. Radiology 1982; 142:323-327.

89. Hashimoto T, Gokan T, Munechika H et al: Pathway to the lumbar triangle from the posterior pararenal space: CT evaluation of the spread of disease (abstr). Radiology 1994; 193:398.

90. Meyers MA, Feldberg MAM, Oliphant M: Grey Turner's sign and Cullen's sign in acute pancreatitis. Gastrointest Radiol 1989; 14:31-37.

91. Geis WP, Hodakowski GT: Lumbar hernia. In Nyhus LM, Condon RE (eds) Hernia, 4th ed. JB Lippincott, Philadelphia, 1995, pp 412-423.

92. Grynfeitt J: Quelques mots sur la hernie lombaire. Montpellier Med 1866; 16:323.

93. Lesshaft P: Lumbalgegren in anatomisch-chirurgischer Himsicht. Anat Physiol Wissensch Med 1870; 264.

94. Petit JL: Traite des maladies chirurgicales, et des operations qui leur convenient, Vol. 2. T.F. Didot, Paris, 1774, pp 256-258.

95. Lawdahl RB, Moss CN, Van Dyke JA: Inferior lumbar (Petit's) hernia. AJR 1986; 147:744-745.

96. Baker ME, Weinerth JL, Andriani RT et al: Lumbar hernia: Diagnosis by CT. AJR 1987; 148:565-567.

97. Siffring PA, Forrest TS, Frick MP: Hernias of the inferior lumbar space: Diagnosis with US. Radiology 1989; 170:190.

98. Grey Turner G: Local discoloration of the abdominal wall as a sign of acute pancreatitis. Br J Surg 1919; 7:394-395.

99. Dickson AP, Imrie CW: The incidence and prognosis of body wall ecchymosis in acute pancreatitis. Surg Gynecol Obstet 1984; 159:343-347.

100. Ghiatas AA, Nguyen VD, Perusek M: Subcutaneous soft tissue densities: A computed tomography indicator of severe pancreatitis. Gastrointest Radiol 1990; 15:17-21.

101. Fallis LS: Cullen's sign in acute pancreatitis. Ann Surg 1937; 106:54-57.

102. Cox HT: Discoloration of abdominal wall in acute pancreatitis. Br J Surg 1945; 33:182-184.

103. Markman B, Barton FE: Anatomy of the subcutaneous tissue of the trunk and lower extremity. Plast Reconstr 1987; 80:248-254.

104. Johnson D, Dixon AK, Abrahams PH: The abdominal subcutaneous tissue: Computed tomographic, magnetic resonance, and anatomical observations. Clinical Anatomy 1996; 9:19-24.

105. Reid BG, Kune GA: Accuracy in diagnosis of acute pancreatitis. Med J Aust 1978; 1:583-587.

106. Cullullen TS: A new sign in ruptured extrauterine pregnancy. Am J Obstet 1918; 7:457.

107. Feldberg MAM, van Leeuwen MS: The properitoneal fat pad associated with the falciform ligament: Imaging of extent and clinical relevance. Surg Radiol Anat 1990; 12:193-202.

108. Oliphant M, Berne AS, Meyers MA: Direct spread of subperitoneal disease into solid organs: Radiologic diagnosis. Abdom Imaging 1995; 20:141-147.

109. Horton KM, Fishman EK: Paraumbilical vein in the cirrhotic patient: Imaging with 3D CT angiography. Abdom Imaging 1998; 23:404-408.

110. Auh YH, Lim JH, Jeong YK et al: Anatomy of the peritoneal cavity and reflections. In Gourtsoyiannis NC, Yamada R, Stevenson GW et al (eds) Abdominal and Gastrointestinal Imaging Medical Virtual Textbook (http://medic-on-line.net/abdo/).

111. Podlaha J: Zur Frage des subkutanen Emphysems bei perforierten gastroduodenalen Geschwueren. Zentralbl Chir 1926; 53:2793-2841.

112. Scappaticci F, Markowitz SK: Intrahepatic pseudocyst complicating acute pancreatitis: Imaging findings. AJR 1995; 165:873-874.

113. Williams DM, Cho KJ, Ensminger WD et al: Hepatic falciform artery: Anatomy, angiographic appearance and clinical significance. Radiology 1985; 156:339-340.

114. Kirn DE, Yoon H-K, Ko GY et al: Hepatic falciform artery: Is prophylactic embolization needed before short-term hepatic arterial chemoinfusion? AJR 1999; 172:1597-1599.

115. Casolo F, Bianco R, Franceschelli N: Perirenal fluid collection complicating chronic pancreatitis: CT demonstration. Gastrointest Radiol 1987; 12:117-120.

116. Weill F, Brun P, Rohmer P et al: Migrations of fluid of pancreatic origin: Ultrasonic and CT study of 28 cases. Ultrasound Med Biol 1983; 9:485-496.

117. Morehouse HT, Thornhill BA, Alterman DD: Right ureteral obstruction associated with pancreatitis. Urol Radiol 1985; 7:150-152.

118. Fishman M, Talner LB: Pancreatitis causing focal caliectasis. AJR 1991; 156:1005-1006.

119. Baker MK, Kopecky KK, Wass JL: Perirenal pancreatic pseudocyst: Diagnostic management. AJR 1983; 140:729-732.

120. Chen H-C, Tsang Y-M, Wu C-H et al: Perirenal fat necrosis secondary to hemorrhagic pancreatitis, mimicking retroperitoneal liposarcoma: CT manifestation. Abdom Imaging 1996; 21:546-548.

121. Rauch RF, Korobkin M, Silverman PM et al: Subcapsular pancreatic pseudocyst of the kidney. J Comput Assist Tomogr 1983; 7:536-538.

122. Blandino A, Scribano E, Aloisi G et al: Subcapsular renal spread of a pancreatic pseudocyst. Abdom Imaging 1996; 21:73-74.

123. Ranson JHC, Pasternak BS: Statistical methods for qualifying the severity of clinical acute pancreatitis. J Surg Res 1977; 22:79-91.

124. Ranson JHC: Etiological and prognostic factors in human acute pancreatitis: A review. Am J Gastroenterol 1982; 77:633-638.

125. Kivisaari L, Somer K, Standertskjold-Nordenstam CG et al: A new method for diagnosis of acute hemorrhagic-necrotizing pancreatitis using contrast-enhanced CT. Gastrointest Radiol 1984; 9:27-30.

126. Schroeder T, Kivisaari L, Somer K et al: Significance of extrapancreatic findings in computed tomography (CT) of acute pancreatitis. Eur J Radiol 1985; 5:273-275.

127. Block S, Maier W, Bittner R et al: Identification of pancreas necrosis in severe acute pancreatitis: Imaging procedures versus clinical staging. Gut 1986; 27:1035-1042.

128. Balthazar EJ, Ranson JHC, Naidich DP et al: Acute pancreatitis: Prognostic value of CT. Radiology 1985; 156:767-772.

129. Balthazar EJ: CT diagnosis and staging of acute pancreatitis. Radiol Clin North Am 1989; 27:19-37.

130. Balthazar EJ, Robinson DL, Megibow AJ et al: Acute pancreatitis: Value of CT in establishing prognosis. Radiology 1990; 174:331-336.

131. Johnson CD, Stephens DH, Sarr MG: CT of acute pancreatitis: Correlation between lack of contrast enhancement and pancreatic necrosis. AJR 1991; 156:93-95.

132. Vibhakar SD, Bellow EM: The bare area of the spleen: A constant CT feature of the ascitic abdomen. AJR 1984; 142:953-955.

133. Sivit CJ, Frazier AA, Eichelberger MR: Prevalence and distribution of extraperitoneal hemorrhage associated with splenic injury in infants and children. AJR 1999; 172:1015-1017.

134. Balachandran S, Leonard MH Jr, Kumar D et al: Patterns of fluid accumulation in splenic trauma: Demonstration by computed tomography. Abdom Imaging 1994; 19:515-520.

135. Meyers MA: Roentgen significance of the phrenicocolic ligament. Radiology 1970; 95:539-545.

136. Beaulieu CF, Mindelzun RE, Dolph J et al: The infraconal compartment: A multidirectional pathway for spread of disease between the extraperitoneal abdomen and pelvis. J Comput Assist Tomgr 1997:21:223-228.

137. Aikawa H, Tanone S, Okino Y et al: Pelvic extension of retroperitoneal fluid: Analysis in vivo. AJR 1998; 171:671-677.

138. Oliphant M, Berne AS, Meyers MA: The subperitoneal space of the abdomen and pelvis: Planes of continuity. AJR 1996; 167:1433-1439.

139. Mastromatteo JF, Mindell HJ, Mastromatteo MF et al: Communications of the pelvic extraperitoneal spaces and their relation to the abdominal extraperitoneal spaces: Helical CT cadaver study with pelvic extraperitoneal injections. Radiology 1997; 202:523-530.

140. Trerotola SO, Kuhlman JE, Fishman EK: Bleeding complications of femoral catheterization: CT evaluation. Radiology 1990; 174:37-40.

141. Trerotola SO, Kuhlman JE, Fishman EK: CT and anatomic study of postcatheterization hematomas. Radiographics 1991; 11:247-258.

142. Congdon ED, Blumberg R, Henry W: Fasciae of fusion and elements of the fused mesenteries in the human adult. Am J Anat 1942; 70:251-279.

143. Fredet P: Péritoine Morphogenése et Morphologic. Fascias d'accolement. Anomalies péritonéales resultant d'un vice ou d'un arret de developpement. In de Poirrier P, Charpy A (eds) Traite d'Anatomie Humaine. Masson, Paris, 1900, pp 863-1053.

144. Treitz W: Ueber einen neuen Muskel am Duodenum des Menschen, ueber elastische Sehnen, und einige andere anatomische Verhaeltnisse. Vierteljahrsch f d prakt Heilkunde, Prag 1853; 37:113-144.

145. Toldt C: Bau und Wachsthumveraenderungen der Gekroese des Menschlichen Darmkanales. Denkschr d math naturwissensch Kl d Kaiseri Akad d Wissensch, Wien 1879; 41:1-56.

146. Oliphant M, Berne AS, Meyers MA: Bidirectional spread of disease via the subperitoneal space: The lower abdomen and pelvis. Abdom Imaging 1993; 18:117-125.

147. Vermooten V: The mechanism of perinephric and perinephritic abscesses: A clinical and pathological study. J Urol 1933; 30:181-193.

148. Polkey HJ, Vynaiek WJ: Spontaneous nontraumatic perirenal and renal hematomas: Experimental and clinical study. Arch Surg 1933; 26:196-218.

149. Bacon RD: Respiratory pyelography: A study of renal motion in health and disease. AJR 1940; 44:71.

150. Nesbit RM, Dick VS: Pulmonary complications of acute renal and perirenal suppuration. AJR 1940; 44:161-169.

151. Kawashima A, Sandier CM, Corriere JN Jr et al: Ureteropelvic junction injuries secondary to blunt abdom-

inal trauma. Radiology 1997; 205:487-92.

152. Friedenberg RM, Moorehouse H, Gade M: Urinomas secondary to pyelosinus backflow. Urol Radiol 1983; 5:23-29.

153. Morgan CL Jr, Grossman H: Posterior urethral valves as a cause of neonatal uriniferous perirenal pseudocyst (urinoma). Pediatr Radiol 1978; 7:29-32.

154. Crabtree EG: Pararenal pseudohydronephrosis: With report of three cases. Trans Am Assoc Genitourinary Surg 1935; 28:9-40.

155. Razzaboni G: Richerche sperimentali sulla pseudoidronefrosi. Arch Ital Chir 1922; 6:365-372.

156. Hudson HG, Hundley RR:: Pararenal pseudocyst. J Urol 1967; 97:439-443.

157. Weintrab HD, Rail KL, Thompson IM et al: Pararenal pseudocysts: Report of three cases. AJR 1964; 92:286-290.

158. Sauls CL, Nesbit RM: Pararenal pseudocysts: A report of four cases. J Urol 1962; 87:288-296.

159. Johnson CM, Smith DR: Calcified perirenal pseudohydronephrosis: Hydronephrosis with communicating perirenal cyst with calcification. J Urol 1941; 45:152-164.

160. Pyrah LN, Smiddy FG: Pararenal pseudohydronephrosis: A report of two cases. Br J Urol 1953; 25:239-246.

161. Macpherson RI, Gordon L, Bradford BF: Neonatal urinomas: Imaging considerations. Pediatr Radiol 1984; 14:396-399.

162. Suzuki Y, Sugihara M, Kuribayashi S et al: Uriniferous perirenal pseudocyst detected by 99mTc-dimercaptosuccinic acid renal scan. AJR 1979; 133:306-308.

163. Healey ME, Teng SS, Moss AA: Uriniferous pseudocyst: Computed tomographic findings. Radiology 1984; 153:757-762.

164. Belville JS, Morgentaler A, Loughlin KR et al: Spontaneous perinephric and subcapsular renal hemorrhage: Evaluation with CT, US, and angiography. Radiology 1989; 172:733-738.

165. Mukamel E, Nissenkorn I, Avidor I et al: Spontaneous rupture of renal and ureteral tumors presenting as acute abdominal condition. J Urol 1979; 122:696-698.

166. Watnick M, Spindola-Franco H, Abrams HL: Small hypernephroma with subcapsular hematoma and renal infarction. J Urol 1972; 108:534-536.

167. Sherman JL, Hartman DS, Friedman AC et al: Angiomyolipoma: Computed tomography - pathologic correlation of 17 cases. AJR 1981; 137:1221-1226.

168. Bosniak MA: Spontaneous subcapsular and perirenal hematomas (editorial). Radiology 1989; 172:601-602.

169. Mastrodomenico L, Korobkin M, Silverman PM et al: Perinephric hemorrhage from metastatic carcinoma to the kidney. J Comput Assist Tomogr 1983; 7:727-729.

170. Rails PW, Barakos JA, Kaptein EM et al: Renal biopsy-related hemorrhage: Frequency and comparison ofCT and sonography. J Comput Assist Tomogr 1987; 11:1031-1034.

171. Castoldi MC, Del Moro RM, D'Urbano ML et al: Sonography after renal biopsy: Assessment of its role in 230 consecutive cases. Abdom Imaging 1994; 19:72-77.

172. Rubin JI, Arger PH, Pollack HM et al: Kidney changes after extracorporeal shock wave lithotripsy: CT evaluation. Radiology 1987; 162:21-24.

173. Rosen A, Korobkin M, Silverman PM et al: CT diagnosis of ruptured abdominal aortic aneurysm. AJR 1984; 143:265-268.

174. Siegel CL, Cohan RH: CT of abdominal aortic aneurysms. AJR 1994; 163:17-29.

175. Raptopoulos V, Cumming I, Smith EH: Computed tomography of life-threatening complications of abdominal aortic aneurysm: The disrupted aortic wall. Invest Radiol 1986; 22:372-376.

176. Siegel CL, Cohan RH, Korobkin M et al: Abdominal aortic aneurysm morphology: CT features in patients with ruptured and nonruptured aneurysms. AJR 1994; 163:1123-1129.

177. Mehard WB, Heiken JP, Sicard GA: High-attenuating crescent in abdominal aortic aneurysm wall at CT: A sign of acute or impending rupture. Radiology 1994; 192:359-362.

178. Middleton WD, Smith WD, Foley WD: CT detection of aortocaval fistula. J Comput Assist Tomogr 1987; 11:344-347.

179. Koslin DB, Kenney PJ, Stanley RJ et al: Aortocaval fistula: CT appearance with angiographic correlation. J Comput Tomogr 1987; 11:348-350.

180. Mackenzie AR: Spontaneous subcapsular renal hematoma: Report of case misdiagnosed as acute appendicitis. J Urol 1960; 84:243-245.

181. Engel WJ, Page IH: Hypertension due to renal compression resulting from subcapsular hematoma. J Urol 1955; 73:735-739.

182. Marshall WH Jr, Castellino RA: Hypertension produced by constricting capsular renal lesions ("Page" kidney). Radiology 1971; 101:561-565.

183. Takahashi M, Tamakawa Y, Shibata A et al: Computed tomography of "Page" kidney. J Comput Assist Tomogr 1977; 1:344-348.

184. Page IH: Production of persistent arterial hypertension by cellophane and perinephritis. JAMA 1939; 113:2046-2048.

185. Meyers MA, Friedenberg RM, King MC et al: The significance of the renal capsular arteries. Br J Radiol 1967; 40:949-956.

186. Koehler PR, Talner LB, Friedenberg MJ et al: Association of subcapsular hematomas with non-functioning kidney. Radiology 1973; 101:537-542.

187. Schaner EG, Barlow JE, Doppman JL: Computed tomography in the diagnosis of subcapsular and perirenal hematoma. AJR 1977; 129:83-88.

188. Zagoria RJ, Dyer RB, Assimos DG et al: Spontaneous perinephric hemorrhage: Imaging and management. J

Urol 1991; 145:468-471.

189. Antonopoulos P, Drossos CH, Triantopoulou CH et al: Complications of renal angiomyolipomas: CT evaluation. Abdom Imaging 1996; 21:357-360.

190. Sacks D, Banner MP, Meranze SG et al: Renal and related retroperitoneal abscesses: Percutaneous drainage. Radiology 1988; 167:447-451.

191. Deyoe LA, Cronan JJ, Lambiase RE et al: Percutaneous drainage of renal and perirenal abscesses: Results in 30 patients. AJR 1990; 155:81-83.

192. Reznek RH, Mootoosamy I, Webb AW et al: CT in renal and perirenal lymphoma: A further look. Clin Radiol 1990; 42:233-238.

193. Villalon EC, Fernandez JE, Garcia TR: The hypoechoic halo: A finding in renal lymphoma. J Clin Ultrasound 1995; 23:379-381.

194. Bailey J, Roubidoux MA, Dunnick NR: Second-ary renal neoplasms. Abdom Imaging 1998; 23:266-274.

195. Sheeran SR, Sussman SK: Renal lymphoma: Spectrum of CT findings and potential mimics. AJR 1998; 171:1067-1072.

196. Amis ES Jr: Retroperitoneal fibrosis. AJR 1991; 157:321-329.

197. Rominger MB, Kenney PJ: Perirenal involvement by retroperitoneal fibrosis: The usefulness of MRI to establish diagnosis. Urol Radiol 1992; 13:173-176.

198. Yancey JM, Kaude JV: Diagnosis of perirenal fibrosis by MR imaging. J Comput Assist Tomogr 1988; 12:335-337.

199. Rapezzi D, Racchi O, Ferraris AM et al: Perirenal extramedullary hematopoiesis in agnogenic nyeloid-myeloid metaplasia: MR imaging findings (letter to the editor). AJR 1997; 168:1388-1389.

200. Wright RE: Case report: Pararenal extramedullary haematopoietic tissue — an unusual manifestation ofmyelofibrosis. Clin Radiol 1991; 44:210-211.

201. Wilbur AC, Turk JN, Capek V: Perirenal metastases from lung cancer: CT diagnosis. J Comput Assist Tomogr 1992; 16:589-591.

202. Loughran CF: A review of the plain abdominal radiography in acute rupture of abdominal aortic aneurysms. Clin Radiol 1986; 37:383-387.

203. Nichols GB, Schilling PJ: Pseudoretroperitoneal gas in rupture of aneurysm of abdominal aorta. AJR 1975; 125:134-137.

204. Jeffrey RB Jr, Cardoza JD, Olcott EW: Detection of active intraabdominal arterial hemorrhage: Value of dynamic contrast-enhanced CT. AJR 1991; 156:725-729.

205. Hopper KD, Sherman JL, Ghaed N: Aortic rupture into retroperitoneum. Letter to the editor. AJR 1985; 145:435-437.

206. Kam J, Patel S, Ward RE: Computed tomography of aortic and aortoiliofemoral grafts. J Comput Assist Tomogr 1982; 6:298-303.

207. Mark A, Moss AA, Lusby R et al: CT evaluation of complications of abdominal aortic surgery. Radiology 1982; 145:409-414.

208. Low RN, Wall SD, Jeffrey RB Jr et al: Aortoenteric fistula and perigraft infection: Evaluation with CT. Radiology 1990; 175:157-162.

209. Calenoff L, Poticha SM: Combined occurrence of retropneumoperitoneum and pneumoperitoneum. AJR 1973; 17:366-372.

210. Meyers MA, Volberg F, Katzen B et al: Haustral anatomy and pathology: A new look. I. Roentgen identification of normal patterns and relationships. Radiology 1973; 108:497-504.

211. Meyers MA, Volberg F, Katzen B et al: Haustral anatomy and pathology: A new look. II. Roentgen interpretation of pathologic alterations. Radiology 1973; 108:505-512.

212. Kleinman PK, Brill PW, Whalen JP: Anterior pathway for transdiaphragmatic extension of pneumomediastinum. AJR 1978; 131:271-275.

213. Balthazar EJ, Moore SL: CT evaluation of infradiaphragmatic air in patients treated with mechanically assisted ventilation: A potential source of error. AJR 1996; 167:731-734.

214. McCourtney JS, Molloy RG, Anderson JR: Endoscopic esophageal perforation presenting as surgical emphysema of the scrotum (letter to the editor). Gastrointest Endosc 1994; 40:121-122.

215. Christensen EE, Landay MJ: Visible muscle of the diaphragm: Sign of extraperitoneal air. AJR 1980; 135:521-523.

216. Feldberg MAM, Koehler PR, van Waes P: Psoas compartment disease studied by computed tomography: Analysis of 50 cases and subject review. Radiology 1983; 148:505-512.

217. Van Dyke JA, Holley HC, Anderson SD: Review of the iliopsoas anatomy and pathology. RadioGraphics 1987; 7:53-85.

218. Torres GM, Cernigliaro JG, Abbitt PL et al: Iliopsoas compartment: Normal anatomy and pathologic processes. RadioGraphics 1985; 15:1285-1297.

219. Lenchik L, Dovgan DJ, Kier R: CT of the iliopsoas compartment: Value in differentiating tumor, abscess, and hematoma. AJR 1994; 162:83-86.

220. Han M-C, Kirn C-W: Sectional Human Anatomy, 2nd ed. Ilchokak, Seoul, 1989.

221. Grégoire R, Oberlin S: Precis d'anatomie, 10th ed. J.B. Balliére, Paris, 1991.

복막외 골반강 구역

The Extraperitoneal Pelvic Compartments

*Yong Ho Auh, M.D.** / *Jae Hoon Lim, M.D., Ph.D.*** / *Sophi T. Kung, M.D.**

해부학 Anatomy

복강과 골반강에서 복막외 공간은 바깥쪽의 횡근막 *transversalis fascia* 과 벽측 복부 골반근막을 포함하는 벽측 근육근막*parietal muscular fascia* 과 안쪽의 복막 사이로 정의된다.[1-8] 복부에서 복막외 공간의 후방(소위 후복막강)은 큰 공간으로서 일부 소화기관을 함유하는 가장 안쪽 공간인 전신주위 공간*anterior pararenal space*, 신장, 부신, 요관을 함유하는 중간 공간인 신장주위 공간*perirenal space*, 윤상조직*areolar tissue* 과 결합조직을 함유하는 가장 바깥 공간인 후신주위 공간*posterior pararenal space* 으로 구성되어 있다.[1] 복부의 복막외 공간의 전방과 측방은 작은 하나의 공간으로서 윤상조직과 결합조직을 함유하는 후신주위 공간과 연결된다(복막전 지방층, *properitoneal fat*).

대부분의 복막외 골반강 공간*pelvic extraperitoneal space* 은 아래쪽에 위치하며 방광보다 약간 전방으로 확장되어 있고, 직장보다 약간 후방으로도 확장되어 있다. 복막외 골반강 공간은 복부 복막외 공간보다 좀 더 계층화가 되어 있으며, 남녀간의 생식기의 차이도 있어서 복잡하다(Fig. 7-1).[9, 10] 복막외 골반강 공간은 Denonvillier's 근막(남성에서는 직장방광 사이막, 여성에서는 직장질 사이막)에 의해 전후방 공간으로 나누어진다.[2, 11-15] 전방 공간은 전골반근막*anterior pelvic fascia* 과 함께 따라가는 제대방광근막*umbilicovesical fascia* 에 의해 방광전 공간*prevesical space* 과 방광주위 공간*perivesical space* 으로 나누어진

다.[2] 또한 후방 공간은 직장주위근막과 후골반근막*posterior pelvic fascia* 에 의해 직장주위 공간*perirectal space* 과 천골전 공간*presacral space* 으로 나누어진다(Fig. 7-2).[11-16]

방광전 공간 Prevesical space

제대방광근막은 복막외 골반강 공간의 전방 구역의 중앙에 배치되어 있다.[1, 9, 10, 17] 제대방광근막은 복막의 앞쪽과 횡근막의 뒤쪽에 위치한다. 이러한 제대방광근막은 꼭지점이 배꼽에 위치한 삼각형 모양이다(Figs. 7-3, 7-4). 아래쪽으로 내려가면서 이 근막은 요막관*urachus*, 패쇄된 제대동맥들*obliterated umbilical arteries*, 방광을 둘러싼다. 삼각형모양인 근막 측면의 가장자리들은 내장골동맥*internal iliac artery* 의 전분지로부터 앞으로 뻗어있는 폐쇄된 제대동맥을 싸고 있다.[1, 4, 9, 17] 이러한 가장자리들(내측 제대주름*medial umbilical fold*)은 CT에서 가는 선으로 관찰된다(Fig. 7-4, 7-5, 7-6, 7-7). 따라서 이러한 위치에서 CT에서의 가는 선은 폐쇄된 제대동맥, 이것을 둘러싸고 있는 제대방광근막, 이들을 함입한 벽측 복막을 나타낸다.[9, 10] 폐쇄된 요막관은 축상영상에서 정중제대인대 *median umbilical ligament*로 보이며, 이러한 인대가 복막

―――――――――――――――――――――

*Weill Cornell Medical College — New York Presbyterian Hospital, New York City

**Sungkyunkwan University School of Medicine, Samsung Medical Center, Seoul, Korea

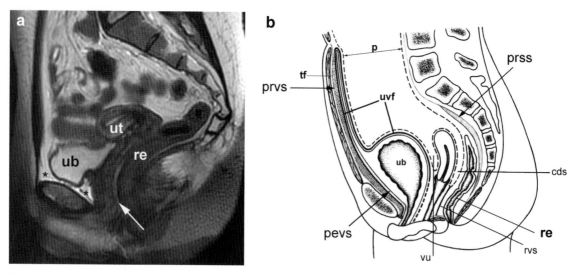

Fig. 7-1. Normal sagittal anatomy in a female.

(a) Sagittal T2 MR of the pelvis and **(b)** corresponding schematic drawing show normal midline structures (urinary bladder *(ub)*, uterus *(ut)*, rectum *(re))*. Fat is demonstrated in the prevesical space *(*)* behind the pubic bone, also known as the *space of Retzius* and in between the vagina and rectum *(arrow)*, within the rectovaginal septum *(rvs)*. See legend to **Fig.7-3** for key to abbreviations.

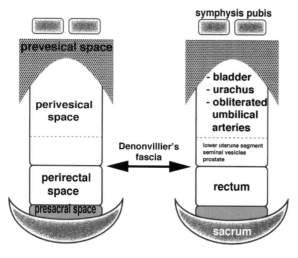

Fig. 7-2. Simplified transverse diagram of the pelvic extraperitoneal compartments.

(a) shows the name of the space and **(b)** lists the main structures within the space. Denonvillier's fascia (rectovaginal septum in the female or the rectovesical septum in the male) separates the anterior and posterior compartmentsof the pelvic extraperitoneal space. The anterior compartment is further divided into the prevesical and perivesical spaces by the umbilicovesical fascia. The posterior compartment is further divided by the perirectal and posterior pelvic fascia into the perirectal and presacral spaces.

을 살짝 들어가게 하여 정중제대주름을 형성한다(Figs. 7-4, 7-7).[9]

때때로, CT에서 내측 제대주름들*medial umbilical folds* 과 정중 제대주름의 앞에 다른 선상구조물이 관찰되기도 하는데 대부분 제대방광전근막*umbilical prevesical fascia* 을 나타낸다. 제대방광전근막은 아마도 내측 서혜와*medial inguinal fossae* 의 내측 함요들*medial recesses* 을 싸고 있는 복막층이 붙어서 형성된 것으로 보인다. 이러한 붙어버린 복막층이 전방내측으로 나가서 제대방광근막 앞에서 제대방광전근막을 형성한다(Fig. 7-8).[9] 따라서 제대방광전근막은 막힌낭*cul-de-sac* 의 붙어버린 복막층의 복막외 확장에 의해 형성된 직장질 사이막(또는 직장방광 사이막)의 유사체라고 볼 수 있다. 분명히 확인되는 제대방광전근막의 존재에 대해 해부학적 합의가 잘 안 되는 것과 CT에서 이러한 근막이 가끔씩만 보이는 것은 내측 서혜와를 덮는 복막의 전방내측으로의 확장 정도와 서로 붙는 정도가 개인마다 차이가 있다는 것에 기인할 수 있다.[4, 9, 17]

제대방광근막은 방광주위를 돌아서(Fig. 7-6) 골반근막의 내장층*visceral layer* (골반부 장기의 외막층: 방광, 자궁경부, 질, 정낭, 전립선)과 합쳐진다. 이러한 층은 골반

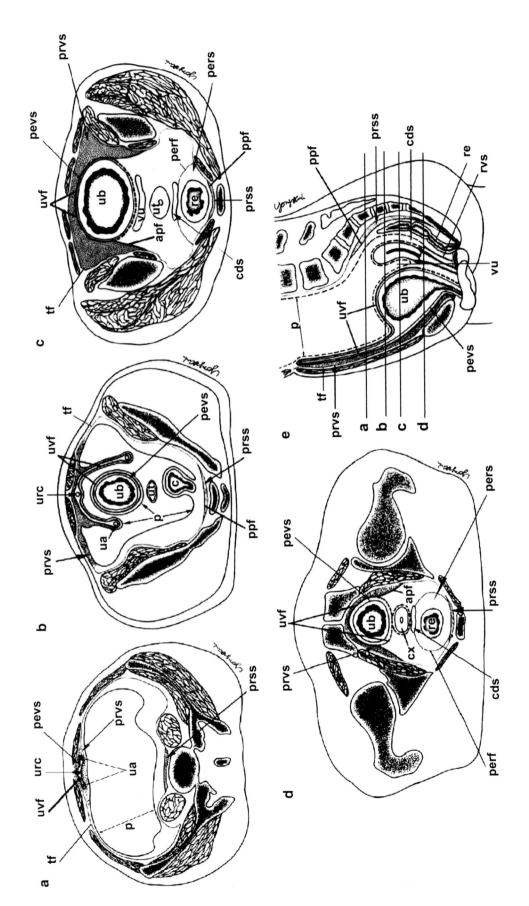

Fig.7-3. Schematic diagrams of the extraperitoneal pelvic spaces showing normal transverse anatomy (a, b, c, and d) at four different levels as shown on the sagittal diagram of the pelvis (e).

apf – anterior pelvic fascia, *c* – sigmoid colon, *cds* – cul-de-sac, *cx* – cervix, uterine, *p* – peritoneum, *tf* – transversalis fascia, *perf* – perirectal fascia, *pevs* – perivesical space, *ppf* – posterior pelvic fascia, *prss* – presacral space, *prvs* – prevesical space, *re* – rectum, *rvs* – rectovaginal septum, *ua* – obliterated umbilical arteries, *ub* – urinary bladder, *urc* – urachus, *ut* – uterus, *uvf* – umbilicovesical fascia, *vu* – vesicouterine space.

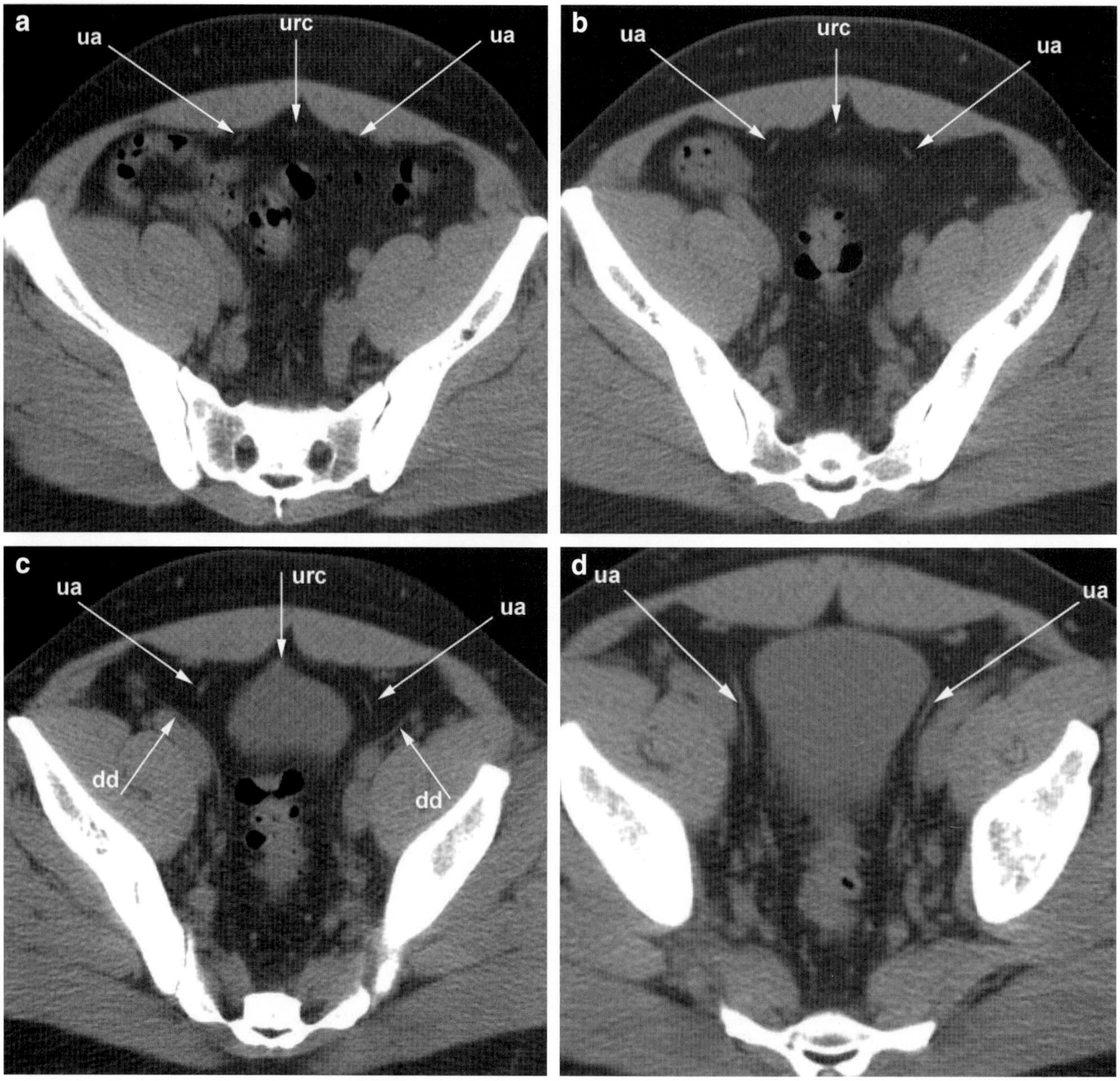

Fig.7-4. Normal axial CT appearance of the umbilicovesical fascia.

(a–d) Four sequential axial CT images of the pelvis from the umbilicus to the level of the urinary bladder showing the normal appearance of the anatomic landmarks of umbilicovesical fascia. The normal fascia itself is usually too thin to be visible. Superior to the urinary bladder, the umbilicovesical fascia has a triangular configuration with its apex at the umbilicus. The urachus is visible on CT as a thin ligament (median umbilical ligament) in the midline (*urc*). The lateral edges of the triangle, the medial umbilical folds, are comprised of the obliterated umbilical arteries (*ua*) and associated umbilicovesical fascia, also identifiable on CT as thin lines which extend from the umbilicus, around the urinary bladder, to the anterior branch of the internal iliac artery (d). Thin lines lateral to the obliterated umbilical arteries (c) represent each ductus deferens (*dd*), as the anterolateral portion traverses the prevesical space on its way to the inguinal canal.

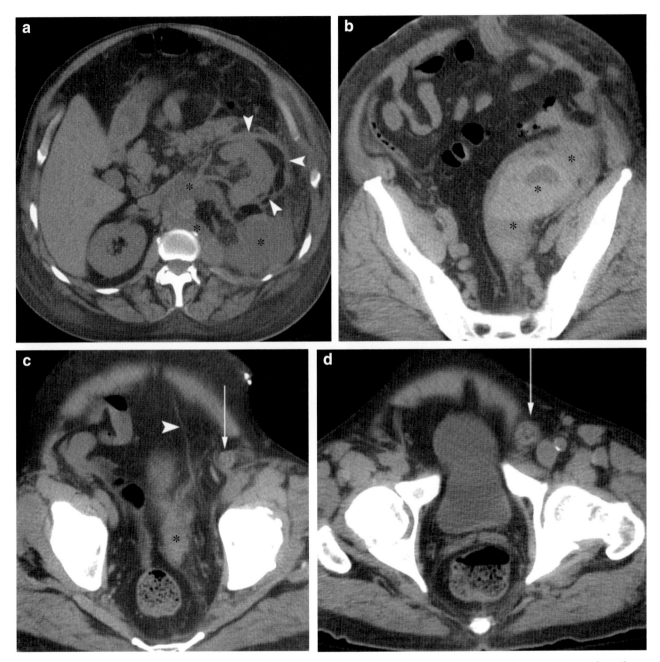

Fig. 7-5. Abdominal aortic rupture with extension of hemorrhage from the posterior pararenal compartments into the pelvic prevesical space and further into the left inguinal canal.

(a) Axial CT of the abdomen demonstrates retroperitoneal hemorrhage *(*)* surrounding the aorta and in the left posterior pararenal space, displacing the left kidney anteriorly. There is thickening of the left renal fascia and stranding within the perirenal space *(arrowheads)*. Note, however, that there is no extension of fluid to the right side.

(b) Dense, heterogeneous hematoma *(*)* extends into the infraconal extraperitoneal pelvic fat, lateral to the parietal peritoneum and medial to the iliopsoas muscle and iliac vessels.

(c, d) Extension of hematoma into the prevesical space, forming a unilateral root of a "molar tooth" *(*)* with spread of fluid into the left inguinal canal *(arrow)*. The left obliterated umbilical artery is seen in **(c)** *(arrowhead)* coursing towards the umbilicus.

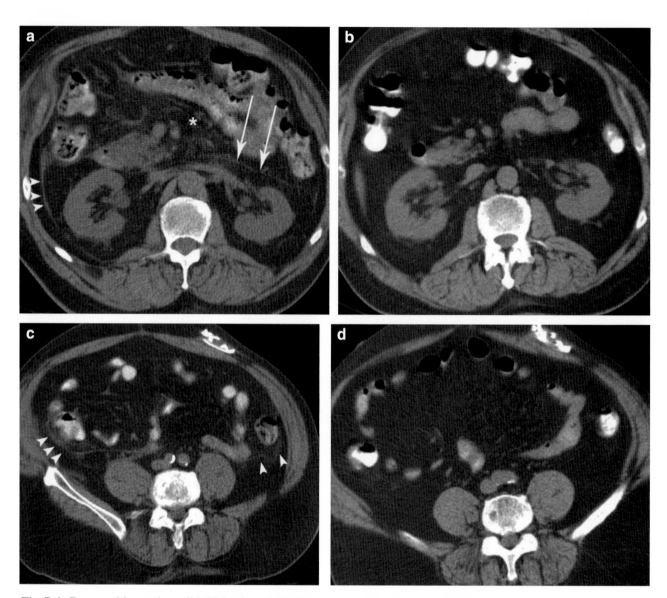

Fig. 7-6. Pancreatitis causing mild thickening of all extraperitoneal fasciae including the remote perirectal fascia.

During pancreatitis (**a, c, e**) and after resolution of pancreatitis (**b, d, f**) at same corresponding levels.

(**a**) Axial CT at the level of the uncinate process shows mild inflammatory stranding inferior to the pancreatic body (*). Thickening of the adjacent left anterior renal fascia (*arrows*) and right posterior renal fascia (*arrowheads*) is present.

(**c**) At a more caudal level, inflammatory changes track inferiorly with thickening of the bilateral infraconal extraperitoneal fasciae (*arrowheads*).

(**e**) In the pelvis, the perirectal fascia (*perf*) and posterior pelvic fascia (*ppf*), not seen in normal patients, are mildly thickened. The umbilicovesical fascia (*uvf*), also not typically identifiable, is evident, closely apposed to the urinary bladder. The right obliterated umbilical artery (*ua*) and ductus deferens (*dd*) are also visualized. After resolution of pancreatitis, follow-up CT scan at similar levels (**b, d, f**) demonstrates resolution of fascial thickening.

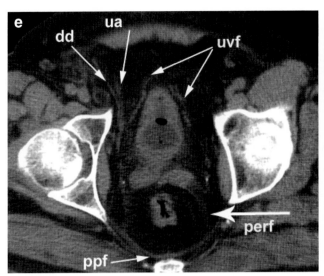
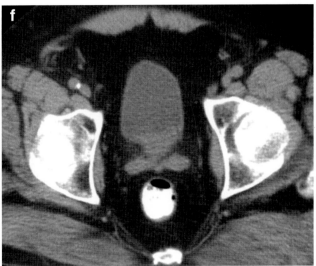

Fig. 7-6 *(Continued)*. Pancreatitis causing mild thickening of all extraperitoneal fasciae including the remote perirectal fascia.

부 근막의 벽측층에 투영되어 항문거상근의 상방과 횡근막과 연결된 외측 골반벽을 덮는다(Fig. 7-3).[1, 9, 17] 비록 CT에서 복막아래의 제대방광근막이 항상 보이는 것은 아니지만, 그것의 존재는 방광전 공간의 액체 집적때 분명해진다.

제대방광근막은 뒤에 있는 벽측복막과 비교적 단단히 붙어 있고(Figs. 7-7, 7-8), 단지 이론적으로 잠재적 공간만 남겨 놓기 때문에, 이러한 제대방광근막은 전골반근막과 함께 골반의 전반부를 방광전 공간과 방광주위 공간으로 나눈다.[9]

방광전 공간은 주로 제대방광근막의 앞쪽과 측면에 위치한다. 이러한 공간은 제대에서 시작하여 복벽의 전측면과 옆구리에 있는 복막전 지방층*properitoneal fat*과 연결된다(Fig. 7-3). 이러한 공간의 전하방 경계는 치골방광인대*pubovesical ligament* 혹은 남성에서의 치골전립선인대*puboprostatic ligament*가 된다. 대부분의 방광전 공간의 지방은 공간의 앞쪽에 존재하게 되는데, 이곳은 치골의 바로 뒤에 있는 공간으로서 치골뒤 공간*retropubic space* 혹은 Retzius 공간으로 알려져 있다(Fig. 7-1).[1, 2, 4, 9, 17]

▌방광주위 공간 Perivesical Space

적은 양의 지방을 함유한 작은 공간인 방광주위 공간은

제대방광근막에 의해 경계가 지워지며, 방광, 요막관, 폐쇄된 제대동맥들을 포함하고 있다. 방광뒤쪽으로 방광주위 공간은 자궁경부의 질상부*supravaginal* 부위나 질의 전방 부위와 연결된다. 비슷하게 남성에서도 방광주위 공간은 전립선이나 정낭과 연결된다(Figs. 7-1, 7-2, 7-3).[9, 17]

▌직장주위 공간 Perirectal Space

복막외 골반강 공간의 후방 공간은 전방 공간보다 작으며, 남성에서는 직장방광 사이막, 여성에서는 직장질 사이막에 의해 전방 공간과 구분된다.[11, 12] 이러한 후방 공간은 앞쪽에 직장주위 공간 뒤쪽에 천골전 공간으로 구성된다(Fig. 7-2).[2, 13] 직장주위 공간은 전방으로 직장방광 사이막이나 직장질 사이막, 후방으로 후골반근막, 측면으로 단단한 결합조직으로 구성된 직장주위근막에 의해 경계지워진다(Figs. 7-6, 7-8, 7-9, 7-10, 7-11). 여성에서는 이러한 직장주위근막은 천골자궁인대로 인식된다.[4, 18, 19] 이러한 근막은 정상인의 단면영상에서는 인지하기가 어렵다(Figs. 7-6, 7-7). 그러나 여러 질환이 있는 경우, 그 원인이 국소적이든 전신적이든 간에 직장주위근막은 치밀한 윤상의 선으로 보이게 된다. 국소적 원인으로는 감염 혹은 종양과 같은 직장의 병변과 관련이 있다(Figs. 7-10, 7-11).[16, 20] 주변부의 원인으로는 췌장염, 후복강 출

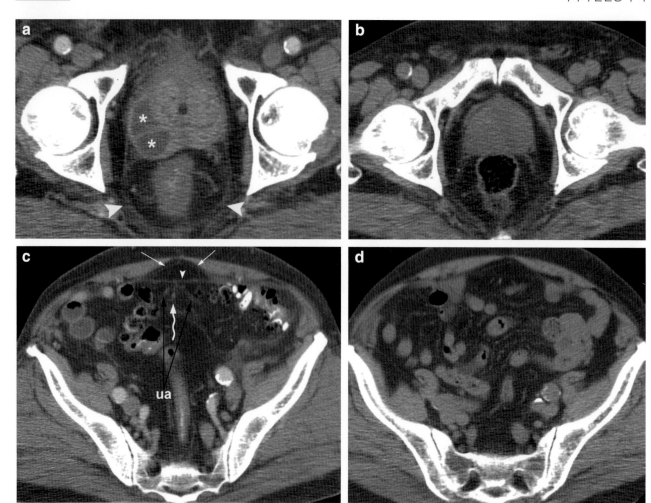

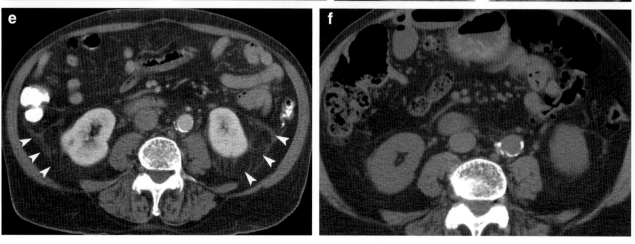

Fig. 7-7. Prostate abscess causing mild thickening of all extraperitoneal fasciae including remote renal fascia.

During abscess (**a, c, e**) and after resolution of abscess (**b, d, f**) at same corresponding levels.

(**a**) Axial CT of the pelvis demonstrates a prostatic abscess on the right (✳) with associated thickening of the perirectal fascia (*arrowheads*).

(**c**) More superiorly at the level of the sacrum, multiple thickened fasciae are seen. The transversalis fascia (*white arrows*) is evident as thin lines, posterior to the rectus muscles. Slight thickening of the urachus (*wavy arrow*) in the midline and obliterated umbilical arteries (*ua, black arrows*) on either side are evident. The thin line, anterior to these structures (*white arrowhead*) represents the umbilico-prevesical fascia.

(**e**) Inflammatory changes extend to the remote renal compartments with thickening of the renal fascia bilaterally and inflammatory stranding of the perirenal spaces (*arrowheads*).

(**b, d, f**) After resolution of the abscess, a follow-up CT shows resolution of fascial thickening.

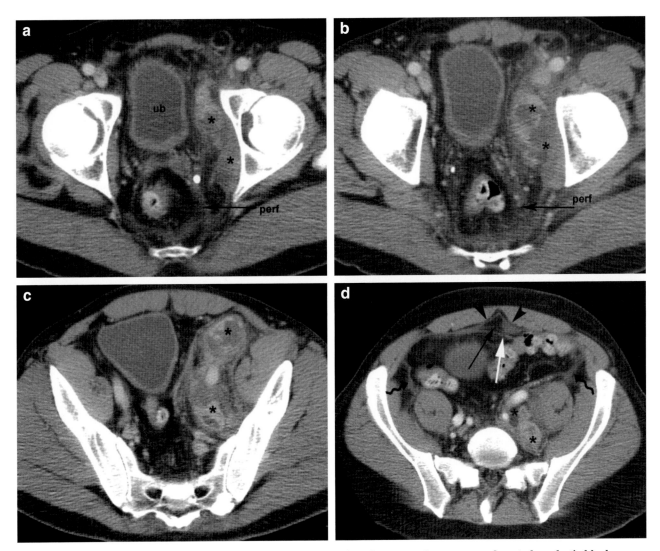

Fig. 7-8. Pelvic nodal metastatic disease from prostate cancer with edematous changes secondary to lymphatic blockage.
(a, b) Axial pelvic CT demonstrates multiple heterogeneously enhancing metastatic nodes in the left obturator and external iliac regions with adjacent thickening of the perirectal fascia (*perf, arrow*).
(c) Necrotic nodes in the left external iliac region (*) extend superiorly associated with
(d) diffuse thickening of the transversalis fascia (*arrowheads*), umbilico-prevesical fascia (*thin black arrow*), and fused umbilicovesical fascia and parietal peritoneum (*white arrow*). Edematous changes are also present in the extraperitoneal space (*wavy black arrows*).

혈, 급성 요로 폐색과 같은 복강내 혹은 복막외 골반강 공간을 침범하는 어떠한 병변과도 관련이 있다(Figs. 7-6, 7-7, 7-8, 7-12). 이러한 과정은 복막외 근막면들을 통해서 직장주위근막에 영향을 줄 수 있다. 전신적 원인으로는 폐혈증이나 울혈성심부전으로 인한 전신부종이 있으며, 이럴 경우 직장주위근막을 포함한 모든 근막의 비후를 초래할 수 있다.

비록, 심지어 오늘날까지도 외과나 해부학적 문헌에서 이러한 근막들의 존재에 대한 합의가 이루어지지 않았지만, 만약 이러한 근막이 존재한다면, 단면영상에서는 근막의 존재와 형태를 분명하게 보여줄 수 있다.[13, 16, 20]

직장주위 공간은 주로 지방으로 채워져 있지만, 직장동맥들, 직장정맥들, 내장신경들*splanchnic nerves*, 림프관들, 직장주위 림프절 들도 함유하고 있다(Fig. 7-10). 이러한 공간은 S자결장의 복막하 공간*subperitoneal space*과 연결되어 있다.[2, 13]

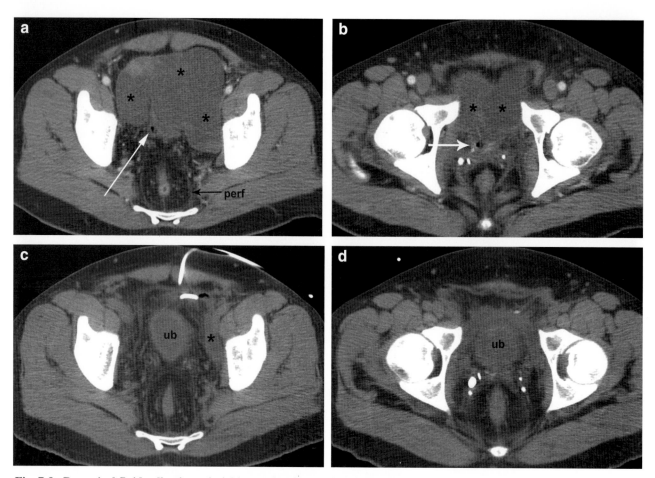

Fig. 7-9. Prevesical fluid collection mimicking ascites in a patient following robotic prostatectomy.
(a) A heterogeneous fluid collection (*) in the anterior pelvis spares the properitoneal fat posterior to the rectus muscles, mimicking the appearance of intraperitoneal fluid. However, the collection shows a "molar tooth" configuration displacing the urinary bladder, which contains a Foley catheter balloon (*arrow*), posteriorly and medially, consistent with an extraperitoneal prevesical collection. Incidentally seen is mildly thickened perirectal fascia (*perf*).
(b) More inferiorly, the urinary bladder, containing a Foley catheter (*arrow*) is again posteriorly and medially displaced.
(c, d) Following percutaneous drainage of the fluid, the bladder returns to its anterior position in the pelvis and resumes its normal shape, confirming the extraperitoneal nature of the collection.

▌천골전 공간 Presacral Space

천골전 공간은 천골*sacrum*과 미골*coccyx*의 전방에 위치하며, 전방으로는 후골반근막, 후방으로는 벽측골반근막에 의해 경계 지워진다(Figs. 7-2, 7-3). 이러한 공간은 윤상조직과 결합조직을 함유하지만, 혈관, 신경, 림프관의 구조물은 함유하지 않는다. 정상인의 경우 단면영상에서 이러한 공간은 인지되지 않는다. 그러나 근막이 보다 뚜렷해지는 질환이 있을 경우 단면영상에서 이러한 공간이 그려질 수 있다(Figs. 7-7, 7-10, 7-11). 천골전 공간은 보통 천골이나 미골의 골절(Fig. 7-13), 감염(Fig. 7-14), 종

양(Fig. 7-15) 등과 같은 병변에 의해서 침범될 수 있고, 직장의 병변에 의해서도 침범될 수 있다(Figs. 7-10, 7-11). 방광전 공간에 비해 천골전 공간은 빽빽하고, 좁으며, 제한적이다(Figs. 7-2, 7-3).[2, 13-15]

● ● ●

비정상 상태의 영상소견 Abnormal Imaging Features

▌방광전 공간의 액체집적 Prevesical Fluid Collections

전골반근막을 따라 주행하는 제대방광근막이 방광의 전

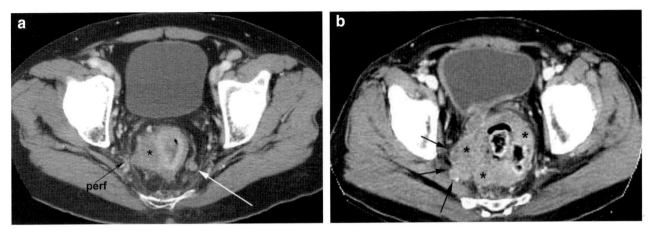

Fig. 7-10. Two cases of rectal cancer.

(a) Right-sided rectal mass *(⋆)* approaches the perirectal fascia (*perf*) which is thickened. A small lymph node is seen in the left perirectal space *(arrow)*.

(b) Circumferential rectal mass *(⋆)* penetrates the perirectal fascia, approaching the pelvic side wall and contacting the right piriformis muscle *(arrows)*.

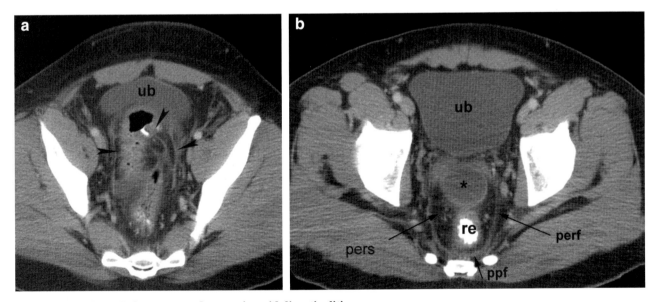

Fig. 7-11. Perirectal abscess secondary to sigmoid diverticulitis.

(a) Sigmoid diverticulosis with inflammatory stranding in the sigmoid mesocolon *(arrowheads)*.

(b) Abscess *(⋆)* in the perirectal space (*pers*). Note the thickened, prominent perirectal fascia (*perf*) and posterior pelvic fascia (*ppf*).

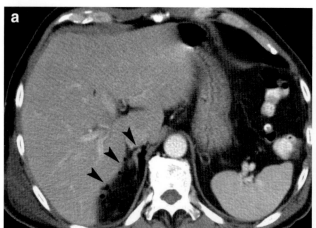
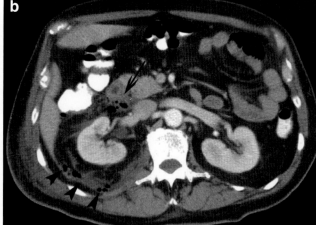
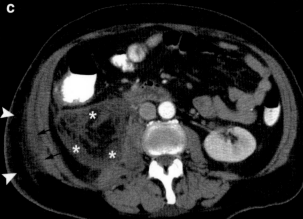
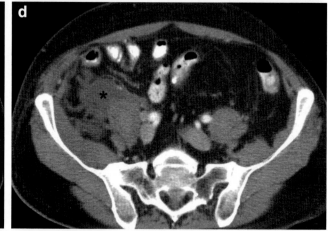
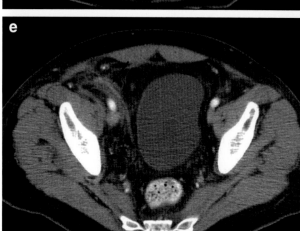
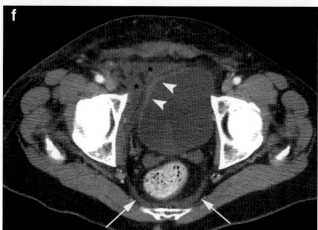

Fig. 7-12. Extension of fluid across fascial planes from the abdomen to the pelvis in a patient with duodenal perforation following ERCP.

(a) Gas and inflammatory soft tissue stranding *(arrowheads)* in superior portion of the right retroperitoneum abutting the "bare area" of the liver and right hemidiaphragm emanating from **(b)** a perforation in the second portion of the duodenum *(arrow)*.

(c) Fluid and gas mainly accumulates in the perirenal space. Inflammatory changes are also in the adjacent right posterolateral abdominal wall, affecting the muscle *(arrows)*, subcutaneous fat and dermal layer *(arrowheads)* despite a "clean" posterior pararenal space.

(d) Fluid tracks into the infraconal extraperitoneal space *(∗)* and **(e)** extends to the contiguous prevesical space *(arrows)*.

(f) Note apparent thickening of the right aspect of the urinary bladder wall *(arrowheads)* due to the inflammatory nature of the prevesical fluid. The urinary bladder also is compressed and displaced to the left by the prevesical fluid collection *(∗)*.
Note crescentic thickening of perirectal and posterior pelvic fascia *(arrows)*.

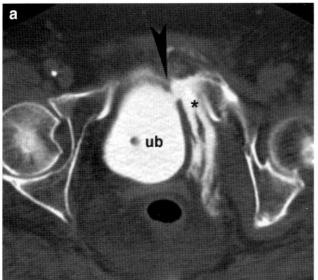

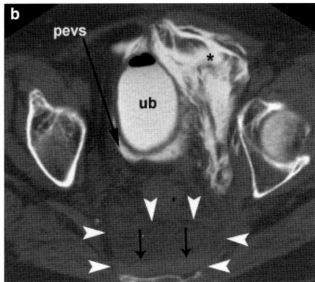

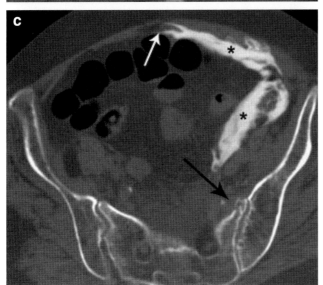

Fig. 7-13. CT cystogram in a patient with pelvic fractures causing extraperitoneal bladder rupture and a presacral hematoma.

After administration of iodinated contrast media via a Foley catheter, axial CT demonstrates a focal bladder defect (*arrowhead*) with leakage of contrast medium (**a, b**) into the prevesical (**∗**) and perivesical spaces (*long arrow*). A fluid collection (**b**) in the presacral space (*arrowheads*) containing a hematocrit level (*short arrows*), indicating layering of blood, is consistent with a hematoma due to a sacral fracture (*black arrow*) (**c**) more superiorly. Also, in (**c**) contrast media extends into the extraperitoneal fat posteriorly and the properitoneal fat (**∗**) anterolaterally. The triangular perivesical fatty, surrounding the urachus and obliterated umbilical artery is partially demarcated by contrast media (*white arrow*).

방과 측방을 둘러싸고 있어서 방광전 공간의 액체집적은 제대방광근막과 배근막 혹은 제대방광근막과 벽측골반근막 사이에 고이게 되므로 단면영상에서 "어금니*molar tooth*" 모양으로 보인다. 어금니 모양의 "왕관*crown*" 부위는 방광의 앞에 위치하며, 제대방광근막과 전복벽의 배근막 사이에 고여서 방광을 후방으로 밀게 된다(Figs. 7-9, 7-16). 어금니 모양의 "뿌리*root*" 부위는 후하방으로 확장되어 제대방광근막과 벽측골반근막 사이에 위치하여 방광을 중앙부위로 밀던지, 뿌리부위 한 쪽의 크기가 클 경우 그 반대쪽으로 방광을 밀게 된다(Figs. 7-5, 7-12, 7-13, 7-17).[9, 10] 뿌리부위는 방광주변부 액체집적*par-*

*avesical collection*이라고 불리우기도 하지만, 단순히 방광전 공간 액체집적의 후하방으로의 확장으로 볼 수 있다.[2, 21] 많은 양의 복수는 이것이 한곳에 집적되든 자유롭게 위치하든 상관 없이 골반내에서 어금니 모양으로 보일 수 있기 때문에 방광전 공간의 액체집적으로 오인될 수 있다(Fig. 7-18). 그러나 복막내 액체는 방광을 후방이나 내측으로 밀기 보다는 아래로 밀게 된다(Figs. 7-18, 7-19). 게다가 복수*ascites*에 의해 어금니의 뿌리 부위로 보이는 것은 실제로 양측의 직장주변오목*pararectal fossae*이나 S자 결장주변오목*parasigmoidal fossae*에 위치한 복수로서 방광전 공간보다 상부에 위치하게 된다. 또한 복수는 복막

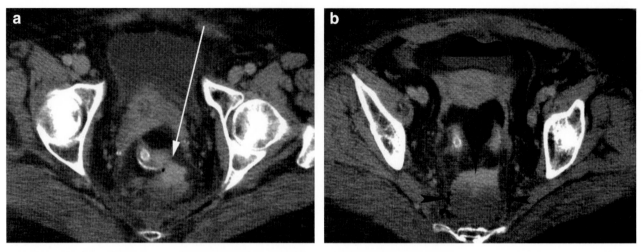

Fig. 7-14. Perirectal abscess due to anastomotic leak following a low anterior resection.
(a) Axial CT of the pelvis showing oral contrast leaking at the anastomotic site (*arrow*) into the perirectal space.
(b) Large abscess with layering oral contrast and locules of gas occupies the perirectal space and tracks to the presacral space (*arrowheads*).

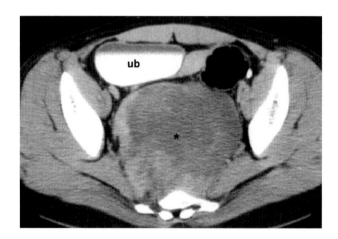

Fig. 7-15. Large heterogeneous ganglioneuroma (∗) arising in the presacral space displaces
the colon and urinary bladder *(ub)* **anteriorly and obliterates the presacral fat.**

전 지방층을 유지시키는데 비해, 복막외 방광전 공간의 액체집적은 이러한 지방층을 소실시킨다(Figs. 7-5, 7-9, 7-16, 7-17, 7-18, 7-19, 7-20).

요막관과 폐쇄된 제대동맥을 싸고 있는 제대방광근막은 CT나 MRI에서 보통 보이지 않는다. 주변에 액체집적이 있어야만 이러한 근막이 보이게 된다. 방광전 공간이 전복벽에 있는 삼각형모양의 지방층을 둘러싸기는 하지만 이러한 지방층을 소실시키지 않는 이유는 이러한 지방

층이 요막관, 폐쇄된 제대동맥들을 함유하고 있는 방광주위 공간의 상부확장을 의미하기 때문이다.9 방광전 공간의 액체집적은 이러한 삼각형모양의 지방층을 제외하고는 복막전 지방층을 소실시킨다(Figs. 7-13, 7-21).

제대와 치골결합부*symphysis pubis* 사이에서 대략적으로 중간에 위치한 활꼴선*arcuate line*의 하방에서 복직근의 후방은 횡근막이라는 가느다란 층에 의해서만 싸여있다. 이것은 내복사근*internal oblique muscle*의 건막

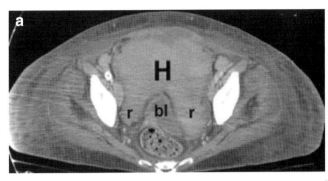

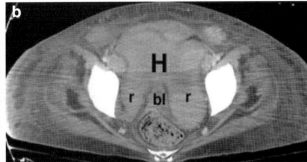

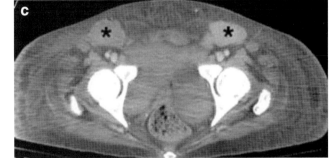

Fig. 7-16. A large prevesical hematoma shows the typical "molar tooth" appearance.

(a) and (b) The urinary bladder *(bl)* is displaced posteriorly by the body of the molar tooth *(H)* and medially by "the roots" of the tooth *(r)*.

(c) The hematoma extends into the inguinal canals *(*)*.

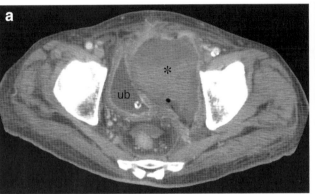

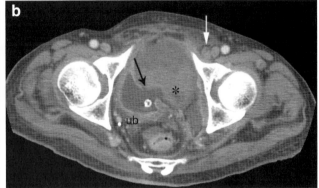

Fig. 7-17. Asymmetric "molar tooth" prevesical fluid collection/hematoma.

(a) Axial CT of the pelvis in a patient with traumatic bladder injury demonstrates an asymmetric hematoma *(*)* in the prevesical space between the umbilicovesical/anterior pelvic fascia and transversalis fascia/parietal pelvic fascia, displacing the urinary bladder *(ub)* posteriorly and to the right side.

(b) Axial CT at a more caudal level showing the focal defect *(black arrow)* in the urinary bladder giving rise to the urinoma/hematoma. Fluid also extends into the left femoral canal *(white arrow)*.

*aponeurosis*과 복횡근*transversus abdominis muscle*의 건막이 활꼴선의 상부에서는 후복직근초*posterior rectus sheath*를 형성하지만, 하부에서는 복직근의 전방으로 지나가기 때문이다. 이러한 위치에서 방광전 공간의 액체집적은 하복부혈관*inferior epigastric vessels*의 천공성분지를 따라 횡근막을 통해 직접적으로 복직근과 맞닿을 수 있다(Figs. 7-13, 7-16). 이러한 액체집적은 복직근을 따라서 복직근초의 상부까지 확장될 수 있다.[9] 또한 복직근초의 혈종이 비슷한 경로를 따라 방광전 공간으로 확장될 수도 있다 (Fig. 7-20). 사실 많은 양의 액체집적이 발견될 때 이러한 집적이 방광전 공간에서 유래했는지 혹은 복직근초에서 유래했는지를 결정하기는 어렵다.[9]

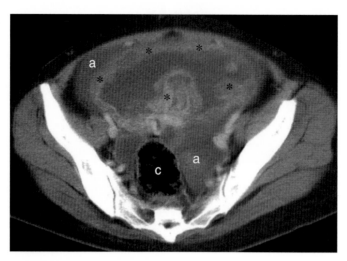

Fig. 7-18. Abdominopelvic carcinomatosis mimicking a prevesical collection.

Axial CTof the pelvis in a patient with metastatic ovarian cancer showing pelvic ascites *(a)* and peritoneal seeding of tumor *(✻)*. Like a prevesical fluid collection, the ascites obliterates the properitoneal fat posterior to the rectus muscles. The ascites also takes a "molar tooth" configuration, again mimicking an extraperitoneal prevesical collection; however in this case, the fluid extends laterally around the sigmoid colon *(c)* rather than the urinary bladder and the "root" portions are located more superiorly in the pelvis, characterizing this fluid collection as intraperitoneal in nature.

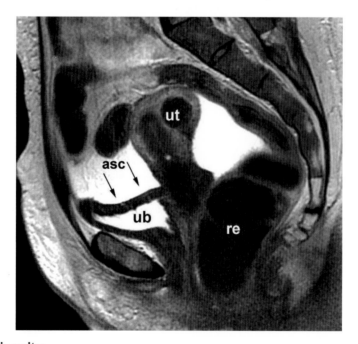

Fig. 7-19. Pelvic ascites.

Sagittal T2 weighted MR image of the pelvis demonstrating pelvic ascites *(asc)* displacing the urinary bladder *(ub)* inferiorly. This is in contrast to extraperitoneal pelvic fluid that displaces the urinary bladder posteriorly. Midline structures, the rectum *(re)* and fibroid uterus *(ut)* are noted.

정삭*spermatic cord*의 일부를 구성하는 정관의 경우 서혜관 내부로 들어가기 전에 전측방 부위가 방광전 공간을 주행한다. 정관을 포함하는 방광전 공간의 지방과 고환 혈관들*testicular vessels*을 포함하는 후복막강의 지방은 내측정삭근막*internal spermatic fascia*을 형성하여 정삭의 가장 내층을 형성한다. 따라서 방광전 공간내 액체는 정관을 따라 서혜관으로 들어갈 수 있고, 또한 음낭*scrotum*까지도 확장될 수 있다(Figs. 7-5, 7-16).[9]

정관에서와 같이 원인대*round ligament*의 원위부도 방광전 공간을 주행한 후 근위부 하복부혈관의 외측을 감싸면서 서혜관 내부로 들어간다.[22]

서혜부 인대의 하방을 주행하는 외장골혈관들*external iliac vessels*이 대퇴부혈관들*femoral vessels*이 되면서, 앞쪽으로는 횡근막과 뒤쪽으로는 장골근막*iliac fascia*이 아래쪽으로 연장되어 구성된 대퇴초*femoral sheath*에 의해 싸이게 된다. 이러한 대퇴초의 외측은 대퇴동정맥이, 내측은 대퇴관이 차지하게 된다. 외장골혈관들이 복강의 외측에 놓이기 때문에 이러한 혈관을 포함한 구획은 전외측으로 방광전 공간과 연결되어 있으며, 방광전 공간내 액체는 외장골혈관들을 따라서 주행하여 서혜부인대 하방에서 대퇴초 내부로도 들어갈 수 있다(Fig. 7-17).[2-4, 9]

방광전 공간은 외측으로 해서 전복벽의 복막외지방과 연결되어 있으며, 이것은 복막전 지방층과 후복막강의 지방층과도 연결된다. 따라서 방광전 공간의 액체집적은 벽측복막의 외측으로 확장되어 장요근 및 외장골혈관들과 닿을 수 있고, 또한 상부쪽으로는 신장하부의 후복막강 공간으로부터 신주위공간까지 확장될 수 있다(Figs. 7-5, 7-12, 7-13). 복강의 복막외 공간과 골반강의 복막외 공간을 전부 차지하는 많은 양의 액체집적이 관찰될 때, 이러한 액체집적이 방광전 공간에서 유래했는지, 후복막강에서 유래했는지의 여부를 예측하기는 어렵다(Figs. 7-5, 7-12).[5-10]

방광주위 공간의 액체집적 Perivesical Fluid Collections

방광주위 공간의 액체집적은 방광전 공간의 집적 없이 보이는 경우는 드물다. 방광주위 공간의 액체집적은 비교적

양이 적은데, 그 이유는 방광주위을 둘러싸면서 제대방광근막에 의해 경계가 지워지는 비교적 작은 공간이기 때문이다. 그러나 이것은 가느다란 제대방광근막이 완강하다는 뜻이 아니다. 왜냐하면 생체에서는 방광전 공간으로부터의 조영제가 방광주위 공간으로도 들어갈 수 있고, 또한 그 반대로 더 빈번하게 방광주위 공간의 액체가 방광전 공간으로도 들어갈 수 있어서 방광주위의 지방층을 부분적으로 혹은 완전히 소실시킬 수 있기 때문이다(Fig. 7-13). 방광상부 부위의 요막관과 폐쇄된 제대동맥들의 주위에 있는 삼각형모양의 방광주위 공간의 지방층은 방광전 공간의 액체집적의 중앙에서 종종 보존되어 보인다(Figs. 7-13, 7-21).

임상적으로 이러한 액체집적들은 방광벽 비후나 방광 주변부로의 종양의 확장으로 오인될 수 있다. 게다가, 방광 후방으로의 방광주위 공간의 액체는 막힌낭*cul-de-sac*내의 복막강내 액체로 오인될 수 있다.[9, 10]

직장주위 공간의 병변 Perirectal Pathology

방광전 공간의 이상 소견이 주로 자발적 혹은 외상성 혈종, 혹은 다른 액체집적과 관련이 있는 반면, 직장주위 공간에서의 이상 소견은 주로 직장병변과 관련이 있다(Figs. 7-10, 7-11, 7-14). 근막들과 이러한 근막들에 의해 둘러싸인 공간을 확인하는 것은 병변의 진행과정을 발견하고 국소화하는 것뿐만 아니라 병변의 확장정도를 결정하는데 있어서 중요하며, 따라서 임상적으로 환자 치료에 영향을 준다.

또한, 이것은 직장암의 병기결정 및 치료에 도움을 준다. 직장주위 공간이 주로 지방으로 차였기 때문에 직장벽을 넘어선 직장암의 확장이 쉽게 발견될 수 있다. 만약 종양이 직장주위근막*perirectal fascia*까지 침범하면, 수술로 치료하기 어렵고, 만약 종양이 근막을 뚫고나가 골반벽까지 침범하면 치유가 되지 않는다. 그러나 단지 근막만 두꺼워지는 경우는 반응성 염증 변화에 의해 발생할 수 있어서 종양 침범을 의미하지 않을 수도 있다. 비슷하게, 직장주위 림프절로의 침범도 문제가 될 수 있다. 커진 림프절은 때때로 실제의 종양침범이 아닌 과형성*hyperplastic* 반응에 의하기도 한다. 이러한 위양성은 단면영상

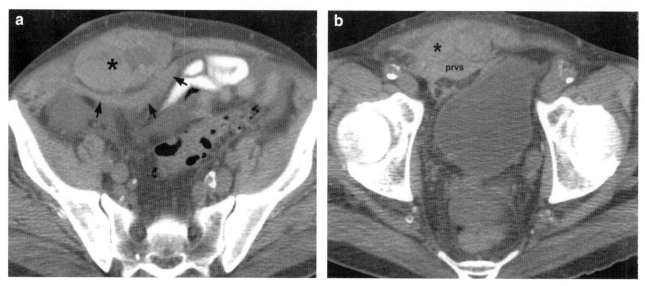

Fig. 7-20. Spontaneous rectus sheath hematoma communicating with the prevesical space.

(a) A large right rectal sheath hematoma (∗) extends into the prevesical space (*black arrows*) through the thin layer of transversalis fascia.

(b) At a more inferior level, the prevesical collection deviates the urinary bladder to the left.

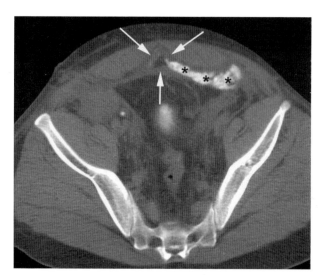

Fig. 7-21. Spared triangular perivesical fatty space in a patient with a prevesical urinoma.

Axial image from a CT cystogram in a patient with an anastomotic leak from the urinary bladder following renal transplantation. The triangular perivesical fatty space around the urachus and obliterated umbilical arteries (*arrows*) is spared, outlined by a surrounding prevesical collection, some of which is opacified by contrast medium (∗) leaking from the urinary bladder.

이 직장암의 병기결정에 있어서 높은 민감도를 보이지만 낮은 특이도를 보이기 때문이다.[16]

직장주위 농양과 봉소염*cellulitis*은 Crohn's 병이나 동성애 남성에서의 감염성 직장염*infectious proctitis*과 주로 연관이 된다. 이러한 경우에 있어서 치료에 영향을 주는 가장 중요한 해부학적 고려사항은 항문거상근*levator ani muscle*이다. 이러한 항문거상근 상부에 발생한 농양에 대한 임상적 영향이나 수술적 접근법은 보다 흔한 항문거상근 하부에 발생한 농양에 대한 것과는 상당히 다르다. 직장주위근막이나 공간은 항문거상근 보다 상부에 위치하기 때문에, 이러한 공간내 국한된 어떠한 농양도 항문거상근 상부에 발생한 것이라고 쉽게 확인할 수 있다.[20]

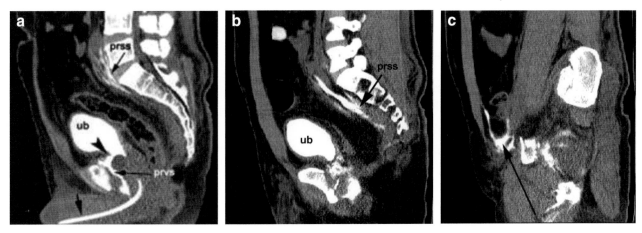

Fig. 7-22. Leaking contrast mediumfrom the base of the urinary bladder into the prevesical and presacral spaces in a CT cystogram in a patient with multiple pelvic fractures.

(a, b) Midline sagittal and parasagittal CT images of the pelvis demonstrating leakage of iodinated contrast medium (*arrowhead*) from the urinary bladder (*ub*) base into the prevesical space (*arrow, prvs*) and presacral space (*arrow, prss*). Foley catheter is evident on the midline sagittal image (*short black arrow*).

(c) Further lateral parasagittal CT of the pelvis showing contrast mediummigrating superiorly and laterally in the prevesical space (*arrow*).

직장주위 농양은 S자결장의 게실염으로부터 발생한 농양이 하부로 파급되어 생길 수 있으며, 이는 S자결장간막의 복막하 공간이 직접적으로 직장주위 공간과 교통하고 있기 때문이다(Fig. 7-11).

▌천골전 공간의 병변 Presacral Space Pathology

혈종은 천골*sacrum*과 미골*coccyx*의 골절 후에 발생할 수 있다(Fig. 7-13). 앙와위에서 천골전 공간은 골반부 복막외 공간 중 가장 후방에 위치하기 때문에 혈종을 포함하여 골반부 복막외 공간에서 생기는 어떠한 액체집적도 근막면을 따라서 천골전 공간으로 들어갈 수 있다(Figs. 7-12, 7-22). 천골과 미골에서 발생한 원발성 혹은 전이성 종양도 천골전 공간을 침범할 수 있다(Fig. 7-15).

▌근막면을 넘어선 확장 Extension Across Fascial Planes

여러 임상 상황에서 하나의 공간내에서의 액체집적이 분명하게 있는 근막면을 넘어서 다른 공간으로 이동하는 경우를 드물지 않게 볼 수 있다. 예를 들면, 골반내에서 방광전 공간내 액체집적이 후방으로 확장되어 직장주위 공간이나 천골전 공간으로 가기도 한다(Figs. 7-8, 7-12, 7-22). 후복막강에서는 전신주위 공간내 액체가 신주위공간이나 후신주위 공간과 연결되기도 한다(Fig. 7-12).

이러한 비논리적이고 역설적인 현상을 설명하는 여러 가설이 있다. 첫째, 사람간의 근막 해부에 변이가 존재할 수 있다. 예를 들면, 근막면이 전체적으로 온전하지 않거나 천공이 존재할 수도 있다. 둘째, 이러한 근막면이 외상에 의해 찢어지거나 파열될 수 있으며, 췌장염에 의해 손상되거나, 급성 화농성감염에 의해 파괴될 수 있다. 급성으로 빠르게 형성된 액체 집적은 근막에 직접적으로 손상을 일으켜서 액체집적이 근막면을 파괴 하기도 한다. 마지막으로 병변이 발생한 공간 밖으로 병변이 파급되지 않도록 하나의 방어벽처럼 작용하는 근막면이 오히려 액체가 지나갈 수 있는 통로로 작용함으로써 병변이 파급되는 데 있어서 빠른 전달자의 역할을 하기도 한다.[5-8] 예를 들면, 췌장염이 직장주위근막의 비후를 초래하기도 하고(Fig. 7-6), 전립선내 농양이 멀리 떨어진 신주위근막의 비후를 초래 할 수 있다(Fig. 7-7).

참고문헌

1. Tobin CE, Benjamin JA, Wells JC: Continuity of the fasciae lining the abdomen, pelvis, and spermatic cord. Surg Gynecol Obstet 1946; 83: 575-596.

2. Pernkopf E: Atlas of Topographical and Applied Human Anatomy, Vol. 2. Saunders, Philadelphia, 1964, pp 312-314.

3. Eycleshymer AC, Shoaker DM: A Cross-Section Anatomy. Appleton-Century-Crofts, Norwalk, 1970, p 93.

4. Williams PL:: Gray's Anatomy, 38th ed. Churchill Livingston, New York, 1995, pp 829-831.

5. Meyers MA: Radiological features of the spread and localization of extraperitoneal gas and their relationship to its source. Radiology 1974; 111:17-26.

6. Oliphant M, Berne AS, Meyers MA: Bidirectional spread of disease via the subperitoneal space: The lower abdomen and left pelvis. Abdom Imaging 1993; 18:115-125.

7. Hashimoto M, Okane K, Hirano H et al: Pictorial review: Subperitoneal spaces of the broad ligament and sigmoid mesocolon- Imaging findings. Clin Radiol 1990; 53:875-881.

8. Aikawa H, Tanoue S, Okino Y et al: Pelvic extension of retroperitoneal fluid: Analysis in vivo. AJR 1998; 171: 671-677.

9. Auh YH, Rubenstein WA, Schneider M et al: Extraperitoneal paravesical spaces: CT delineation with US correlation. Radiology 1986; 159:319-328.

10. Korobkin M, Silverman PM, Quint LE et al: CT of the extraperitoneal space: Normal anatomy and fluid collections. AJR 1992; 159:933-941.

11. Leffler KS, Thompson JR, Cundiff GW et al: Attachment of the rectovaginal septum to the pelvic sidewall. Am J Obstet Gynecol 2001; 185:41-43.

12. Sato K, Sato T: The vascular and neuronal composition of the lateral ligament of the rectum and the rectosacral fascia. Surg Radiol Anat 1991; 13:17-22.

13. Fritsch H: Developmental changes in the retrorectal region of the human fetus. Anat Embryol 1988; 177:513-522.

14. Fritsch H: Development and organization of the pelvic connective tissue in the human fetus. Ann Anat 1993; 175:513-539.

15. Fritsch H, Klihnel W: Development and distribution of adipose tissue in the pelvis. Early Hum Dev 1992; 28:79-88.

16. Grabbe E, Lierse W, Winkler R: Perirectal fascia: morphology and use in staging of rectal carcinoma. Radiology 1983; 149:241-246.

17. Hammond G, Yglesias L, Davis JE: The urachus, its anatomy and associated fasciae. Anat Rec 1941; 80:271-287.

18. De Caro R, Aragona F, Herms A et al: Morphometric analysis of the fibroadipose tissue of the female pelvis. J Urol 1998; 160:707-713.

19. Fröhlich B, Hötzinger H, Fritsch H: Tomographical anatomy of the pelvis, pelvic floor and related structures. Clin Anat 1997; 10:223-230.

20. Guillaumin E, Jeffrey RB Jr, Shea WJ et al: Perirectal inflammatory disease: CT Findings. Radiology 1986; 161:153-157.

21. Mastromatteo JF, Mindell HJ, Mastromatteo MF et al: Communications of the pelvic extraperitoneal spaces and their relation to the abdominal extraperitoneal spaces: Helical CT Cadaver study with pelvic extraperitoneal injections. Radiology 1997; 202:523-530.

22. Yamashita Y, Torashima M, Harada M et al: Postpartum extraperitoneal pelvic hematoma: Imaging findings. AJR 1993; 16:805-808.

08

간으로부터의 질병 확산의 양상들
Patterns of spread of disease from the liver

서론 Introduction

간에 있는 질병이 다른 장기나 구역으로 어떻게 확산되는지를 이해하기 위해서는, 간의 태생학적 발달과 간을 상복부에 부착하는 인대들을 재검토하는 것이 중요하다. 이 장에서, 우리들은 간 인대들 및 그들의 해부학적 주요 랜드마크들landmarks의 태생학적 발달과 해부학을 기술하고, 이러한 해부학적 개념을 바탕으로 질병 파급의 다양한 통로들을 밝히고자 한다.

간의 태생학과 해부학
Embryology and Anatomy of the Liver

▌ 간과 담관의 발생 Development of the Liver and ▌ Bile Duct

간과 담관은, 전장foregut에서 기원한 내배엽 게실, 횡중격transverse septum에서 기원한 중배엽, 그리고 난황정맥vitelline vein과 제대정맥umbilical vein에서 기원한 혈관 성분들 등 세 가지 주요 조직 기원으로부터 유래된다.[1, 2] 간은 십이지장을 형성하는 원시 전장에서 돌출한 게실에서 시작된다. 이 게실의 머리쪽 부위는 간세포 종괴를 형성하고 횡중격과 횡격막을 형성하는 중배엽 방향으로 이주한다. 간세포 종괴는 문맥 공간을 둘러싸는 결합조직과 간의 피막(Glisson's capsule)을 형성하는 중배엽을 자극한다. 게실의 꼬리쪽 부위에서 담관, 담낭관, 그리고 담낭

이 유래된다. 간의 발생은 심장의 형성과도 밀접하게 연결되어있다. 장의 정맥들인 난황정맥과 태반으로부터의 제대정맥들이 정맥관ductus venosus을 형성하기 위해서 간 종괴를 통과하며, 나중에 간의 동모양혈관sinusoid들로 발달하는 간 얼기hepatic plexus를 형성한다.

간은 전장관을 전방 복벽에 부착하는 복측 장간막ventral mesentery 안에서 발생한다. 이 관계는 간세포종괴가 성장하고 횡중격 방향으로 이주하는 동안 지속된다. 노출부에서 간은 횡격막으로부터 분리되지 않고, 간을 횡격막과 전방복벽에 부착하는 복측 장간막은 겸상인대falciform ligament뿐 아니라 관상인대coronary ligament와 삼각인대triangular ligament를 형성한다. 간과 전장관 사이의 복측 장간막 부위는 위간인대gastrohepatic ligament로 발달하고, 위간인대의 자유변연부는 간십이지장인대 hepatoduodenal ligament가 된다.

▌ 복막 인대 Peritoneal Ligaments

간은 전장을 전방 복벽과 횡중격에 부착하는 복측 장간막에서 기원하기 때문에, 복측 장간막에서 기원하는 복막에 의해서 간의 거의 대부분이 덮이게 된다.[2] 간과 횡격막, 전방 복벽, 그리고 위 사이의 복막 반사reflection들은 간 주위 인대들을 형성한다.[2-4] 횡격막 표면을 따라서 간은 관상인대와 삼각인대에 의해서 편측 횡격막hemidiaphragm에 부착된다. 관상인대들은 전방-상방과 후방-하방 층, 두 개의 단일 복막 층들에 의해서 형성된다. 전방-상방anterior-superior 층은 중심선에서 우측으

로 우측 횡격막의 둥근 지붕을 따라서 우측 삼각인대를 형성하고 우측 횡격막의 뒤쪽 표면을 따라서 이어진 후방–하방*posterior–inferior* 층과 합쳐진다. 이들 인대들은 우측 간을 우측 횡격막에 부착시킨다. 비슷하게, 좌측 관상인대의 전방–상방과 후방–하방 층들은 좌측 횡격막의 밑면을 따라서 뻗어 있고, 외측으로는 좌측 간을 좌측 횡격막에 부착시키는 좌측 삼각인대를 형성하면서 합쳐진다. 관상인대의 전방–상방과 후방–하방 층들 사이에 복막으로 덮혀 있지 않은 간은 횡격막에 밀접하게 붙어 있으며 간의 노출부로 알려져 있다.

겸상인대는 간의 전방 표면을 전방 복벽에 부착한다. 겸상인대의 머리쪽은 관상인대의 전방–상방 층의 우측과 좌측 엽들의 융합에 의해서 형성된다. 겸상인대는 아래쪽으로 연장되는데, 이 부위의 자유변연부가 원인대*ligamentum teres*(round ligament)가 된다. 이 인대는 막힌 좌 제대정맥을 배꼽에서 간의 좌엽에 위치한 제대열*umbilical fissure*을 통해서 좌문맥까지 운반한다.

위간인대는 간의 아래쪽과 내측 표면을 따라서 위의 소만곡*lesser curvature*으로 연결된다.[3, 4] 위를 덮고 있는 두 개의 복막층에 의해서 형성되며, 위의 소만곡에서 뻗어나와 간의 미상엽(segment I)으로부터 좌간의 제 2분절과 제 3분절을 분리하는 간의 수평열*horizontal fissure*로 들어간다. 소망*lesser omentum*으로 불리워지기도 하는 이 인대는 소낭*lesser sac*의 전방 경계를 형성한다. 아래쪽으로 위간인대의 자유변연부는 십이지장구부에 붙고 간문

hilum of the liver(transverse fissue)에 삽입되며, 간동맥, 문맥, 그리고 담관을 운반하는 간십이지장인대*hepatoduodenal ligament*를 형성한다. 간십이지장인대는 소낭과 대낭 사이를 교통하는 구멍인 Winslow 공*epiploic foramen* (foramen of Winslow)의 앞쪽 경계이다.

간에 붙는 복막 인대들의 해부학적 주요 랜드마크들 Anatomic Landmarks of Peritoneal Ligaments Attaching to the Liver

간에 부착되는 복막 인대들의 다수는 영상 검사에서 확인할 수 없다. 혈관, 지방, 담관, 그리고 림프절을 운반하는 부위의 인대들의 일부만 확인할 수 있다. 이들 인대들은 복수, 유리 복강 기체 또는 복막내 조영제 등이 있을 때 강조되어 보인다. Table 8-1은 이들 인대들의 해부학적 랜드마크들을 보여준다.

● ● ●
간으로부터 질병 확산의 양상들 Patterns of Spread of Disease from the Liver

복막내 전파 Intraperitoneal Spread

간의 질병은 관통상 혹은 둔상 등의 외상, 간의 피막과 간을 덮고 있는 복막을 통한 종양성 혹은 염증성 진행과정

Table 8-1. 간인대의 해부학적 랜드마크

인대	장기와 관계	해부학적 주요 지형지물
관상인대 *coronary ligament*	횡격막	보이는 것 없음
삼각인대 *triangular ligament*	횡격막	보이는 것 없음
겸상인대 *falciform ligament*	전방 복벽	심막횡격막정맥, 내유정맥, 그리고 심재성 상방 심와정맥과 IV 또는 III 분절 간소엽들 또는 III 또는 IV 분절 문맥분지들 사이에 교통하는, 겸상인대내의 정맥들
제대인대 *umbilical ligament*	전방 복벽, 겸상인대의 자유변	좌문맥과 배꼽 또는 전방 복벽 정맥 사이에 교통하는, 보통은 폐쇄된 제대정맥
위간인대 *gastrohepatic ligament*	정맥인대열부터 위 소만곡까지	대치된 좌간동맥, 이상 좌위정맥, 우위동맥과 정맥
간십이지장인대 *hepatoduodenal ligament*	위간인대의 자유변, 간의 문부열에서 십이지장까지	문맥, 간동맥, 그리고 담관

들의 침범, 그리고 간에서의 간질액과 림프의 생리학적 교환 등을 포함한 세 가지 가능한 기전에 의해서 복강내로 진입하고 확산될 수 있다.

관통상 또는 둔상은 복막하 간주위 혈종*hematoma*; 담즙종*biloma*, 혈복강*hemoperitoneum*, 그리고 답즙성 복수 등을 일으킬 수 있다. 혈복강은 복강내에서 국소적으로

제한되지 않고 퍼져갈 수 있어 간실질을 압박하지 않는데 반해, 간주위 및 피막하 혈종은 국소적으로 뭉쳐 있는 경향이 있고 간실질을 압박하기도 한다.

복강 전이를 잘 동반하는 간의 악성 종양은 간세포암 (Figs. 8-1, 8-2)과 담낭암(Fig. 8-3)이다. 혈복강과 암의 복막 파종을 일으킬 수 있는 간세포암의 복강으로의 파열은

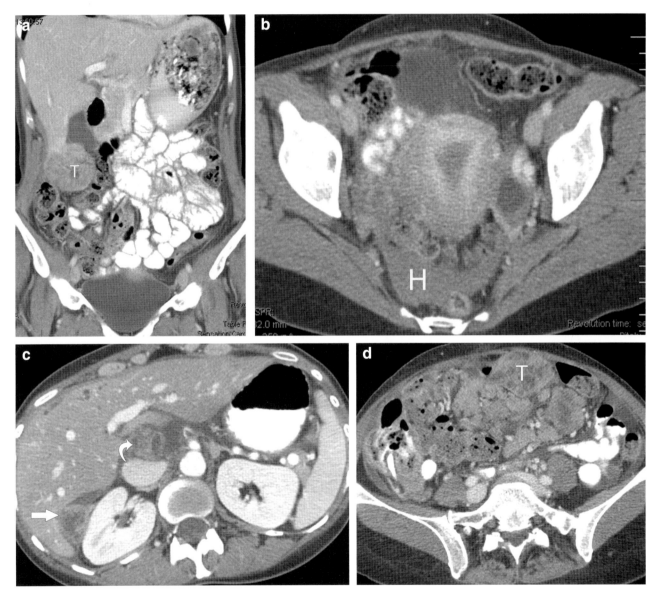

Fig. 8-1. Ruptured hepatocellular carcinoma leading to peritoneal carcinomatosis.

(a) Coronal CT image demonstrates a pedunculated mass *(T)* from the right liver in a young woman who had acute abdominal pain.

(b) Hemoperitoneum *(H)* is present in the pelvis. Surgical exploration disclosed a ruptured hepatocellular carcinoma with hemoperitoneum.

(c) Three months later, peritoneal metastases and a small amount of ascites are apparent in Morison's pouch *(arrow)* and near the foramen of Winslow *(curved arrow)*.

(d) CT image at the lower abdomen reveals large omental metastases *(T)*.

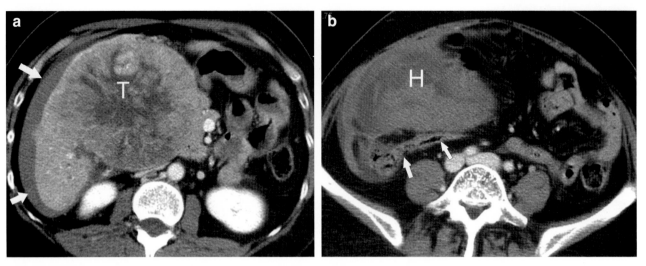

Fig. 8-2. Hepatocellular carcinoma with subperitoneal hemorrhage around the tumor and right liver.
(**a**) CT at the level of mid abdomen shows a large hepatocellular carcinoma *(T)* protruding from the right liver with a well-confined perihepatic hematoma *(arrows)*.
(**b**) A large hematoma *(H)* distends the subhepatic space displacing the hepatic flexure of the colon *(arrows)*.

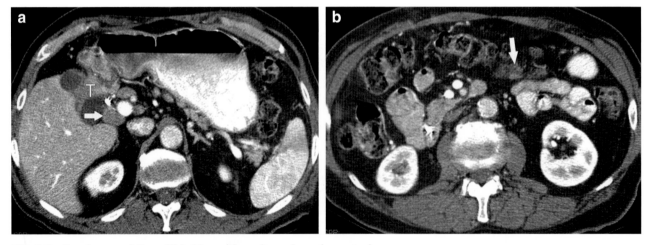

Fig. 8-3. Carcinoma of the gallbladder with peritoneal carcinomatosis.
(**a**) CT image at the level of the gallbladder defines a mass *(T)* involving the mid gallbladder with enlarged periportal lymph nodes *(arrow)*.
(**b**) Multiple peritoneal metastases *(arrow)* are apparent in the omentum and transverse mesocolon.

3~15%에서 발생한다.[5, 6] 혈복강의 징후를 동반한 급성 복통은, 간세포암이 매우 많이 발생하는 아시아 또는 아프리카에서 간세포암을 가진 젊은 남성 환자에서 흔한 임상 발현 현상 중의 하나이다. 담낭벽은 얇고 많은 부위가 복막의 얇은 단일 층으로만 덮여 있어서 암종이 장막*serosa* 을 넘어서 침범하게 되면 쉽게 복강내로 파급될 수 있어서 담낭암은 흔하게 복막전이를 가진 상태로 나타나게 된다.

간은 간소엽*hepatic lobule* 들과 간 표면에 풍부한 림프 배액 체계를 갖고 있다. Budd-Chiari 증후군, 심낭염, 울혈성 심부전, 또는 종양의 의한 림프배액 폐쇄 등과 같은 간정맥 유출 폐쇄를 일으키는 각종 질환들은 흉관*thoracic duct* 으로의 림프 유입량을 증가시키고, 특히 간표면에서 복강내로 간림프의 누출을 증가시킬 수 있다.[7]

간의 질병에서 기원한 복수 혹은 액체집적은 복강내로

자유롭게 분포하거나 우측 횡격막하 간주위 공간, 좌간과 위사이의 위간 함요gastrohepatic recess, 좌측 횡격막하 공간, 소낭, 후방 간아래 공간posterior subhepatic space (Morison's pouch) 등의 간 주위의 복강 함요나, 부대장 홈paracolic gutter, 그리고 골반강 등에 국한될 수도 있다.[6] 파종된 침착물도 장기들의 복막 표면, 각종 복막 인대들, 그리고 이들 공간들에 인접한 구조물을 따라서 같은 양상으로 분포한다(Fig. 8-1).

복막하 확산 Subperitoneal spread

간은 노출부를 제외한 대부분이 복막에 의해서 덮여있고 인대들에 의해서 복강내에 매달려 있기 때문에, 간에 생긴 질병들이 간의 한 지역에서 복막하 공간을 따라서 간 주위의 다른 지역으로, 그리고 인대들을 따라서 간에서 전방 복벽, 위, 또는 십이지장과 복막외 공간으로 확산되기도 한다. 파종은 림프성과 림프절 전이에 의해서, 동맥 주위 및 신경 주위 침윤에 의해서, 문맥과 간정맥을 통한 정맥내 확산에 의해서, 그리고 담관내 확산에 의해서 일어날 수 있다.

: 인접한 복막하 확산 Contiguous Subperitoneal Spread

이러한 방식의 확산은 간표면 근처에서 발생한 병변이 간 표면을 덮고 있는 복막을 뚫지 않고 한 지역에서 다른 지역으로 복막하 공간을 따라서 퍼져 나갈 때 발생한다. 이러한 방식으로 흔하게 확산되는 질병으로는 간 농양, 담낭주위 농양(Fig. 8-4), 그리고 침생검, 경피경간담관조영술percutaneous trasnhepatic cholangiography, 또는 내시경 역행담관조영술endoscopic retrograde cholangiography 등과 같은 의인성iatrogenic 손상이나 둔상 혹은 관통상 같은 외상에 이차적인 혈종이나 담즙종 등이 있다. 간종양의 자발성 파열은 혈복강뿐 아니라 복막하 간주위 혈종을 만들기도 한다(Figs. 8-2, 8-5). 악성 간종양은 악성 림프종(Fig. 8-6) 또는 골수외 백혈병extramedullary leukemia, 간문부 담관암, 그리고 담낭암 등의 몇몇 예외를 제외하고는 거의 이런 방식으로 전이하지 않는다. 악성 림프종, 특히 미만성 B세포 형태나 골수외 백혈병의 경우는 간주위 인대들과 간 표면을 따라서 확산되기도 하며, 이에 반해 간문부 담관암과 담낭암은 간십이지장인대, 위간인대, 좌측 간문부열, 그리고 간의 배꼽 인대를 통해 인접 부위로 확산된다. 다양한 일차 병소로부터의 전이성 질병이 이러

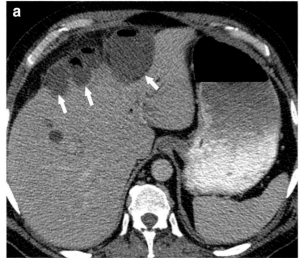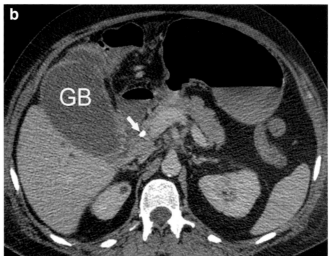

Fig. 8-4. Abscess of the gallbladder in a patient who had pancreatic cancer and biliary stent occlusion with pericholecystic abscesses tracking along the surface of segment IV of left liver.

(a) CT shows several pockets of pus *(arrows)* along the anterior surface of segment IV. Lower sections demonstrated these pockets to be contiguous with the gallbladder fossa.

(b) CT at the level of the gallbladder fossa reveals a markedly distended gallbladder *(GB)* with a stent *(arrow)* in the bile duct.

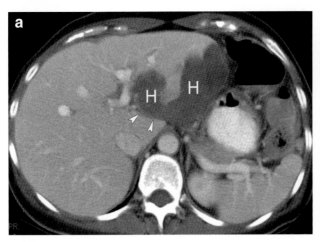
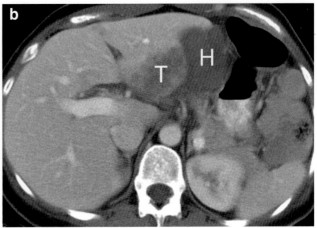

Fig. 8-5. **Mesenteric spread of subperitoneal hematoma from bleeding metastatic melanoma in segment II of the liver in a patient who had signs and symptoms of acute bleeding one week prior.**
(a) CT at the level of the left portal vein shows subacute hematoma *(H)* along the visceral surface of segment II.
Note the hematoma tracking along the gastrohepatic ligament *(arrowheads)* into the fissure of the ligamentum venosum.
(b) Tumor *(T)* is seen at the posterior surface of segment II with hematoma *(H)* along the gastrohepatic recess.

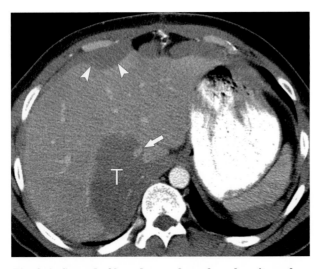

Fig. 8-6. **Spread of lymphoma along the subperitoneal surface of the liver in a patient with large B-cell lymphoma.**
Paracaval tumor *(T)* involves the bare area of the liver. Note the inferior vena cava *(arrow)* and tumor infiltration *(arrowheads)* along the anterior surface of the left liver.

한 방식으로 파종하기도 하지만, 이런 확산은 드문 경우로, 진행된 증례들에서 주로 나타나고 경피적 시술과 고주파 소작 같은 이전의 중재적 시술들과 연관되어서 나타나기도 한다(Figs. 8-7, 8-8).

: 림프성 확산과 림프절 전이 Lymphatic Spread and Nodal Metastasis

림프절 전이는 간의 일차성과 이차성 종양이 간 밖으로 확산되는 가장 흔한 방법이기도 하다. 횡격막 위와 아래로 표재성*superficial* / 심재성*deep* 경로를 포함하는 다양한 잠재적 경로들이 있다.

간의 림프배액 경로들 *Pathways of lymphatic drainage of the liver.* 동모양 혈관주위 간질조직*perisinusoidal stromal tissue*에 Disse 공간에서 기원하는 림프 혈관들은 소엽주위 간질조직에서 광범위한 망*network*에 이르게 된다. 간표면 근처 소엽으로부터 림프망들은 Glisson 피막 밑의 표재성 림프망으로 배출되는 반면, 더 깊은 실질의 소엽으로부터 기원한 림프망들은 간정맥주변과 문맥주위 공간에 있는 심재성 망들로 배액된다.[7, 8] 간의 림프배액은 다수의 간 주위 복막 인대들에 있는 림프 혈관의 경로를 따른다.

심재성 림프망은 문맥을 따라서 간문부에 위치한 림프절, 간림프절로 배액되고, 이후로 간십이지장인대 림프절로 배액된다(Fig. 8-9).[3, 7-12] 간십이지장인대 림프절은 간동맥 고리와 후방 문맥주위 고리로 분리될 수 있다. 간동맥 고리는 총간동맥을 따라서 복강동맥 림프절로 이어지

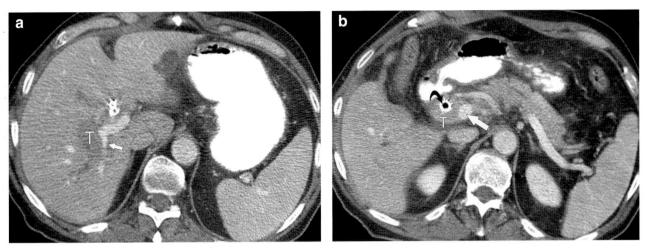

Fig. 8-7. Tumor infiltration from extramedullary plasmocytoma extends in the hepatoduodenal ligament along the bile duct.

(a) Tumor *(T)* spreads along the periportal space and right portal vein *(arrow)*.

(b) CT at a lower level shows tumor infiltration *(T)* along the portal vein *(arrow)*. A Wallstent *(curved arrow)* is in the bile duct.

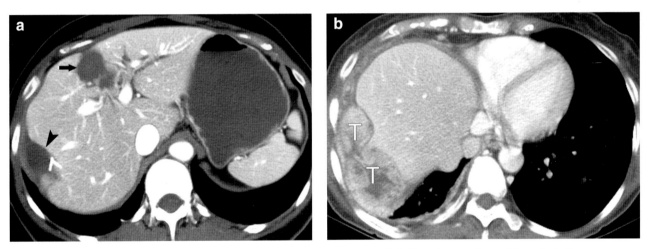

Fig. 8-8. Subperitoneal spread of recurrent leiomyosarcoma along the right liver in a patient with metastatic leiomyosarcoma treated with RF ablation.

(a) Post ablation changes are noted in segment IV *(arrow)* and segment VII *(arrowhead)*.

(b) Two years later, recurrent tumor *(T)* is distributed along the surface of the right liver.

고, 이후에 가슴림프관팽대*cisternal chili*로 배액된다. 후방 문맥주위 고리는 간십이지장인대에서 문맥 후방에 위치한다. 이 림프절 고리는 췌장후방 림프절*retropancreatic node*과 대동맥하대정맥 림프절*aortocaval node*로 배액되고, 이후 가슴림프관팽대와 흉관으로 배액된다.

간정맥을 따라서 위치한 심재성 림프망은 하대정맥이 횡격막 구멍을 통해서 지나가는 하대정맥 주위의 림프절로 배액되는데, 이 림프절은 하대정맥 림프절 혹은 횡격

막근방 림프절*juxtaphrenic node*과 식도주위 림프절*paraesophageal node*로 알려져 있다.

표재성 림프망은 광범위하고 Glisson 피막 밑에 위치하고 있다. 표재성 림프계들의 배액은, (1) 간십이지장과 위간 인대를 통한 경로, (2) 횡격막 림프성 경로, 그리고 (3) 겸상인대 경로 등의 세 가지 주된 경로로 나눌 수 있다 (Fig. 8-10).

림프절 전이는 표재성과 심재성 림프 얼기 모두로 부터

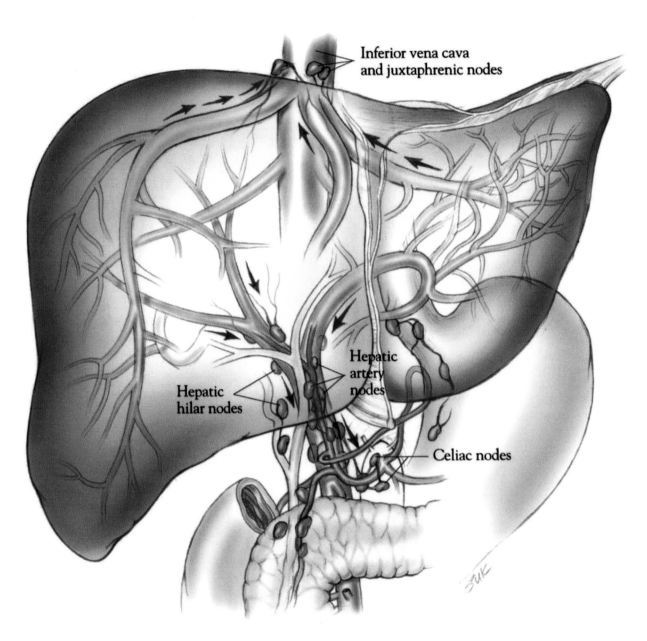

Fig. 8-9. Deep pathways of lymphatic drainage of the liver.
The deep pathways follow the hepatic veins to the inferior vena cava nodes and the juxtaphrenic nodes that follow
along the phrenic nerve. The pathways that follow the portal vein drain to the hepatic hilar nodes and the nodes in
the hepatoduodenal ligament. They drain into the celiac node and the cisterna chyli.

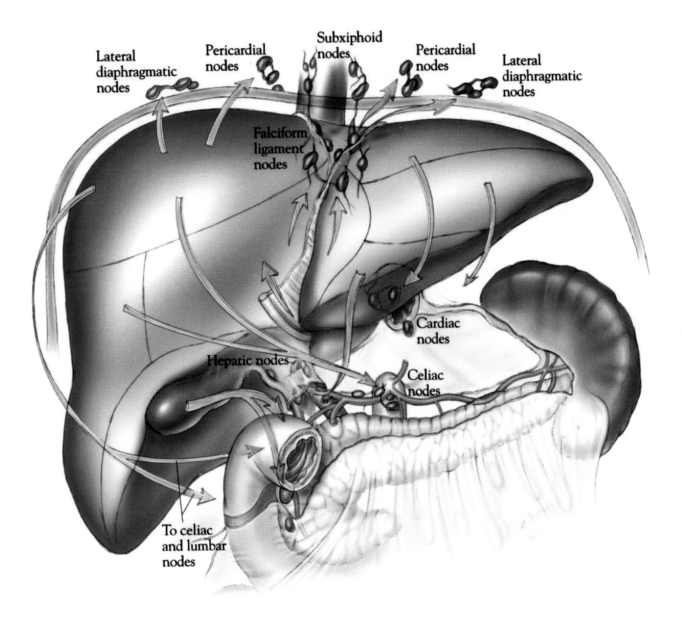

Fig. 8-10. Superficial pathways of lymphatic drainage of the liver.

Note that the anterior diaphragmatic nodes consist of two groups. the lateral anterior diaphragmatic group and the medial group, which includes the pericardiac nodes and the subxiphoid nodes behind the xiphoid cartilage.

The nodes in the falciform ligament drain into the anterior abdominal wall along the superficial epigastric and deep epigastric lymph nodes. The epigastric and the subxiphoid nodes drain into the internal mammary nodes.

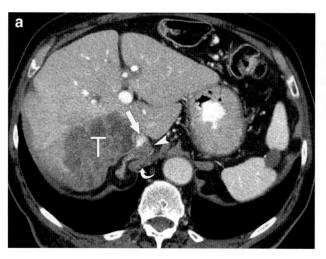

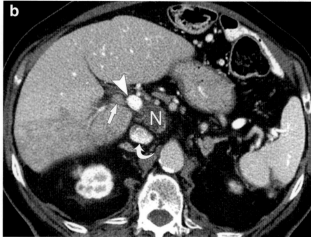

Fig. 8-11. Hepatic metastasis from colorectal cancer with nodal metastasis to the hepatic hilar node and nodes in the hepatoduodenal ligament, and right inferior phrenic node.

(a) CT of upper abdomen shows metastatic tumor *(T)* at posterior surface of segment VII of the liver. The enlarged inferior phrenic node *(arrowhead)* is located between the inferior vena cava *(arrow)* and the right crus of the diaphragm *(curved arrow)*, along the course of the right inferior phrenic artery.

(b) There is an enlarged hepatic hilar node *(arrow)* and an enlarged metastatic node *(N)* between the portal vein *(arrowhead)* and inferior vena cava *(curved arrow)* in the hepatoduodenal ligament.

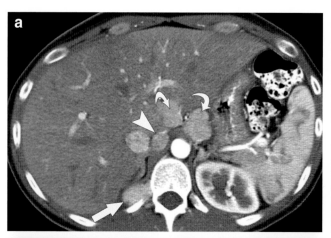

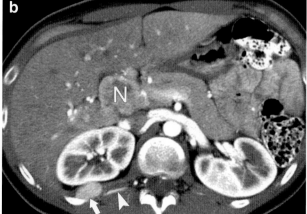

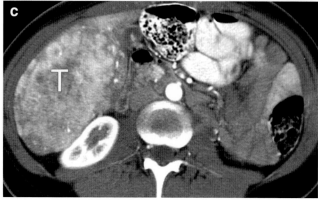

Fig. 8-12. Fibrolamellar hepatocellular carcinoma in segment VI with metastases to celiac, periportal, right inferior phrenic and posterior diaphragmatic nodes.

(a) There is a hyperdense enhanced node *(arrow)* along the 12th rib posterior to the right diaphragm, the posterior diaphragmatic node. A hyperdense enhanced node *(arrowhead)* between the right crus of the diaphragm and the inferior vena cava, the right inferior phrenic node, is also present as well as the nodes *(curved arrows)* on both sides of the celiac axis.

(b) An enlarged periportal node *(N)* is evident in the hepatoduodenal ligament and the right posterior diaphragmatic node *(arrow)*. Note the right intercostal artery *(arrowhead)* accompanying the node.

(c) The primary tumor *(T)* is in segment VI.

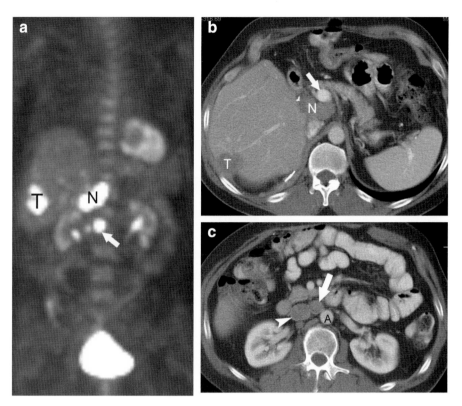

Fig. 8-13. Recurrent metastatic carcinoma of the colon in the right liver, posterior periportal node in the hepatoduodenal ligament, and the aortocaval node in the retroperitoneum one year after left liver resection for metastatic carcinoma of the colon.

(a) Coronal view of PET imaging shows increased glucose uptake in the recurrent tumor *(T)* in the right liver, nodal metastasis *(N)* in the periportal node, and the aortocaval node *(arrow)*.

(b) CT image reveals the recurrent metastatic tumor *(T)* in the right liver and metastatic nodes *(N)* behind the portal vein *(arrow)*.

(c) CT image at level of mid-kidney demonstrates metastatic node *(arrow)* between the aorta *(A)* and inferior vena cava *(arrowhead)*.

간십이지장과 위간인대를 따라서 가장 흔하게 분포한다 (Figs. 8-11~13). 간의 내장 표면을 따라서 분포한 림프 혈관의 몇몇 집합 줄기들은 대부분 간문부 림프절로 배액 되고 간십이지장인대와 위간인대의 림프혈관들과 연결 된다. 위간인대의 림프혈관들은 위분문주위*paracardiac* 혹 은 좌위림프절*left gastric node* 로 배액된다.

간의 많은 부분이 노출부위에서는 직접적으로, 또는 관 상 및 삼각 인대를 통해서는 간접적으로 횡격막과 접촉하 고 있기 때문에, 횡격막 림프 얼기는 림프배액의 또 다른 중요한 경로이다. 그러나 이 경로를 통한 림프절 전이는 자주 간과된다. (1) 하방 횡격막 림프절*inferior diaphragmatic nodes* (Fig. 8-11), (2) 전방 횡격막 림프절*anterior diaphragmatic nodes*, (3) 중간 횡격막 림프절*middle diaphragmatic nodes* (Fig. 8-14), (4) 후방 횡격막 림프절 *posterior diaphragmatic nodes* 또는 늑간 림프절*intercostal nodes* 등 네 개의 주 림프절 위치로 분류할 수 있다.

● 하방 횡격막 림프절은 관상과 삼각인대를 따라서 횡격 막 아래에서 간의 후방 표면으로부터 림프를 배액한다. 그들의 해부학적 랜드마크는 복강동맥*celiac artery* 으로 부터의 그들의 기시부를 향하여 횡격막 각의 내측 및 전방에 위치한 우/좌하방 횡격막 혈관*inferior phrenic vessel* 들이다. 우하방 횡격막 림프절은 복강동맥의 우 측편에서 대동맥과 하대정맥 사이에 위치하고 있는 반 면(Fig. 8-11), 좌하방 횡격막 림프절은 좌측 부신의 첨 단부 근처와 좌하방 횡격막 정맥이 좌신장 정맥과 연결

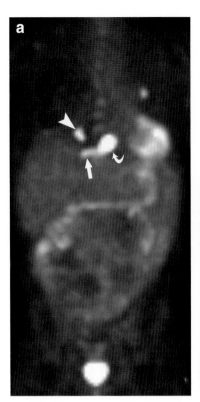

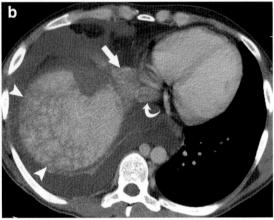

Fig. 8-14. Metastasis to the juxtaphrenic phrenic node and tumor thrombus in the hepatic vein and IVC extending into the right atrium from metastatic colon cancer to the liver previously treated with surgery and radiofrequency ablation.

(a) Coronal PET imaging shows increased glucose uptake in the hepatic vein and IVC *(arrow)* extending into the right atrium *(curved arrow)*. Note an increased glucose uptake in a juxtaphrenic node *(arrowhead)* lateral to the IVC.

(b) At the level of the IVC entering into the right atrium, a mass *(arrow)* is seen lateral to the IVC *(curved arrow)* with elevation of the right hemidiaphragm and pleural effusion in the right hemithorax. Note the congestion pattern *(arrow-heads)* of the right liver from hepatic vein occlusion and dilated azygous vein from IVC obstruction.

되는 지점의 좌신장 정맥 위쪽에서 복강동맥의 좌측에 위치한다(Fig. 8-15). 이들 림프절들은 흔히 복강 림프절 혹은 상부 대동맥주위 림프절로 불린다.

- 전방, 중간, 그리고 후방 횡격막 림프절들은 횡격막 보다 위에 위치한다. 전방 횡격막 림프절은 외측과 내측 군으로 구성되어 있다. 외측군은 간의 전방에 위치하는 반면, 내측군은 검상돌기*xiphoid process* 연골의 뒤에서 심장 전방에 위치한다. 종종 이들 림프절들은 각각 심장주위*pericardiac*, 심장전*pre-cardiac*, 또는 검상돌기밑 *subxiphoid* 림프절로 불린다(Fig. 8-16). 이들 림프절들은 내유고리*internal mammary chain*로 배액되고 종격동으로 올라간다.

- 중간 횡격막 림프절은 횡격막보다 위에서 하대정맥 주

위에 위치한다. 하대정맥의 우측편에 있는 림프절은 또한 횡격막 신경에 인접해 있고 횡격막근방 림프절로 명명 할 수도 있다. 이 림프절로의 전이는 횡격막 신경을 침범하여 우측 횡격막의 마비와 상승을 초래할 수도 있다(Fig. 8-14). 하대 정맥 좌측에 위치한 림프절은 식도에 인접하여 후방 종격동에 위치하는데, 식도주위 림프절로 불리기도 한다(Fig. 8-15). 이 경로의 림프배액은 심막횡격막*pericardiophrenic* 혈관들과 흉관을 따라서 흉곽으로 올라간다.

- 하방 횡격막 림프절은 간의 후방 표면을 배액한다. 그들은 하행 흉부대동맥을 따라서 후방 늑골 경로로 늑간 혈관을 따라서 흉관으로 이어진다(Fig. 8-12). 그들은 앞의 군들에 비해 덜 흔하게 보인다.

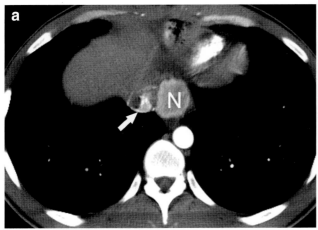

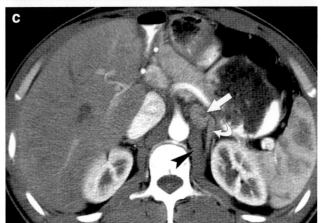

Fig. 8-15. Residual nodes in the left gastric nodal station, left inferior phrenic node and inferior vena cava (IVC) or paraesophageal node after left liver resection for fibrolamellar hepatocellular carcinoma (HCC).
(a) CT at lower thorax shows hyperdense enhanced enlarged node *(N)* in the posterior mediastinum medial to the IVC *(arrow)*.
(b) There are enlarged nodes *(N)* along the left gastric artery *(arrow)*.
(c) CT near upper pole of kidneys shows an enlarged left inferior phrenic node *(arrow)* between the left adrenal gland *(curved arrow)* and the crus of the left diaphragm *(arrowhead)* just above the left renal vein.

간의 종양으로부터 다른 드문 림프절 전이의 잠재적 경로는 검상돌기 연골 아래에서 심재성 상복벽동맥*deep superior epigastric artery*을 따라 전방 복벽내에 있는 심재성 상복벽림프절로 겸상인대를 따라서 가는 경로이다 (Fig. 8-16). 이 경로는 내유 경로를 통하여 흉곽으로 올라간다.

대부분 일차성과 이차성 악성 종양은 이들 경로를 따라서 림프절 위치로 전이할 잠재 능력을 가지고 있다. 섬유층판*fibrolamellar* 간세포암, 간내 및 간문부 담관암, 그리고 전이성 대장직장암 같은 몇몇의 경우는 다른 것들 보다 높은 가능성을 가지고 있다. 영상 판독에 있어 종양의 유형과 위치, 그들의 림프배액 위치, 그리고 환자 임상적 관리의 영향들을 고려해야만 한다. 더욱더 이들 림프절 전이 경로를 이해하는 것은 질병 재발의 양상을 예견하는 데 도움이 된다.

ː 동맥주위와 신경주위 확산 Periarterial and Perineural Spread

종양 확산의 이러한 방식은 간문부 담관암, 담낭암, 그리고 악성 림프종 같은 악성 종양을 가진 환자들에서 흔히 보인다. 간문부 단관암과 담낭에서의 신경주위 침범의 빈도는 23%에서 81% 정도로 보고되고 있다.[13-15] 이들 악성 종양에서 신경주위 침범의 임상적 의미에 대해서는 논란이 있는데, 수술 후 5년 생존율에 부정적인 영향을 보인다는 보고들과 수술 절제면이 음성이라면 영향이 없다는 보고들이 있다. 보통 국소적인 동맥주위와 신경주위 침범은 간외부로 퍼지지 않았거나 주 혈관들을 침범하지 않았다면, 치료 계획 수립에 영향을 주지 않는다. 수술 계획을 수립하기 위해서는, 완전 절제가 이루어 질 수 있도록 침범의 범위를 정하는 것이 중요하다.

간 신경은 간과 복강신경총에서 유래한다. 다수의 신경 섬유들이 간십이지장인대를 통하여 간으로 들어가는 간

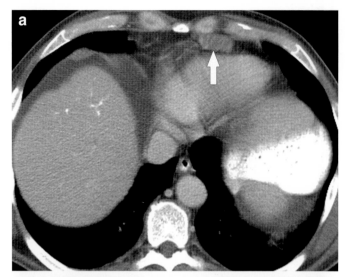

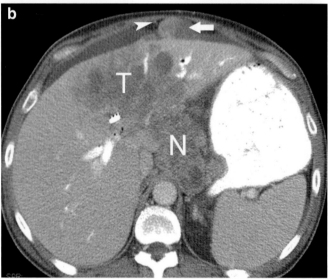

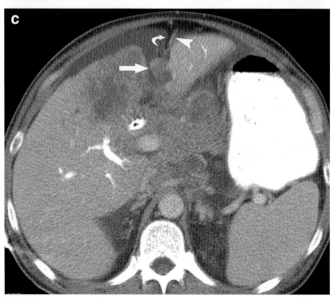

Fig. 8-16. Intrahepatic cholangiocarcinoma with metastatic nodes along the falciform ligament to deep superior epigastric node in the anterior abdominal wall and subxiphoid node toward internal mammary chain.

(a) CT at lower thorax shows enlarged node *(arrow)* anterior to the heart. This node can be called pre-cardiac or subxiphoid node, part of the medial group of the anterior diaphragmatic nodes.

(b) A mass *(T)* infiltrates segment IV with bulky nodes *(N)* above the celiac axis. Note enlarged node *(arrow)* in the anterior abdominal wall adjacent to the deep superior epigastric vessel *(arrowheas)*. This deep superior epigastric node receives lymphatic drainage from the anterior left liver along the vessel in the falciform ligament.

(c) CT at lower level reveals a node *(arrow)* in the falciform ligament *(curved arrow)* which is outlined by ascites. Note vessel *(arrowhead)* in the ligament.

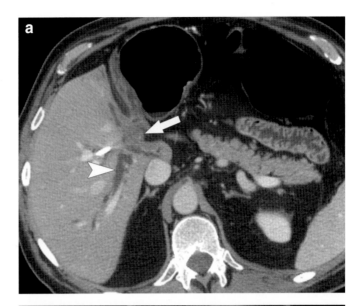

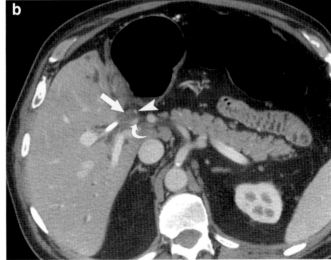

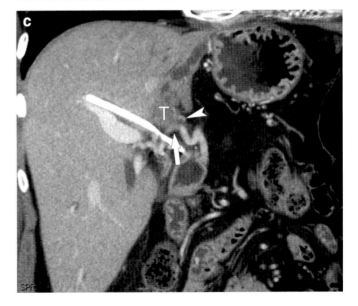

Fig. 8-17. Hilar cholangiocarcinoma involving the left hepatic duct with tumor infiltration along the left and right hepatic arteries.

(a) A mass *(arrow)* in left hilar fissure obstructs the segment VII bile duct *(arrowhead).*

(b) At lower level, tumor *(arrow)* infiltrates along the right hepatic artery *(curved arrow)* and left hepatic artery *(arrowhead).*

(c) Coronal CT reveals a tumor *(T)* with involvement of the left hepatic artery *(arrowhead)* and right hepatic artery *(arrow).* A stent is in the segment VIII bile duct.

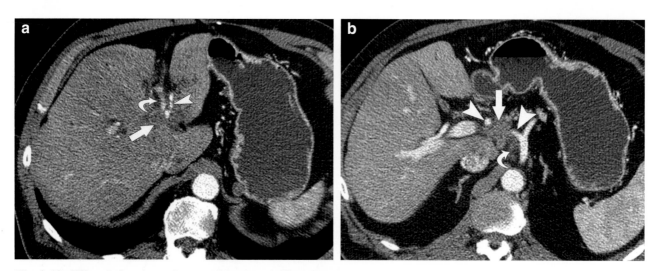

Fig. 8-18. Hilar cholangiocarcinoma with tumor infiltration along the artery and involvement of the celiac plexus.
(a) CT shows infiltrative tumor *(arrow)* involving the left hepatic duct, left portal vein *(curved arrow)* and left hepatic artery *(arrowhead)* in the left hilar fissure.
(b) CT at a lower level demonstrates infiltrative tumor *(arrows)* along the common hepatic artery *(arrowhead)* and involves the celiac ganglion *(curved arrow)* on the right side of the celiac axis.

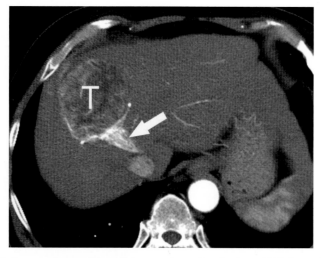

Fig. 8-19. Hepatocellular carcinoma (*T*) with tumor thrombus in the middle hepatic vein *(arrow)*.
Note tumor blood supply in the thrombus and early enhancement in the vein.

동맥, 문맥, 담관과 동행한다. 또한 횡격막과 늑간 신경에서 유래한 작은 신경 섬유들은 관상인대를 통해서 간의 표면으로, 그리고 노출부로는 직접 분포한다. 담관과 동맥주위의 풍부한 신경 섬유들 때문에 담관, 담낭관, 또는 담낭의 악성 종양이 간십이지장인대의 신경과 동맥을 침윤하고(Fig. 8-17), 복강동맥 우측편에 위치한 복강신경총으로 침범하는 것(Fig. 8-18)은 놀라운 일은 아니다.

: 정맥내 확산 Intravenous Spread

간에 생긴 대부분의 악성 종양은 간내의 정맥들을 침범하기도 하지만 정맥내로 성장하는 것은 드물다. 정맥 침범은 흔히 문맥 포위*encasement*에 의한 문맥삼분지*portal triads*로의 종양 침윤 또는 간정맥에 침윤과 부착*adherence*을 말한다. 이런 의미에 의하면, 정맥 침범은 흔히 다른 지역으로 확산보다는 국한되어 있다는 의미다. 정맥내 확

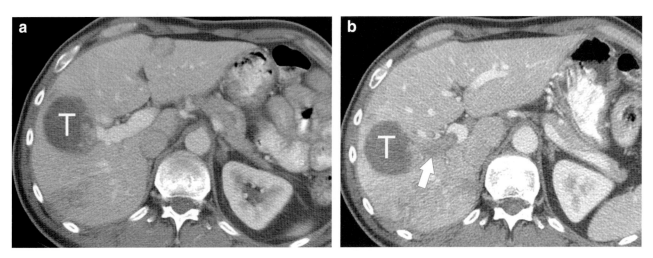

Fig. 8-20. Metastatic leiomyosarcoma with tumor thrombus in the right portal vein.

(a) CT of liver shows metastatic tumor (*T*) in segment Ⅷ.

(b) Three months later, a tumor thrombus *(arrow)* grows into the right portal vein.

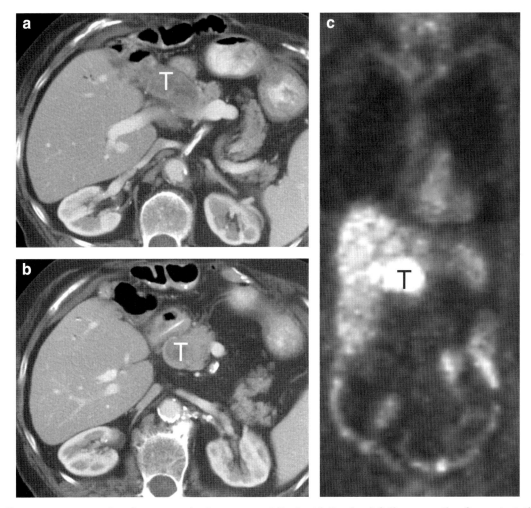

Fig. 8-21. Recurrent metastatic colon cancer in the common bile duct following left liver resection for metastatic colon cancer to liver.

(a) CT at level of porta hepatis shows a large mass (*T*) along the course of the common bile duct in the hepatoduodenal ligament.

(b) The mass (*T*) extends within the intrapancreatic segment of the distal common bile duct.

(c) Coronal view of FDG-PET imaging displays increased uptake in the mass (*T*).

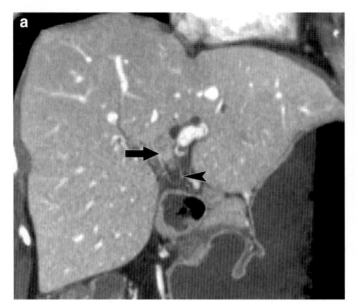
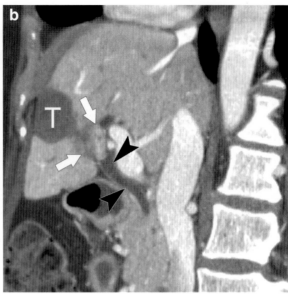

Fig. 8-22. Intrabiliary ductal growth of metastatic leiomyosarcoma to the liver. This patient had previous radiofrequency ablation of a lesion in segment IV and developed obstructive jaundice.

(a) Coronal CT image defines a papillary tumor *(arrow)* in the common hepatic duct *(arrowhead).*

(b) Sagittal CT image depicts a low-density, ablated lesion *(T)* near the anterior surface of segment IV. Recurrent tumor *(arrows)* at the posterior surface of the treated lesion grows into the common hepatic duct *(arrowheads).*

산은 종양 혈전을 형성하며, 간정맥 혹은 문맥내에서 종양의 성장을 의미한다(Figs. 8-19, 8-20). 정맥내 종양 혈전은 간세암의 흔한 확산 방법 중 하나로 잘 알려져 있고, 절제표본의 30~40%에서 발견할 수 있는 소견이다.[16-19] 정맥내 종양 혈전은 문맥을 통해서 간의 한 지역에서 다른 지역으로, 그리고 간정맥을 통해서 간에서 우심방과 폐로 퍼져갈 수 있다. 절제표본이나 절제된 간의 현미경 절편에서 보이는 종양 혈전의 존재는 나쁜 예후를 나타낸다. 수술 전 영상 검사들에서 간분절 혹은 간엽 정맥내의 종양 혈전의 발견은 환자가 간 수술이나 간 이식의 후보자가 되기 힘들게 하는 소견이다.

: 담관내 확산 Intraductal Spread

담관내에서의 종양 확산은 간십이지장인대의 복막하 공간에서 확산되는 다른 잠재적 경로이다. 담관내 종양 성장은 정맥내 종양 혈전보다 덜 발생하는데, 간세포암의 경우는 2~12%[20], 간내 담관암에서는 10%[21, 22], 그리고 전이성 대장직장암에서는 10%[23-26] 정도의 빈도로 보고

되고 있다. 이러한 확산 방식은 또한 전이성 유방암, 전이성 평활근육종*leiomyosarcoma*, 그리고 담도 낭선종*biliary cystadenoma*에서도 보일 수 있다. 대부분의 경우, 종양은 담관내로의 침범이 있는 간실질에 위치하고 담관내 유두상*papillary* 성장과 분절담관, 엽담관, 그리고 총간담관으로의 확산을 형성한다(Figs. 8-21, 8-22). 드문 경우, 종양은 총담관의 췌장내 분절까지 진행하기도 한다(Fig. 8-21).

나쁜 예후를 가진 정맥내 종양 혈전과는 다르게, 담관내 종양 확산을 가진 환자들은 더 좋은 예후를 가지고 있다. 원발 종양과 함께 이들 종양 확산부위를 완전 절제하면 장기간 생존하기도 한다. 담관내 종양 확산의 많은 경우에서 담관벽이나 인근의 간실질로 들러 붙거나 침범하지 않는다. 완전 절제가 계획될 수 있도록 수술 전에 담관내 종양 확산의 범위를 인식하는 것이 중요하다. 뿐만 아니라, 수술 후 추적 검사에서 재발을 발견하는데, 이러한 잠재적 경로를 인식하는 것 또한 중요하다.

◉ 참고문헌

1. Borley NR: Development of the peritoneal cavity, gastrointestinal tract and its adnexae. In Stranding S (ed) Gray's Anatomy, the Anatomical Basis of Clinical Practice, 40th ed. Churchill Livingstone Elsevier, London, 2008, pp 1203-1223.

2. Netter FH: Normal anatomy of the liver, biliary tract and pancreas. In Oppenheimer E (ed) The Ciba Collection of Medical Illustrations, Vol. 3: Digestive System: Liver, Biliary Tract and Pancreas. Ciba, Summit, 1979, pp 2-31.

3. Borley NR, Prasad R, Toogood G: Liver. In Stranding S (ed) Gray's Anatomy, the Anatomical Basis of Clinical Practice, 40th ed. Churchill Livingstone Elsevier, London, 2008, pp 1163-1175.

4. Baife DM, Mauro MA, Koehler RE et al: Gastro-hepatic ligament: Normal and pathologic CT anatomy. Radiology 1984; 150:485-490.

5. Lai ECH, Lan WY: Spontaneous rupture ofhepatocellular carcinoma, a systematic review. Arch Surg 2006; 141:191-198.

6. Lubner M, Menias C, Rucker C et al: Blood in the belly: CT findings of hemoperitoneum. Radiographics 2007; 27:109-125.

7. Okuda K: Anatomy of the liver. In Okuda K, Mitchell DG, Itai Y, Ariyama J (eds) Hepatobiliary Diseases, Pathophysiology and Imaging. Blackwell Science, London, 2001, pp 52-53.

8. Rouvier H, Tobias MJ: Lymphatic system of the abdomen and pelvis. In Rouvier H (ed) Anatomy of the Human Lymphatic System. Edwards Brothers, Ann Arbor, 1938, pp 158-237.

9. Lee Y-T M, Geer DA: Primary liver cancer: Pattern of metastasis. J Surg Oncol 1987; 36:26-31.

10. Watanabe J, Nakashima O, Kojiro M: Clinicopathologic study of lymph node metastasis of hepatocellular carcinoma: A retrospective study of 660 consecutive autopsy cases. Jpn J Clin Oncol 1994; 24:37-41.

11. Tanaka T, Nakamura H, Choi S et al: CT diagnosis of abdominal lymph node metastases in hepatocellular carcinoma. Eur J Radiol 1985; 5:175-177.

12. Araki T, Hihara T, Karikomi M et al: Hepatocellular carcinoma: Metastatic abdominal lymph nodes identified by computed tomography. Gastrointest Radiol 1988; 13:247-252.

13. Yamaguchi R, Nagino M, Oda K, Kamiya J, Uesaka K, Nimura Y: Perineural invasion has a negative impact on survival of patients with gall-bladder carcinoma. Br J Surg 2002; 89:1130-1136.

14. Kondo S, Nimura Y, Kamiya J et al: Mode of tumor spread and surgical strategy in gallbladder carcinoma. Langenbeck's Arch Surg 2002; 387:222-228.

15. Bhuiya MR, Nimura Y, Kamiya J et al: Clinicopathologic studies on perineural invasion of bile duct carcinoma. Ann Surg 1992; 215:344-349.

16. Koike Y, Nakagawa K, Shiratori Y et al: Factors affecting the prognosis of patients with hepatocellular carcinoma invading the portal-vein — a retrospective analysis using 952 consecutive HCC patients. Hepatogastroenterology 2003; 50:2035-2039.

17. Minagawa M, Ikai I, Matsuyama Y, Yamaoka Y, Makuuchi M: Staging of hepatocellular carcinoma. Assessment of the Japanese TNM and AJCC/UICC TNM systems in a cohort of 13,772 patients in Japan. Ann Surg 2007; 245:909-922.

18. Ikai I, Hatano E, Hasegawa S et al: Prognostic index for patients with hepatocellular carcinoma combined with tumor thrombosis in the major portal vein. J Am Coil Surg 2006; 202:431-438.

19. Poon RTP, Fan ST, Lo CM, Liu CL, Wong J: Difference in tumor invasiveness in cirrhotic patients with hepatocellular carcinoma fulfilling the Milan criteria treated by resection and transplantation. Ann Surg 2007; 245:51-58.

20. Esaki M, Shimada K, Sano T, Sakamoto Y, Kosuge T, Ojima H: Surgical results for hepatocellular carcinoma with bile duct invasion: A clinicopathologic comparison between macroscopic and microscopic tumor thrombus. J Surg Oncol 2005; 90:226-232.

21. Lee JW, Han JK, Kirn TK et al: CT features of intraductal intrahepatic cholangiocarcinoma. AJR 2000; 175:721-725.

22. Tajima Y, Kuroki T, Fukuda K, Tsuneoka N, Furui J, Kanematsu T: An intraductal papillary component in associated with prolonged survival after hepatic resection for intrahepatic cholangio-carcinoma. Br J Surg 2004; 91:99-104.

23. Okano K, Yamamoto J, Moriya Y et al: Macroscopic intrabiliary growth of liver metastases from colorectal cancer. Surgery 1999; 126:829-834.

24. Okano K, Yamamoto J, Okabayashi T et al: CT imaging of intrabiliary growth of colorectal liver metastases: A comparison of pathologic findings of resected specimens. Br J Radiol 2002; 75:497-501.

25. Takamatsu S, Teramoto K, Kawamura T et al: Liver metastasis from rectal cancer with prominent intrabile duct growth. Pathol Int 2004; 54:440-445.

26. Uehara K, Hasegawa H, Ogiso S et al: Intrabiliary polypoid growth of liver metastasis from colonic adenocarcinoma with minimal invasion of the liver parenchyma. J Gastroenterol 2004; 39:72-75.

하부 식도와 위에서 질병의 전파 양식
Patterns of Spread of Disease from the Distal Esophagus and Stomach

서론 Introduction

위의 발생학적 성장은 횡행결장간막transverse mesocolon 위쪽에 위치하는 배측 및 복측 위간막dorsal and ventral mesogastrium과 연관이 있다. 위에서 발생한 질환은 흔히 배측 및 복측의 위간막과 연관이 있는 장기, 인대 및 구조물과 횡행결장간막 상부의 복강내로 전파된다.[1-4] 이 장에서는 질병의 전파에 통로로 이용되는 하부 식도와 위 주변을 싸고 있는 인대, 장기, 복강내 공간의 해부학적인 주요 구조물들에 대해 설명하겠다.

하부 식도와 위의 발생학 및 해부학
Embryology and Anatomy of the Distal Esophagus and Stomach

하부 식도는 횡격막의 식도 열공을 지나간다. 횡격막 아래 식도 가장 하부의 짧은 분절이 위로 이행되는 입구가 분문이다. 하부 식도는 위의 상피와 유사한 종주름에 의해 내벽이 쌓여있으며, 외벽은 횡격막의 벽측복막parietal peritoneum과 연결된 장측복막visceral peritoneum에 쌓여있고 이를 하부 횡격막식도인대라고 부른다.[5] 흉곽측에서 횡격막은 늑막하 내흉근막이 확장되어 상부 횡격막식도인대를 형성하는데, 이는 다량의 조밀한 탄력소elastin로 구성되어 있으며, 하부 식도의 점막하층과 근육층 안

으로 들어간다. 좌위동맥과 정맥 및 림프액의 식도 분지들은 미주신경과 복강신경총celiac plexus에서 나오는 신경분지들과 함께 이들 인대 밑을 지나간다.

위stomach는 앞은 복측 위간막, 뒤는 배측 위간막에 의해 형성된 복막외extraperitoneum에 붙어있는 위관에서 기원한다. 위관이 반시계 방향으로 회전 후에 췌장의 체부와 미부 및 비장을 포함한 배측 위간막 내에서 형성된 장기들은 복부의 좌측으로 회전하고 간, 담도, 담낭 등 복측 위간막 내에서 형성된 장기들은 복부의 우측으로 회전한다. 또한 췌장과 위 사이에서 배측 위간막이 보다 커져서 대망omentum, 소낭lesser sac, 횡행결장간막을 형성한다. 이러한 발생의 자세한 부분은 2장에서 기술하였다.

위의 복막인대 Peritoneal Ligaments of the Stomach

복막인대들은 복강내에서 위를 지지하는 구조물로서의 역할을 한다. 이들은 혈관, 림프관, 림프절, 지방 등을 싸고 있는 두 층의 복막내피에 의해 형성된다.

: 위비장인대와 비신장인대 The Gastrosplenic Ligament and Splenorenal Ligament

위비장인대와 비신장인대는 배측 위간막에서 기원하며, 그들은 하나의 연속되는 구조물로 여겨진다. 비신장인대는 비장동맥과 정맥 및 비장문splenic hilum과 연결된 췌장 미부를 싸고 있는 복막외extraperiotnuem에서 기원한다. 위비장인대는 비장문에서 시작되어 위의 기저fundus

및 대만부greater curvature 의 후외측 벽까지 이어진다. 이는 소낭의 측면을 형성한다. 위비장인대의 주요한 혈관 구조물로는 위 기저부의 짧은 위동맥short gastric artery 및 정맥, 그리고 비장문에서 위의 체부를 따라가는 비장동맥과 정맥의 가지인 좌위대망동맥과 정맥left gastroepiploic artery and vein 이 있다.

또한 위 기저부의 후벽은 후위동맥posterior gastric artery 에서 혈류를 받는데, 이는 위 체부 뒤쪽의 비장동맥의 중간 부위에서 나오는 작은 가지이다. 이는 위횡격막주름을 형성하는 소낭의 후복막 층의 뒤를 흐른다.[5]

: 위결장인대와 대망 The Gastrocolic ligament and the Greater omentum

위결장인대 혹은 상부결장망supracolic omentum 은 위의 대만부에서 시작되어 횡행결장의 앞쪽면에 붙어서 밑으로 확장되고 앞치마apron 로서 복강내 대장과 소장을 덮는 대망이 된다. 위결장인대는 복부의 좌측에서는 위비장인대로 연장되고, 복부의 우측에서는 췌장 두부의 앞, 유문의 뒤쪽, 후복벽에 붙을 때 횡행결장간막과 합쳐진다.

대망은 위의 대만부에서 아래쪽으로 내려온다. 대망은 두 장의 시트sheet로 형성되며, 각각의 시트는 결합조직, 지방과 혈관들을 싸고 있는 두 층의 복막 내벽으로 구성되어 있다.[5] 두 시트는 각각 주름이 지고 서로 붙어있다.

- 앞쪽 시트는 위의 앞뒤 벽을 싸는 장측복막층에서 형성되며 다양한 길이로 복강으로 확장된 후 둘로 접어 포개져서 뒤쪽 시트가 되어 올라간다.
- 뒤쪽 시트는 횡행결장과 횡행결장간막의 앞을 지나가 장간막이 시작되는 위쪽, 췌장의 두부와 체부의 앞에서 후복벽에 붙는다. 뒤쪽 시트의 앞에 있는 막은 소낭의 뒤쪽 벽의 벽측복막과 연결되고, 뒤에 있는 막은 횡행결장간막과 합쳐진다.

위결장인대의 주요 혈관 구조물들은 좌/우위대망left/right gastroepiploic 혈관들이고, 이들은 위의 대만을 따라간다. 좌위대망 혈관들은 원위부 비장동/정맥에서 분지되었고, 이들은 위결장인대와 연결된 위비장인대 내의 비장문에서 나와 위의 대만부를 따라 진행하며, 우위대망

동맥/정맥들과 문합한다. 우위대망동맥은 위십이지장동맥gastroduodenal artery 의 분지로 췌장 두부의 앞에서 분지하여 위결장인대와 횡행결장간막이 융합되는 부위의 앞으로 흘러 위의 대만부를 따라 위결장인대 내로 흘러간다. 우위대망정맥right gastroepiploic vein 은 중간결장정맥middle colic vein 과 합쳐져 위결장정맥간gastrocolic trunk 을 형성하고 췌장 두부의 앞에서 상장간막정맥superior mesenteric vein 으로 흘러들어가며, 대부분의 경우 우위대망동맥의 내측에 위치한다. 위대망혈관들의 대망분지들은 대망의 혈관적인 주요 랜드마크이다.

: 위간인대와 간십이지장인대 The Gastrohepatic and Hepatoduodenal Ligament

위간인대는 간의 하연에서 시작되어 위의 분문과 소만부lesser curvature 를 따라 간다. 이 인대는 간의 미상엽caudate lobe 앞에서 정맥인대열fissure for ligamentum venosum 안으로 깊숙히 들어간다. 이 인대가 소낭을 간의 좌엽 외측 분절lateral segment 뒤의 간주변 공간과 분리하고 소낭의 앞 경계가 된다.[6] 위간인대의 고정되지 않은 한쪽 가장자리는 위십이지장인대가 된다.

위간인대의 주요 혈관 구조물들은 좌위동맥/정맥과 우위동맥/정맥이고, 이들은 위의 소만부를 따라 아치를 형성하며 문합한다. 복강축celiac axis 에서 시작되는 좌위동맥과 비장문맥정맥합류splenoportal venous confluence 로 흘러가는 좌위정맥은 위의 소만부를 따라서 위간인대 내로 분지하기 전에 복막하 위췌장 주름 내에서 두부에서 미부 방향으로 흐른다는 것은 잘 알려져 있다. 인대 내에서 좌위동맥은 상행식도분지와 하행위분지의 두 갈래로 나누어진다. 하행위분지동맥은 소만부의 상부로 혈류를 보낸다.

간십이지장인대는 위간인대의 고정되지 않는 한쪽 자유변이고 십이지장에서 간문hilum of liver 까지 연장되며 그 안에 간동맥, 담관 및 문맥이 있다. 간십이지장인대 내에서 우위정맥은 대개 문맥으로 흐른다.

Table 9-1은 위와 하부 식도에 붙는 복막인대 내의 혈관들을 요약했다. 분명히 이 혈관들은 위를 둘러싸는 복막인대 내에 위치한다. 동맥들은 위에 혈류를 공급하기 위해 위벽을 관통하는 가지를 내는 반면, 정맥들은 위벽

에서 위 주변의 정맥들로 흘러간다. 신경과 림프관들은 이러한 혈관들과 동행한다.

위 주변 복막의 오목 Peritoneal Recesses around the stomach

복막인대들에 의해 위간오목gastrohepatic recess, 좌/우횡격막하 공간과 소낭 등의 횡행결장간막 상부의 복막내 오목한 부분들이 경계지어진다. 위간오목은 간의 좌엽과 위의 소만부와 앞쪽면 사이의 복막 구석의 오목이다. 위간인대는 위간오목의 뒤쪽 경계이다. 좌횡격막하 공간은 비장주변 오목의 연장으로 위 기저부의 대만부를 따라서 위치한다. 위간인대는 좌횡격막하 공간과 비장주위 공간의 뒤쪽 경계이다.

소낭은 위의 뒤에 위치한다. 위간인대와 위비장인대는 소낭의 앞쪽 경계를 형성하고, 횡행결장간막은 아래쪽 경계이다. 췌장 체부와 미부를 덮는 복막의 뒷면은 소낭의 뒤쪽 경계이다. 소낭은 오른쪽에서 상부오목superior recess of leser sac 이라 불리는 간의 미상엽caudate lobe 의 유두상돌기papillary process 를 둘러싸는 위간인대 뒤로 확장된다.

하부 식도와 위에서 병의 전파 양식 Patterns of Spread of Disease from the Distal Esophagus and Stomach

이 장에서는 위와 식도 하부에서 악성종양의 전이에 대한 논의와 함께 다른 질병들도 같은 양상으로 퍼지는 것을 인식하는데 초점을 맞출 것이다.

식도암과 위암의 전이 양식을 이해하기 위해서는 그들의 유형types, 분류법classification 과 발병기전pathogenesis 을 검토해 보는 게 중요하다 [7-10]. 위 선암 분류법 중 가장 흔히 사용되는 것은 Lauren 분류법이며, 이는 종양의 조직학 및 증식 양상에 토대를 두고 있다.[10] Lauren 분류법은 위암을 장성intestinal 과 미만성diffuse 의 두 가지 유형으로 분류한다:

● 장성 유형의 위암은 위의 환경이나 Helocobacter pylori 같은 감염에 의해서 위점막의 손상으로 발생하는 것 같다. 손상된 위점막은 장성 유형의 점막인 장성이형성intestinal metaplasia 에 의해서 대치된 후에 순차적으로 이형성증dysplasia 과 침습성의 상피성 암invasive carcinoma 으로 이행된다. 종양 세포들은 인식할 수 있는 선구조glandular structure 를 형성하며, 세포의 분화 정도는

Table 9-1. 하부 식도와 위 주위의 복막 인대 및 주름과 해부학적 지형지물

인대	주변 장기	지형지물
횡격막식도인대 *Phreno-esophageal ligament*	횡격막에서 식도	좌위 동·정맥의 식도가지들
위간과 위십이지장인대 (소낭) *Gastrohepatic, hepatoduodenal ligament*	위소만부에서 간문	좌위 및 우위동·정맥들
위췌장인대 *Gastropancreatic ligament*	췌장 체부 위의 소낭 후벽	위상체부 소만부로가는 위주 위가지 분지전의 복막하의 좌위동맥
위횡격막인대 *Gastrophrenic ligament*	비장동맥 중간 부분에서 소낭 후벽	후위동·정맥, 비장동·정맥 가지들
위비장인대 *Gastrosplenic ligament*	위 기저부와 상체부의 대만부에서 비문	짧은 위동·정맥 좌위대망 동·정맥
위결장인대 *Gastrocolic ligament* (상부결장망)	위 체부 대만부에서 횡행결장	좌위대망 동·정맥 위주위가지들의 우위대망 동·정맥과의 문합
대망 *Greater omentum*	횡행결장이 소장 앞으로 앞치마 같이 펼쳐짐	대망동·정맥들 위위대망 동·정맥의 가지들

잘 분화된 것부터 중등도의 분화 및 분화도가 나쁜 것까지 보여준다. 종양은 위강 내로 성장하여 작은 결절이나 종괴를 형성하고 점막하층이나 위벽으로 확장하는 양상으로 침습한다.

● 미만성 유형의 위암은 점막층 내에서 한 세포의 돌연변이에 의해 발생되고 장성이형성을 그 배경으로 하지 않는다. 종양은 비결합성의 종양 세포들로 선의 형성이 거의 없이 위벽의 간질로 침윤하며 진행된다. 이 종양은 흔히 위벽을 깊이 뚫고 들어가며 결합조직형성의 *desmoplastic* 염증성 변화를 보여주기도 하지만, 상대적으로 상층부의 점막은 그대로 있는 증식위벽염*linitis plastica* 의 양상을 보인다. 종양세포가 결합성이 결핍됨은 세포 응집 단백질인 E-cadherin의 유전 부호의 돌연변이에 의한 것으로 여겨진다.

식도 하부와 식도위 연결부위 악성종양의 가장 흔한 조직학적 유형은 선암종*adenocarcinoma* 이나 중부나 상부 식도에서는 편평세포 암종*squamous cell carcinoma* 이 월등하게 많이 발생한다.[9] Siewert 등은 식도 하부와 식도위 연결부위 선암종을 해부학적 위치에 따라 세 가지로 분류했다.[7, 8]

● 제 1형*type 1* 종양은 식도 점막과 위분문 사이의 이행 상피 상부의 하부 식도에서 발생된 종양이다.

● 제 2형*type 2* 종양은 횡격막하에 위치하는 짧은 분절의 식도에서 발생된 종양으로 정상적으로, 이 부위는 위의 점막 상피와 유사한 종주름을 형성하는 내벽 상피가 있는 부위이다.

● 제 3형*type 3* 종양은 위 기저부위에서 발생된 유형이다.

그들의 분류법은 대부분(97%)의 제 1형 종양은 식도 상피의 장성이형성, 즉 Barrett's 식도를 배경으로 발생되는 반면, 제 3형 종양의 대다수(73%)는 미만성 유형의 위암으로 더 나쁜 예후를 갖는다.[11] 비록 이 분류법이 가능성이 있는 병인적*etiologic* 및 예후적*prognostic* 요인과 암종의 유형을 결정하는데 유용하지만, 이 부위의 많은 종양들은 해부학적 경계 밖으로 자라는 경우가 많다.

■ 복막내 전파 Intraperitoneal Spread

위의 대만부와 소만부의 인대가 붙는 곳을 제외하고 위의 장막 표면 대부분은 하나의 얇은 장측복막에 의해 싸여있기 때문에 위궤양 천공시 위의 내용물이나 종양의 파열

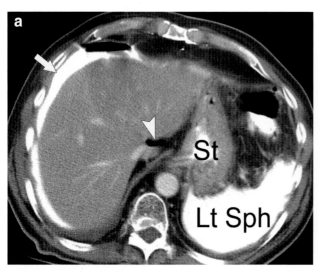 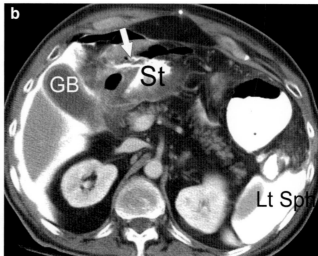

Fig. 9-1. Perforated gastric ulcer with extravasation of contrast material into the peritoneal cavity.
(a) CT at the level of upper abdomen shows contrast material and air extravasated from the stomach *(St)* in the right subphrenic space *(arrow)*, left subphrenic space *(Lt Sph)* and superior recess of the lesser sac *(arrowhead)*.
(b) CT identifies perforation *(arrow)* at the gastric antrum *(St)* with contrast material surrounding the liver, gallbladder *(GB)* and left subphrenic space *(Lt Sph)* around the spleen.

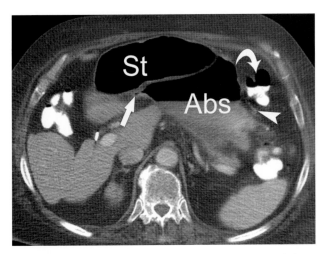

Fig. 9-2. Perforation (*arrow*) of the posterior wall of the gastric antrum (*St*) into the lesser sac.
Note the air-contrast abscess (*Abs*) is confined by the left transverse colon (*curved arrow*) and its mesocolon defined by branches of the left colic vessels (*arrowhead*).

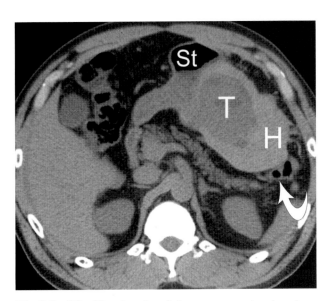

Fig. 9-3. CT without oral or intravenous contrast material demonstrates ruptured gastrointestinal stromal tumor (*T*) of the posterior wall of the stomach (*St*).
An accompanying hematoma (*H*) in the lesser sac displaces the left transverse colon (*curved arrow*) caudally and posteriorly.

*rupture*로 인한 혈종은 쉽게 위 주변 복막의 오목한 곳으로 흘러갈 수 있고, 잠재적으로 복강 도처에 퍼질 수 있다 (Figs. 9-1~3). 그러나 농양이나 혈종은 위간 오목, 횡격막하 공간*subphrenic spaces*, 비장주변 오목, 소낭 같은 상복부로 국한되어 형성될 가능성이 더 많다(Figs. 9-2, 9-3).

위암에서 복막전이는 흔하다. 미국에서는 위암 환자의 약 65%가 종양이 위벽의 근육층이나 장막 밖으로 침범한 진행된 단계에 진단된다.[10] 이렇게 진행된 단계에서는 종양 진단시 복막파종*peritoneal dissemination*을 동반할 위험성이 15~50%까지 예측되며 완치 목적으로 한 수술 후의 재발율도 60%까지 높은 빈도를 보인다.[12]

종양 세포가 복막강내로 들어가면 복강내 어디든지 파종*dissemination* 되고 침착*deposition* 될 잠재성이 있다. 종양이 침착되고 성장하기 좋은 곳은 세포의 생물학적 환경, 복수의 존재, 복막의 기질적 환경 등의 몇 가지 요소에 의해 결정된다. 복수가 있으면 골반저 같은 복강내 아래쪽이나 횡격막하 표면 같은 다량의 림프액 기공*stomata*이 있는 곳으로 복수가 흡수되어 종양은 쉽게 이동할 수 있다. 종양세포들은 소장의 장막같이 지속적인 움직임이 있는 곳에는 침착되기 힘들다. 망*omentum* 내와 회맹판*ileocecal valve* 의 장간막을 따라서 중피하 결합조직*submesothelial connective tissue* 내의 풍부한 림프액 기공과 림프구 군집들이 있어 이 곳으로 복막내 전이가 흔하다(Figs. 9-4, 9-5). 게다가 수술로 인해 복막의 잘려진 표면이나 출혈체*corpus hemorrhagicum* 에 의해 난소의 표면이 그대로 종양세포에 노출되고 이어서 그곳으로 포획되는 것은 수술부위에서의 재발이나 난소의 전이암(Krunkenburg tumor)의 가장 흔한 원발 부위가 위의 상피 세포암이라는 것을 설명해 준다(Fig. 9-6).

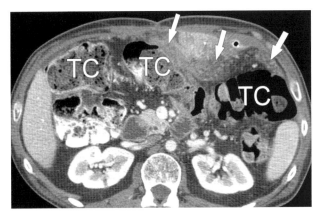

Fig. 9-4. Omental metastases after previous partial gastrectomy for gastric cancer.
Metastases (*arrows*) in the gastrocolic ligament and omentum are located anterior to the transverse colon (*TC*).

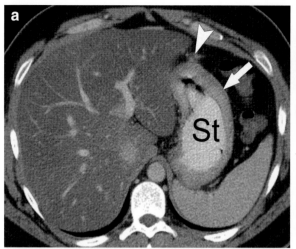

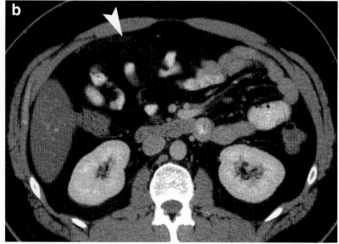

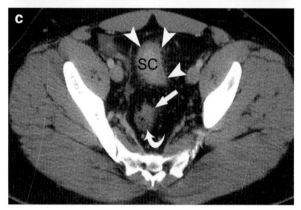

Fig. 9-5. Diffuse-type gastric cancer with peritoneal metastases in the omentum and serosal metastasis in the sigmoid colon and anterior wall of the rectum in a patient who had clinical presentation of large bowel obstruction.

(a) CT at the level of the gastric body *(St)* illustrates diffuse wall thickening and enhancement *(arrow)* with nodular extension *(arrowhead)* outside the wall.

(b) Small metastases *(arrowhead)* are present in the omentum.

(c) CT at the level of the pelvis demonstrates diffuse wall thickening *(arrowheads)* of the sigmoid colon *(SC)* and *metastasis (arrow)* at the anterior wall of the rectum *(curved arrow)*. Histological examination of the surgical specimen confirmed the presence of tumor involving the wall of the sigmoid colon and rectum without mucosal involvement.

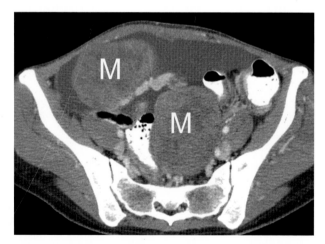

Fig. 9-6. Ovarian metastases *(M)* in a patient with diffuse-type gastric cancer and peritoneal carcinomatosis.

위암의 직접 및 복막하 장간막 전이
Direct and Subperitoneal Mesenteric Spread of Gastric Cancer

위암의 장성 유형은 암종의 확장expansion에 의해 성장하고 직접 췌장이나 결장 같은 주변 장기와 망 같은 위 주위의 인대를 침범한다. 예를 들면, 위기저부의 후벽에서 발생한 원발성 종양은 비장, 췌장 미부와 횡행결장을 침범할 수 있다. 위의 체부나 유문동antrum에서 발생한 원발성 종양은 횡행결장간막과 횡행결장, 그리고 췌장의 두부를 침범할 수 있다(Fig. 9-7). 때로는 주변 장기를 침범한 종양은 융합된 큰 종괴를 형성하여 원발 부위를 알기 힘들다.

미만성 유형의 위암은 위벽 내로 퍼져나갈 수 있고, 종양세포들이 초sheath를 형성하여 위 주위의 인대를 따라서 위벽 밖으로 퍼져나가 주변 장기로 갈 수 있다. 예를 들어, 위비장인대를 따라서 비장으로(Fig. 9-8), 위결장인

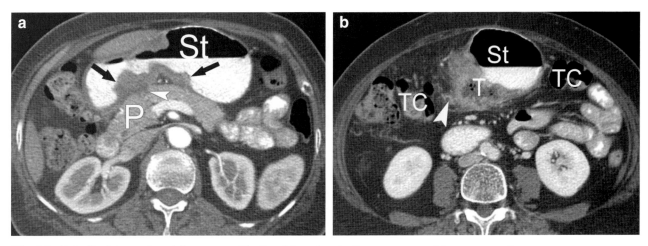

Fig. 9-7. Intestinal-type of gastric cancer with direct invasion to the pancreas and transverse colon.

(a) The tumor *(arrows)* from the posterior wall of the gastric antrum *(St)* directly invades into the pancreas *(P)*. *Arrowhead* points at the area of direct invasion.comicker

(b) CT at a lower level shows invasion of the tumor *(T)* into the transverse mesocolon defined by the middle colic vessels *(arrowhead)*. Note speckles of gas in the tumor due to fistula to the transverse colon (not shown). *St* = stomach; *TC* = transverse colon.

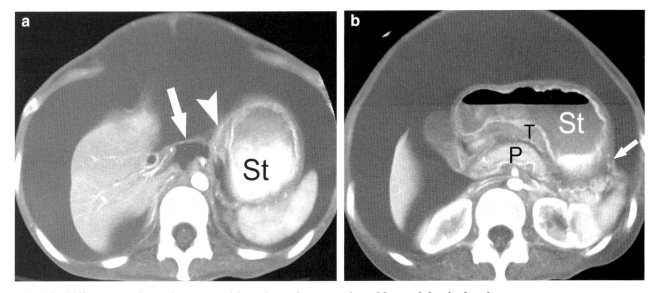

Fig. 9-8. Diffuse type of gastric cancer with peritoneal metastasis and large abdominal ascites.

(a) CT at the level of the body of the stomach *(St)* demonstrates diffuse infiltration *(arrowhead)*outside the wall along the left gastric vessels. Large ascites defines the thickened gastrohepatic ligament *(arrow)*. Ascitic fluid behind the gastrohepatic ligament is in the lesser sac.

(b) CT at a lower level reveals tumor infiltrate *(T)* outside the wall of the antrum of the stomach *(St)* anterior to the lesser sac and pancreas *(P)*. Tumor infiltrate is also present along the gastrosplenic ligament *(arrow)*.

대를 따라서 횡행결장으로(Figs. 9-9, 9-10), 그리고 위간 인대를 따라서 간으로(Fig. 9-8) 침범할 수 있다. 첨가하면 미만성 위암의 이러한 확산 체계는 반지세포*signet-ring cell* 유형의 위암, 전이된 소엽성 유방암과 림프종에서도 관찰된다. 세포 유착 단백질인 E-cadherin의 결핍은 종양이 이러한 양식으로 확산되는 원인들 중에 하나라고 간주된다.[10] 결장이 침범되면 점막으로는 종양의 침윤은 없이 장막 표면과 장벽만이 침범되어 결장내시경으로

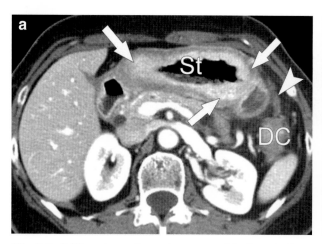
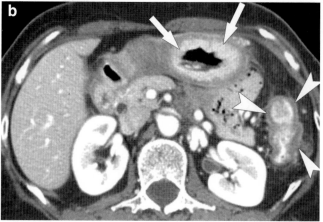

Fig. 9-9. Diffuse-type of gastric cancer with direct infiltration in sheath along the gastrocolic ligament to involve the serosa of the left transverse colon and descending colon.

(a) Diffuse wall thickening and enhancement *(arrows)* is identified in the antrum of the stomach *(St)*. The tumor extends in sheath *(arrowhead)* along the gastrocolic ligament to involve the descending colon *(DC)*.

(b) At a lower level, diffuse wall thickening *(arrowheads)* of the descending colon is due to tumor infiltration of its wall.

발견할 수 없다.

또한 진행성 위암은 위 주변의 동맥과 신경을 따라서 림프절로 그리고 위 주변 정맥내의 종양 혈전으로 위벽 밖으로 확산될 수 있다. 진행성 위암의 예후에 대한 다변량분석*multivariate analysis*에 따르면 종양의 크기, 국소적인 혹은 침윤하는 종양, 장막의 침범, 위밖으로 림프절 전이, 간 전이와 복막 전이 등이 5년 생존율에 영향을 준다. 이들 중에 장막의 침범, 림프절 전이와 간 전이가 독립적인 예후 인자들이다.[13, 14]

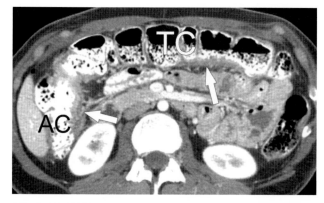

Fig. 9-10. Diffuse-type of gastric cancer (not shown) with involvement *(arrows)* of the serosa of the ascending *(AC)* and transverse colon *(TC)*.

복막하 림프계 확산과 림프절 전이 경로
Subperitoneal Lymphatic Spread and Pathways of Lymph Node Metastasis

위암에서 림프절 전이는 흔하고 종양 침범이 진행될수록 발생은 증가한다.[10, 13, 14] 종양이 점막에 국한된 경우 림프절 전이의 발생 빈도는 3~5%, 점막하층까지 제한된 경우는 16~25%이고, 장막 및 그 밖으로 침윤한 경우 80~90%까지 된다.[10] 림프절 전이는 다변량분석에서 독립적인 예후 인자들 중 하나이지만, 원발 종양과 주변 림프절의 완전 절제술은 완치의 가능성을 준다.

림프절 전이의 정도는 병리적 병기결정에 의해 정의되

는데, 이는 수술 검체에서 양성 림프절 숫자(N-staging in the TNM classification)와 림프절의 위치에 따른 해부학적 장소(D-category in the Japanese Classification for Gastric Carcinoma, JCGC)에 기초하여 사용해오고 있는 예후 지표인자이다.[10, 15-18] 진행성 위암 환자에서는 영상 검사를 이용할 수 있지만, 조기위암의 경우 림프절 전이 발견의 정확도가 떨어진다.

TNM 분류 제 5판에서 림프절 상태는 수술 검체에 최소 15개의 림프절이 포함 되었을 때 전이된 림프절의 숫자를

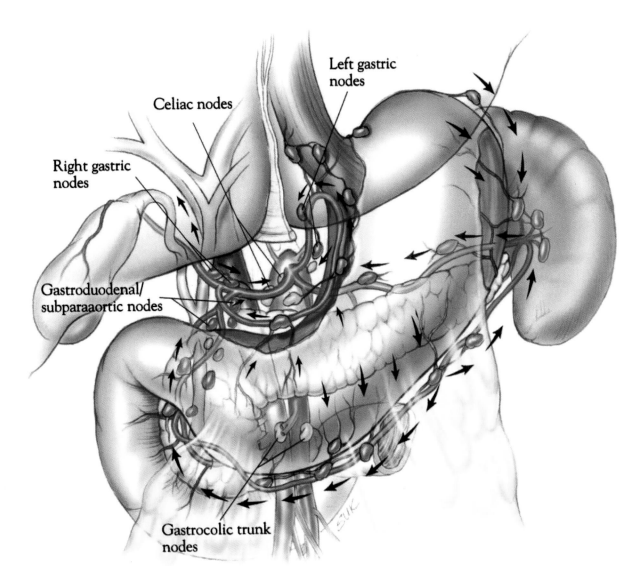

Fig. 9-11. Pathways of lymphatic drainage of the stomach.

기초로 하여정의한다:[16]

- N0 − 구역 림프절전이 없음
- N1 − 구역 림프절전이 1~6개
- N2 − 구역 림프절전이 7~15개
- N3 − 구역 림프절전이 15개 초과

    JCGC는 림프절을 다음과 같이 세 그룹으로 구분한다:

- Group 1은 좌분문, 우분문, 대만부, 소만부, 상유문

suprapyloric, 하유문*infrapyloric*을 포함하는 위주변 림프절이다.

- Group 2는 위주변에서 떨어져 있는 림프절. 여기는 좌위, 총간*common hepatic*, 비문*splenic hilum*, 고유간*proper hepatic*, 복강*celiac* 림프절이다.

    Group 1과 2의 림프절 절제를 D2 범주로 정의한다.

- Group 3은 간십이지장 인대, 췌장뒤*posterior pancreas*, 장간막근*root of mesentery*, 식도주위 그리고 횡격막 림프절이다.

세 그룹의 림프절과 대동맥paraaortic 림프절을 절제하는 것을 D3 범주라고 정의한다.

위의 림프액 흐름은 고유 체계와 외부 체계로 구성된다. 고유 체계는 장벽내 점막하와 장막하 망network 이 포함되고, 외부 체계는 위 바깥쪽으로 림프관을 형성하며 대개 위를 둘러싸는 여러 개의 인대내 동맥의 경로를 따른다. 이러한 림프관은 해당 인대내 위치하는 림프절로 배액되고, 복강축과 상장간막동맥에 있는 중심집합관 림프절로 배액된다(Fig. 9-11). 이 장에서 림프절 그룹은 JCGC 분류의 해부학적 위치를 토대로 기술하였다.

: 식도주위와 분문주위 림프절 Paraesophageal and Paracardiac Nodes

하부 식도와 위 분문 입구의 림프는 횡격막 상부 식도의 식도주위 림프절과 횡격막 아래의 분문주위 림프절로 배액된다(Figs. 9-12, 9-13). 이들 림프는 식도를 따라서 위쪽으로 종격동 림프절과 흉관을 따라서 좌/우쇄골위supraclavicular (Fig. 9-13) 림프절로 흐르거나 아래쪽으로 좌위동맥의 식도 분지를 따라서 좌위 림프절과 복강celiac 림프절로 배액된다(Figs. 9-12, 9-13).

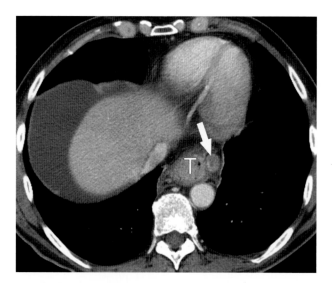

Fig. 9-12. Metastatic adenocarcinoma of the distal esophagus with metastasis to the paraesophageal, left gastric and periportal nodes.
CT at the level of the distal esophagus illustrates the tumor (T) in the distal esophagus with metastatic paraesophageal node (arrow) above the diaphragm. Abdominal ascites is present.

: 위간인대 내에서 림프절 전이 Nodal Metastases in the Gastrohepatic Ligament

위의 소만부와 식도위결합부에서 발생한 종양은 좌위동맥에서 혈류공급을 받고, 대개 위간인대 내의 림프절로 전이된다. 일차primary 림프절 그룹(group 1)은 소만부의 좌위동맥과 우위동맥의 합류 부위를 따라서 형성된다(Figs. 9-13~15). Group 2 림프절은 위췌장주름gastropancreatic fold 내의 좌위동맥과 정맥의 따라가는 림프절을 포함하고 복강축 주위의 림프절로 배액된다(Fig. 9-14).

위의 유문동의 소만부를 따라서 우위동맥 분포 지역에서 생긴 종양은 위주위와 상유문 림프절(group 1)로 배액된다. 그 다음에 그들은, 우위동맥이 나오는 부위 혹은 우위정맥이 문정맥portal vein 으로 들어가는 부위의, 총간동맥 림프절로 배액된다. 이러한 림프절들은 간동맥을 따라서 복강축 쪽으로 지속적으로 배액된다(group 2). 위 소만부를 따라서 위간인대 내에서 림프관 문합은 이 부위에서 생긴 종양에 대해 대안적alternative 배액로를 형성한다.

: 위비장인대 내에서 림프절 전이 Nodal Metastases in the Gastrosplenic ligament

위기저부 후벽과 대만부의 종양은 림프배액이 위비장인대 상부의 위주변 림프절(group 1)로 들어가고, 그 다음 짧은위동맥 가지를 따라서 비장문 림프절로 간다(Figs. 9-14, 9-15)(group 2). 위체부 대만부greater curvature of the body of the stomach 의 종양은 위주변 림프절(group 1)로 배액되고, 좌위대망 혈관들을 따라서 비장문 림프절(group 2)로 들어간다. 비장문에서 림프관은 비장동맥 림프절을 따라서 흐르고 복강축 림프절(group 2)로 배액된다. 위 기저부 후벽과 상부 체부에서 생긴 종양은 후위동맥을 따라서 상췌장 림프절suprapancreatic node[10]이라고 알려진 비장동맥을 따라서 있는 림프절 그리고 나서 복강축 림프절로 배액된다(Fig. 9-14).

: 위결장인대 내에서 림프절 전이 Nodal Metastases in the Gastrocolic Ligament

우위대망동맥right gastroepiploic artery 의 분포 안에 있는 위 유문동의 대만부에 생긴 원발성 종양은 위대만부의 경로를 따라서 우위대망동맥과 동행하는 위주변 림프절

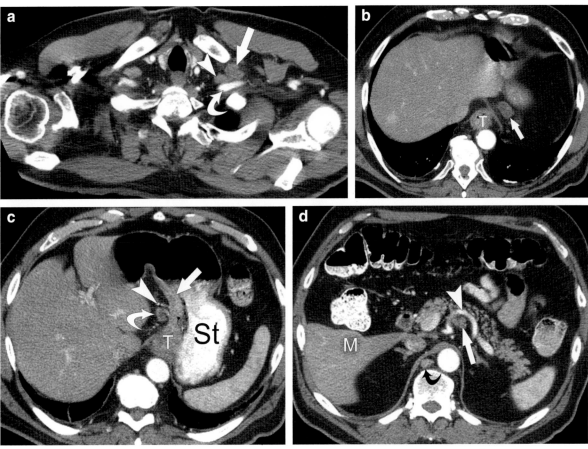

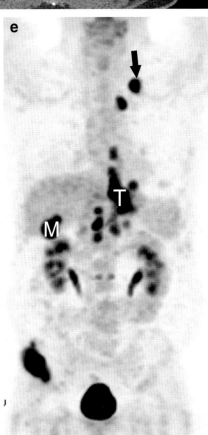

Fig. 9-13. Metastatic adenocarcinoma of the esophagogastric junction to the multiple lymph nodes above and below the diaphragm and the liver.

(a) CT at the lower neck reveals metastasis in the left supraclavicular node *(arrow)* anterior to the anterior scalene muscle *(arrowhead)* and the left subclavian artery *(curved arrow)*.

(b) The primary tumor *(T)* is shown in this image along with a metastatic left paracardiac node *(arrow)* below the diaphragm.

(c) The tumor *(T)* extends along the lesser curvature *(arrow)* of the gastric fundus *(St)*. Metastatic right paracardiac node *(curved arrow)* is present along the perigastric branch *(arrowhead)* of the left gastric artery.

(d) Metastasis is also evident at the node *(arrow)* along the splenic artery *(arrowhead)* behind the pancreas and the node *(curved arrow)* behind the right crus of the diaphragm. Metastasis *(M)* is identified in the liver.

(e) PET imaging shows the primary tumor *(T)* at the esophagogastric junction with metastases along the mediastinal lymph nodes to the left supraclavicular node *(arrow)* and hepatic metastasis *(M)*.

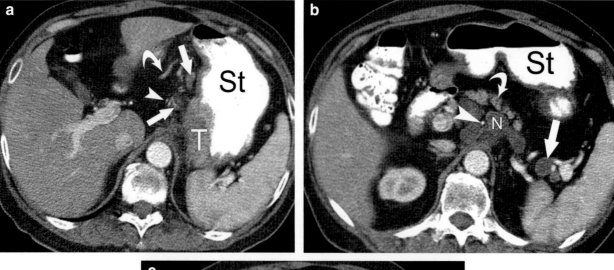

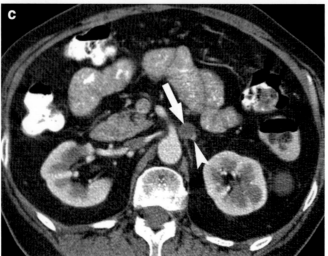

Fig. 9-14. Adenocarcinoma of the gastric fundus with metastasis to the perigastric lymph nodes (group 1), nodes at the splenic hilum (group 2), the nodes at the celiac axis (group 2) and the left inferior phrenic node (group 3).

(a) CT at the level of the fundus of the stomach *(St)* shows the tumor *(T)* at the posterior wall of the fundus with metastatic nodes *(arrows)* accompanying the perigastric branches *(arrowhead)* of the left gastric artery along the lesser curvature. Note the vessel *(curved arrow)* along the lesser curvature to anastomose with the right gastric vessel.

(b) At the level of the hilum of the spleen *(Sp)*, metastatic nodes *(arrow)* are identified with nodes *(N)* around the left gastric vessel *(arrowhead)* behind the body of the pancreas *(curved arrow)*.

(c) CT at the lower level identifies a metastatic node *(arrow)* accompanying the left inferior phrenic vein *(arrowhead)*, the left inferior phrenic node.

(group 1)로 퍼져간다. 거기서 위결장동맥(group 2) 혹은 우위대망동맥 기원부의 림프절과 위십이지장동맥을 따라가는 림프절(상유문 혹은 하유문 림프절)로 배액된다.

: 아래횡격막 림프절 경로 Inferior Phrenic Nodal Pathway

식도위결합부나 위분문에 생긴 종양은 위벽을 관통하면 횡격막을 침범할 수 있다. 횡격막의 복막 표면의 림프관 배액은 횡격막 좌각*left crus*을 따라서 있는 횡격막하 동맥과 정맥*inferior phrenic artery and vein*을 따라가는 림프절을 경유하여 복강축이나 좌신정맥을 향해서 배액된다 (Fig. 9-14)(group 3).

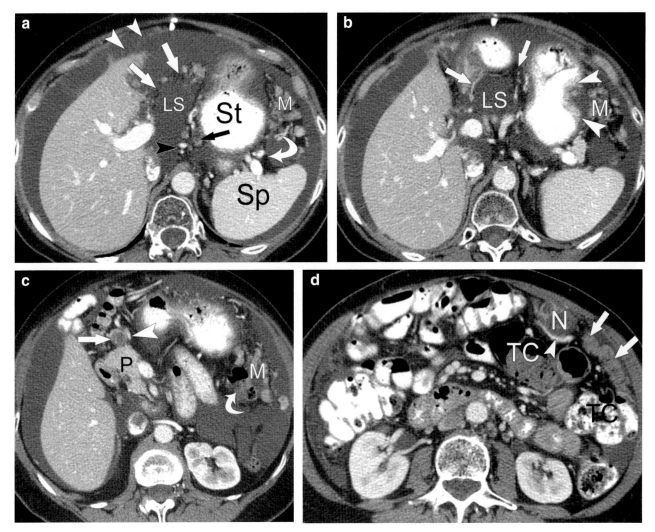

Fig. 9-15. Gastric carcinoma with regional nodal metastases, peritoneal carcinomatosis, and abdominal ascites.

(a) CT at the level of the upper segment of the body of the stomach *(St)* shows multiple peritoneal metastases and abdominal ascites. Ascitic fluid outlines metastases in the falciform ligament *(white arrowheads),* gastrohepatic ligament *(white arrows),* and gastrocolic portion of the omentum *(M)*. Fluid around the spleen *(Sp)* also defines the gastrosplenic ligament *(curved arrow).* Metastasis is also identified at the perigastric nodes *(black arrow)* along the perigastric branch of the left gastric vessels *(black arrowhead).* Note ascitic fluid in the lesser sac *(LS)*.

(b) CT at the lower segment of the body of the stomach reveals the diffuse-type of tumor *(arrowheads)* along the greater curvature. Metastasis *(M)* is identified in the gastrocolic ligament (supracolic omentum). Note the anastomotic vein *(arrows)* along the lesser curvature coursing in the subperitoneal space of the gastrohepatic ligament anterior to the lesser sac *(LS)*.

(c) CT at the level of the gastric antrum demonstrates metastasis at the node *(arrow)* near the origin of the right gastroepiploic vessel *(arrowhead)* anterior to the head of the pancreas *(P)*. Metastasis *(M)* is present in the omentum anterior to the left transverse colon *(curved arrow).*

(d) Metastatic node *(N)* is also identified along the left gastroepiploic vessels *(arrowhead)* near the greater curvature. Omental metastases *(arrows)* are also present.

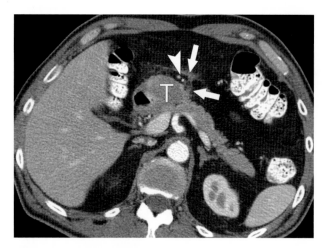

Fig. 9-16. Perineural invasion in a patient with carcinoma at the gastric antrum.
Linear soft tissue infiltration *(arrows)* extends from the tumor *(T)* into the perigastric tissue along the perigastric vessels *(arrowhead)*. Histological examination revealed extensive perineural invasion outside the gastric wall. This is in the distribution of the pyloric branch of the greater anterior gastric nerve.

동맥주위와 신경주위로의 침범 Periarterial and Perineural Invasion

위의 신경분포는 교감신경과 부교감신경 섬유에서 유래한다.[10] 교감신경 섬유는 다섯 번째에서 열두 번째 흉추에서 기원하여 복강신경총*celiac plexus* 을 형성하고 대/소 내장*greater / lesser splanchnic* 신경으로 위에 분포한다. 그들은 대개는 복강축의 가지를 따라서 위벽으로 들어간다. 부교감신경 섬유는 전방과 후방 미주신경*anterior and posterior vagus nerve* 에서 기원한다. 전방 미주신경은 식도 신경총의 좌 미주신경 가지로부터 형성된다. 이는 횡격막 아래의 하부 식도의 앞을 따라 내려가고, 보통 큰 전위신경*greater anterior gastric nerve* 과 간/유문 신경가지*hepatic/pyloric branch* 로 나뉘어진다. 큰 전위신경은 소만부를 따라서 위간인대 내에서 좌위동맥과 동행하며 위 기저부와 체부의 앞쪽 벽에 신경분포한다. 간/유문 신경은 위간 인대 내를 지나가고 위 유문동*antrum* 과 유문 및 간에 신경분포한다.

후방 미주신경은 하부 식도의 내후측을 따라가고 큰 후위신경*greater posterior gastric nerve* 을 내고 위 기저부의 후벽과 복강신경총으로 신경분포가 된다.

위의 신경 섬유들은 위동맥과 동행하기 때문에 동맥과 신경을 따라서 종양이 확산되는 것은 서로 구분이 되지 않는다. 종양의 신경주변으로의 침범은 분화가 좋지 않은 상피암의 경우 흔하고(최고 60%까지), 흔히 혈관 침범과 림프절전이를 동반한다.[19, 20] 이의 예후적인 영향은 일변량해석*univariate analysis* 에서 입증되어왔으나, 다변량해석*multivariate analysis* 에서는 독립적인 예후인자로서의 중요성을 갖지 않았다.[19] 영상검사는 위벽 밖으로 종양의 침투를 보여줄 수는 있지만, 종양의 신경주위 침범 사실을 보여주기는 힘들다(Fig. 9-16).

▌정맥을 경유한 확산 Transvenous spread

신경주위 침범과 유사하게 위주위 정맥 안으로 자라나는 종양의 혈관 침범과 종양 혈전은 일변량 해석에서 예후인자일지 모르지만, 다변량 해석에서 독립적인 예후인자가 아니다.[21] 종양의 정맥 침범은 대개는 진행성 암과 동반된다. 영상검사에서 진단은, 위 주위 동맥들을 따라서 흐르는 우위정맥, 좌위정맥, 위대망정맥 등 위에서 나가는 정맥(Fig. 9-17)에서 종양의 작은 결절이나 종양 흔적들이 확인될 수 있다면 진단시 언급되어야 한다. 이러한 정맥들은 위 주변 인대 내에 위치한다.

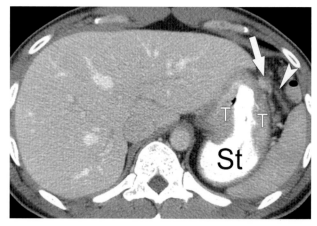

Fig. 9-17. Diffuse-type of gastric cancer *(T)* involving the body of the stomach *(St)* with tumor thrombus *(arrow)* in the perigastric branch of the left gastroepiploic vein.
Tumor infiltration *(arrowhead)* is also noted in the gastrosplenic ligament.

🔷 참고문헌

1. Borley NR: Peritoneum and peritoneal cavity. In Stranding S (ed) Gray's Anatomy, the Anatomical Basis of Clinical Practice, 40th ed. Churchill Livingstone, Elsevier, London, 2008, pp 1099-1110.

2. Coakley FV, Hricak H: Imaging of peritoneal and mesenteric disease: Key concepts for the clinical radiologists. Clin Radiol 1999; 54:563-574.

3. Meyers MA, Oliphant M, Berne AS: The peritoneal ligaments and mesenteries: Pathways of intraabdominal spread of disease. Radiology 1987; 163:593-604.

4. Charnsangavej C: Anatomy of the liver, bile duct and pancreas. In Gazelle GS, Saini S, Mueller PR (eds) Hepatobiliary and Pancreatic Radiology: Imaging and Intervention. Thieme Medical Publishers, Inc, New York, 1997, pp 1-23.

5. Borley NR, Brown JL: Abdominal oesophagus and stomach. In Stranding S (ed) Gray's Anatomy, the Anatomical Basis of Clinical Practice, 40th ed. Churchill Livingstone, Elsevier, London, 2008, pp 1111-1123.

6. Baife DM, Mauro MA, Koehler RE et al: Gastro-hepatic ligament: Normal and pathologic CT anatomy. Radiology 1984; 150:485-490.

7. Siewart JR, Feith M, Werner M, Stein HJ: Adenocarcinoma at the esophagogastric junction: Results of surgical therapy based on anatomical/topographic classification in 1,002 consecutive patients. Ann Surg 2000; 232:353-361.

8. DeMeester SR: Adenocarcinoma of the esophagus and cardia: A review of the disease and its treatment. Ann Surg Oncol. 2006; 13:12-30.

9. Khushalani N1: Cancer of the esophagus and stomach. Mayo Clin Proc 2008; 83:712-722.

10. Dicken BJ, Bigam DL, Cass C, Mackey JR, Joy AA, Hamilton SM: Gastric adenocarcinoma. Review and considerations for future directions. Ann Surg 2005; 241:27-39.

11. Siewart JR, Feith M, Stein HJ: Biologic and clinical variations of adenocarcinoma at the esophago-gastric junction: Relevance of a topographic-anatomic subclassification. J Surg Oncol 2005; 90:139-146.

12. Bozzetti F, Yu W, Baratti D, Kasamura S, Deraco M: Locoregional treatment of peritoneal carcinomatosis from gastric cancer. J Surg Oncol 2008; 98:273-276.

13. Shiraishi N, Sato K, Yasuda K, Inomata M, Kitano S: Multivariate prognostic study on large gastric cancer. J Surg Oncol 2007; 96:14-18.

14. Hyung WJ, Lee JH, Choi SH, Min JS, Noh SH: Prognostic impact of lymphatic and/or blood vessel invasion in patients with node-negative advanced gastric cancer. Ann Surg Oncol 2002; 9:562-567.

15. Japanese Gastric Cancer Association: Japanese Classification of Gastric Carcinoma, 2nd English ed. Gastric Cancer 1998; 1:10-24.

16. Sobin LH, Wittekind C: TNM Classification of Malignant Tumors, 5th ed. Wiley, New York, 1997.

17. Karpeh MS, Leon L, Klimstra D et al: Lymph node staging in gastric cancer: Is location more important than number? An analysis of 1,038 patients. Ann Surg 2000; 232:362-371.

18. Aurelio P, D'Angelo F, Rossi S et al: Classification of lymph node metastases from gastric cancer: Comparison between N-site and N-number systems. Our experience and review of the literature. Am Surg 2007; 73:359-366.

19. Lagarde SM, ten Kate FJW, Reitsma JB, Busch ORC, van Lanschot JJB: Prognostic factors in adenocarcinoma of the esophagus or gastroesophageal junction. J Clin Oncol 2006; 24:4347-4355.

20. Duraker N, Sisman S, Glinay C: The significance of perineural invasion as a prognostic factor in patients with gastric carcinoma. Surg Today 2003; 33:95-100.

21. Scartozzi M, Galizia E, Verdecchia L et al: Lymphatic, blood vessel and perineural invasion identifies early-stage high-risk radically resected gastric cancer patients. Br J Cancer 2006; 95:445-449.

췌장에서 질환의 전파 양상

Patterns of Spread of Disease from the Pancreas

CHAPTER 10

서론 Introduction

췌장은 이차적인 복막외 장기로 간주된다. 발생과정에서 췌장의 체부와 미부는 배측 십이지장간막*dorsal mesoduo-denum* 에 의하여 췌장의 두부는 복측 십이지장간막*ventral mesoduodenum* 에 의하여 지지 된다. 전장*foregut* 의 회전, 배측 위간막*dorsal mesogastrium* 의 팽창, 중장*midgut* 의 이동이 있은 이후에 배측 위간막의 후방면*posterior leaf* 은 이동된 중장을 연결하는 장간막과 합쳐져서 췌장 전방의 횡행결장간막*transverse mesocolon* 을 만들고, 췌장은 복막외에 고정된다. 이러한 발생과정으로 인하여 췌장은 횡행결장간막 상부의 장기들, 횡행결장간막 하부의 소장과 대장, 그리고 후복막 장기들과 연결된다. 이 장에서 우리는 췌장과 인접한 인대의 발생학적인 해부학과 췌장 질환 전파의 가능한 경로에 대하여 알아 보고자 한다.

췌장의 발생학과 해부학 Embryology and Anatomy of the Pancreas

췌장의 발생 Development of the Pancreas

췌장은 십이지장을 만드는 전장에서 발생한 두 개의 내배엽게실*endodermal diverticula* 에서 발생한다.[1-3] 복측 게실*ventral diverticulum* 은 간, 담관게실과 연관되어 있다. 복측 게실은 전장에 인접한 간게실의 근위부에서 분지하여 복측 십이지장간막에 위치한다. 두 개의 게실 중에서 큰 게실은 간게실의 머리쪽에 있는 전장에서 나온다. 이것은 배측 십이지장간막으로 분지하여 배측 위간막으로 커져 나간다. 이러한 게실들은 췌관으로 발생하고, 췌관에서 췌장 세엽세포*acinar cells* 와 내분비세포가 생긴다.

전장이 회전하고 위와 십이지장이 형성되기 시작하면 복측 십이지장간막에 있던 복측 췌장싹*ventral pancreatic bud* 과 담관은 반시계 방향으로 회전하여 배측 십이지장간막에 있던 배측 췌장싹*dorsal pancreatic bud* 과 합쳐진다. 복측 췌장싹은 췌장 두부의 미측 부분*caudal portion* 과 구상돌기*uncinate process* 가 되고, 배측 췌장싹은 췌장 두부의 머리쪽 부분*cranial portion* , 췌장의 체부, 미부가 된다. 배측 췌장싹의 췌관은 복측 관*ventral duct* 과 합쳐져서 Wirsung 관이 되고, 총담관*common bile duct* 과 함께 큰 유두*major papilla* 로 연결된다. 췌장의 두부, 체부, 미부를 배액하는 배측 관은 남아 있을 수 있으며, 작은 유두로 연결되고 이를 Santorini 관이라고 부른다.

전장의 회전이 진행됨에 따라서 배측 십이지장간막과 위간막이 복막의 벽측 층*parietal layer* 과 합쳐지고 소낭*lesser sac* 의 후벽이 된다. 배측 위간막은 위와 췌장 사이에서 늘어나게 되어 대망*omentum* 을 만든다. 배측 위간막의 후방면과 횡행결장이 되는 중장의 장간막이 합쳐져서 횡행결장간막이 된다. 췌장은 미부의 끝부분을 제외하고는 복막외에 위치하게 되고, 미부의 끝부분은 비신장인대*splenorenal ligament* 가 되는 배측 위간막내에 남아 있게 된다. 비장동맥과 정맥은 비신장인대 안에서 주행하여 비장으로 향한다.

췌장과 인접한 복막 인대, 장간막, 결장간막의 해부학 Anatomy of the Pancreas and Peritoneal Ligaments Around the Pancreas, Mesentery, and Mesocolon

췌장은 복막외의 전신주위 공간*anterior pararenal space*에서 췌장의 장축을 따라서 가로로 놓여있다.[2-4] 췌장의 두부는 십이지장의 두 번째 부분의 C자형 고리내에 위치하고 그 외측 표면은 십이지장의 장막과 접하고 있다. 두부의 후방 표면은 적은 양의 복막외 지방이나 가끔씩 존재하는 작은 췌장 뒤의 림프절에 의하여 하대정맥과 분리되어 있다. 췌장의 체부와 미부는 비장 문부를 향하여 복막외 공간을 가로로 주행한다.

췌장의 두부는 간십이지장*hepatoduodenal*인대와 위간인대*gastrohepatic ligament*(복측 위간막의 일부분)를 통하여 간과 위의 소만부로 연결되고, 미부는 비신장인대와 위비장인대*gastrosplenic ligament*(배측 위간막의 일부분)를 통하여 비장의 문부와 위의 대만부와 연결된다.[2-6]

췌장의 앞쪽 표면에서, 소낭의 후벽을 형성하는 후복막층*posterior peritoneal layer*과 상행결장과 하행결장간막을 덮는 후복막층이 횡행결장을 지지하는 횡행결장간막을 형성한다. 횡행결장간막의 뿌리는 제 2십이지장, 췌장의 두부와 췌장의 체부와 미부를 가로 지른다.

소장간막*small intestinal mesentery*은 상행결장과 하행경장을 덮는 후복막층들에 의해서 형성된다. 장간막의 뿌리는 공장*jejunum*이 복막외에서 횡행결장간막 뿌리 바로 아래로 나오는 십이지장공장*duodenojejunal*연결부위의 오른쪽에서 시작된다. 이는 십이지장의 수평 부분, 복부 대동맥, 하대정맥, 오른쪽 요관을 가로 질러 오른쪽 장골와*iliac fossa*로 비스듬하게 주행한다.

Fig. 10-1은 췌장과 장간막 사이의 관계를 Fig. 10-2는 췌장에서 전파되는 해부학적인 경로를 보여준다.

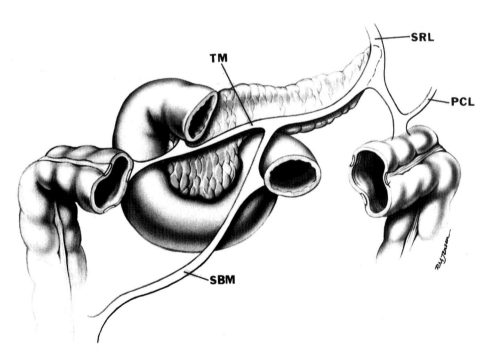

Fig. 10-1. Mesenteric relationships of the pancreas.
Frontal drawing shows the relationships of the transverse mesocolon *(TM)* and its continuity with the small bowel mesentery *(SBM)*, splenorenal ligament *(SRL)*, and phrenicocolic ligament *(PCL)*.
(Reproduced with permission from Meyers and Evans.[24])

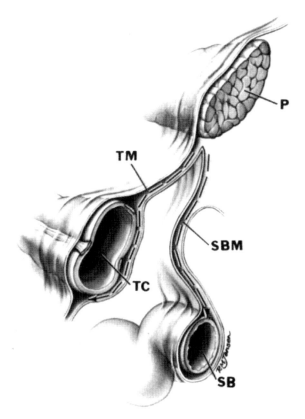

Fig. 10-2. Antomic pathways of spread from the pancreas.
Lateral drawing. The *arrowed-dashed* lines show the planes of spread from the pancreas *(P)* to the transverse colon *(TC)*, characteristically toward its lower border, and to the small bowel *(SB)*. *TM* = transverse mesocolon; *SMB* = small bowel mesentery.
(Reproduced with permission from Meyers and Evans.[24])

췌장주변 복막주름과 인대의 해부학적 구분점 Anatomic Landmarks of Ligaments and Peritoneal Folds Around the Pancreas

췌장주변의 인대와 복막주름은 인접한 장기의 혈액 순환을 위하여 대동맥에서 나오는 동맥과 내장 순환*splanchic circulation*에서 나오는 정맥을 운반한다. 따라서 구체적인 혈관구조를 아는 것은 췌장주변 인대와 복막주름의 위치와 주행에 기초가 된다. Table 10-1은 췌장주변 인대와 복막주름의 혈관 구분점을 나열하고 있다.

혈관 해부학 Vascular Anatomy

췌장은 복강동맥*celiac artery*과 상장간막동맥*superior mesenteric artery (SMA)*의 여러 분지에서 혈액공급을 받는다(Fig. 10-3). 췌장의 두부는 두위에 위치한 동맥 그물*network of arteries*에 의하여 혈액을 공급받고 이 동맥 그물은 세 개의 주요한 동맥들에서 나온다.[2-4]

- 위십이지장동맥*gastroduodenal artery*은 유문*pylorus*과 췌장 두부의 머리쪽 사이의 후유문 공간*retropyloric space*에 위치한 총간동맥*common hepatic artery (CHA)*에서 내려온다. 위십이지장동맥 시작 부위에서 후상췌십

인대와 주름	관련 장기	랜드마크
위십이지장인대 *Hepatoduodenal ligament*	십이지장에서 우문열*right hilar fissure*	간동맥, 문맥, 담관
위간인대 *Gastrohepatic ligament*	위 소만곡부위에서 간문부	우위동맥과 정맥
위췌장주름 *Gastropancreatic fold*	췌장체부위 상부의 소낭의 후벽	좌위동맥
비신장인대 *Splenorenal ligament*	좌신장 전방의 복막밖에서 비장 문부	비장동맥과 정맥
횡행결장간막 *Transverse mesocolon*	횡행결장에서 췌장두부 췌장 체부와 미부의 꼬리쪽면	중결장동맥과 정맥 위결장정맥간, 좌중결장정맥에서 비장정맥 또는 하장간막정맥
소장장간막근 *Root of small bowel mesentery*	십이지장공장연결부위에서 우측 장골와	상장간막동맥과 정맥, 회결장동맥과 정맥

Table 10-1. 췌장인대와 복막주름의 혈관 표지

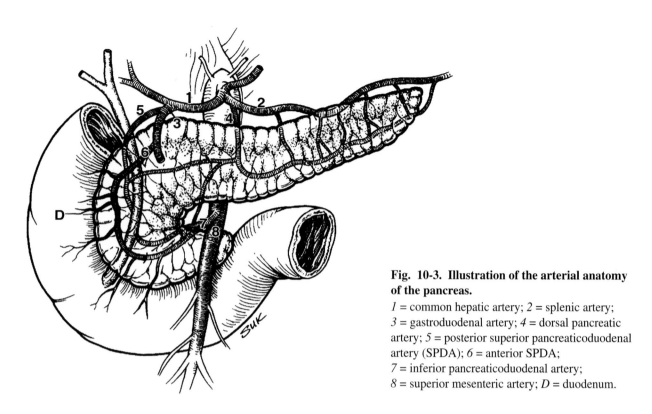

Fig. 10-3. Illustration of the arterial anatomy of the pancreas.
1 = common hepatic artery; *2* = splenic artery; *3* = gastroduodenal artery; *4* = dorsal pancreatic artery; *5* = posterior superior pancreaticoduodenal artery (SPDA); *6* = anterior SPDA; *7* = inferior pancreaticoduodenal artery; *8* = superior mesenteric artery; *D* = duodenum.

이지장동맥*posterior superior pancreaticoduodenal artery* (PSPDA) 이 분지되고, 이는 총간담관*common hepatic duct* 을 따라서 췌장 두부의 후외측 표면을 주행한다. 위십이지장동맥은 췌장 두부의 앞을 위아래 방향으로 주행하면서 위결장인대*gastrocolic ligament* 의 앞에서 분지를 내어 우위대망동맥*right gastroepiploic artery* 이 되고, 위대망동맥*gastroepiploic arterys* 은 유문의 대만부를 따라서 주행한다. 다른 한 개의 분지는 췌장의 앞쪽 표면에서 위아래 방향으로 계속되어 전상췌십이지장동맥*anterior superior pancreaticoduodenal artery (ASPDA)* 이 된다. 후상췌십이지장동맥*(PSPDA)* 과 전상췌십이지장동맥*(ASPDA)* 은 하췌십이지장동맥*inferior pancreatioduodenal artery(IPDA)* 과 배측 췌장동맥*dorsal pancreatic artery* 분지와 문합하여 췌장 두부 주위에 동맥 그물을 만든다.

- 하췌십이지장동맥*(IPDA)* 은 근위공장동맥*proximal jejunal artery* 에서 분지되거나 상장간막동맥*(SMA)* 에서 바로 분지한다. 이러한 동맥들은 일반적으로 상장간막동맥의 후벽에서 기시한다. 하췌십이지장동맥*(IPDA)* 은 구상돌기로 향하는 작은 분지들을 내고, 후방에서는 후상췌십이지장동맥*(PSPDA)* 과 만나는 분지를 전방에서는 전상췌십이지장동맥*(ASPDA)* 과 만나는 분지를 낸다.

- 배측 췌장동맥은 복강동맥의 후방이나 꼬리쪽에서 나오거나 총간동맥과 비장동맥의 근위부 1~2 cm에서 나온다. 이 동맥은 췌장 체부 근위부의 뒤쪽에서 확인할 수 있으며, 일반적으로 췌장 두부의 머리쪽과 문맥의 우내측으로 향하는 분지를 내고 췌장 두부의 내측을 따라 주행하여 췌장 두부 근처에서 췌장주위 연속아취*peripancreatic arcade* 와 문합한다. 췌장의 체부와 미부는 배측 췌장동맥과 비장동맥에서 나오는 여러 분지들에서 혈액 공급을 받는다. 배측 췌장동맥은 췌장 체부와 미부를 따라서 주행하고 비장동맥의 작은 분지들과 문합한다.

췌장 두부의 정맥은 이 주위의 동맥과 비슷한 분지 형태로 그물막을 형성한다(Fig. 10-4). 이러한 정맥들의 해부학은 비교적 일정하지만, 정맥의 주행과 유출 양상은 동맥과는 다르다. 상장간막정맥*superior mesenteric vein(SMV)* 이 비장정맥과 합쳐져서 문맥이 되고, 이들과 췌장 사이의 관련성은 췌장 수술에 있어 중요하다. 췌장 두부 꼬리쪽에 위치한 상장간막정맥*(SMV)* 분절에는 췌장 두부와 구상 돌기와 관련된 두 개의 중요한 분지인 근위공장정맥*proximal jejunal vein* 과 위결장정맥간이 있다. 공

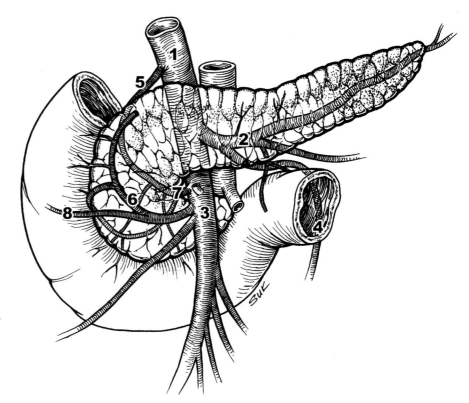

Fig. 10-4. Illustration of the venous anatomy of the pancreas.

1 = portal vein; *2* = splenic vein; *3* = superior mesenteric vein; *4* = inferior mesenteric vein; *5* = posterior superior pancreatico-duodenal vein (SPDV); *6* = anterior SPDV; *7* = inferior pancreaticoduodenal vein; *8* = right colic vein.

장근위부 혈액을 배출하는 근위공장정맥은 흔하게 상장간막정맥(SMV)의 후방으로 연결된다. 이 정맥이 상장간막정맥(SMV)으로 들어가기 이전에 하췌십이지장정맥 *inferior pancreaticoduodenal vein(IPDV)*에서 유출되는 혈액을 받는다. 우위대망정맥, 중결장정맥, 우결장정맥*right colic vein*으로 형성되는 위결장정맥간은 위간인대 내에서 주행하여 상장간막정맥(SMV)의 전방으로 들어간다. 후상췌십이지장정맥*posterior superior pancreaticoduodenal vein(SPDV)*은 대부분 담관을 따라 주행하다 상장간막정맥(SMV)과 비장정맥의 합류부 2 cm 이내의 주 문맥*main portal vein*의 꼬리쪽으로 연결된다. 전상췌십이지장정맥(ASPDV)은 작은 정맥으로 췌장 두부의 전방부를 따라서 가로로 주행하다 위결장정맥간과 만나고 상장간막정맥(SMV)의 앞쪽으로 혈액을 배출한다.

상장간막정맥(SMV)과 비장정맥의 합류부위에서 하장간막정맥*inferior mesenteric vein*은 문맥과 만나게 된다. 하장간막정맥의 60~70%는 비장정맥으로, 30~40%는 상장간막정맥(SMV)으로 들어가게 된다. 문맥은 췌장 두부의 뒤쪽에서 상부로 주행하여 간십이지장인대로 들어간다. 이 부위에서의 상장간막정맥(SMV)과 문맥은 췌장과

가깝게 닿아있다.

체부와 미부의 정맥 배출은 다양하며, 췌장 체부와 미부를 따라 있는 비장정맥으로 배출되는 많은 작은 분지들로 이루어져 있다.

췌장에서 질환의 전파 양상 Patterns of Spread of Disease from the Pancreas

복막내 전파 Intraperitoneal Spread

췌장은 후복막강에 위치한 장기이지만, 소낭의 후벽을 덮는 복막과 상행결장과 하행결장의 결장간막을 형성하는 후복막에 의하여 덮여 있다. 염증, 종양, 의인성과 외상성 손상 등과 같은 췌장의 질환은 이러한 복막층들을 통과하여 복강내로 퍼질 수 있다.

췌장의 체부와 미부의 염증에서 생긴 가성낭종이나 같은 위치의 손상으로 생긴 혈종은 종종 소낭내에 생기고 (Figs. 10-5, 10-6), 췌장 두부에 생기는 가성낭종이나 혈종은 간 아래 오목*subhepatic recess*이나 횡행결장간막 아래의 오목에 생긴다.

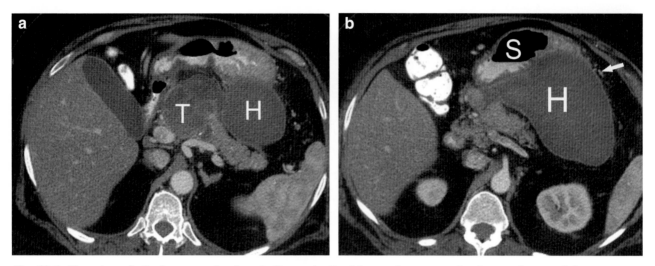

Fig. 10-5. Hematoma in the lesser sac developed after aspiration biopsy of a neuroendocrine carcinoma of the pancreatic body.
(a) CT demonstrates a tumor *(T)* in the body of the pancreas and a hematoma *(H)* in the lesser sac.
(b) The hematoma *(H)* displaces the stomach *(S)* anteriorly. Note displacement of vessels *(arrow)* in the transverse mesocolon laterally and caudally.

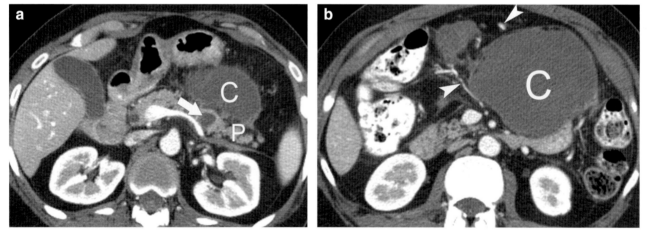

Fig. 10-6. Pseudocyst in the lesser sac from pancreatitis of the tail of the pancreas.
(a) CT at level of the tail of the pancreas *(P)* reveals a cystic mass *(C)* anterior to the tail, communicating with a cystic lesion *(arrow)* in the tail.
(b) Large pseudocyst *(C)* is located in the lesser sac with caudal displacement of the middle colic vessels *(arrowhead)* which course within the transverse mesocolon, an inferior boundary of the lesser sac. Note anterior displacement of the gastroepiploic vessels in the gastrocolic omentum, the anterior boundary of the lesser sac *(arrow)*.

진행된 췌장암 환자에서 간 전이나 복막 전이는 흔하다. 췌장 체부나 미부의 원발성 종양은 증상이 없기 때문에 종종 진행된 상태에서 발견되고, 이들은 두부에서 발생한 경우에 비하여 횡행결장간막이나 대망을 통하여 복강내로 쉽게 퍼진다(Fig. 10-7).

▌ 복막하 전파 Subperitoneal Spread

: 연속적인 복막하 전파 Contiguous Subperitoneal Spread

이러한 형태의 전파는 급성 췌장염에서 매우 흔한 전파 방식이다. 췌장 효소의 유출은 복막 인대, 장간막, 결장간

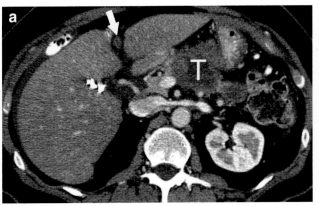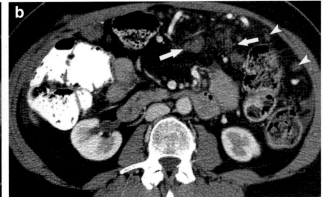

Fig. 10-7. Carcinoma of the pancreatic body and tail with peritoneal metastases.
(a) CT demonstrates primary tumor *(T)* in the body and tail. Note small peritoneal metastasis *(arrow)* at the falciform ligament.
(b) Multiple peritoneal metastases have developed in the transverse mesocolon *(arrows)* and in the omentum *(arrowheads)*.

막,[7, 8, 24] 복막바깥의 복막하 공간을 파고 들어 염증, 부종, 지방 비누화*saponification*, 지방 괴사, 가성낭종*pseudocyst*을 만든다(Figs. 10-8~13). 감염이나 출혈은 농양이나 혈종을 만들게 된다. 이러한 염증과정은 췌장 주변의 모든 인대들과 복막외 공간으로 퍼져 췌장에서 떨어져 있는 장기를 침범하거나 누공을 만들 수 있다. 더구나 췌장의 외상이나 의인성 손상에 의한 출혈이나 췌장 효소의 유출과 천공된 십이지장의 공기 유출도 이러한 형태로 전파된다. 예를 들어, 조직 검사 후에 생긴 췌장 누공에서 나온 췌장 효소는 공장장 간막에 가성낭종을 만들 수 있다. 십이지장 천공 후에는 우부대장홈과 우서혜부에 농양을 만들 수 있다(Fig. 10-12).

췌관 선암종은 인접한 복막 인대를 흔하게 침범하나 췌장으로부터 멀리까지 퍼져나가는 췌장염과는 다르게 국소적으로 침범하는 경향이 있다. 췌장 선암종의 연속적인 전파는 신경주위와 동맥주위 침범과 관련이 있다. 이러한 특징은 아래에 서술될 것이다.

: 림프관과 림프절 전이 Lymphatic Spread and Nodal Metastasis

췌장 두부의 림프액 배출은 체부나 미부와는 다르다. 췌장 두부와 십이지장은 췌장 두부에 위치한 아래의 동맥을 따라서 비슷한 유출경로 나누어 가진다.[2, 9-11] 그들은 위십이지장, 하췌십이지장, 배측 췌장의 세 가지 주된 경로로 나눌 수 있다(Figs. 10-14, 10-15).

- 결장간막의 위아래와 췌장 두부의 앞뒤의 췌장과 십이지장 사이에서 많은 림프절들이 발견된다. 하췌십이지장결절*inferior pancreaticoduodenal node*, 후상췌십이지장결절*superior pancreaticoduodenal node*과 같은 여러 이름이 있지만, 췌장주위 림프절*peripancreatic nodes*로 정할 수 있다.

- 위십이지장 경로는 췌장 전방의 림프관을 모으는 전췌십이지장결절*anterior pancreaticoduodenal nodes*과 후췌십이지장결절*posterior pancreaticoduodenal node*로부터 림프액을 받아 후췌십이지장정맥*posterior pancreaticoduodenal vein*과 이웃하는 담관을 따라서 후문맥주위결절*posterior periportal node*로 간다.

- 하췌십이지장 경로 역시 전췌십이지장결절과 후췌십이지장결절로부터 오는 림프액을 받아 하췌십이지장동맥을 따라 상장간막동맥 림프절로 연결된다(Fig. 10-14). 가끔씩 근위 공장장 간막*proximal jejunal mesentery*으로 유출될 수도 있다(Fig. 10-15).

- 배측 췌장 경로는 흔하지 않다. 췌장 두부 내측의 림프액을 모아 배측 췌장동맥의 분지를 따라 상장간막동맥이나 복강동맥 림프절에 이른다.

췌장 체부와 미부의 림프액은 배측 췌장동맥, 비장 동맥과 정맥을 따라 복강동맥 림프절로 간다.

췌장암과 십이지장암은 림프절 전이가 흔하고 예후가 나쁘다.[11-13] 림프절 크기를 근거로 하는 수술 전 영상 검

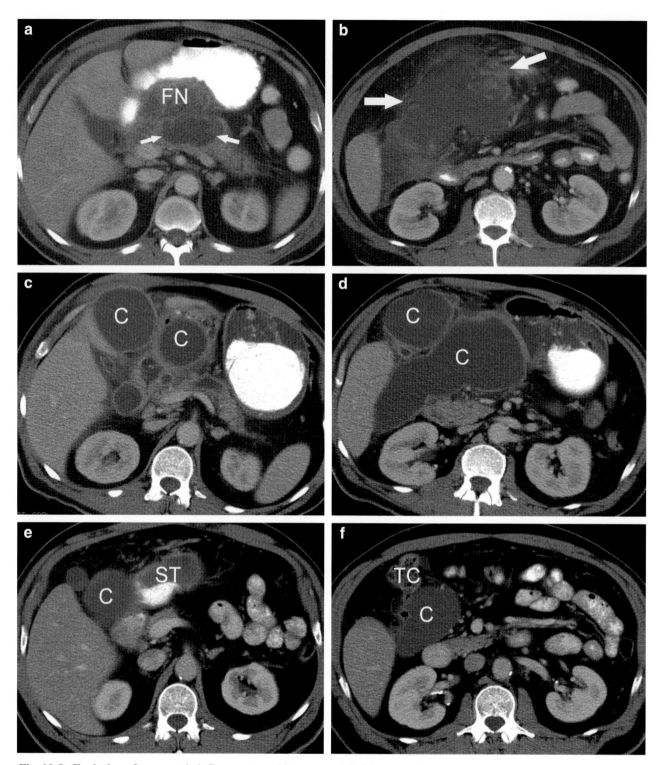

Fig. 10-8. Evolution of pancreatic inflammatory phlegmon and fluid to pseudocysts.

(a) During acute episode of pancreatitis, pancreatic necrosis *(arrows)* is evident at the body and neck with inflammatory fluid and fat necrosis *(FN)* involvingthe the gastrohepatic ligament and lesser curvature of the stomach.

(b) The inflammatory tissues *(arrows)* extend into the transverse mesocolon and subhepatic space.

(c, d) Four weeks later, perigastric pseudocysts *(C)* with thick capsules have formed in the gastrohepatic ligamentt and transverse mesocolon

(e, f) Seven months later, pseudocysts *(C)* remain attached to the stomach *(ST)* and transverse colon *(TC)*.

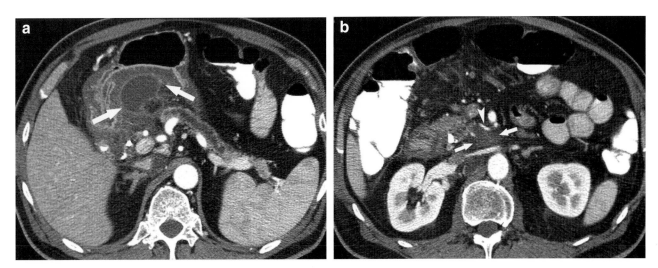

Fig. 10-9. Pancreatitis after biliary stent placement with pancreatic inflammatory fluid along the lesser curvature of the stomach where the gastrohepatic ligament is attached, and along the inferior pancreaticoduodenal artery (IPDA) behind the superior mesenteric artery (SMA).

(a) CT at the level of the gastric antrum reveals inflammatory tissue and fluid *(arrows)* extend along the lesser curvature of the stomach where the left and right gastric arteries anastomose.

(b) Inflammatory tissue *(arrows)* is also present along the IPDA *(arrowhead)*.

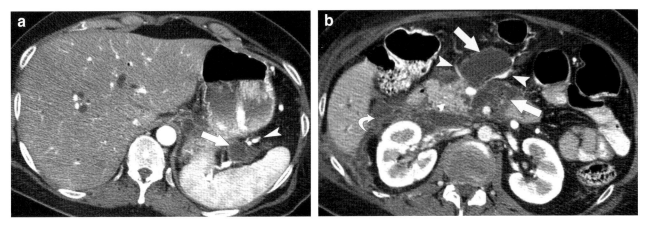

Fig. 10-10. Pancreatitis with pancreatic inflammatory tissue at the gastropancreatic fold, splenorenal ligament, gastrosplenic ligament, transverse mesocolon, and in the anterior pararenal space.

(a) Pancreatic inflammatory tissue (fat necrosis) *(arrow)* between the splenic hilum and the greater curvature of stomach along the left gastroepiploic artery *(arrowhead)* in the gastrosplenic ligament.

(b) Inflammatory tissue *(arrows)* is present in the transverse mesocolon along the middle colic artery *(arrowhead)* and in the anterior pararenal space *(curved arrow)*.

사는 림프절 전이 진단에 정확하지 않다. 정확성의 부족 때문에 췌장주위 림프절, 위십이지장동맥 림프절, 하췌십이지장동맥 림프절은 방사선 조사 범위에 포함되어야 하며 췌장십이지장절제 시에도 함께 제거되어야 한다. 그러나 낮은 음영이나 불규칙한 경계를 가지는 비정상 림프절이 근위 공장장 간막이나 횡행결장간막과 같이 일반적인 유출 경로를 밖에 있거나 일반적인 수술이나 방사선 치료 범위 밖에서 발견되었을 때 재발하는 위치가 될 수 있으므로 이를 언급하는 것이 중요하다.

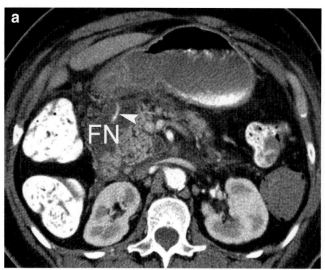 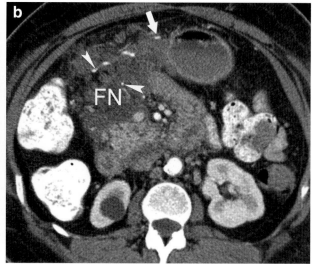

Fig. 10-11. Pancreatic inflammatory tissue in the transverse mesocolon and along the greater curvature of stomach.
(a) Inflammatory fat necrosis *(FN)* is present along the right gastroepiploic artery *(arrowhead)*.
(b) Fat necrosis *(FN)* extends into the transverse mesocolon along the middle colic artery *(arrowheads)* and along the right gastroepiploic artery *(arrow)*.

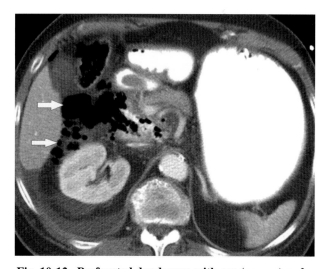

Fig. 10-12. Perforated duodenum with gas *(arrows)* and duodenal content in the right anterior pararenal space.

: 동맥주위와 신경주위 전파 Periarterial and
  Perineural Spread

췌관 선암에서 동맥주위와 신경주위 침범은 흔하다(Figs. 10-16~19). 췌장안 신경주위 침범은 침습성 췌관 선암의 중요한 조직학적 특징이고, 췌장밖 신경주위 침범도 70%까지 보고되고 있다.[14-17] 췌장 신경 섬유는 동맥을 동반하고 있고 동맥과 신경섬유를 서로 구분할 수 없기 때문에 함께 취급하고자 한다.

췌장 두부로 향하는 췌장 신경은 전간*anterior hepatic*, 후간*posterior hepatic*, 상장간막*superior mesenteric* 신경총*plexus*으로 구성된 세 개의 중요한 신경총으로부터 나온다: [18]

- 전간신경총*anterior hepatic plexus* 은 총간동맥과 위십이지장동맥을 따라 췌장 두부의 전방에 이른다(Fig. 10-16).
- 후간신경총*posterior hepatic plexus* 은 담관을 따라 내측면과 후측면으로 신경 섬유를 낸다.
- 상장간막신경총*superior mesenteric artery plexus* 은 하췌십이장동맥*(IPDA)* 을 따라 미상돌기*caudate process*로 신경섬유를 낸다(Fig. 10-17).

췌장의 체부와 미부는 비장동맥과 배측 췌장동맥을 따라 신경섬유가 있고, 이는 복강신경총에서 나온다(Fig. 10-19).[18]

췌장주위 혈관을 따라 있는 췌장 주변의 신경 그물망 때문에 췌관 선암은, 췌장주변 인대, 결장간막(Fig. 10-18), 장간막(Fig. 10-16)에 퍼질 수 있다. 이러한 구조물의 침범은 완전한 절제의 제한점이 되고 절제 이후에도 재발하는 위치가 될 수 있다.

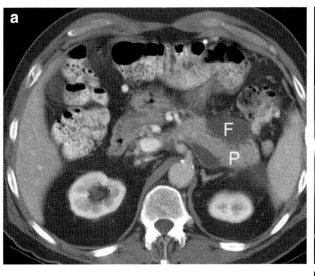

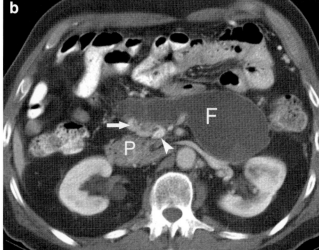

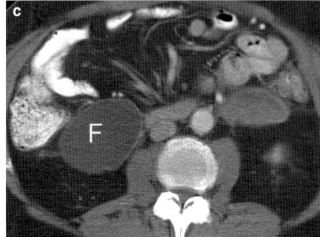

Fig. 10-13. Pseudocyst from pancreatitis tracking from the tail of the pancreas along the root of the mesentery to the right extraperitoneum.

(a) Peripancreatic fluid *(F)* parallels the tail of pancreas *(P)*.

(b) Fluid *(F)* tracks along the root of the transverse mesocolon anterior to the head of the pancreas *(P)*. Note the middle colic vein *(arrow)* joining the superior mesenteric vein *(arrowhead)*.

(c) Fluid *(F)* extends to the ascending mesocolon and the root of the mesentery.

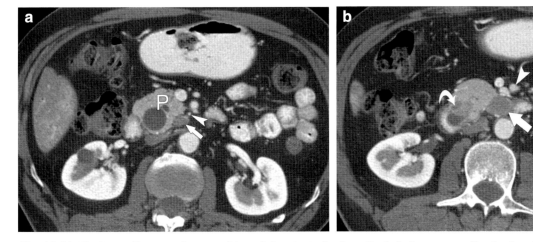

Fig. 10-14. Periampullary carcinoma with nodal metastasis along the inferior pancreaticoduodenal route.

(a) CT shows a dilated common bile duct. Note a small node *(arrow)* medial to the head of the pancreas *(P)* adjacent to the inferior pancreaticoduodenal artery (IPDA) *(arrowhead)*.

(b) A mass *(curved arrow)* obstructs the distal common bile duct with an enlarged node *(arrow)* behind the SMA *(arrowhead)*.

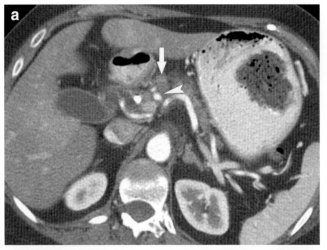

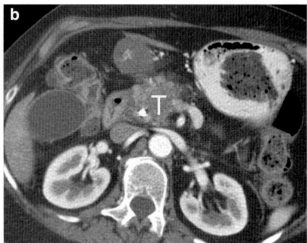

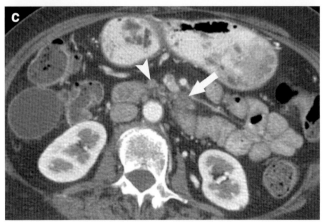

Fig. 10-15. Metastatic adenopathy involving a common hepatic artery node and node at the jejunal mesentery from a ductal adenocarcinoma of the pancreatic head.

(a) A hypodense node *(arrow)* is seen anterior to the common hepatic artery *(arrowhead)*.

(b) CT image shows the hypodense mass *(T)* in the head of the pancreas.

(c) A cluster of small nodes *(arrowhead)* is present along the IPDA. Note the enlarged node *(arrow)* in the jejunal mesentery.

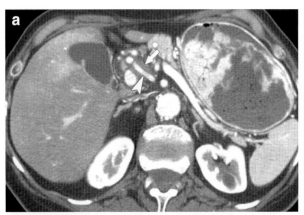

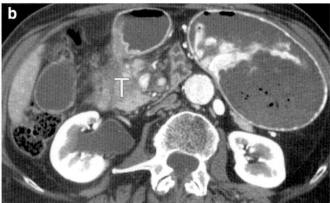

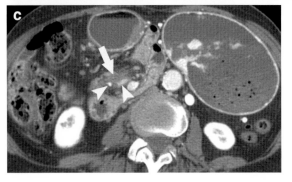

Fig. 10-16. Pancreatic ductal adenocarcinoma in the pancreatic head with periarterial / perineural invasion along the common hepatic artery (CHA) and ileocolic artery.

(a) CT image shows hypodense infiltration *(arrow)* along the CHA *(arrowhead)*.

(b) The primary tumor *(T)* is in the pancreatic head.

(c) At a lower level, hypodense tumor *(arrow)* infiltrates along the ileocolic artery *(arrowheads)* in the root of the small bowel mesentery.

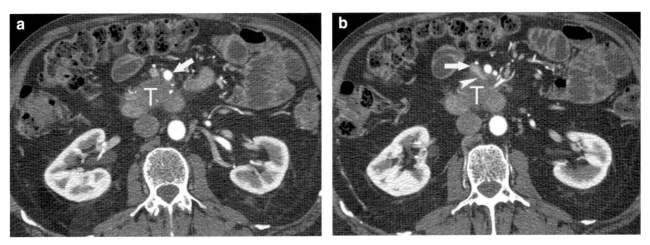

Fig. 10-17. Pancreatic ductal adenocarcinoma with involvement of the superior mesenteric artery and extension into the jejunal mesentery.

(a) A hypodense mass *(T)* is identified in the uncinate process of the head of pancreas. Note periarterial infiltration of the SMA *(arrow)*.

(b) The tumor *(T)* infiltrates into the jejunal mesentery along the jejunal vein *(arrowhead)* where it enters the SMV *(arrow)*.

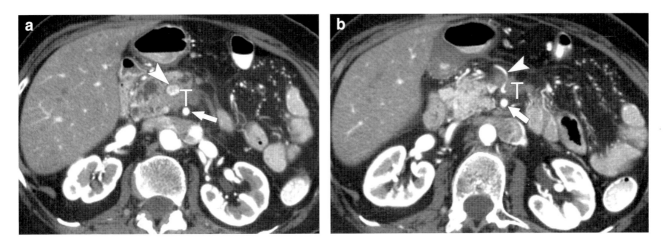

Fig. 10-18. Pancreatic ductal adenocarcinoma with involvement of the root of the transverse mesocolon.

(a) CT demonstrates tumor infiltration *(T)* from the head of the pancreas between the SMA *(arrow)* and SMV *(arrowhead)*.

(b) Hypodense tumor *(T)* extends into the root of the transverse mesocolon where the middle colic artery *(arrowhead)* originates from the SMA *(arrow)*.

: 정맥내 전파 Intravenous Spread

정맥내 종양 혈전은 췌관 선암에서는 흔하지 않으며, 췌장의 진행된 신경내분비 종양에서 더 흔하다(Fig. 10-20).[19-21] 이러한 상황에서 췌장 체부와 미부의 일차 종양은 비장정맥으로 자라 들어가 문맥으로 진행하는 반면에 두부의 종양은 상장간막정맥(SMV), 공장정맥*jejunal vein*, 문맥으로 자라 들어간다.

: 관내 전파 Intraductal Spread

관내 종양의 성장은 관내 유두상점액성종양*intraductal papillary mucinous neoplasm(IPMN)*을 제외하고는 드물다. 관내 유두상점액성종양은 췌관에 점액을 분비하여 주관이나 옆 분지의 팽창을 만들거나 고형 결절을 가지는 낭성 병변을 만들 수 있다.[22, 23] 드문 경우에 관내 유두상점액성종양과 신경내분비암의 성장은 췌관내에서 종양 혈전 모양을 보일 수 있다(Figs. 10-21, 10-22).

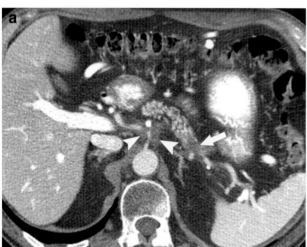
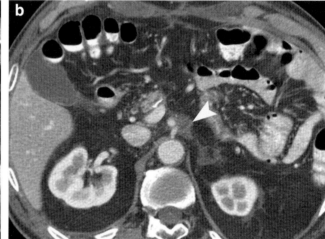

Fig. 10-19. Pancreatic ductal adenocarcinoma in the tail of the pancreas with involvement of the celiac plexus.
(a) CT reveals hypodense tumor *(arrow)* in the tail of the pancreas and hypodense infiltration *(arrowheads)* on both sides of the celiac axis.
(b) After distal pancreatectomy, recurrent tumor *(arrowhead)* develops at the celiac plexus.

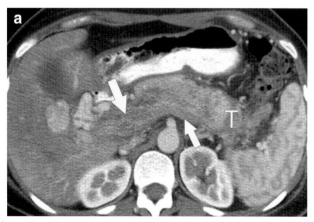
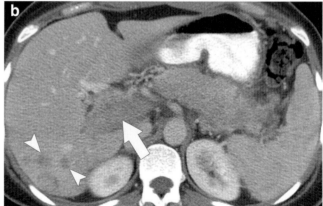

Fig. 10-20. Pancreatic neuroendocrine carcinoma with tumor thrombus in the splenic vein and portal vein.
(a) The primary tumor *(T)* is in the tail of the pancreas with tumor thrombus *(arrows)* in the splenic vein.
(b) During the venous phase, tumor thrombus *(arrows)* is identified in the portal vein. Note multiple hepatic metastases *(arrowheads)*.

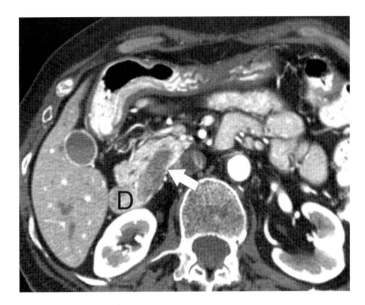

Fig. 10-21. Intraductal papillary mucinous tumor with an appearance of tumor thrombus *(arrow)* in the main pancreatic duct extending into the ampulla.

D = duodenum.

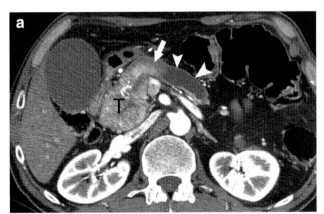

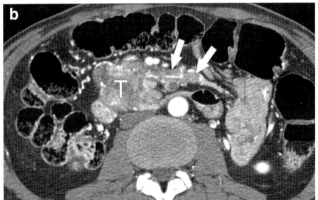

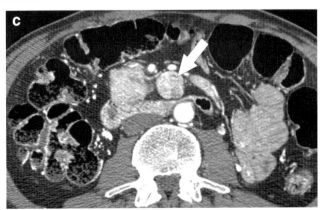

Fig. 10-22. Non-functioning islet cell carcinoma of the pancreas with intraductal tumor growth in the main pancreatic duct, tumor thrombus extending into the jejunal vein, and metastatic node in the jejunal mesentery.

(a) A primary tumor *(T)* is in the head of pancreas with conspicuous tumor growth *(arrow)* in the main pancreatic duct *(arrowheads)* causing obstruction of the duct.
(b) Tumor thrombus *(arrows)* grows into the jejunal vein.
(c) Metastatic node *(arrow)* is also present in the jejunal mesentery.

◈ 참고문헌

1. Borley NR: Development of the peritoneal cavity, gastrointestinal tract and its adnexae. In Stranding S (ed) Gray's Anatomy, the Anatomical Basis of Clinical Practice, 40th ed. Churchill Living-stone Elsevier, London, 2008, pp 1203-1223.

2. Netter FH: Normal anatomy of the liver, biliary tract and pancreas. In Oppenheimer E (ed) The Ciba Collection of Medical Illustrations, Vol. 3: Digestive System: Liver, Biliary Tract and Pancreas. Ciba, Summit, 1979, pp 2-31.

3. Charnsangavej C: Anatomy of the liver, bile duct and pancreas. In Gazelle GS, Saini S, Mueller PR (eds) Hepatobiliary and Pancreatic Radiology: Imaging and Intervention. Thieme Medical Publishers, Inc, New York, 1997, pp 1-23.

4. Borley NR, Khan N, Moore LA: Liver. In Strand- ing S (ed) Gray's Anatomy, the Anatomical Basis of Clinical Practice, 40th ed. Churchill Living-stone Elsevier, London, 2008, pp 1183-1190.

5. Meyers MA, Oliphant M, Berne AS et al: The peritoneal ligaments and mesenteries: Pathways of intraabdominal spread of disease. Annual oration. Radiology 1987; 163:593-604.

6. Oliphant M, Berne AS, Meyers MA: The subperitoneal space of the abdomen and pelvis: Planes of continuity. AJR 1996; 167:1433-1439.

7. Van Minnen LP, Besselink MG, Bosscha K, Van Leeuwen MS, Schipper ME, Gooszen HG: Colonic involvement in acute pancreatitis. A retrospective study of 16 patients. Dig Surg 2004; 21:33-38, discussion 39-40.

8. Oliphant M, Berne AS, Meyers MA: Spread of disease via the subperitoneal space: The small bowel mesentery. Abdom Imaging 1993; 18:109-116.

9. Kitagawa H, Ohta T, Makino I et al: Carcinomas of the ventral and dorsal pancreas exhibit different patterns of lymphatic spread. Front Biosci 2008; 13:2728-2735.

10. Morganti AG, Cellini N, Mattiucci GC et al: Lymphatic drainage and CTV in pancreatic carcinoma. Rays 2003; 28:311-315.

11. Michalski CW, Kleeff J, Wente MN, Diener MK, Buchler MW, Friess H: Systematic review and meta-analysis of standard and extended lymphadenectomy in pancreaticoduodenectomy for pancreatic cancer. Br J Surg 2007; 94:265-273.

12. Pawlik TM, Gleisner AL, Cameron JL et al: Prognostin relevance of lymph node ratio following pancreaticoduodenectomy for pancreatic cancer. Surgery 2007; 141:610-618.

13. Katz MH, Hwang R, Fleming JB, Evans DB: Tumor-node metastasis staging of pancreatic adenocarcinoma. CA Cancer J Clin 2008; 58:111-125.

14. Kayahara M, Nakagawara H, Kitagawa H, Ohta T: The nature of neural invasion by pancreatic cancer. Pancreas 2007; 35:218-223.

15. Takahashi T, Ishikura H, Motohara T, Okushiba S, Dohke M, Katoh H: Perineural invasion of ductal adenocarcinoma of the pancreas. J Surg Oncol. 1997; 65:164-170.

16. van Roest MH, Gouw AS, Peeters PM et al: Results of pancreaticoduodenectomy in patients with periampullary adenocarcinoma: Perineural growth more important prognostic factor than tumor localization. Ann Surg 2008; 248:97-103.

17. Mitsunaga S, Hasebe T, Kinoshita T et al: Detailed histologic analysis of nerve plexus invasion in invasive ductal carcinoma of the pancreas and its prognostic impact. Am J Surg Pathol 2007; 31:1636-1644.

18. Yi SQ, Miwa K, Ohta T et al: Innervation of the pancreas from the perspective of perineural invasion of pancreatic cancer. Pancreas 2003; 27:225-229.

19. Buetow PC, Parrino TV, Buck JL et al: Islet cell tumors of the pancreas: Pathologic-imaging correlation among size, necrosis and cysts, calcification, malignant behavior, and functional status. AJR 1995; 165:1175-1179.

20. Buetow PC, Miller DL, Parrino TV, Buck JL: Islet cell tumors of the pancreas: Clinical, radiologic, and pathologic correlation in diagnosis and localization. RadioGraphics 1997; 17:453-472.

21. Horton KM, Hruban RH, Yeo C, Fishman EK: Multidetector row CT of pancreatic islet cell tumors. Radiographics 2006; 26:453-464.

22. Akatsu T, Wakabayashi G, Aiura K et al: Intraductal growth of a nonfunctioning endocrine tumor of the pancreas. J Gastroenterol 2004; 39:584-588.

23. Kitami CE, Shimizu T, Sato O, Kurosaki I et al: Malignant islet cell tumor projecting into the main pancreatic duct. J Hepatobiliary Pancreat Surg 2000; 7:529-533.

24. Meyers MA, Evans JA: Effects of pancreatitis on the small bowel and colon: Spread along mesenteric planes. AJR 1973; 119:151-165.

소장으로부터 질병의 파급 양상

Patterns of Spread of Disease from the Small Intestine

서론 Introduction

소장은 십이지장, 공장과 회장으로 이루어져 있다. 이 장에서는 공장과 회장 및 충수돌기를 침범하는 질병의 파급 양상에 대해 기술하고자 한다.

소장의 발생학과 해부학 Embryology and Anatomy of the Small Intestine

십이지장의 세 번째, 네 번째 분절과 소장, 대장의 일부는 중장으로부터 유래 한다. 중장은 태아기 초에 큰 구멍을 통해서 난황낭yolk sac과 직접적으로 연결되어 있다가 복강의 형성이 완료된 후 세 가지 중요한 과정을 거친다:[1, 2]

- **복강내로 중장의 연장 및 이동** : 중장에서 난황낭으로의 연결부위는 좁으며, 장-난황관intestinal-vitelline duct을 형성한다. 중장은 복강내로 연장되고 이동한다. 복막층은 장간막을 형성하는데 대동맥에서 기시하는 동맥을 포함한다.
- **중장의 회전** : 연장과 이동이 일어남에 따라 장관의 복막 부착은 장관근과 장관의 면을 따라 반시계 방향으로 회전한다. 이로 인해 중장의 근위부위는 좌측에 위치하게 되고 중간부위와 원위부위는 복강의 우측에 위치하게 된다. 가장 말단부위는 상부 복강내에 남아 후벽

의 좌측에 고정된 후장hindgut과 연결된다.
- **소장의 장간막 형성** : 길이가 늘어난 중장은 복강내에서 접히고 되고, 반면에 후복벽에 고정된 복막 부착부위는 장의 길이만큼 길어지지 않아 결과적으로 장간막은 주름장식ruffle 같은 모양을 하게 된다.

장-난황관의 근위부는 지속적으로 남아 있을 수도 있고 원위부 회장에서 멕켈씨 게실Meckel's diverticulum의 형태를 보이거나 혹은 회장과 배꼽을 연결하는 섬유띠 형태로 존재할 수 있다.

십이지장의 두 번째 및 세 번째 분절은 이차 복막외 장기로 간주되는데, 횡행결장간막transverse mesocolon의 뿌리를 형성하는 후복막 층에 의해 덮여 있다. 십이지장의 네번째 분절은 후복막층의 개구부를 통해 복강내로 빠져나와 십이지장공장굴곡duodenojejunal flexure 및 공장으로 연결된다. 공장은 횡행결장간막의 좌측 하방, 좌신장의 전방인 좌측 복강내에서 접혀져 위치한다. 공장은 회장보다 장벽이 두꺼우며 점막주름도 두꺼운데, 이를 윤상주름plicae circulares(valvulae conniventes)이라 부른다.[3]

회장은 장벽이 더 얇으며 복강의 우측 하부에 위치한다. 윤상주름은 회장 말단부로 갈수록 납작해지나, 림프구 응집lymphoid aggregates은 회장 말단부로 갈수록 점막하층에 더 많이 분포한다(Peyer's patches).

소장의 장간막은 복강내에서 공장과 회장을 지지하며 두 개의 복막 층으로 이루어져 있다. 장간막의 뿌리부위 (약 15 cm)는 상행결장과 하행결장, 그리고 각각의 결장

간막을 덮고 있는 후복막층으로부터 형성된다. 이 후복막층은 횡행결장간막의 후복막층과 연결된다. 장간막의 뿌리는 복부대동맥의 좌측에 위치한 십이지장공장굴곡에서 시작하여 대각선으로 우측 천장관절*sacroiliac joint* 쪽을 향하여 십이지장의 세 번째 분절과 대동맥, 하대정맥, 우측 요관 및 우측 요근*psoas muscle*을 가로지른다.

공장의 장간막은 동맥, 정맥, 림프관 및 신경을 운반한다. 공장의 혈관공급은 상장간막동맥의 좌측에서 기시하는 5~10개 분지에 의해 이루어진다.[3] 정맥은 대개 동맥과 함께 주행하며, 약 70% 정도에서는 췌장의 구상돌기 좌측 상장간동맥 후방에서 상장간막정맥으로 들어가는 공통줄기*common trunk*를 형성한다. 나머지는 상장간정맥 앞쪽으로 들어가거나 혹은 두 개의 정맥으로 존재하기도 한다.

회장동맥은 대개 상장간막동맥에서 기시하며 3개에서 5개의 분지를 이룬다.[3] 그러나 회장벽으로 들어가기 전에 장간막 내에서 여러 개의 층을 형성한다. 회결장동맥*ileocolic artery*은 상장간막동맥의 우측에서 기시하여 장간막의 뿌리 근처로 주행하며, 말단부 회장과 충수돌기 및 맹장에 혈류를 공급한다. 회장정맥의 여러 분지는 회장동맥과 함께 주행하며, 회결장정맥은 회결장동맥과 주행하여 상장간막정맥으로 들어간다.

● ● ●
소장장간막의 영상표지 Imaging Landmarks of the Mesentery of the Small Intestine

Table 11-1은 소장과 충수돌기 장간막의 혈관표지에 대한 목록이다.

십이지장의 네 번째 분절이 복막외로부터 빠져나오는 십이지장공장굴곡과 좌측 십이지장주위 함요*paraduodenal recess*는 다음과 같은 해부학적 표지에 의해 정의될 수 있다:

● 하장간막정맥*inferior mesenteric vein*은 좌측 상부경계를 형성하며, 상부 십이지장주름*superior duodenal fold*으로 정의될 수 있다. 하장간막정맥은 하행결장을 덮고 있는 후복막층의 내측 가장자리에 의해 덮여 있으며, 좌측 신정맥의 앞쪽으로 주행하여 비정맥, 상장간막정맥 혹은 두 정맥의 연결부로 유입된다. 이 정맥은 횡행결장간막 뿌리부위의 표지가 되며 십이지장공장굴곡의 바로 위쪽에 위치한다.
● 상장간막동맥과 상장간막정맥은 장간막 뿌리 부위의 기시부에서 시작하며 십이지장공장굴곡의 우측 경계를 형성한다.
● 공장 장간막내의 공장동맥과 공장정맥의 여러 분지들은 앞쪽 경계를 형성한다.

공장은 복강의 좌측에 위치하며, 점막주름은 회장에 비해 더 두드러진다. 첫 번째 공장동맥은 대개 상장간막동맥의 좌측에서 기시하는 첫 번째 분지이다.

하췌십이지장동맥*inferior pancreaticoduodenal artery*이 함께 기시할 수도 있으며, 혹은 분지로 존재할 수도 있고 췌장 구상돌기의 좌측으로 주행한다.

회장동맥들은 여러 개의 분지로 상장간막동맥에서 기시하며 아래쪽으로 주행하여 공장보다는 직경이 작고 점막주름도 적은 회장에 혈류를 공급한다.

회결장동맥과 정맥의 주행은 상행결장을 덮고 있는 후

Table 11-1. 소장과 충수돌기 장간막의 혈관 표지 (vascular landmark)

장간막	장기와의 관계	표지
공장 장간막	공장으로 가는 장간막의 뿌리	상장간막동맥과 상장간막정맥의 좌측에서 나오는 5-10개의 공장동맥 및 정맥 분지
회장 장간막	회장으로 가는 장간막의 뿌리	복부의 우하측에 위치한 3-5개의 회장 동맥 및 정맥
장간막 뿌리	십이지장의 세 번째 분절, 하대정맥 우측 요관 및 생식선 혈관의 전방에 위치	회결장 동맥 및 정맥
충수돌기 간막	충수돌기로 향하는 우하복부에 있는 장간막의 뿌리	회결장동맥 및 정맥으로부터 나오는 충수돌기 동맥 및 정맥

복막층의 내측 경계와 장간막의 뿌리 부위를 나타낸다. 그들은 상장간막동맥과 상장간막정맥의 우측에서 기시하는 분지들로써 십이지장의 세 번째 분절과 우측 생식선 혈관gonadal vessels 및 우측 요관의 앞쪽으로 주행한다.

충수돌기는 말단 회장 근처 회결장동맥으로부터 혈류공급을 받는데, 충수돌기장간막mesoappendix 내로 주행하며 영상 검사에서 드물게 나타난다.

소장과 충수돌기 질병의 파급 양상
Patterns of Spread of Disease of the Small Intestine and Appendix

소장과 충수돌기는 장측 복막에 의해서만 덮여 있기 때문에, 이 부위에서 발생한 질병은 흔히 복강과 복막 혹은 인접한 장기로 직접적으로 파급된다. 소장, 특히 말단부 회장, 소장과 인접한 장간막의 중피하층submesothelial layer에 있는 풍부한 림프구 응집Peyer's patch도 질병 파급의 경로로 작용한다.

우리는 소장과 장간막을 침범하는 질병 파급의 양상을 해부학 및 병리학적 특성에 근거하여 분석하고 복강내 파급, 직접적인 인접파급, 림프관을 통한 파급, 동맥, 신경

및 정맥을 통한 파급 등을 포함하기 위하여 이전 장에서 사용된 체계를 따르고자 한다.

소장의 회전이상, 장간막의 염전과 장폐쇄
Malrotation of the Small Intestine, Volvulus of the Mesentery, and Intestinal Obstruction

이것은 선천성 기형이나 해부학적 변이에 의해 이차적으로 발생한 질환을 의미한다. 여기에서는 질환의 파급보다는 장간막의 발생학적 중요성에 대해 설명하고자 한다.

초기 발달 과정 중 중장의 회전이상은 소장과 대장의 이상위치malposition 형태로 나타날 수도 있다. 소수에서 십이지장공장굴곡의 위치가 다양하게 나타날 수도 있다. 십이지장공장굴곡은 우측에서 복막외로부터 빠져나올 수도 있고, 십이지장의 두 번째 분절이 췌장 두부와 대동맥 사이를 가로지르지 않고 복강쪽으로 바로 전방으로 회전할 수도 있다. 또한 십이지장공장굴곡이 정상적인 위치에 있는 경우에도 공장이 회전하여 복강의 우측에 위치할 수도 있다. 상행결장과 횡행결장의 위치는 다양한데, 부분적으로 또는 완전히 복강의 좌측에 위치할 수 있다 (Figs. 11-1, 11-2). 만일 상행결장과 횡행결장이 정상위치에 있다면 Ladd's band라고 알려진 섬유띠fibrous band

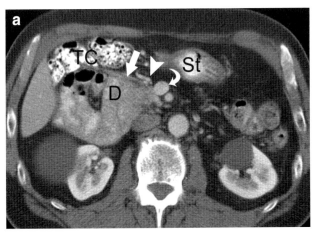
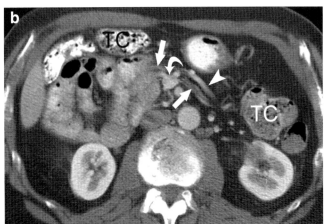

Fig. 11-1. Malrotation of the small intestine with Ladd's band.
(a) CT at the level of the pancreatic head shows the duodenojejunal flexure on the right side of the abdomen. Ladd's band *(arrow)* is identified passing from the right transverse colon *(TC)* anterior to the duodenum *(D)* and the pancreatic head. Note the middle colic vein *(arrowhead)* drains into the superior mesenteric vein (SMV) *(curved arrow)*. *St* = stomach.
(b) CT at a lower level demonstrates Ladd's band *(arrows)* traversing anterior to the aorta to the left side of the posterior peritoneal wall. Note the left middle colic vein *(arrowhead)* draining into the SMV *(curved arrow)*. *TC* = transverse colon.

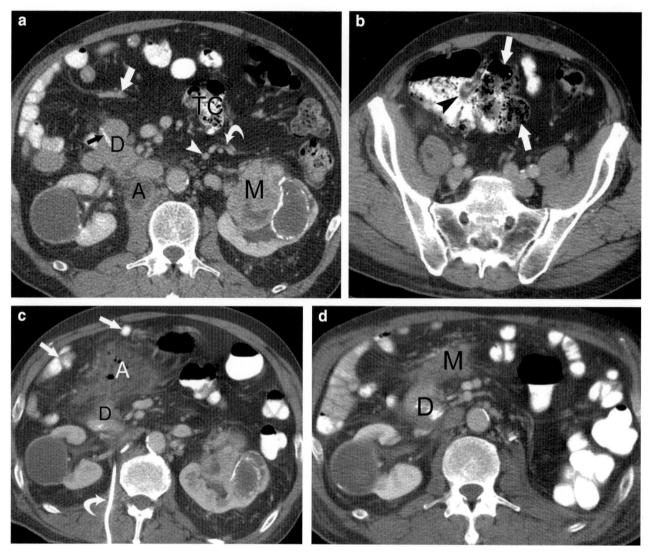

Fig. 11-2. Malrotation of the midgut with the right transverse colon positioned in the left side of the abdomen and the cecum in the right lower abdomen. The patient had a carcinoma in the left kidney and perforation of the duodenum into the right extraperitoneum and jejunal mesentery due to a foreign body.

(a) CT at the level of the kidneys reveals a carcinoma in the left kidney. The right transverse colon *(TC)* is anterior to the left kidney. The left middle colic vein *(curved arrow)* drains into the inferior mesenteric vein *(arrowhead)*. Note a foreign body *(black arrow)* protruding outside the wall of the duodenum *(D)*. An abscess *(A)* lies behind the inferior vena cava. The jejunum and its mesenteric vessels *(white arrow)* are anterior to the duodenum.

(b) The ileocecal valve *(arrowhead)* and cecum *(arrows)* are in their normal position in the *right side* of the pelvis.

(c) Ten days after drainage *(curved arrow)* of the abscess, an inflammatory mass *(A)* has formed in the mesentery of the jejunum anterior to the duodenum *(D)*. *Arrows* = jejunum.

(d) One month later after left nephrectomy, the inflammatory mass *(M)* in the jejunal mesentery has regressed. *D* = duodenum.

가 횡행결장의 우측과 복강의 후벽(대동맥의 좌측) 사이에서 복막부착*peritoneal attachment*의 형태로 존재할 수 있다(Fig. 11-1). 그것은 십이지장을 전방으로 가로질러 십이지장 두 번째 분절의 폐쇄를 야기할 수도 있다.

회전이상에서, 소장과 상행결장의 장간막 근위부가 적절하게 고정되지 않으면 장간막(Fig. 11-3)과 소장 및 맹장의 염전을 야기할 수도 있다. 장간막의 염전은 증상이 없을 수도 있지만, 장폐쇄, 정맥폐색, 장허혈 혹은 막힌 장폐쇄*closed loop intestinal obstruction* 등의 다양한 임상증상을 유발할 수 있다. 이 질환의 영상 소견은 다음과 같다:

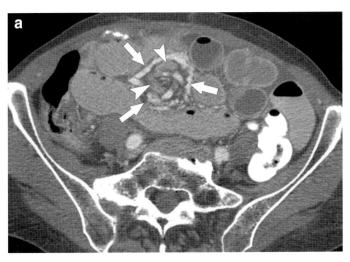

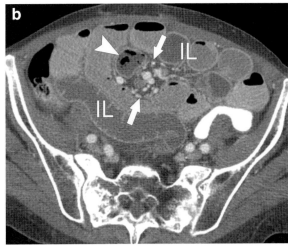

Fig. 11-3. Volvulus of the mesentery causing obstruction of the small intestine.
(a) CT shows a distinctive "whirling" pattern of the mesentery. The mesenteric vessels *(arrows)* rotate around the axis of the mesentery. The non-dilated small intestine *(arrowheads)* is trapped in the twisted mesentery.
(b) CT at a lower level demonstrates dilated ileum *(IL)* around the twisted mesentery *(arrows)*. The transition site of obstruction is just distal to this segment *(arrowhead)* of the ileum.

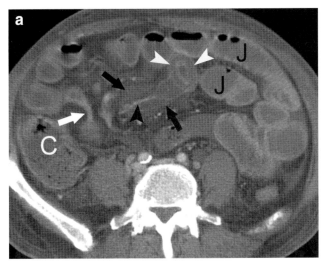

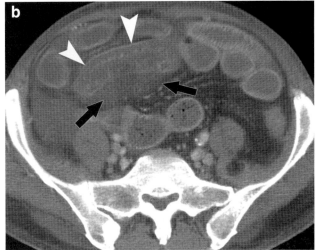

Fig. 11-4. Closed loop obstruction of the ileum with intestinal and mesenteric ischemia.
(a) CT at the level of the iliac crest illustrates the dilated jejunum *(J)*. Mesenteric ischemia manifests as thickened intestinal wall *(white arrowheads)*, its edematous mesentery *(black arrows)* along the vessels *(black arrowhead)* representing hemorrhagic ischemic changes due to mesenteric defect *(white arrow)*.
(b) CT at a lower level reveals the thickened wall of the obstructed loop *(white arrowheads)* and its mesentery *(black arrows)*.

- 장간막의 소용돌이 양상*whirling pattern* [4-6] (Fig. 11-3)
- 장간막내 정맥의 협착*stenosis*과 함께 협착 원위부 정맥의 확장
- 소장의 확장
- 장간막의 부종과 심한 경우 소장벽의 비후

소장과 맹장의 염전은 장간막 근위부의 수술적 이동 혹은 수술에 의한 장간막이나 결장간막의 결손에 의해 발생할 수 있으며, 섬유띠나 결손 부위로 소장 고리*loop of small intestine*의 일부가 빠져 나가면 염전을 유발할 수 있다(Fig. 11-4). 이는 장간막 염전에 비해 장허혈 발생 및 수술적 치료의 빈도가 높다.

소장과 충수돌기의 염증성 질환 Inflammatory Disease of the Small Intestine and Appendix

세균, 기생충, 미코박테륨*mycobacterium*, 진균, 바이러스 감염,[7, 8] 백혈구 감소에 의한 소장결장염*neutropenic enterocolitis*,[8] 및 Crohn's 병이나 궤양성 대장염과 같은 비감

염 염증성 장질환을 포함하는 다양한 범주의 염증질환이 소장과 충수돌기를 침범할 수 있다.[9] 충수돌기염은 보통 결석이나 종양에 의해 충수돌기가 막힘으로써 발생한다.

　염증으로 인해 장관 벽이 천공되면 이로 인해 복강내 농양(Figs. 11-5, 11-6), 섬유성 염증 종괴(Fig. 11-2) 및 인접한 장간막, 장기, 장으로의 누공(Fig. 11-7)이 형성될

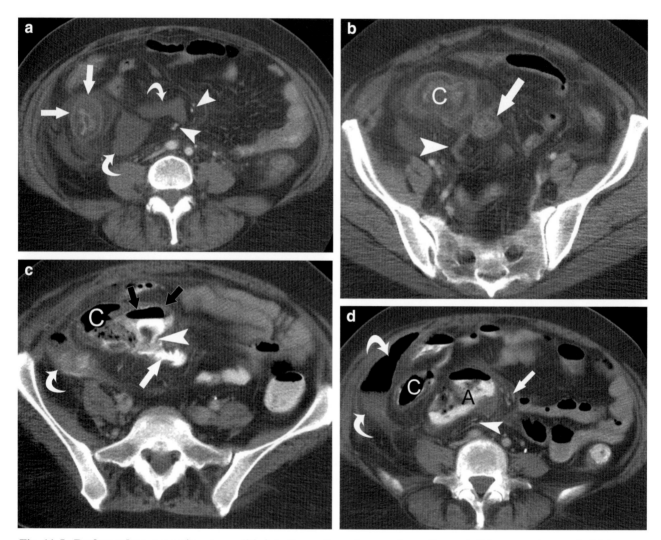

Fig. 11-5. Perforated neutropenic enterocolitis into the peritoneal space above the root of the mesentery and right paracolic space.

(a) Neutropenic enterocolitis manifests as diffuse wall thickening of the ascending colon *(arrows)* associated with peritoneal fluid *(curved arrows)* between the leaves of the ileal mesentery *(arrowheads)*.

(b) At the level of the cecum *(C)*, the terminal ileum *(arrow)* is also thickened whereas the appendix *(arrowhead)* is normal.

(c) Two weeks later, it is complicated by perforation *(white arrowhead)* of the terminal ileum *(white arrow)* with extraluminal gastrointestinal contrast *(black arrows)* in the peritoneal space medial to the cecum *(C)* and along the right paracolic gutter *(curved arrow)*.

(d) CT at a higher level shows an abscess *(A)* in the peritoneal recess medial to the ascending colon *(C)* and anterior to the root of the mesentery *(arrowhead)* with displacement of the ileal mesentery *(arrow)*. An abscess *(curved arrow)* is also present along the right paracolic gutter.

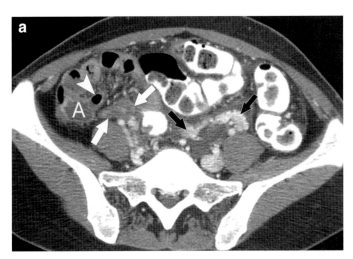
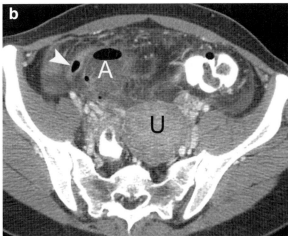

Fig. 11-6. Perforated appendiceal lymphoma forming an abscess above the bladder and the retrocecal recess.

(a) CT at the level of the iliac fossa reveals diffuse wall thickening of the appendix *(arrows)* behind the terminal ileum *(arrowhead).* Note a small abscess *(A)* in the peritoneal recess behind the cecum. *Black arrows* indicate the dilated left gonadal veins around the ovary.

(b) CT at a lower level illustrates an abscess *(A)* below the *tip* of the appendix with displacement of the terminal ileum *(arrowhead). U* = uterus.

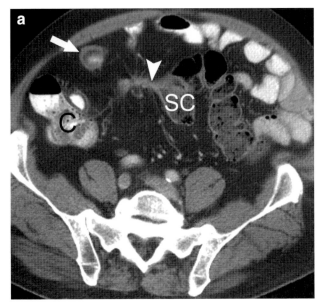
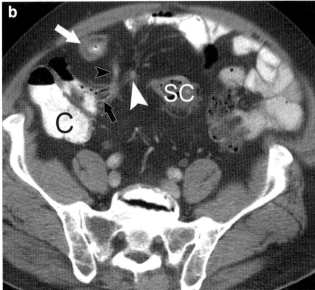

Fig. 11-7. Crohn disease of the distal ileum with fistulas to the appendix and sigmoid colon.

(a) CT at the level of the ileocecal valve demonstrates fibrotic mass in the mesentery of the distal ileum *(arrow)* medial to the cecum *(C),* with fistula connection *(arrowhead)* and retraction of the wall of the sigmoid colon *(SC).*

(b) CT at a lower level shows the thickened wall of the distal ileum *(white arrow).* The appendix *(black arrow)* is retracted toward the mass with fistula *(black arrowhead)* connecting to the ileum. *Arrowhead* indicates the fistula between the distal ileum and the sigmoid colon *(SC). C* = cecum.

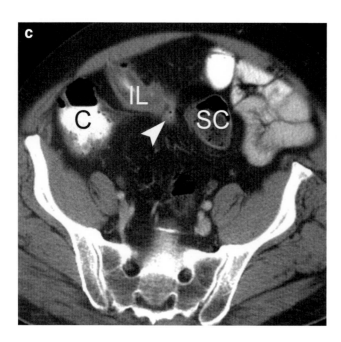

Fig. 11-7 *(Continued).* **Crohn's disease of the distal ileum with fistulas to the appendix and sigmoid colon.**

(c) This CT image illustrates the involved segment of the distal ileum *(IL)* with a fistula *(arrowhead)* connecting to the sigmoid colon *(SC)* shown in Figs. **(a)** and **(b)**.

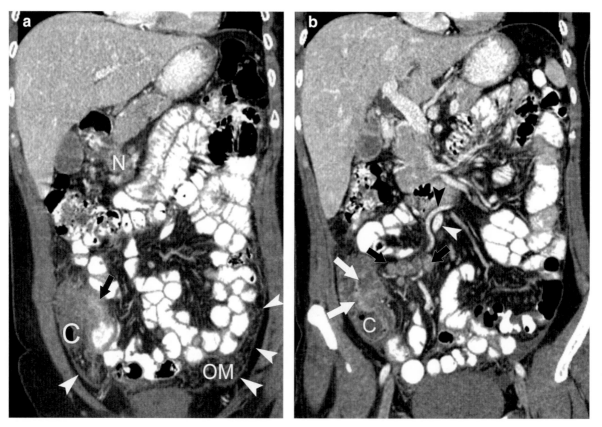

Fig. 11-8. Tuberculosis involving the terminal ileum and ileocecal valve with peritonitis and mesenteric adenopathy along the root of the mesentery.

(a) Coronal CT image reveals terminal ileitis manifested as a mass at the terminal ileum *(black arrow)* with mucosal enhancement medial to the cecum *(C)*. Diffuse nodules are present in the omentum *(OM)* and along the thickened parietal peritoneum *(arrowheads)* in the lower abdomen. Enlarged nodes *(N)* are also seen at the gastrocolic trunk.

(b) Coronal CT at the level of the root of the mesentery demonstrates the mass *(white arrows)* at the ileoceal valve above the cecum *(C)*. Enlarged nodes *(black arrows)* align along the ileocolic artery *(black arrowhead)* and vein *(white arrowhead)*.

수 있다. 염증은 내장쪽 장간막의 복막 표면과 복강을 따라 파급될 수 있으며, 인접 장간막의 복막하층을 따라 림프절 내로 확산될 수도 있다(Fig. 11-8).

결핵은 복강내에서 회장 말단부를 가장 흔히 침범한다. 결핵은 내장쪽 장간막이나 망*omentum*에 육아종 결절이나 판을 형성함으로써 복강내로 전파된다.[7] 또한 흔히 장간막의 복막하층을 따라 파급되어 림프절 내에 육아종을 형성한다(Fig. 11-8).

Crohn's 병은 원인을 모르는 위장관계의 염증질환으로 통벽성 염증*transmural inflammation*과 장관 벽내 육아종 형성을 특징으로 한다. 발견 당시 환자의 50%에서 회장 말단부를 침범하며, 30%에서 대장을 침범한다. 특징적인 병리학적 소견 및 영상 소견은 회장 말단부의 장벽의 비후와 도약 병변*skip lesion*이며, 협착과 장 폐쇄를 야기할 수 있다. 환자의 약 13%에서 염증은 장간막으로 파급되어 육아종 종괴와 인접한 장기(S자결장, 방광)와의 누공(Fig. 11-7), 혹은 농양을 형성할 수 있다.[7,9]

소장과 충수돌기의 종양 Neoplasms of the Small Intestine and Appendix

소장의 가장 흔한 세 가지 악성 종양은 림프종, 선암종 및 유암종*carcinoid*이다. 소장을 침범하는 림프종은 전체 위장관 림프종의 20~30%를 차지하며,[10] 소장은 침범된 여러 장기들 중 하나이고 소장만을 침범하는 원발성 림프종은 드물다. B 세포와 T 세포 형태의 비호지킨림프종*non-Hodgkin's lymphoma*, Burkitt 림프종 및 점막관련 림프조직 림프종*mucosa-associated lymphoid tissue lymphoma*이 흔하다.[10,11] 림프종은 소장의 어느 부위나 침범이 가능하나, B 세포 림프종은 전형적으로 회장 말단부를 흔히 침범한다. 소장 림프종은 다음과 같은 영상 소견을 보인다:

- 장간막의 림프절 확대와 동반된 부피가 큰 종괴(Fig. 11-9)
- 장간막의 림프절 확대
- 장간막을 침범하는 소장의 침윤성 종양(Fig. 11-10)
- 장간막 침윤(Fig. 11-11)
- 점막의 소결절형성*nodularity*

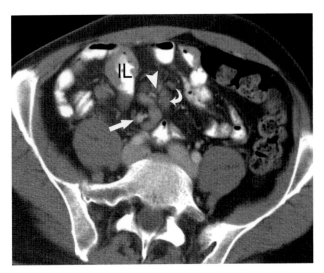

Fig. 11-9. Lymphoma of the ileum (*IL*) manifests as an ulcerated mass with enlarged nodes (*curved arrow*) along the ileocolic vessels (*arrow*) at the root of the mesentery and ileal vessels (*arrowhead*) in the ileal mesentery.

부피가 큰 종괴는 궤양을 형성할 수도 있으며, 장간막 혹은 주위 복강 함요쪽으로의 천공을 동반할 수도 있다(Fig. 11-12). 림프종에 의한 장간막 혹은 복막의 미만성 침윤은 드물지만, 미만성 B 세포 림프종이나 Burkitt 림프종의 경우 미만성 침윤이 가능하다.

: 소장의 선암종 Adenocarcinoma of the Small Intestine

소장의 선암종은 드물며, 전체 위장관 종양의 1~2%를 차지한다.[12-16] 약 50~60%가 십이지장에서 발생하며, 약 20~30%가 공장에서 발생하고, 나머지 10~15%는 회장에서 발생한다.[13,14] 공장 및 회장에서 발생할 경우, 진행된 상태에서 발견되는 경우가 흔한데, TNM 분류에 의하면 약 75%에서 3기 혹은 4기 때 발견된다.[13]

발견 당시 간으로의 원발성 전이는 약 35~60%에서 관찰되며, 복강으로의 전이는 35% 정도로 보고된다.[13] 복막전이는 흔히 대망과 골반강에서 발견되지만, 복강내 어디에서나 발생할 수 있다(Figs. 11-13, 11-14).

종양의 약 20%는 인접한 장기로의 직접 침범에 의해 파급되며, 35~40%는 국소 림프절로의 복막하 파급을 보인다(Figs. 11-13~15).[13] 국소 림프절은 침범된 분절의 혈관을 따라 췌장 두부 근처에 있는 상장간막동맥 뿌리 부분으로의 전이를 보이며, 복막외로 전이된다.

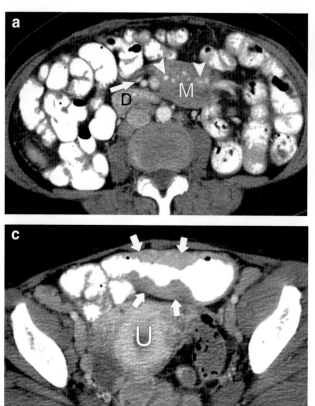

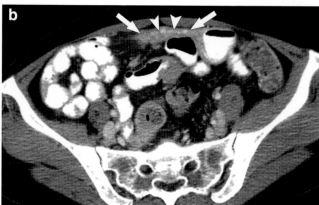

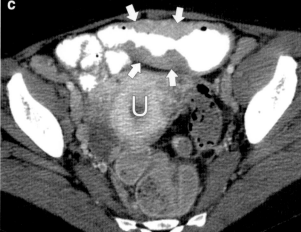

Fig. 11-10. Infiltrative pattern of lymphoma of the distal jejunum with extension in the mesentery along its vessels.

(a) CT reveals an infiltrative mass *(M)* along the vessels *(arrowheads)* in the mesentery of the jejunum.
D = duodenum; *arrow* = root of small intestine mes entery.
(b) Following the branches of the jejunal vessels *(arrowheads)* down into the pelvis, infiltrative lymphomatous mass *(arrows)* is identified.
(c) A mass *(arrows)* is present in the distal jejunum anterior to the uterus *(U)* and above the bladder.

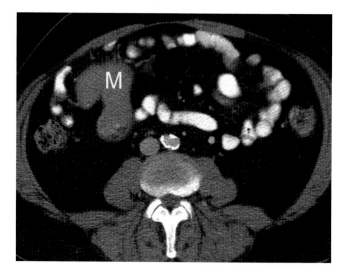

Fig. 11-11. Non-Hodgkin lymphoma showing infiltrative mass *(M)* in the ileal mesentery.

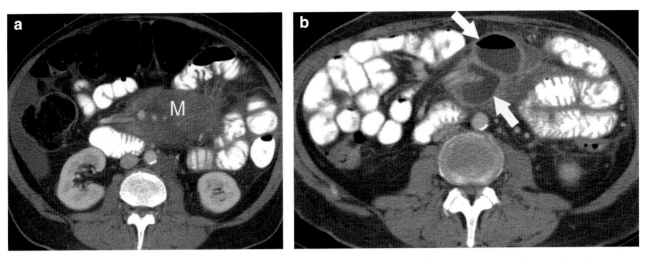

Fig. 11-12. Diffuse B-cell lymphoma involving the jejunum and its mesentery with development of fistula forming an abscess.

(a) A mass *(M)* is present in the jejunal mesentery.

(b) Three months later, fistula from the jejunum extends into the mesentery forming an abscess *(arrows)*.

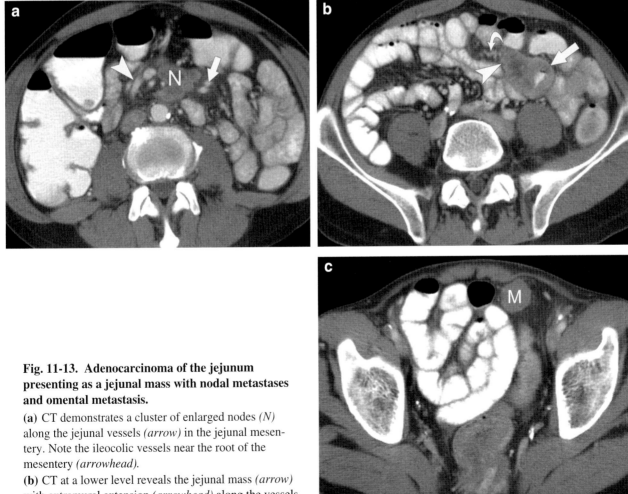

Fig. 11-13. Adenocarcinoma of the jejunum presenting as a jejunal mass with nodal metastases and omental metastasis.

(a) CT demonstrates a cluster of enlarged nodes *(N)* along the jejunal vessels *(arrow)* in the jejunal mesentery. Note the ileocolic vessels near the root of the mesentery *(arrowhead)*.

(b) CT at a lower level reveals the jejunal mass *(arrow)* with extramural extension *(arrowhead)* along the vessels *(curved arrow)* of its mesentery.

(c) Omental metastasis *(M)* is also present in the pelvis.

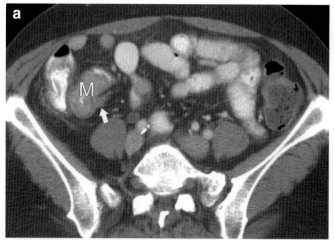

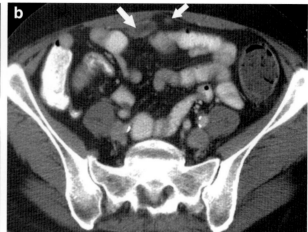

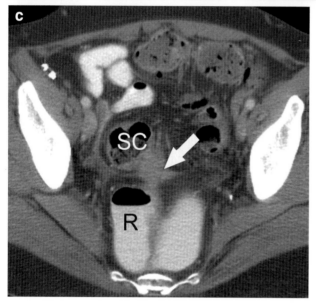

Fig. 11-14. Adenocarcinoma of the distal ileum with peritoneal metastases in the omentum and pelvic floor.
(a) CT defines a mass *(M)* in the distal ileum with extramural extension *(small arrow).*
(b) At a lower level, omental metastases *(arrows)* are identified.
(c) Peritoneal metastasis *(arrow)* is also present in the pouch of Douglas involving the anterior wall of the rectum *(R),* and the sigmoid colon *(SC).*

: 유암종 Carcinoid Tumors

소장의 유암종은 점막과 점막하층의 장크롬친화세포 *enterochromaffin cell*로부터 발생하는 분화가 잘된 내분비 종양이다.[17-19] 소장은 전체 위장관 유암종의 약 42%를 차지하며, 2/3 이상이 회장에서 발생한다. 회장의 장크롬 친화세포는 세로토닌을 분비하는데, 이는 종양의 병리학 적 특성 및 임상증상과 상당한 연관이 있다.

분화가 잘된 종양임에도 불구하고 소장의 유암종은 악성종양과 같은 양상을 보이는데, 발견 당시 장간막 림프 절이나 간으로의 전이를 흔히 보인다.[18] 원발 종양은 장벽내 작은 결절을 형성하는데 대개 3 cm 보다 작으며, 전형적으로 장막*serosa*을 침범하여 인접한 장간막 내에서

복막하로*subperitoneally* 침윤성 파급을 보인다(Fig. 11-16).[17, 18]

세로토닌의 국소적 분비는 장벽과 장간막의 심한 결합 조직형성반응*desmoplastic reaction*을 야기하며, 이로 인해 소장의 퇴축*retraction*이나 꼬임*kinking*이 발생할 수 있다. 또한 이로 인한 장간막 동맥이나 정맥의 협착 및 폐색으로 인해 인접한 소장의 허혈을 유발할 수 있다(Fig. 11-17).

이러한 병리학적 소견 때문에 영상 소견은 섬유화된 장간막 종괴, 장간막 혈관의 폐색으로 인한 이차적 소견, 소장의 허혈(Fig. 11-17), 장간막 림프절 종대 등의 소견이 주를 이룬다(Figs. 11-16~18).[18, 19] 장벽의 원발 종양은 크기가 작거나 위장관 조영제에 의해 장관 내강이 적절하

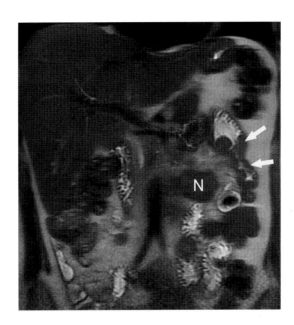

Fig. 11-15. Adenocarcinoma of the jejunum *(arrows)* **with metastatic nodes** *(N)* in this coronal view of a T-2 weighted MR image.

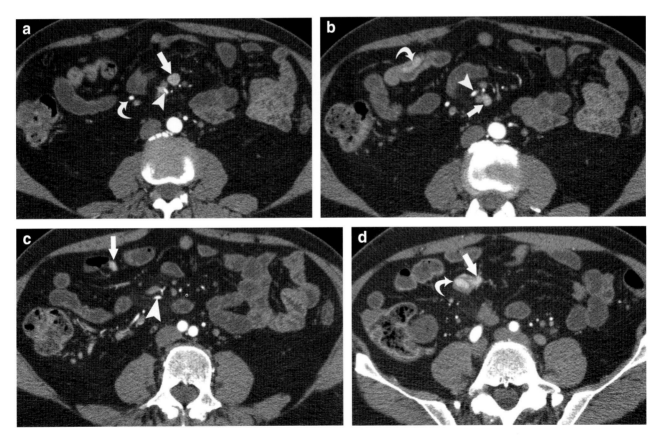

Fig. 11-16. Multiple carcinoid tumors of the ileum with nodal metastases in the mesentery.

(a) CT during the arterial phase after IV contrast administration illustrates enhancing nodes *(arrow)* near the ileal artery *(arrowhead)* in the mesentery. *Curved arrow* points to the ileocolic artery at the root of the mesentery.

(b) At a lower level, the primary tumor *(curved arrow)* is identified in the wall of a segment of the ileum by following the ileal artery *(arrowhead)* distally in the mesentery. Another node *(arrow)* is also seen adjacent to the artery.

(c) A small nodule *(arrow)* extends outside the wall of the ileum.

(d) CT at a lower level reveals another tumor nodule *(curved arrow)* in another segment of the ileum with extramural extension *(arrow)*. The extramural nodule may be due to desmoplastic reaction to local serotonin release, a feature indistinguishable from tumor growth.

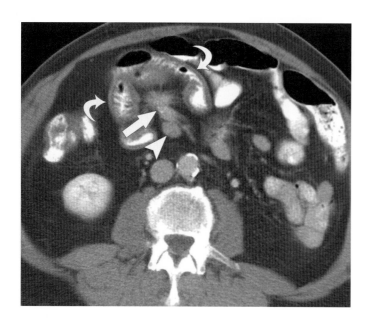

Fig. 11-17. Low-grade carcinoid tumor of the distal ileum presents as a fibrotic mesenteric mass *(arrow)*, metastatic node *(arrowhead)*, and diffuse wall thickening *(curved arrows)* due to venous occlusion. Note desmoplastic reaction radiating from the mesenteric mass.

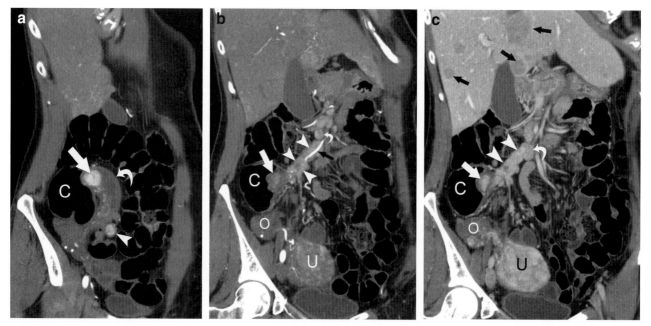

Fig. 11-18. Low-grade carcinoid tumor of the terminal ileum manifests as a hyperdense-enhancing nodule at the ileocecal valve with tumor thrombus in the ileocolic vein and nodal metastases along the ileocolic vessels to the level of the pancreatic head near the third segment of the duodenum and hepatic metastases.

(a) Oblique coronal image reconstructed from CT during the arterial phase after intravenous contrast administration reveals a hyperdense enhancing tumor *(arrow)* at the ileocecal valve with a node *(arrowhead)* adjacent to the terminal ileum *(curved arrow)*. Note wall thickening of the ileum without enhancement. C = cecum.

(b) Image at the plane of the ileocolic vessels demonstrates the tumor nodule *(arrow)* with tumor thrombus extending within the enlarged ileocolic vein *(arrowheads)* accompanying the ileocolic artery *(black arrow)*. Note the enlarged nodes *(curved arrow)* anterior to the third segment of the duodenum. C = cecum, O = right ovary, U = uterus.

(c) Image at the plane of the ileocolic vessels during the venous phase shows multiple hepatic metastases *(black arrows)*, the primary tumor *(white arrow)* at the ileocecal valve, tumor thrombus *(arrowheads)* in the ileocolic vein, and metastatic nodes along the ileocolic vessels *(curved arrow)*. C = cecum, O = right ovary, U = uterus. Surgery confirmed extensive tumor thrombus, nodal metastases and perineural invasion from a low-grade carcinoid of the terminal ileum.

게 채워지지 않을 경우 쉽게 간과될 수 있다. 원발 종양의 확인은 경구 조영제로 물을 사용하거나 정맥 조영제 주입 후 다중시기 스캔*multiphasic scanning*을 함으로써 증강될 수 있다. 조영증강 후 원발 종양 및 인접한 장간막으로 파급된 종양은 조영증강이 잘 되지 않는 장관벽이나 물로 차있는 장관 내강에 비해 뚜렷하게 관찰된다(Figs. 11-16 ~18).

유암종은 신경이나 정맥을 따라 장간막 내에서도 파급될 수 있다(Fig. 11-18). 복강내 파급은 가장 흔한 부위인 대망과 골반강을 따라 발생한다.

: 충수돌기의 종양 Tumors of the Appendix

소장과 유사하게 유암종, 유암종 외의 상피성 종양 및 림프종이 충수돌기의 가장 흔한 세 가지 종양이다.[20, 21] 유암종이 가장 흔하며 상피종양의 약 85%를 차지한다. 그러나 회장의 유암종과는 달리 충수돌기염으로 수술받은 후 병리표본에서 우연히 발견되는 경우가 흔하다.[18] 대부분은 충수돌기의 끝부분에 국한되며 벽이나 충수돌기간막*mesoappendix*을 관통하지는 않는다.

유암종 외의 종양은 충수돌기 상피성 종양의 12%를 차

지한다. 이는 크게 두 군으로 분류할 수 있는데, 세포 외 점액을 분비하여 "복막가성점액종*pseudomyxoma peritonei*" 이라고 불리는 점액성 복수를 형성하는 부류와 세포외 점액을 분비하지 않는 부류로 나뉜다. 몇몇 연구자들[22-24]은 병리학적, 임상적 소견에 근거하여 점액 분비성 종양을 다음과 같이 분류하였다:

- *Disseminated peritoneal mucinosis(DPAM),*[22] *low grade appendiceal mucinous neoplasm(LAMN):*[24]. 이 부류는 조직학적으로 다량의 세포외 점액 분비와 섬유화를 동반하는 저등급의 선종성, 점액성 상피에 의해 특징 지워진다. 이는 충수돌기만을 침범하는 부류와 충수돌기 외로 파급되는 부류로 나누어진다.

- *Peritoneal mucinous carcinomatosis(PMCA),*[22] *mucinous adenocarcinoma(MACA):*[24]. 이 부류는 점액성 선암의 비정상세포*cellular atypia*를 동반한 선조직*gland*이나 반지세포*signet-ring cell*를 형성하는 점액성 상피세포에 의한다.

- *PMCA with intermediate or discordant features,*[22] *MCMA with discordant type:*[24]. 이 부류는 DPAM 혹

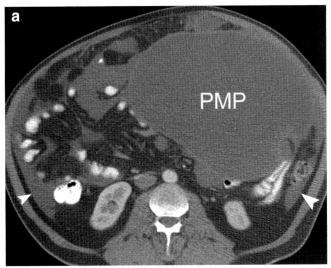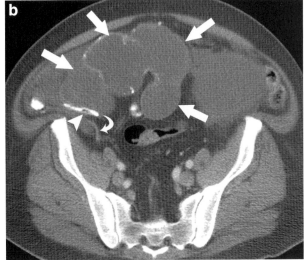

Fig. 11-19. Mucocele of the appendix and pseudomyxoma peritonei.
(a) Large loculated mucinous mass *(PMP)* in the left side of the abdomen and mucinous ascites *(arrowheads)* along both paracolic gutters.
(b) CT of the pelvis reveals a large, partially calcified mucocele *(arrows)* of the appendix. Note barium filling the lumen of the appendix *(arrowhead)* and vessels *(curved arrow)* in the mesoappendix. Surgery showed that it was mucinous tumor of the appendix with low malignant potential.

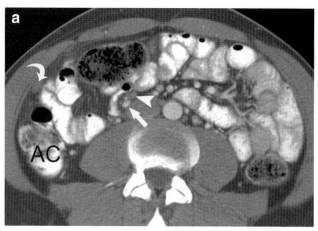 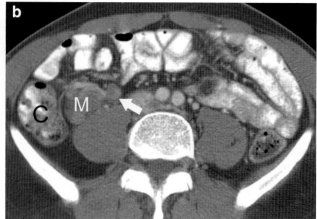

Fig. 11-20. Poorly differentiated adenocarcinoma of the appendix with nodal metastases along the root of the mesentery and omental metastasis in a patient presenting as carcinoma of unknown primary.

(a) CT at the mid abdomen reveals omental metastasis *(curved arrow)* anterior to the ascending colon *(AC)*. Nodal metastasis *(arrowhead)* is also present along the ileocolic vessels *(arrow)*.

(b) CT at the level of the cecum *(C)* illustrates a mass *(M)* at the tip of the appendix behind the ileocolic vessels and an adjacent nodal metastasis *(arrow)*. Surgery confirmed that it was an adenocarcinoma of the appendix.

은 MCMA의 두드러진 양상과 함께 복막 병변을 가진다. 그러나 부분적으로 분화가 잘된 침습성 점액성 선암을 포함한다.

충수돌기의 점액을 분비하는 종양은 충수돌기에 국한되어 점액류*mucocele* [25]를 형성하거나 혹은 복강내로 파급되는 양상을 보일 수도 있다. 이것은 점액성 복수로 나타나는데 복강 전반에 걸쳐 소방형성*loculation*을 자주 보인다(Fig. 11-19). 점액성 복수의 고형성분은 인접한 장기나 구조물을 침범할 수 있으며 림프절 전이는 드물다.

충수돌기의 선암의 다른 부류는 맹장이나 상행결장에서 발생하는 선암과 비슷한 임상적 병리학적 소견을 보인다. 그들은 높은, 중등도의, 낮은*well, moderate, poor* 세포분화도를 보이며 반지세포 형태를 가질 수도 있다. 복강내로 파급되면 대망이나 골반 저부에 고형 종괴나 결절을 형성한다(Fig. 11-20). 원발 종양의 직접 침범이나 전이성 결절이 방광, 난소, 요관과 같은 복막외 장기*extraperitoneal organs* 및 회장 말단부에 발생할 수 있다. 이 부위에 큰 종양이 발생할 경우 이러한 종양이 충수돌기에서 발생했는지 혹은 맹장이나 회장 말단부에서 발생했는지 감별하기 어려울 수도 있다.

림프절 전이, 신경주위 침범 및 정맥 침범은 회결장 혈관*ileocolic vessels*을 따라 상장간막동맥의 기시 부위와 대동맥 주위로 파급된다.

● ● ●

요약 Summary

소장과 충수돌기의 질환은 흔히 복강내로 파급된다. 또한 림프전이와 동맥주위, 신경주위 침윤 및 정맥내 종양 혈전에 의해 장간막의 복막하 공간내로 파급될 수 있다. 누공을 동반하거나 혹은 동반하지 않은 인접한 장기 혹은 구조물로의 직접 파급도 흔히 발생한다.

◈ **참고문헌**

1. Collins P, Borley NR: Development of the peritoneal cavity, gastrointestinal tract and its adnexae. In Standring S (ed) Gray's Anatomy – The Anatomical Basis of Clinical Practice, 40th ed. Churchill Livingstone Elsevier, London, 2008, pp 1203-1223.

2. Cochard LR: The gastrointestinal system and abdominal wall. In Cochard LR (ed) Netter's Atlas of Human Embryology. Icon Learning System LLC, Teterboro, 2002, pp 131-156.

3. Borley NR: Small intestine. In Standring S (ed) Gray's Anatomy － The Anatomical Basis of Clinical Practice, 40th ed. Churchill Livingstone Elsevier, London, 2008, pp 1125-1135.

4. Loh YH, Dunn GD: Computed tomography features of small bowel volvulus. Australas Radiol 2000; 44:464-467.

5. Gollub MJ, Yoon S, Smith LMcG, Moskowitz CS: Does the CT whirl sign really predict small bowel volvulus? Experience in an oncologic population. J Comput Assist Tomogr 2006; 30:25-32.

6. Takemura M, Iwamoto K, Goshi S, Osugi H, Hiroaki K: Primary volvulus of the small intestine in an adult, and review of 15 other cases from the Japanese literature. J Gastroenterol 2000; 35: 52-55.

7. Hoeffel C, Crema MD, Belkacem A et al: Multidetector row CT: Spectrum of disease involving the ileocecal area. RadiGraphics 2006; 26:1373-1390.

8. Kirkpatrick ID, Greenberg HM: Gastrointestinal complications in the neutropenic patients: Characterization and differentiation with abdominal CT. Radiology 2003; 226:668-674.

9. Baugart DC, Sandborn WJ: Inflammatory bowel disease: Clinical aspects and established and evolving therapies. Lancet 2007; 369:1641-1657.

10. Ghai S, Pattison J, Ghai S, O'Malley ME, Khalili K, Stephens M: Primary gastrointestinal lymphoma:Spectrum of imaging findings with pathologic correlation. RadioGraphics 2007; 27:1371-1388.

11. Levine MS, Rubesin SE, Pantongrag-Brown L, Buck JL, Herlinger H: Non-Hodgkin's lymphoma of the gastrointestinal tract: Radiographic findings. AJR 1997; 168:165-172.

12. Howe JR, Karnell LH, Menck HR, Scott-Conner C: Adenocarcinoma of the small bowel: Review of the National Cancer Data Base, 1985-1995. Cancer 1999; 86:2693-2706.

13. Dabaja BS, Suki D, Pro B, Bonnen M, Ajani J: Adenocarcinoma of the small bowel: Presentation, prognostic factors, and outcome of 217 patients. Cancer 2005; 101:518-526.

14. Ugurlu M, Asoglu 0, Potter DD, Barnes SA, Harmsen WS, Donahue JH: Adenocarcinoma of the jejunum and ileum: A 25-year experience. J Gastrointest Surg 2005; 9:1182-1188.

15. Verma D, Stroehlein JR: Adenocarcinoma of the small bowel: A 60-yr perspective derived from M. D. Anderson Cancer Center tumor registry. Am J Gastroenterol 2006; 101:1647-1654.

16. Hatzaras I, Palesty JA, Abir F, Sullivan P, Kozol RA, Dudrick SJ, Longo WE: Small-bowel tumors: Epidemiologic and clinical characteristics of 1260 cases from the Connecticut tumor registry. Arch Surg 2007; 142:229-235.

17. Modlin IM, Lye KD, Kidd M:A: A 5-decade analysis of 13,715 carcinoid tumors. Cancer 2003; 97:934-959.

18. Levy AD, Sobin LH: Gastrointestinal carcinoids: Imaging features with clinicopathologic comparison. RadioGraphics 2007; 27:237-257.

19. Chang S, Choi D, Lee SJ et al: Neuroendocrine neoplasms of the gastrointestinal tract: Classification, pathologic basis and imaging features. RadioGraphics 2007; 27:1667-1679.

20. Lambert LA, Mansfield PF: Surgical management of noncarcinoid epithelial neoplasms of the appendix and the pseud omyxoma peritonei syndrome. In Pollock RE, Curley SA, Ross MI, Perrier ND (eds) Advanced Therapy in Surgical Oncology. BC Decker Inc, Hamilton, 2008, pp 256-265.

21. Pickhardt PJ, Levy AD, Rohrmann CA Jr, Kende AI: Primary neoplasms of the appendix: Spectrum of disease with pathologic correlation. RadioGraphics 2003; 23:645-662.

22. Ronnett BM, Zahn CM, Kurman RJ et al: Disseminated peritoneal adenomucinosis and peritoneal mucinous carcinomatosis. A clinicopathologic analysis of 109 cases with emphasis on distinguishing pathologic features, site of origin, prognosis, and relationship to "pseudomyxoma peritonei". Am J Surg Pathol 1995; 19:1390-1408.

23. Carr NJ, McCarthy WF, Sobin LH: Epithelial noncarcinoid tumors and tumor-like lesions of the appendix A clinicopathologic study of 184 patients with a multivariate analysis of prognostic factors. Cancer 1995; 75:757-768.

24. Misdraji J, Yantiss RK, Graeme-Cook FM et al: Appendiceal neoplasms: A clinicopathologic analysis of 107 cases. Am J Surg Pathol 2003; 27: 1089-1103.

25. Dachman AH, Lichtenstein JE, Friedman AC: Mucocele of the appendix and pseudomyxoma peritonei. AJR 1985; 144:923-929.

대장에서 질병의 확산 패턴
Patterns of Spread of Disease from the Large Intestine

결장, 직장, 항문관의 발생학과 해부학
Embryology and Anatomy of the Colon, Rectum, and Anal Canal

결장과 직장은 중장의 말단 분절과 후장에서 발생한다. 이전 장에서 설명되었듯이 중장의 이주migration, 연장 elongation 및 시계 반대방향의 회전rotation 으로 인하여 공장jejunum 이 좌측에 회장ileum 과 상행결장ascending colon 이 복부의 우측에 위치한다. 장-난황관intestinal-vitelline 에서 말단의 장관intestinal tube 의 팽출된 부위가 맹장과 충수vermiform 를 형성한다. 중장 말단의 장간막은 이차 복막외 기관secondary extraperitoneal organ 을 형성하는 복막외 중장의 분절을 고정시키는 후벽측posterior parietal 복막과 융합한다.[1, 2]

중장의 가장 말단 분절은 횡행결장의 간성만곡hepatic flexure 과 중간-횡행결장으로 분화하고, 후장의 가장 근위부 분절은 비장만곡splenic flexure 이 된다. 복막외에 고정된 상행결장과 달리, 횡행결장은 장간막에 붙어 복강 내에 떠있게 된다.

후장은 횡행결장의 비장만곡, 하행결장, 직장, 항문관 anal canal 으로 발달한다. 상행결장과 비슷하게 하행결장 은 후벽측 복막을 덮는 좌측 복막외에 고정된다.

초기 태아 시기 말에 원시 후장의 꼬리쪽 끝과 요막 allantois 이 배설강cloaca 이라 불리는 방을 형성한다. 배설 강 위에 있는 중간엽mesenchymal 조직이 증식되고 분할

되어 요도와 항문관이 되고, 항문막과 융합하여 요직장중 격urorectal septum 이 된다.

해부학적 고려사항들 Anatomic Consideration

대장은 맹장, 상행결장, 횡행결장, 하행결장, S자결장, 직 장으로 구성된다:

- 상행결장, 하행결장, 직장은 복막외 기관이다. 상행결 장과 하행결장은 후복막 한 층으로 덮여있고, 직장은 골반저pelvic floor 의 벽측 복막 아래에 있는 복막외의 직장주위 지방에 의해 둘러싸여 있다.[3]
- 횡행결장과 S자결장은 복막을 덮는 두 층의 막이 형성 한 결장간막에 의해 복강내에 위치하며, 맹장은 우측 장골와에서 원위부 회장의 장간막에 붙어있다. 간성만 곡은 후복막과 짧은 섬유띠에 의해 십이지장에 붙어 있다.[3]

맹장, 상행결장 및 횡행결장 대부분의 동맥혈 공급은 상장간막동맥superior mesenteric artery (SMA)으로부터, 반 면에 하행결장, S자결장 및 상부 직장은 하장간막동맥 inferior mesenteric artery (IMA)으로부터 혈액공급을 받으 며, 하부직장은 내장골동맥internal iliac artery 으로부터 혈 액공급을 받는다.[3, 4] 이와 비슷하게 맹장, 상행결장, 횡행 결장의 정맥혈은 상장간막정맥superior mesenteric vein (SMV)으로, 하행결장, S자결장, 직장의 정맥혈은 하장간

막정맥inferior mesenteric vein (IMV)으로 연결된다. 일반적으로, 결장 각각의 분절에 대한 동맥혈 공급과 정맥혈 배출은 모서리marginal 동맥과 정맥이 결장벽을 통과하는 곧은 혈관vasa recta의 곁가지를 내기 전에 결장벽의 장간막측을 따라 연속아취arcade를 형성하면서 결장간막에서 함께 동행한다. 이러한 결장간막 안의 혈관들과 결장벽의 결장간막측을 따라가는 모서리혈관들은 결장간막meso-colon의 위치를 나타내는 해부학적인 기준점을 형성한다.

: 맹장, 상행결장과 연관된 결장간막 The Cecum and Ascending Colon and Their Mesocolon

모서리 혈관들은 상행결장의 결장간막 모서리를 따라서 주행한다. 이 혈관들은 머리꼬리cephalocaudal 방향으로 주행함으로, 축상영상에서 결장에 혈액공급을 하는 곧은 혈관의 곁가지들과 함께 상행결장의 내측에 점들로 관찰된다. 이러한 혈관들은 1.25~5 mm 너비로 스캔된 CT 영상에서 좀더 잘 관찰할 수 있다. 모서리 혈관의 내측으로, 회결장ileocolic 혈관이 장간막 뿌리를 따라서 주행하며 오른쪽 장골와로 나간다. 회결장 혈관의 원위분절은 원위부 회장과 충수간막에 분포하고 상행결장의 모서리 혈관과 연결된다. 회결장과 모서리 혈관은 후벽측 복막으로 덮여 있다.

회결장 혈관은 장간막 뿌리와 연관되어 위치하기 때문에, 회장과 공장에 혈액공급을 하는 상장간막동맥 또는 상장간막정맥의 곁가지들처럼 복강내에서 움직이지 않고 고정되어 있다. 결장 혈관들은 십이지장의 3번째 부위를 가로지른 후, 우측 요관과 생식선 혈관gonadal vessels의 앞에 위치하며 맹장을 향해 간다. 상행결장의 모서리 혈관과 회결장혈관의 면이 상행결장간막의 면이다.

: 횡행결장과 결장간막 The Transverse Colon and Mesocolon

횡행결장은 두 개의 후복막층에 의해 형성된 횡행결장간막에 의해 복강내에 떠있다. 횡행결장간막의 뿌리는 십이지장의 두 번째 부위와 췌장의 두부를 가로질러, 췌장의 몸과 꼬리의 아래 변연을 따라 주행한다. 횡행 결장간막 내에 상장간막동맥의 근위분절 앞쪽 표면에서 가장 흔하게 기원하는 중간결장동맥middle colic artery의 곁가지들

과 상장간막정맥과 하장간막정맥으로 연결되는 중간결장정맥middle colic vein의 곁가지들이 있다.

횡행결장의 결장간막측을 따라가는 모서리혈관은 횡행결장과 평행하게 주행하므로 상행 또는 하행결장의 모서리혈관이 점dots으로 보이는 것과 비교하여 좀더 평행하게 주행하는 분절로 보인다. 혈관들의 해부학적 위치는 횡행결장의 위치에 따라 다양하다. 대부분의 횡행결장의 중간지점이 그렇듯이 횡행결장이 배꼽 가까이 아래로 쳐져 있으면, 모서리혈관은 결장벽 위쪽에서 보인다. 그러나 비장만곡과 가까이에 있는 횡행결장의 말단 분절이 일반적으로 그렇듯이 횡행결장이 횡격막을 향해 높이 위치하거나 걸려있다면, 모서리혈관은 결장 벽의 아래쪽에서 보인다.

횡행결장간막은 상장간막정맥에서 중간결장혈관에 걸쳐 연결되는 모서리혈관을 따라 결장간막의 뿌리를 추적하면 위치를 알 수 있다. 전형적인 해부구조는 좌우측 횡행결장의 모서리혈관이 중간결장정맥을 형성하고, 우측 위대망gastroepiploic 정맥과 만나서 위결장간gastrocolic trunk이 되어, 췌장 두부의 앞쪽에 위치하는 상장간막정맥으로 연결된다. 그러나 상장간막정맥 또는 하장간막정맥으로 배출되는 횡행결장간막에 있는 중간결장혈관의 몇몇 곁가지에는 많은 해부학적 변이가 있지만, 이 혈관들은 모두 횡행결장간막의 뿌리가 들어가는 췌장의 머리와 몸통을 향해 주행한다.

: 하행결장과 결장간막 The Descending Colon and Mesocolon

하행결장과 중간결장막의 평면은 상행결장과 중간결장막의 평면과 비슷하다. 하장간막혈관은 대동맥의 좌측 앞부분 전신주위 공간으로 주행하므로, 좌측 요관, 생식선 혈관 및 좌측 신장정맥의 앞에서 관찰된다. 하장간막정맥은 상장간막정맥과 비장정맥이 만나는 부위, 또는 비장정맥으로 배출되거나 바로 상장간막정맥으로 연결된다. 상장간막정맥-비장정맥으로 결합하기 전의 하장간막혈관은 십이지장주위 공간에서 좌상 십이지장 주름fold으로 관찰되고, 이 부위에서 십이지장은 복막외 공간을 나와 복강내로 들어간다. 하장간막정맥과 하행결장의 모서리혈관 사이의 평면은 하행장간막의 평면이다.

: S자결장과 결장간막 The Sigmoid Colon and Mesocolon

S자결장은 복강내에 이를 지지하는 결장간막을 갖고 있다. S자결장간막은 두 복막층으로 구성되어 세 번째 천골분절에 부착되어 있으며, 좌측 외장골*external iliac* 혈관을 향해 머리쪽 방향으로 확장되어 하행결장간막과 연결된 복막과 만난다. 이 두 층의 S자결장간막은 하장간막동맥이 기시하는 부위의 복부 대동맥의 앞쪽 표면까지 올라간다. 길게 주름진 배열형태의 S자결장간막의 길이는 S자결장의 길이와 중복 정도에 따라 결정된다.

S자결장간막의 해부학적 기준점은 상직장혈관*superior rectal vessels*, 모서리혈관, S자결장혈관, 하장간막동맥 및 하장간막정맥이다. 상직장혈관은 직장의 양쪽 옆에서부터 얼기*plexus*를 형성하여 하장간막혈관과 만나게 된다. 하장간막정맥은 좌측 총장골혈관*left common iliac vessels*, 좌측 요관 및 좌측 생식선정맥*left gonadal vein*의 앞쪽에 위치한다. 모서리정맥은 결장의 결장간막 측을 따라 연속활을 형성하면서 S자결장정맥의 많은 곁가지를 통해 하장간막정맥과 연결된다. 하지만 S자결장의 길이와 중복 정도는 해부학적으로 다양하기 때문에 모서리혈관과 S자결장혈관의 위치는 일정하지 않다. 반면에 하장간막동맥과 하장간막정맥의 해부학은 비교적 일정하다. 하장간막동맥은 거의 항상 L3 높이의 복부동맥의 앞쪽 벽에서 기시하여 좌측으로 주행하여 곁가지를 내며, 좌측 상행결장동맥*left ascending colic artery*은 하장간막정맥을 따라 좌측으로 주행하여 좌측 십이지장주위*paraduodenal* 공간을 지난다. 다른 곁가지에는 S자결장동맥과 상행직장동맥*superior rectal artery*이 있다.

: 직장과 직장간막 The Rectum and Mesorectum

직장은 S자결장과 이어져있고, 항문직장경계에서 끝난다. 직장의 위측 1/3은 복막으로 덮혀 측면과 앞쪽에서 복막와를 형성하고, 반면에 중간과 아랫쪽 1/3은 전적으로 복막외에 위치한다.[3, 5, 6] 장측 복막은 S자결장을 덮고 아래쪽으로는 직장을 둘러싸면서 직장간막근막*mesorectal fascia*을 형성한다.

● 직장간막근막의 뒤쪽은 천골과 미골 앞쪽의 후직장

retrorectal 공간에 의해 천골전*presacral* 근막과 구별된다. 천골전 근막은 뼈와 근막의 해부학적 기준점이 되는 중간 천골동맥과 같은 혈관을 덮는 조밀한 섬유조직이다. 후직장 공간은 느슨한 성근조직*areolar tissue*을 포함하지만 주요 동맥을 포함하지 않는 가상의 공간을 말하며, 박리시 출혈이 발생하지 않는다.

● 직장간막의 앞쪽은 더글라스오목*Douglas pouch*이라고 불리는 직장 앞쪽의 복막요*peritoneal rescess*로, 더글라스오목의 뒤쪽 경계는 직장간막이며, 앞쪽 경계는 남성에서 정낭과 전립선 뒤쪽을 연결하는 면이고, 여성에서 자궁목과 질 뒤쪽 면이다. 이 직장간막 앞쪽의 섬유성 직장간막근막은 Denonvillier 근막 또는 직장질사이막으로 불린다.

● 외측으로 직장간막근막은 직장을 둘러싸고 있으며, 골반측 벽, 근육, 하복*hypogastric* 혈관의 곁가지, 하복신경 및 하복 림프절과 직장의 경계 짖는다. 중간 직장에서 하복혈관의 곁가지인 중간 직장 혈관과 하복신경의 곁가지는 직장간막의 전외측으로 "측인대*lateral ligament*"를 통해 들어가게 된다.[6, 7]

직장간막 근막은 직장뿐 아니라, 상직장혈관, 하장간막얼기의 신경 및 혈관구조물을 따라 있는 림프절들을 포함하는 직장간막의 구조물을 감싼다. 직장간막 근막, 혈관 및 림프절은 이전에 Brown 등에 의해 얇은 절편, 고해상도 MRI(Fig. 12-1)에서 묘사된 바 있다.

: 항문관 The Anal Canal

항문관은 하부직장과 항문괄약근 주변의 근육에 의해서 경계 지어진다.[3] 외측과 내측 괄약근, 항문관 벽과 하부직장의 근육은 MRI의 관상면과 시상면 영상에 의해 잘 관찰되며, 직장내 코일이 사용된 경우 특히 잘 보인다. 항문관은 상직장동맥의 상부 끝으로부터, 그리고 내음부동맥의 하부직장 곁가지로부터 동맥혈을 공급받는다. 일차 림프배액은 복재대퇴정맥*saphenofemoral vein* 접합부의 림프절로 배액되며 상직장혈관의 주행을 따른다.

Table 12-1에 상행, 횡행, 하행과 S자결장간막과 및 직장간막의 해부학적 기준점이 되는 혈관을 나열하였다.

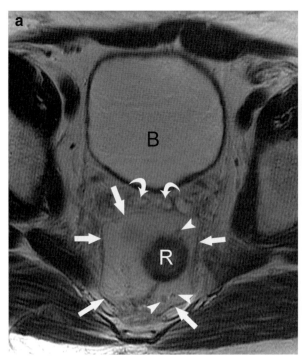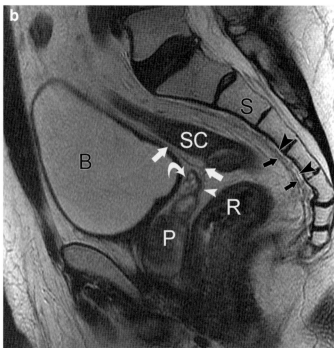

Fig. 12-1. MR imaging anatomy of the rectum and mesorectum.

(**a**) T2-weighted axial MR image at the upper rectum depicts the low-intensity layer *(arrows)* of the mesorectal fascia. The seminal vesicles *(curved arrows)* are anterior to the fascia of Denonvillier. The mesorectal fat and vessels and nodes *(arrowheads)* surrounding the rectum *(R)* are enclosed within the fascia. *B* = bladder.

(**b**) Sagittal view near the midline demonstrates the parietal peritoneal layer *(white arrows)* covering the bladder *(B)*, and above the seminal vesicles *(white curved arrow)* forming a peritoneal recess known as the pouch of Douglas. The fascia of Denonvillier *(white arrowhead)* lies between the seminal vesicles and prostate *(P)* and the rectum *(R)*. Anterior to the sacrum *(S)* and coccyx, the posterior mesorectal fascia *(black arrows)* and the presacral fascia *(black arrowheads)* are separated by the retrorectal space. *SC* = sigmoid colon.

Table 12-1. 상행, 횡행, 하행, S자결장간막과 및 직장간막의 혈관 지표

인대	장기와의 관계	지표
상행결장간막	장간막근부터 상행결장까지 후복막층이 덮는다.	회결장, 맹장, 상행결장의 동맥과 정맥의 모서리혈관 우측 결장동맥과 정맥
횡행결장간막	횡행결장간막근에서 – 십이지장 제 2분지의 수평부위, 췌장두부의 전방, 췌장의 몸과 꼬리부위의 미측부 – 횡행결장	횡행결장의 모서리동맥과 정맥 간성만곡, 횡행결장, 좌측횡행결장의 중간결장동맥과 정맥의 분지, 위결장정맥간, 좌측 결장동맥과 정맥의 상행결장 분지
하행결장간막	하행결장에서 좌측 상부십이지장 주름까지 후복막층이 덮는다	하행결장의 모서리동맥과 정맥, 좌측결장정맥, 하장간막정맥
S자결장간막	북부대동맥에서 S자결장 전방의 S자결장간막근	S자결장의 모서리동맥과 정맥
직장간막	천골과 미골후방, 전립선과 정낭의 전방, 하복혈관 분지의 측면을 싸고 있는 직장간막 근막	하장간막동맥과 정맥의 S자결장 분지 직장간막 근막내 상직장동맥과 정맥 분지

결장과 직장의 질환 Disease of the Colon and Rectum

▌게실염과 대장염 Diverticulitis and Colitis

- *게실염* : 대장 게실증은 45세 이상의 성인에서 흔하며, 80세 이상에서 최대 80%까지 발생하는 질환이다.[8, 9] 염증은 음식, 대변, 혹은 대변돌이 게실의 목을 막았을 때 진행된다. 이는 대장벽을 둘러싸고 있는 복막하 층 내부로 미세 혹은 육안적인 천공으로 발전될 수 있으며, 결장간막을 통해 퍼지거나 복강내로 천공되어 농양을 형성하고(4장 참조), 인접한 장기로 누공을 형성한다 (Fig. 12-2).

- *허혈성 대장염* : 허혈성 대장염은 주로 70세 이상에서 나타난다. 심근경색이나, 부정맥, 쇼크, 혈전색전 질환, 외상, 의인성 손상 혹은 수술 후에 대장 벽의 갑작스런 혈류 소실로 인해 나타난다. 급성기에는 주로 벽의 부종성 비후 형태로 나타나는데, 이는 허혈성 분절의 "leaky" 혈관의 재관류에 의한다. 만성기에는 섬유화와 협착으로 나타나게 된다. 모든 단계에서 심각한 합병증은 대장의 허혈성 분절의 천공이나 협착된 부분의 근위부 장폐색으로 나타난다(Fig. 12-3).

- *위막성 대장염* : *Clostridium difficile*은 위막성 대장염을 일으키는 균주이다. 이는 균이 괴사되고 황폐화된 점막과 위막을 형성하는 삼출물을 초래하며, 전층의 염증과 대장주변 염증을 초래한다. 두꺼워진 벽과 대장주변 지방조직의 stranding을 보이게 되는 기저 병리학적 특징은 다른 형태의 대장염과 잘 구분이 되지 않는다. 하지만 임상적 특징, 즉 중성구 감소증은 중성구 감소성 대장염(Fig. 12-4)과 위막성 대장염과 감별점이며, 심장혈관병과 연관된 저혈량 쇼크, 그리고 "분수령 *watershed*" 분포를 보이는 대장염은 허혈성 질환을 시사한다.

- *감염성* : 다른 감염성 원인 즉, 결핵, 살모넬라, 아메바성, 주혈흡충증, 시겔라증은 미만성, 혹은 국소적 대장염의 원인이 될 수 있다. 이들은 국소 대장주위 염증성 변화를 초래할 수 있으며, 천공이 발생하여 복강내로 퍼질 수 있다.

- *특발성* : Crohn's 병과 궤양성 대장염은 대장과 직장을 침범할 수 있다.[10] 소장에서와 비슷하게, Crohn's 병은 궤양과 육아종성 염증에 의한 두꺼워진 전층 및 "건너뛰기*skip*" 분포를 보인다. 원위부 회장과 상행결장에 더 현저하게 나타난다. 염증은 결장간막으로 파급될 수 있고, 인접장기로 누공을 형성할 수 있다. 반면에 궤양성

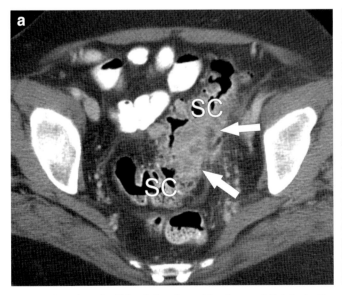 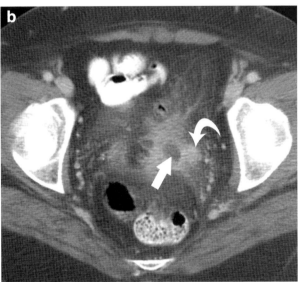

Fig. 12-2. Diverticulitis of the sigmoid colon and fistula to the vagina.
(a) CT of the pelvis illustrates pericolic inflammatory changes *(arrows)* involving the wall of the sigmoid colon *(SC)*.
(b) At a lower level, a fistula *(arrow)* extends to the vagina *(curved arrow)*.

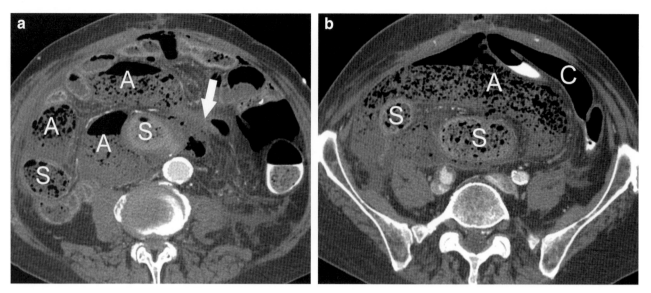

Fig. 12-3. Stricture at the anastomotic site due to ischemic change and perforation into the peritoneal cavity, 6 months after a right hemicolectomy and ileocolic anastomosis.

(a) CT at the lower abdomen reveals dilatation of the small intestine *(S)* proximal to the site of an anastomotic stricture *(arrow)* to the colon with fecal material *(A)* in the peritoneal cavity.

(b) CT at a lower level shows large amount of fecal material *(A)* in the peritoneal cavity and dilated small intestine *(S)* with the "fecal" sign proximal to the site of stricture. Note the colon *(C)* distal to the stricture without fecal material.

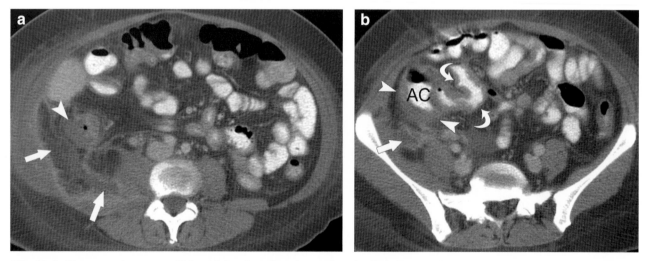

Fig. 12-4. Neutropenic enterocolitis with local perforation and pericolic inflammation.

(a) CT reveals focal wall thickening *(arrowhead)* of the ascending colon with pericolic inflammatory changes *(arrows)* extending in the posterior pararenal space to the right psoas muscle.

(b) CT at the level of the ileocecal valve identifies diffuse wall thickening *(arrowheads)* of the ascending colon *(AC)* and the terminal ileum *(curved arrows)* with a small fluid collection *(arrow)* in the posterior pararenal space.

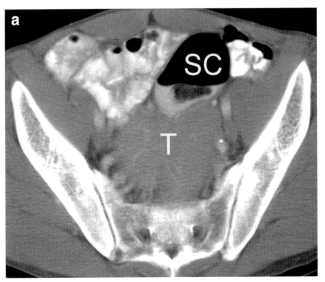
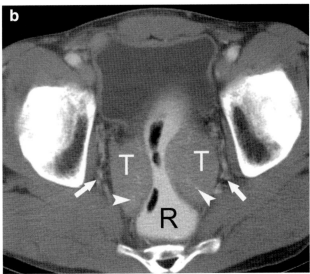

Fig. 12-5. Lymphoma manifests as tumor infiltration in the mesorectum.
(**a**) CT of the pelvis depicts tumor infiltration (*T*) in the mesorectum. *SC* = sigmoid colon.
(**b**) CT at a lower level demonstrates infiltration of tumor (*T*) on both sides of the rectum (*R*). Note involvement of the superior rectal vessels (*arrowheads*) in the mesorectum whereas the branches of the internal iliac vessels (*arrows*) outside the mesorectal fascia are not involved.

결장염은 좌측 결장에 더 흔하며, 결장과 직장을 둘러싸고 있는 혈관이 뚜렷해지면서 장벽이 미만성, 대칭성으로 두꺼워진다. 또한 점막하 층의 섬유성 변화와 지방대치는 대장과 직장벽의 달무리 징후를 초래할 수 있으나, 내강 밖으로 파급은 드물다.

일반적이서 대장에서만 생기는 경우는 흔치 않다.[14] 이는 결장 주위와 결장간막 림프절들의 비대로 부피가 큰 종괴로 발현하거나, 직장벽과 결장간막 및 직장간막(Fig. 12-5)의 침윤성 종괴, 또는 결장간막의 점막하 결절과 림프절의 형태로 나타난다.

결장, 직장, 항문의 신생물
Neoplasms of the Colon, Rectum, and Anus

미국에서 결장과 직장의 선암종은 폐, 유방, 전립선암 다음으로 4번째 흔한 암이다.[11-13] 암으로 인한 사망원인으로는 2위이다. 최근 암의 성장과 진행에 대해서 이해함으로써 조기에 암을 발견하고 치료를 향상시키는 선별검사의 장점에 대한 관심이 증가되고 있다. 선암종은 주변 구조물들과 장기들을 침범하면서 확장하며 자라는 경향이 있고, 림프관과 혈관 및 신경들을 통해 흔히 퍼져나간다. 바깥쪽 벽을 침범하면 장측 또는 벽측 복막까지 침범되어 암이 복강내로 퍼질 수 있다. 림프절성, 혈행성 및 복막하 신경주위로 침범하여, 결장간막, 직장간막, 간 및 폐까지 퍼져 나갈 수 있다.

대장의 림프종은 여러 장기를 동시에 침범하는 양상이

질병 파급의 양상들 Patterns of Disease Spread

복막내 전파 Intraperitoneal Spread

염증, 신생물, 외상 그리고 의인성 손상들과 같이 결장에 영향을 미치는 다양한 질병 과정들은 벽과 그것의 벽측망을 통해 복강으로 퍼져나간다. 대장의 천공으로 국소화된 농양, 확산된 복막염(4장 참조)이 생기거나 복강내 분변이 새나갈 수도 있다(Fig. 12-3).

국소적 복막 침범*local peritoneal invasion*은 진행된 T-병기의 종양에서 흔한 일이며, 한 연구에서는 59%까지 보고되고 있다.[15] 복측 복막을 침범하여 암세포들이 복강 안에 퍼지거나, 복막내측에 쌓이거나, 대망이나 복막에 전이될 수도 있다. 반지세포*signet-ring cell* 암종이지만, 반지세포 암종에서 기원하여 전이한 일부 희귀한 암들을

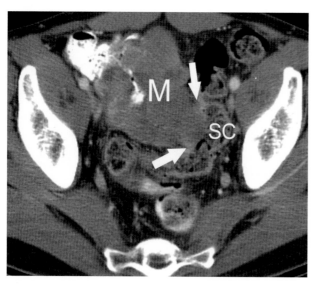

Fig. 12-6. Adenocarcinomatous mass *(M)* of the cecum with invasion *(arrows)* to the serosa of the sigmoid colon *(SC)*.

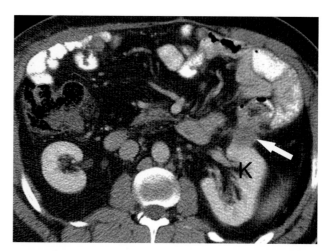

Fig. 12-8. Recurrent tumor *(arrow)* from carcinoma of the splenic flexure of the colon with invasion to the left kidney *(K)*.

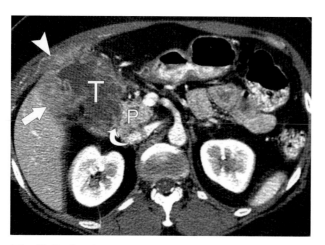

Fig. 12-7. Carcinoma *(T)* of the hepatic flexure of the colon with local extension into the liver *(arrow)*, pancreas *(P)* *(curved arrow)*, and the anterior abdominal wall *(arrowhead)*.

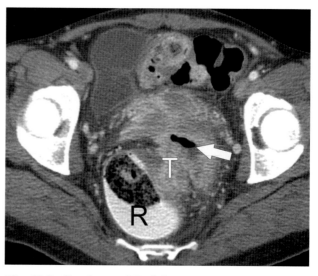

Fig. 12-9. Carcinoma *(T)* of the rectum *(R)* with invasion and fistula *(arrow)* to the vagina.

제외하고 인대나 장간막에서 종양 세포가 초*sheath*로 퍼지는 경우는 흔치 않다.

인접 장기들과 구조물들에 근접 파급
Contiguous Spread to Adjacent Organs and Structures

진행된 결장직장암, 재발암, 그리고 대장염은 인접 장기를 직접 침범하거나 누공을 형성하며 침투할 수 있다. 이러한 파급 기전은 결장과 직장의 어느 분절에서든 일어날 수 있다(Figs. 12-6~9).

결장과 직장의 선암종에서 국소침범의 양상을 인식하는 것은 외과적 종양 접근에 중요한 영향을 미친다. 종양이 인접 장기에 부착되어 있을 때, 40%의 경우에서 종양 세포를 포함하고 있기 때문에 부착된 종양만을 제거하지 말고,[11] 질병재발을 최소화하기 위해 부착된 모든 조직과 연루된 장기 일부를 일괄로 절제해야 한다.

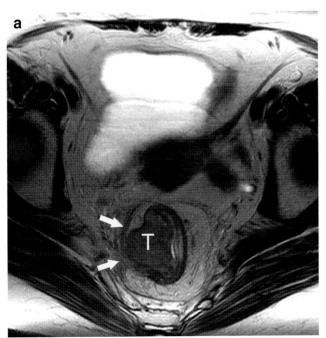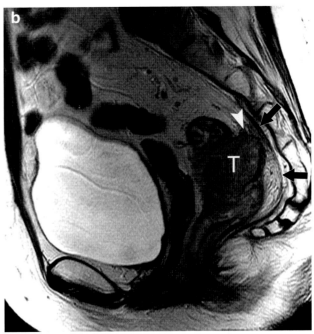

Fig. 12-10. Adenocarcinoma of the rectum with extramural growth into the fat of the mesorectum approaching the mesorectal fascia.

(a) T2-weighted, axial MR image defines the tumor *(T)* extending outside the wall to within 2 mm of the right side of the mesorectal fascia *(arrows)*.

(b) Sagittal view reveals the tumor *(T)* approaching *(arrowhead)* the posterior aspect of the mesorectal fascia *(arrows)* anterior to the sacrum.

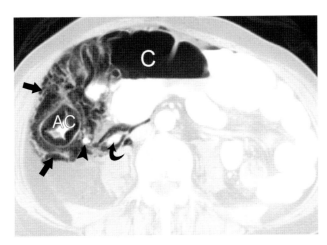

Fig. 12-11. Pneumatosis coli, after a gastrostomy, involving the ascending colon *(AC)* with intramural and extramural air *(arrows)* penetrating along the marginal vessels *(arrowhead)* and ileocolic vessels *(curved arrow)* in the root of the mesentery.

C = cecum.

직장암에서, 원발암과 직장간막근막, 그리고 복강내 장기들(Figs. 12-9, 12-10)의 관계를 이해하는 것은 수술 전 치료와 수술에 관한 치료 계획을 세우는데 필수적이며, 치료결과에 영향을 미친다. 이러한 관계들은 얇은 절편, 고해상도 MRI[16-20] 또는 얇은 절편 CT에서 잘 관찰된다.[21] 예를 들면;

- 종양이 직장벽을 넘었지만 직장간막근막에서 적어도 5 mm 이상 떨어져 있다면, 손상 당하지 않은 직장간막근막을 포함하여 일괄절제할 수 있고, 이러한 수술적 방법을 전직장간막절제술*total mesorectal excision(TME)* 이라고 한다.

- 종양이 직장간막근막의 5 mm 이내까지 침투하였다면, 완전절제하기 전에 수술 전 항암방사선 치료를 통해 병기를 낮추는 것이 추천된다.

- 종양이 전립선이나 질(Fig. 12-9)을 침범하였다면 술전 치료 후에 더욱 광범위한 수술적 치료가 필요하다.

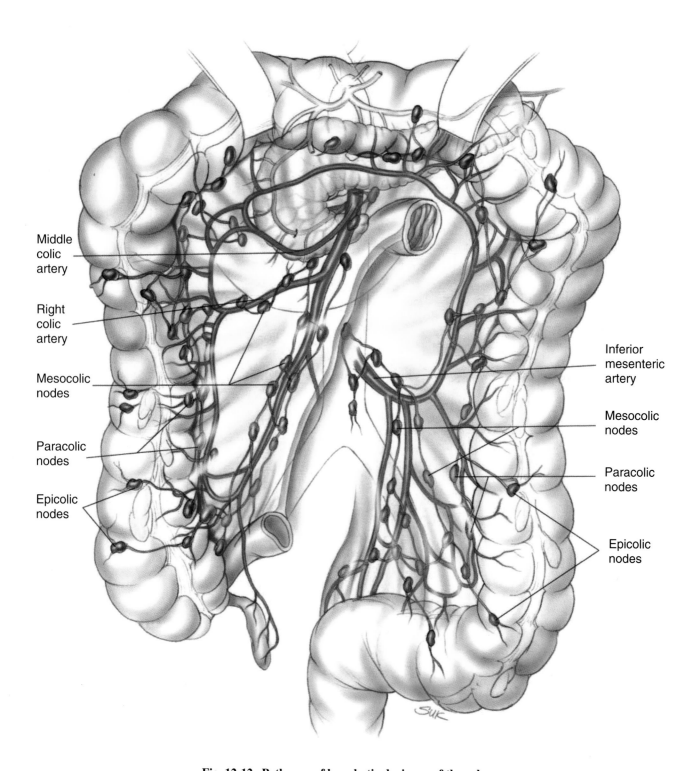

Middle
colic
artery

Right
colic
artery

Mesocolic
nodes

Paracolic
nodes

Epicolic
nodes

Inferior
mesenteric
artery

Mesocolic
nodes

Paracolic
nodes

Epicolic
nodes

Fig. 12-12. Pathways of lymphatic drainage of the colon.

▌복막하 파급 Subperitoneal Spread

결장과 직장의 양성과 악성 질환들은 결장간막 또는 그것들을 둘러싸는 복막외 공간들의 혈관, 림프관, 림프절(Fig. 12-5) 및 신경들을 통해 복막하 공간으로 퍼져나간다. 이러한 파급 양상을 장관외 공기(Fig. 12-11), 장벽천공으로 생긴 농양(Fig. 12-4), 국소 결절 전이, 또는 정맥이나 신경을 따라 벽외 종양이 파급되는 형태들로 나타난다.

: 림프절 전이 Nodal Metastasis

대장과 직장 벽에서 생성되는 림프는 대장과 직장 각각에 대응하는 동맥과 정맥에 동반하는 림프절들로 배액된다(Fig. 12-12).[4, 22-24] 림프절들은 위치에 따라 다음과 같이 분류할 수 있다:

- 벽 외부에서 곧은 혈관에 동반되는 복막 림프절들
- 모서리혈관을 따라 있는 부대장 림프절들*paracolic nodes*
- 회결장, 우측 결장, 중간 결장, 좌측 상행결장과 하행결장, 좌측 결장, 그리고 S자결장동맥들을 따라 있는 중간

결장간막 림프절들*intermediate mesocolic nodes*
- 위결장정맥간, 중간 결장동맥의 기시부, 하장간막동맥의 기시부에 있는 주요한 림프절들

직장의 림프는 대부분 상직장혈관의 분지를 따라 직장간막*mesorectum*의 림프절들로 배액되며(Fig. 12-13), 그후 하장간막동맥과 정맥을 따라 있는 림프절들과 하장간막동맥 기시부에 있는 주요한 림프절들로 배액된다. 또한 하부 직장은 약 10%에서 직장간막근막 외부에 있는 중간 직장혈관 주위 림프절에서 외내장골동맥 주위 림프절들로 배액될 수 있다(Figs. 12-13, 12-14).[25, 26] 이 대체 경로는 "외측 림프절*lateral nodes*"로 알려져 있다. 이 림프절들은 통상적으로 TME에서 제거되지 않는데, 그 이유는 하복동맥*hypogastric arteries*과 하복신경*hypogastric nerve*에 밀접해 있고, 출혈과 골반신경 손상으로 인한 합병증의 가능성이 높기 때문이다.

항문관의 림프배액은 직장과 비슷한 경로를 따를 수 있다. 대체 경로는 외음부동맥을 따라 이 부위의 보초 림프절*sentinel nodes*인 복재대퇴*saphenofemoral* 접합부의 림

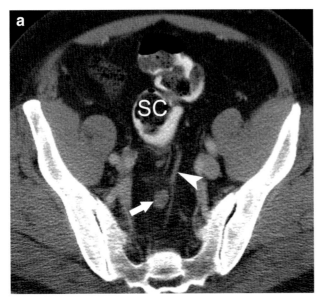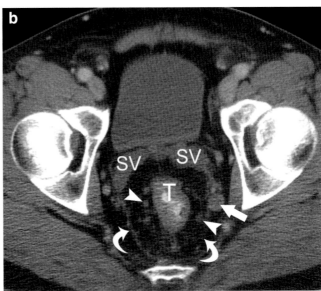

Fig. 12-13. Rectal carcinoma with metastatic nodes in the mesorectum and lateral nodes outside the mesorectum.
(a) CT of the pelvis depicts a metastatic node *(arrow)* accompanying the superior rectal vessels *(arrowhead)* in the mesorectum behind the sigmoid colon *(SC)*.
(b) CT at the mid-rectum identifies the primary tumor *(T)* and perirectal nodes *(arrowheads)* enclosed within the mesorectal fascia *(curved arrows)*. The lateral node *(arrow)* is present along the left middle rectal vessels outside the mesorectal fascia.
SV = seminal vesicle.

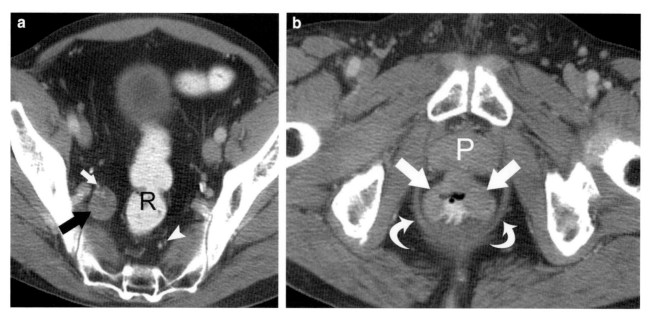

Fig. 12-14. Metastatic carcinoma of the rectum to the right hypogastric node.

(a) CT of the pelvis depicts a metastatic node *(black arrow)* adjacent to the middle rectal branch *(white arrow)* of the right hypogastric vessels. Note the superior rectal vessels *(arrowhead)* in the mesorectum posterior to the junction of the rectum *(R)* and sigmoid colon.

(b) The primary tumor *(arrows)* is located in the lower rectum behind the prostate *(P)*. *Curved arrows* point to the levator ani muscle.

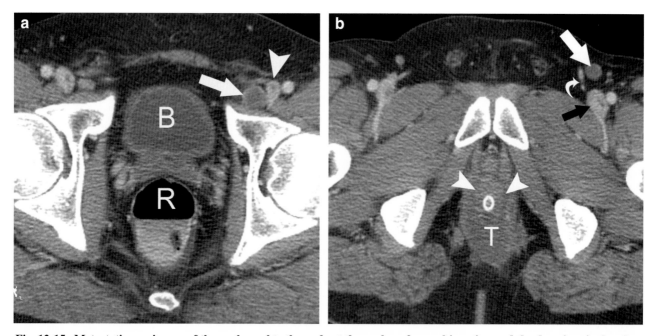

Fig. 12-15. Metastatic carcinoma of the anal canal to the node at the saphenofemoral junction and the deep inguinal node.

(a) CT at the mid-rectum *(R)* reveals metastasis to the deep inguinal node *(arrow)* medial to the femoral vein *(arrowhead)* behind the inguinal ligament. *B* = bladder.

(b) The tumor *(T)* is identified extending behind the anal canal *(arrowheads)* through the levator sni muscle into the ischiorectal fossa with a metastatic node *(white arrow)* anterior to the junction between the left saphenous vein *(curved arrow)* and left femoral vein *(black arrow)*.

프절을 향하거나(Fig. 12-15), 내음부동맥*internal puden-dal artery*에서 좌골직장*ischiorectal*오목과 하복림프절*hypogastric node*을 향한다.

림프절 전이는 TNM 분류에서 가장 중요한 예후 인자 가운데 하나이고 − 단계적 그룹*stepwise incremental group*으로 양성 림프절들의 수를 정하는 것 − 불량한 예후와 관련 있다.[12] N0는 림프절 전이가 없음, N1은 1개에서 3개 국소 림프절 전이, N2는 4개 이상의 림프절 전이를 의미한다. 이는 12개 또는 그 이상의 림프절을 회수한 병리학적 표본 검사에 기초한 분류이다. 몇몇 연구 결과에서 표본에서 검사를 시행한 림프절의 수가 독립적인 예후 인

자라는 것을 증명하였다: 회수한 림프절의 숫자가 적을수록, 예후가 불량하였다.[27-29] 이는 다음과 같은 몇 가지 임상적 영향력이 있다:

- 회수한 림프절의 수가 많고, 주의 깊게 검사될 수록 N-분류에 포함시킬 수 있는 현미경적 림프절 전이를 검출해 낼 확률이 높으며, 이로써 더 높은 전이 단계로 분류하여 환자가 적절한 치료를 받을 수 있게 된다.
- 반응성 림프절들의 증가는 종양에 대한 활발한 면역 반응을 반영하며 좋은 예후와 관련될 수 있다.

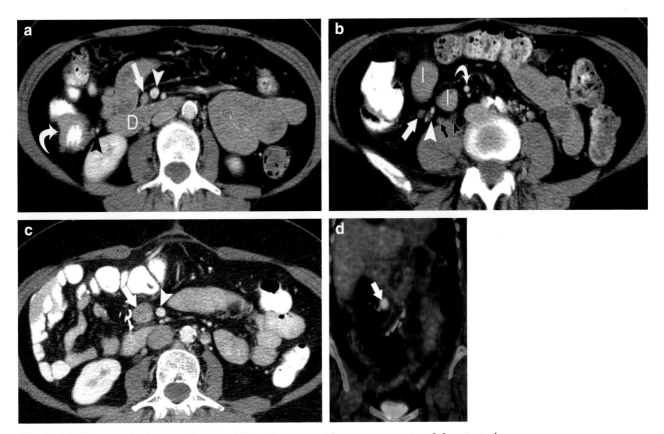

Fig. 12-16. Recurrent adenocarcinoma of the colon presenting as recurrent nodal metastasis.
(a) CT before surgery identifies the mass *(curved arrow)* of the ascending colon with an enlarged node *(white arrow)* at the origin of the ileocolic vessels that are branches from the right aspect of the SMA and SMV *(white arrowhead)*, anterior to the second segment of the duodenum *(D)*. Black arrowhead indicates the marginal vessel of the ascending colon.
(b) A small metastatic node *(white arrow)* accompanies the ileocolic vessels *(white arrowhead)* near the root of the mesentery. Note that the node and the ileocolic vessels are anterior to the right gonadal vein *(black arrow)* and right ureter *(black arrowhead)*. The segment of the small intestine anterior to the root of the mesentery is the ileum *(I)* with its mesenteric vessels *(curved arrow)*.
(c) Three years after surgery, the node *(arrow)* at the origin of the ileocolic vessels lateral to the SMV *(arrowhead)* is now enlarged. The clips, lateral to the node, indicate that this node was not removed at previous surgery.
(d) Coronal view of CT-PET imaging reveals a high glucose uptake in the node *(arrow)* indicating metastatic disease which was later confirmed at surgery.

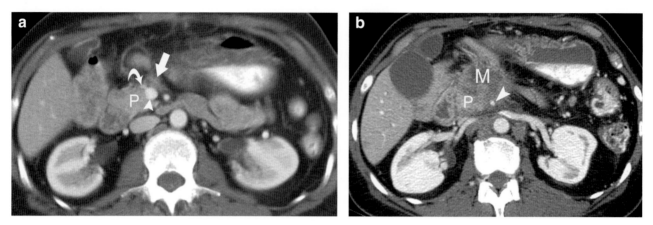

Fig. 12-17. Recurrent carcinoma of the ascending colon presenting as a pancreatic mass.

(a) CT at the level of the head of the pancreas, 6 weeks after a right hemicolectomy for carcinoma of the ascending colon, demonstrates a residual nodule *(arrow)* anterior to the SMV *(arrowhead)* where the gastrocolic trunk *(curved arrow)* enters. Note that the head of the pancreas *(P)* appears normal.

(b) Three years later, the small nodule has progressed to a large mass *(M)* invading the pancreas *(P)* and encasing the SMA *(arrowhead)*. Biopsy confirmed the diagnosis of recurrent carcinoma of the colon.

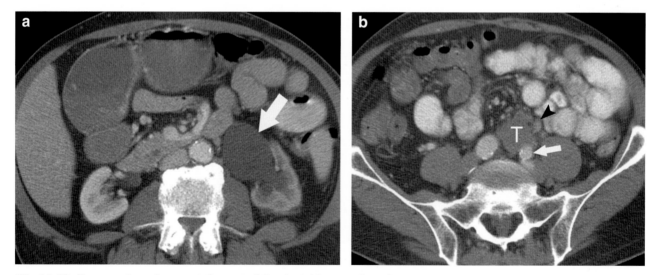

Fig. 12-18. Recurrent carcinoma at the root of the sigmoid mesocolon after segmental resection of the sigmoid colon.

(a) One year after surgery, CT shows hydronephrosis *(arrow)* of the left kidney.

(b) CT below the level of the aortic bifurcation identifies the mass *(T)* at the root of the sigmoid colon adjacent to the IMV *(arrowhead)* anterior to the left common iliac artery *(arrow)*, obstructing the left ureter.

이 원칙에 기초하여, 결장암 직장암의 근치적 절제는 반드시 침범한 분절의 혈관과 측부혈관을 따라 있는 림프절 그룹을 포함하여야 한다.[11] 예를 들면, 맹장과 상행결장의 종양의 절제는 복막림프절과 부대장*paracolic* 림프절, 그리고 회결장혈관과 우측 결장혈관을 따라 있는 림프절들의 절제가 포함되어야 한다. 비장만곡 부위의 종양의 절제는 좌중결장혈관에서 위결장정맥간까지 림프절과 좌결장혈관의 상행분지에서 췌장 미부에서 꼬리쪽의 전신주위 공간의 좌측 상부십이지장 주름에서 좌측 횡행결장간막의 기저부를 포함하여야 한다.

영상 검사로 결장과 직장에 분포한 혈관을 따라 있는 림프절들을 발견할 수 있다(Figs. 4-19, 4-20, 12-13, 12-14).[30] 그러나 해부학적 영상에서 − 만약 림프절의 크기가 크며 뭉쳐 있거나 또는 높은 병기의 종양에서 원격전이와 관련되어 있지 않다면 − 림프절들의 전이의 진단에 있어서 특이도가 충분하지 않다. 즉, 반응성 림프절일 수 있다. 낮은 병기의 종양에서는 병리학적 결과만이 치료의 결정에 절대적 표준이 된다. 영상 검사를 이용하는데 있어서 중요한 점은 다음과 같다 :

● 수술 시야를 넘어선 림프절 확인(Fig. 12-16)
● 해부학적 변이 때문에 대체 경로가 될 수 있는 림프절 발견(Figs. 12-13~15)
● 수술 시야를 벗어난 림프절에서 발생할 수 있는 질환의 재발, 그리고 그와 관련된 결과를 확인(Figs. 12-17, 12-18)

해부학적 영상의 비특이성 때문에, 치료 방침의 결정 전에 전이성 병변의 진단을 위해 추가적 영상 검사와 흡인생검이 자주 시행된다.

: 동맥주위와 신경주위 파급 Periarterial and Perineural Spread

결장직장암에서 신경주위 침범은 약 10%로 림프혈관 침범보다 드물게 일어나며, 전형적으로 높은 등급과 높은 병기의 종양과 관련하여 발생한다.[12, 31] 결장과 직장의 신경은 대응하는 분절의 공급 동맥에 따라 분포한다(Figs. 12-19, 12-20). 영상 검사에서 신경주위 침범은 동맥과 신경을 따라서 확장되는 연부조직 침윤의 양상으로 나타

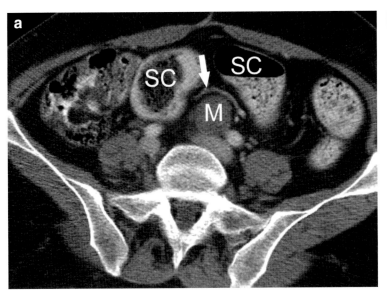
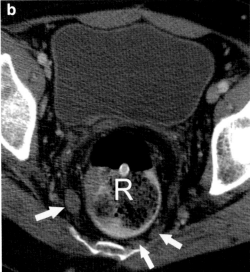

Fig. 12-19. The nerves around and within the mesorectum illustrated in a patient with neurofibromatosis.
(a) CT at the level below the aortic bifurcation demonstrates a ganglioneuroma *(M)* adjacent to the sigmoidal vessels *(arrow)* in the sigmoid mesocolon. *SC* = sigmoid colon.
(b) CT at the level of the mid-rectum *(R)* identifies neurofibromatosis nodules distributing along the sacral nerve external to the mesorectal fascia *(right arrows)* and nodule within the mesorectum *(left arrow)*.

날 수 있다(Fig. 12-21). 그러나 이러한 변화들은 결합조직형성*desmoplastic* 염증반응 또는 정맥 침범과 구별이 어려울 수 있다.

: 정맥내 파급 Intravenous Spread

결장직장암에서 정맥 침범은 다변량 분석*multivariate analysis*에 의해 예후인자로서 의미가 있음이 밝혀졌으며, 그 중에서도 벽외 정맥*extramural vein*에 병발되었을 때 특히 의미가 있다.[12, 13, 32] 이는 높은 간 전이의 발생률과 연관이 있다.

일차적인 병변 부위로부터 벽외 침범과 동반된 정맥 침범은 병발된 분절의 결장간막 또는 직장간막으로 확장되는 동맥과 동반되는 관*tubular*모양의 양상으로 나타날 수 있다(Figs. 12-22, 12-23). 이 소견은 혈전성 정맥이 보이면서 결장간막 하류*downstream*에 더 큰 정상 정맥과 연결될 때 더욱 설득력을 가질 수 있다(Fig. 12-24).

중요한 것은 벽외정맥 내의 종양 혈전과 범위를 인식함으로써 절제 표본 내에 해당 부위 전체를 제거하고 포함할 수 있다.[13] 이것을 인식하지 못하는 경우 결과적으로 국소 재발을 초래할 수 있다(Fig. 12-24).

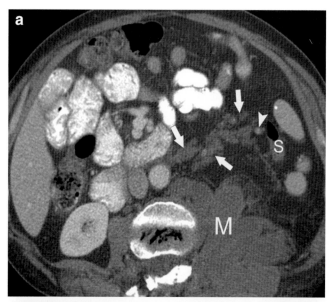

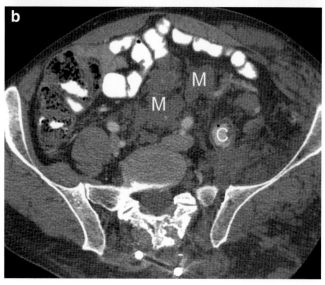

Fig. 12-20. Neurosarcoma in the sigmoid mesocolon in a patient with neurofibromatosis.
(a) CT depicts diffuse nodules *(arrows)* accompanying the sigmoidal vessels and marginal vessels *(arrowhead)* in the sigmoid mesocolon. Note the sarcomatous mass *(M)* involving the left psoas muscle. *S* = sigmoid colon.
(b) At a lower level, multiple masses *(M)* are present in the sigmoid mesocolon. *C* = sigmoid colon.

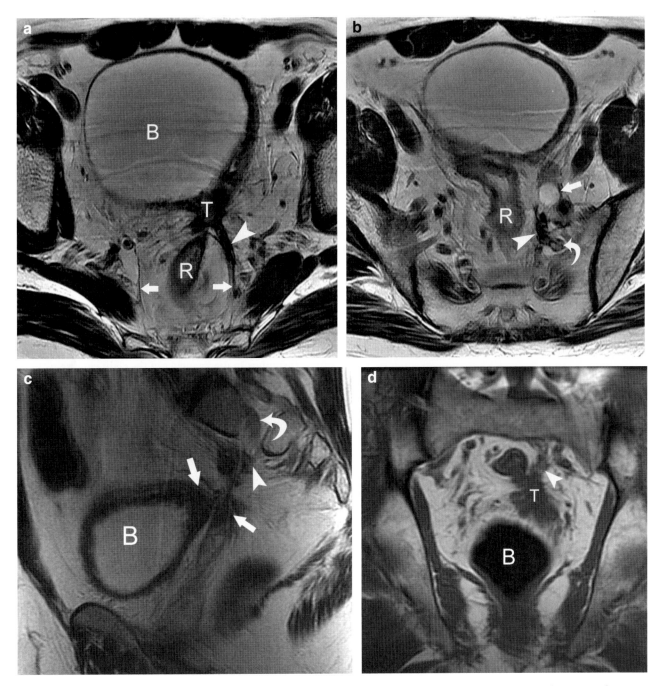

Fig. 12-21. Locally advanced carcinoma of the rectosigmoid junction invading the bladder and extending along the mesorectal fascia to involve the S2 sacral nerve.

(a) Axial T2-weighted MR image defines the mass *(T)* of the rectosigmoid junction infiltrating the posterior wall of the bladder *(B)*. The hypointense tumor *(arrowhead)* extends posteriorly along the left mesorectal fascia *(arrows)* toward the retrorectal space. *R* = rectum.

(b) At a higher level, the hypointense tumor *(arrowhead)* is traced along the mesorectal fascia to the left S2 sacral nerve *(curved arrow)*. The obstructed left ureter *(arrow)* is noted. *R* = rectum.

(c) The hypointense tumor *(arrows)* is defined on this sagittal image infiltrating the posterior wall of the bladder *(B)*, left seminal vesicle and the posterior mesorectal fascia *(arrowhead)* anterior to the left S2 sacral foramen where the nerve *(curved arrow)* exits.

(d) Coronal view of T1-weighted MR image shows the tumor *(T)* extension *(arrowhead)* to the left presacral space. *B* = bladder.

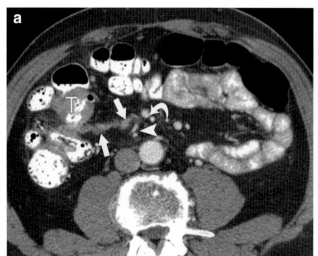

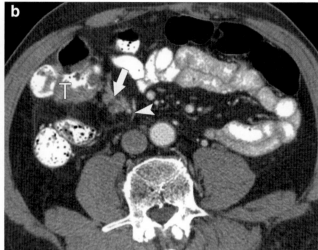

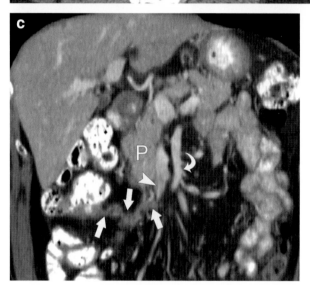

Fig. 12-22. Adenocarcinoma of the ascending colon with tumor thrombus in the branches of the right colic vein.

(a) Axial CT image illustrates the primary tumor *(T)* extending within the branch of the right colic vein *(arrows)* to the ileolocolic vein *(arrowhead)* on the right side of the SMV *(curved arrow).*

(b) At a lower level, another branch with tumor thrombus *(arrow)*connects to the ileocolic vein *(arrowhead). T* = tumor.

(c) Coronal view reconstructed from the axial images identifies tumor thrombus *(arrows)* within the right colic vein extending toward the SMV, just caudal to the head of the pancreas *(P).*

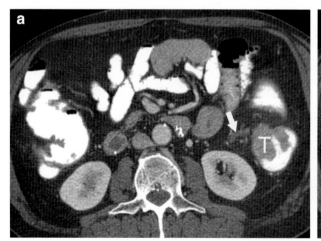

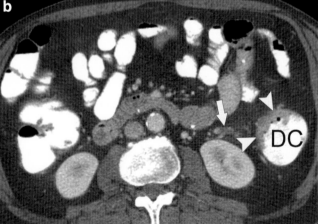

Fig. 12-23. Adenocarcinoma of the descending colon with tumor thrombus in the left colic vein.

(a) CT depicts the primary tumor *(T)* in the descending colon extending within the vasa recta *(arrow)* outside the wall of the colon.

(b) At a lower lever, tumor thrombus is visualized in the left colic vein *(arrow). Arrowheads* indicate the primary in the descending colon *(DC).*

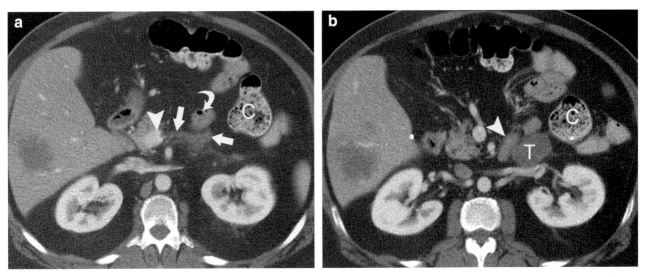

Fig. 12-24. Recurrent tumor in the descending mesocolon after left colectomy with tumor thrombus extending into the IMV and hepatic metastases.

(a) CT defines the recurrent tumor in the IMV *(arrows)* where it joins the SMV *(arrowhead)* behind the proximal jejunum *(curved arrow)*. *C* = left transverse colon.

(b) At a lower level, a mass *(T)* is depicted in the left anterior pararenal space where the IMV is located, lateral to the duodenojejunal flexure *(arrowhead)*. *C* = left transverse colon.

参考文헌

1. Collins P, Borley NR: Development of the peritoneal cavity, gastrointestinal tract and its adnexae. In Standring S (ed) Gray's Anatomy – The Anatomical Basis of Clinical Practice, 40th ed. Churchill Livingstone Elsevier, London, 2008, pp 1203-1223.

2. Cochard LR: The gastrointestinal system and abdominal wall. In Cochard LR (ed) Netter's Atlas of Human Embryology. Icon Learning System LLC, Teterboro, 2002, pp 131-156.

3. Borley NR: Large intestine. In Standring S (ed) Gray's Anatomy – The Anatomical Basis of Clinical Practice, 40th ed. Churchill Livingstone Elsevier, London, 2008, pp 1137-1162.

4. Charnsangavej C, Dubrow RA, Varma DGK et al: CT of the mesocolon: Anatomic considerations. RadioGraphics 1993; 13:1035-1045.

5. Heald RJ, Moran BJ: Embryology and anatomy of the rectum. Sem Surg Oncol 1998; 15:66-71.

6. Kim NK: Anatomic basis of sharp pelvic dissection for curative resection of rectal cancer. Yonsei Med J 2005; 46:737-749.

7. Brown G, Kirkham A, Williams GT et al: High-resolution MRI of the anatomy important in total mesorectal excision of the rectum. AJR 2004; 182:431-439.

8. Thoeni RE, Cello JP: CT imaging of colitis. Radiology 2006; 240:623-638.

9. Horton KM, Corl FM, Fishman EK: CT evaluation of the colon: Inflammatory disease. RadioGraphics 2000; 20:399-418.

10. Baugart DC, Sandborn WJ: Inflammatory bowel disease: Clinical aspects and established and evolving therapies. Lancet 2007; 369:1641-1657.

11. Chang GJ: Open and laparoscopic surgery for colon cancer. In Pollock RE, Curley SA, Ross MI, Perrier ND (eds) Advanced Therapy in Surgical Oncology. BC Decker Inc, Hamilton, 2008, pp 266-280.

12. Washington MK: Colorectal carcinoma - Selected issues in pathologic examination and staging and determination of prognostic factors. Arch Pathol Lab Med 2008; 132:1600-1607.

13. Compton CC: Pathologic prognostic factors in the recurrence of rectal cancer. Clin Colorectal Cancer 2002; 2:149-160.

14. Ghai S, Pattison J, Ghai S, O'Malley ME, Khalili K, Stephens M: Primary gastrointestinal lymphoma: Spectrum of imaging findings with pathologic correlation. RadioGraphics 2007; 27:1371-1388.

15. Shepherd NA, Baxter KJ, Love SB: The prognostic significance of peritoneal involvement in colonic cancer: A prospective evaluation. Gastroenterology 1997; 112:1096-1102.

16. Brown G, Radcliffe AG, Newcombe RG, Dallimore NS, Bourne MW, Williams GT: Preoperative assessment of

prognostic factors in rectal cancer using high-resolution magnetic resonance imaging. Br J Surg 2003; 90:355-364.

17. Beets-Tan RGH, Beets GL: Rectal cancer: Review with emphasis on MR imaging. Radiology 2004; 232:335-346.

18. Wieder HA, Rosenberg R, Lordick F et al: Rectal cancer: MR imaging before neoadjuvant chemotherapy and radiation therapy for prediction of tumor-free circumferential resection margins and long-term survival. Radiology 2007; 243:744-751.

19. Taylor FGM, Swift RI, Blomqvist L, Brown G: A systematic approach to the interpretation of preoperative staging MRI for rectal cancer. AJR 2008; 191:1827-1835.

20. Smith NJ, Shihab O, Arnaout A, Swift RI, Brown G: MRI for detection of extramural vascular invasion in rectal cancer. AJR 2008; 191:1517-1522.

21. Vliegen R, Dresen R, Beets G et al: The accuracy of multi-detector row CT for the assessment of tumor invasion of the mesorectal fascia in primary rectal cancer. Abdom Imaging 2008; 33:604-610.

22. Granfield CAJ, Charnsangavej C, Dubrow RA et al: Regional lymph node metastases in carcinoma of the left side of the colon and rectum: CT demonstration. AJR 1992; 159:757-761.

23. Charnsangavej C, Dubrow RA, Varma DGK et al: CT of the mesocolon: Pathologic considerations. RadioGraphics 1993; 13:1309-1322.

24. McDaniel K, Charnsangavej C, Dubrow RA et al: Pathway of nodal metastasis in carcinoma of the cecum, ascending colon, and transverse colon: CT demonstration. AJR 1993; 161:61-64.

25. Ueno H, Mochizuki H, Hashiguchi Y, Hase K: Prognostic determinants of patients with lateral nodal involvement by rectal cancer. Ann Surg 2001; 234:190-197.

26. Yano H, Moran BJ: The incidence of lateral pelvic sidewall nodal involvement in low rectal cancer may be similar in Japan and the West. Br J Surg 2008; 95:33-49.

27. Scott KWM, Grace RH: Detection of lymph node metastases in colorectal carcinoma before and after fat clearance. BrJ Surg 1989; 78:1165-1167.

28. Swanson RS, Compton CC, Stewart AK, Bland KI: The prognosis of T3N0 colon cancer is dependent on the number of lymph nodes examined. Ann Surg Oncol 2003; 10:65-71.

29. Prandi M, Lionetto R, Bini A et al: Prognostic evaluation of stage B colon cancer patients is improved by adequate lymphadenectomy: Results of a secondary analysis of a large scale adjuvant trial. Ann Surg 2002; 235:458-463.

30. Kanamoto T, Matsuki M, Okuda J et al: Preoperative evaluation of local invasion and metastatic lymph nodes of colorectal cancer and mesenteric vascular variations using multidetector-row computed tomography before laparoscopic surgery. J Comput Assist Tomogr 2007; 31:831-839.

31. Fujita S, Shimoda T, Yoshimura K, Akasu T, Moriya Y: Prospective evaluation of prognostic factors in patients with colorectal cancer undergoing curative resection. J Surg Oncol 2003; 84:127-131.

32. Sternberg A, Amar M, Alfici R, Grossman G: Conclusions from a venous invasion study in stage IV colorectal adenocarcinoma. J Clin Pathol 2002; 55:17-21.

신장, 상부 요로상피 및 부신 병변의 확산양상

Patterns of Spread of Renal, Upper Urothelal, and Adrenal Pathology

● ● ●

서론 Introduction

신장과 부신은 전방 및 후방 신근막renal fascia 에 의해 형성되는 신장주위 공간perirenal space 내에 위치한다. 후방의 신근막은 Zuckerkandl에 의해 처음으로 기술되었고, 전방 신근막은 Gerota에 의해 기술되었지만, 모두 합쳐서 제로타Gerota 근막으로 알려져 있다.[1] 이 두 개의 근막은 대장의 후방에서 합쳐져 외측 원뿔근막lateroconal fascia 을 형성하고, 다시 옆구리 근처에서 복막 반사peritoneal reflection 와 결합한다. 이러한 근막의 관계는 복막외 구획에서 잘 정의하고 있다.[2]

신주위 공간은 신장과 신장주위의 지방조직을 둘러싸고 있다. 신장 하극lower pole 의 후방 및 측부에는 신주위 지방조직이 많다. 신주위 공간은 신주위농양과 혈종이 합쳐지는데 있어서 중요한 곳이다.[3]

신장피막renal capsule 은 신장을 둘러싸는 대부분 섬유조직으로 구성된 얇은 막으로, 약간의 평활근을 가지고 있으나 지방조직은 없다. 피막동맥capsular artery 은 신주위 지방에 영양을 공급하고 있는데, 이 혈관을 "피막동맥capsular" 이라고 혼란스럽게 지칭한 것은 이전에 신주위 지방을 "신장의 지방피막adipose capsule of the kidney" 이라고 이름지었기 때문이다. 신주위 저류와 피막하 저류의 차이는 피막, 신근막, 신장의 경계, 피막동맥의 특징적인

변화에 기초를 두고 있다.[4]

단층영상이 출현하기 전에는 주위 신장과 내장과의 관계가 단순촬영과 바륨검사의 판독에 중요하였고, 이 검사들은 내장의 변위만으로 병변의 존재를 유추할 수 있었다. 단층영상은 병변의 구체적인 특성을 밝힘으로써, 복막하 확산과 연결된 장기로의 직접확산과 같은 병의 확산기전을 이해할 수 있게 하였다.

우측 신장의 전면은 대개 간우엽의 신압흔renal impression 에 위치하고, 아래로는 대장의 간성만곡부hepatic flexure 와 십이지장의 하슬inferior genu 과 연관이 있다. 좌측 신장은 전측부 대부분은 비장과 관계가 있고, 나머지 작은 부위는 대장의 비장만곡부splenic flexure 와 관계가 있다. 신장 중간부위의 전면은 췌장과 위의 후방에 위치하고, 신장 하극의 전방에는 공장이 위치한다.

우측 부신은 하대정맥의 후방, 우측 신장의 상방, 우측 횡격막각diaphragmatic crus 의 외측, 간 노출부bare area 의 내측에 위치한다. 좌측 부신은 비장혈관, 췌장, 위의 후방, 좌측 횡격막각과 좌측 복강신경절celiac ganglion 의 외측, 좌측 신장의 상방에 위치한다.

● ● ●

혈관 해부학 Vascular Anatomy

주main 신동맥은 상장간막 하방의 대동맥에서 기시한다.

우측 신동맥은 하대정맥과 우측 신정맥의 후방에 위치한 신주위공간으로 주행한다. 좌측 신동맥은 좌측 신정맥과 비장혈관, 췌장 체부, 하장간막정맥 부위를 포함하는 전신주위*anterior pararenal* 공간의 후방에 위치한 신주위 공간으로 주행한다. 신동맥은 신장으로 들어가기 전에 후방 가지와 전방가지로 분리된다. 약 35%에서 부신동맥*accessory renal arteries* 을 가지며, 대부분은 신장의 하극에 혈류를 공급한다.

좌측 부신정맥과 좌측 생식선정맥*gonadal vein* 은 좌측 신정맥으로 유입된다. 요관으로의 혈류공급은 부위에 따라 다른데, 근위요관은 신동맥, 대동맥, 생식선동맥, 총장골동맥*common iliac artery* 에 의해 혈류를 공급받고, 중간부 및 원위요관은 내장골동맥*internal iliac artery* 과 방광동맥에 의해 혈류공급을 받는다.

부신은 세 개의 동맥에 의해 혈류공급을 받는데, 상부신동맥은 하횡격막동맥으로부터, 중간부신동맥은 대동맥으로부터, 하부신동맥은 신동맥으로부터 혈류공급을 받는다. 부신정맥은 하나로 우측 부신정맥은 하대정맥으로, 좌측 부신정맥은 좌측 신정맥으로 유입된다.

신주위 공간 내에서 주행하는 신혈관 및 부신혈관들은, 대동맥에서 기시하고 하대정맥으로 유입되며, 신장이나 부신으로 또는 역으로 신장이나 부신으로부터 병이 확산되는 구조물로 작용한다. 이러한 통로는 신주위 공간과 나머지 복막외 공간과 복부의 인대 및 장간막을 통해 복막 공간을 연결한다. 복막하 공간내의 혈관들은 림프관을 동반한다.

● ● ● ○
림프 해부학 Lymphatic Anatomy

신장의 림프배액은 세 가지 총*plexuses* : 첫째는 신피막하, 두 번째는 신세뇨관 주변, 세 번째는 신주위 지방으로 배액된다. 이러한 총들은 림프간*lymphatic trunks* 으로 배액되며, 신문*renal hilum* 에서 신혈관을 거쳐 대동맥주위림프절*paraaortic lymph nodes* 로 배액되고, 다시 가슴림프관팽대*cisterna chyli* 로 배액되고 흉관*thoracic duct* 을 거쳐 주로 좌측 쇄골상림프절*supraclavicular nodes* 로 배액된다.

상부요관의 림프배액은 신혈관과 생식선동맥 부위의

대동맥주위림프절을 통해서 이루어진다. 중간부요관의 림프액은 총장골림프절로 배액되고, 하부요관은 외장골 및 내장골림프절로 배액된다. 모든 장골림프절은 대동맥주위림프절과 가슴림프관팽대로 배액되고 흉관을 거쳐 주로 좌측 쇄골상림프절로 배액된다. 부신림프액은 대동맥주위림프절로 배액된다.

● ● ● ○
병의 전파 Spread of Disease

▌ 신종양 Renal Tumors

: 신세포암 Renal Cell Carcinomas

신종양은 모든 암으로 인한 사망 중 3%를 차지하는데,[5] 신종양의 대부분은 신세포암이며, 투명세포*clear cell* 형 (75%), 유두*papillary* 형(10%), 혐색소*chromophobe* 형(5%)으로 나뉜다. 신종양 중 적은 경우에서 신집합계*renal collecting system* 의 요로상피에서 발생하며, 대개 이행상피세포암*transitional cell carcinoma* 이다.[6] 성인에서 발생하는 신종양의 적은 부분을 차지하는 종양으로는 집합관암*collecting duct carcinoma* , 신수질암*medullary carcinoma* , 육종 등이 있다. 부검에서는 신장을 포함하는 전이암이 일차성 신종양보다 2~3배 더 흔하다.

신세포암은 조기발견이 중요한데, 신종양의 70% 이상이 우연히 발견되며, 그 중 대부분은 신세포암이다. 낮은 병기에서 발견될 수록 완치의 가능성이 높다.[7-10] 현재 수술이 유일한 완치 요법이나, 종양 절제*tumor resection* 도 전신적 치료*systemic therapy* 의 중요한 역할을 할 수 있다.[11, 12]

단층영상이 경정맥요로조영술*intravenous urography* 대신에 비침습적으로 종양과 종양의 침범 정도를 관찰하는데 이용되고 있다. 다중검출 전산화단층촬영*multi-detector computed tomography (MDCT)* 이 병변의 발견, 진단, 침범정도, 추적에 사용된다. 자기공명영상*magnetic resonance imaging (MRI)* 은 문제해결, 종양기술, 요오드조영제 사용이 금기인 환자인 경우에 도움이 된다. 어떤 한 영상검사가 모든 환자에 최고인 경우는 없으며, 많은 영상검사가 신종양의 완전한 검사를 위하여 사용되기도 한다.[13]

신세포암 양상의 다양성은 종양의 크기, 혈류정도, 괴

사, 낭성변화에 좌우된다. 신세포암을 강하게 의심할 수 있는 소견은 종양내 조영증강을 보이는 조직이 있는 경우이다. 신세포암은 대개 둥글고 주위 정상실질과 명확한 경계를 이룬다. 신세포암이 신배나 신우를 침범하는 경우 이행상피암과 유사하다. 신종괴의 진단은 MDCT나 MRI에서 90~95%의 정확도를 보이지만, 조직학적 아류형을 진단하는 영상기준은 없다. 그러나 유두형과 혐색소형 신세포암은 조영증강이 많이 되지 않고, 육종과 신수질암은 침습적인 양상을 보이며, 넓은 이행부위를 보인다. 신장의 낭성종괴의 경우, 고형의 조영증강을 보이는 부위가 있을 경우 악성을 의심해야 한다.

신세포암의 확산 기전 Mechanisms of Spread of Renal Cell Carcinoma. 신세포암의 확산은 근막면 내 복막하전파, 림프절과 혈류를 통한 확산, 정맥내 확장, 그리고 근막면을 건너서 직접확산과 같은 몇 가지 기전이 있다.

1960년대에 종괴의 국한과 해부학적 경계와 관련된 확산을 기초를 하여 Robson 분류가 개발되었다. 조기병변은 신피막에 한정된 경우이고(병기 I), 신주위지방이나 편측 부신을 침범한 경우는 병기 II, 신정맥, 하대정맥을 침범하거나 국소림프절이 있는 경우는 병기III, 주위 장기를 침범하거나 원격전이가 있는 경우는 병기IV이다.

단층영상 기법과 치료의 발전으로 인해 Robson 분류는 부적절하게 되었고, 대신 TNM 분류가 적용되었다. 이 분류로 인해 종양침범(T)이 림프절전이(N)와 원격전이(M)와 구분이 가능하게 되었다(Table 13-1).

TNM 분류는 Robson 분류에서는 불가능한 종양의 다양성을 고려하였는데, 예를 들면, 작은 종양(T_1)에서 림프절전이(N_1)가 있거나, 신정맥을 침범하는 큰 종양에서 림프절전이가 없는(T3bN0) 경우 등이다.

종괴의 크기에 관계 없이 신피막에 국한된 경우는 T_1 또는 T_2이며, 신피막을 넘어 신주위 공간으로 전파되면 T_3이다. 신주위 지방의 가닥들은 종양의 파급을 시사하는 초기 신호이지만, 믿을만한 신호는 아니다. 왜냐하면 신세포암에서 신장과 신주위 지방의 반응을 유발함으로써 실제 피막외로의 파급이 있는 것과 유사하게 보이기 때문

Table 13-1. 신장 TNM

원발종양 (T)	
TX	원발종양 평가할 수 없는 경우
T0	원발종양 증거가 없는 경우
T1	신장에 국한된 종양의 최대 길이가 7 cm 혹은 그 이하일 경우
T1a	신장에 국한된 종양의 최대 길이가 4 cm 혹은 그 이하일 경우
T1b	신장에 국한된 종양의 최대 길이가 4−7 cm일 경우
T2	신장에 국한된 종양의 최대 길이가 7 cm 이상일 경우
T3	종양이 주요 정맥으로 확산되고 부신이나 신주위조직을 침범하지만 제로타근막을 넘지 않는 경우
T3a	종양이 직접 부신이나 신주위 또는 신동지방을 침범하지만 제로타근막을 넘지 않는 경우
T3b	종양이 신정맥이나 (근육을 가지는) 분절분지 또는 횡격막 아래의 하대정맥으로 확산되는 경우
T3c	종양이 횡격막 상방의 하대정맥으로 확산되거나 하대정맥의 벽을 침범하는 경우
T4	종양이 제로타근막을 넘어 침범하는 경우

국소림프절 (N)	
NX	국소림프절 평가를 할 수 없는 경우
N0	국소림프절 전이가 없는 경우
N1	단일 국소림프절에 전이가 있는 경우
N2	1개 이상의 국소림프절에 전이가 있는 경우

원격전이 (M)	
MX	원격전이 평가를 할 수 없는 경우
M0	원격전이가 없는 경우
M1	원격전이가 있는 경우

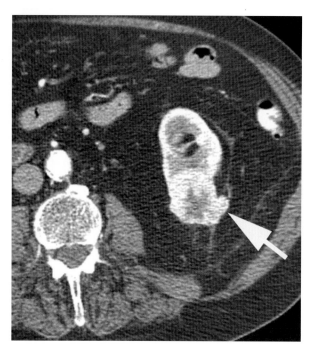

Fig. 13-1. Renal cell carcinoma extending beyond the renal capsule.
Contrast-enhanced CT shows enhancing tumor extending to perirenal space *(arrow)* and adjacent stranding.

이다. 동반된 신주위 종괴가 있을 경우 좀 더 믿을만한 신호이지만(Fig. 13-1). 신주위파급으로 가성피막을 형성하는 경우, 진짜 피막을 가진 경우와 감별이 힘들 수 있다.[14] 신주위지방이 적은 경우 평가를 방해할 수 있다.

신주위 공간으로 직접 침범하였지만, 신근막 내에 한정된 경우(T₃)는 병이 좀더 진행된 경우이다. 종괴는 동측의 부신을 침범할 수 있고, 신장의 상극 병변에서 가장 흔하게 일어난다.

신세포암은 정맥 내로 침범하여 확산되는 경향이 있는데, 주 신정맥의 침범은 25~35%,[15] 하대정맥의 침범은 5~10%에서 보인다.[16] 정맥침범의 진단은 정맥내 종괴의 조영증강을 보이는 충만결손을 발견함으로써 가능하다 (Fig. 13-2). 종괴는 처음 침범한 정맥의 벽에 붙은 채로 자라며, 정맥내로 돌출하거나 벽을 침범하게 된다(Fig. 13-3).[17, 18] 보이는 혈전 없이 단순히 혈관의 확장만으로는 혈관침범을 진단하기는 힘들고, 다만 혈관구경의 급격한 변화가 있는 경우는 종괴의 존재를 의심할 수 있다. 커진 부행피막정맥*collateral capsular veins*은 정맥침범의 믿을만한 신호는 아니다.

하대정맥에서의 종양혈전의 침범정도는 병기와 치료 결정에 중요하다. 횡격막 하방의 신정맥과 하대정맥의 종양혈전과 횡격막 상방의 하대정맥의 종양혈전(Fig. 13-4) 사이에는 병기(Table 13-1)뿐만 아니라 수술적 고려에 있어서도 차이가 있다. 정맥침범의 정도는 MDCT나 MRI로 볼 수 있다. MDCT에서 병변의 침범범위가 불확실한 경우 MRI가 자주 도움이 된다. 대개 신정맥이 합쳐지는 부위보다 상방에 위치한 하대정맥 내의 혈전은 종양혈전이

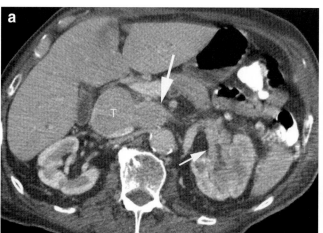
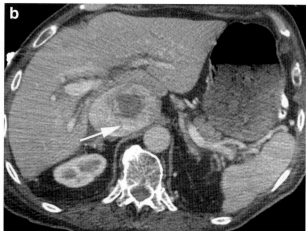

Fig. 13-2. Renal cell carcinoma extending into the renal vein and inferior vena cava.
(a) Contrast-enhanced CT shows enhancing tumor thrombus *(small arrow)* extending into the left renal vein *(large arrow)* and inferior vena cava *(T)*.
(b) Tumor thrombus extends cephalad within the inferior vena cava *(arrow)*.

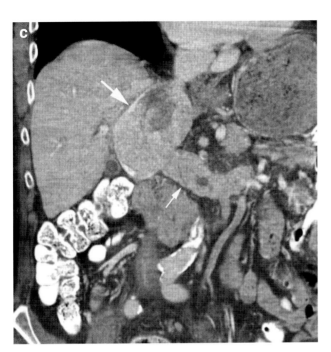

Fig. 13-2 *(Continued).* Renal cell carcinoma extending into the renal vein and inferior vena cava.

(c) Coronal reformatted contrast-enhanced CT shows heterogenous enhancing tumor in the left renal vein *(small arrow)* and inferior vena cava *(large arrow)*.

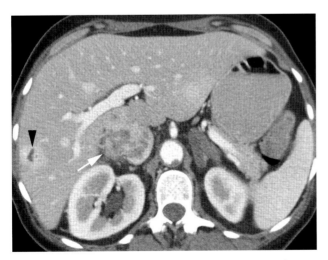

Fig. 13-3. Renal cell carcinoma invading the wall of the inferior vena cava.

Contrast-enhanced CT shows enhancing tumor thrombus extending through the wall of the inferior vena cava *(arrow)*. Note enhancing liver metastasis *(arrowhead)*.

고, 하방에 위치한 혈전은 무균성*bland* 혈전이다. 혈전의 조영증강은 확실한 종양혈전을 시사한다.

최근 연구에서 종양혈전의 진단에 MDCT나 MRI 간의 차이는 없다고 하였고,[19] CT와 MRI를 합친 경우 95%에서 종양혈전을 진단할 수 있었다.[20]

신세포암의 림프절으로의 확산을 보면 처음에는 국소 림프절을 침범한다. 이러한 국소림프절은 신문에서부터 같은 부위의 대동맥주위림프절에 이르기까지 신동맥을 따라서 관찰된다. 국소림프절전이가 있는 환자의 10~15%에서 원격전이는 보이지 않는다. 림프절전이는 신문 부위의 위 또는 아래로 확산될 수 있고, 계속해서 가슴림프관팽대와 흉선을 지나 좌측 쇄골상림프절까지 확산될 수 있다(Fig. 13-5). 가끔 이 림프절로부터 종격동 또는 폐문절로도 확산될 수 있다.[21]

병적 림프절을 진단하는데 있어서 문제점은 약 50%에서 커진 국소림프절이 과형성증*hyperplastic* 이라는 것이다.[14] 최근 사용되고 있는 전이가 의심되는 림프절의 기준은 단경이 1 cm 이상이고, 계란모양이나 지방을 가진 문*hilus* 이 보이지 않는 경우이다. 국소부위에서 세 개 또는 네 개의 림프절이 무리를 이루는 경우는 병리소견을 가진 것으로 의심할 수 있다.

원격전이는 비국소림프절 침범, 신근막을 넘어 직접 확산, 혈행성 확산과 같은 몇 가지 기전으로 발생한다.

신근막을 지나 직접 확산되는 경우 신주위공간을 침범하는데, 전신주위 공간을 침범하는 경우 십이지장, 대장, 췌장이 침범될 수 있고, 후신주위 공간으로 확산되는 경우 후방 및 측부 복부근육과(Fig. 13-6) 횡격막을 침범할 수 있다.

혈행성전이는 폐와 부신에 가장 흔하고, 그 다음으로 뼈, 늑막, 뇌, 췌장, 간 순이다. 전이암은 가끔 과혈관성이며(Fig. 13-7), 뼈 전이는 대개 용골성*osteolytic* 이다.

재발 또는 전이는 대개 신절제술 후 3년 내 발생하며,[22] 재발은 국소적일 수 있고, 전이 부위는 폐(50~60%), 뼈와 간(30~40%), 부신, 반대쪽 신장, 췌장 및 뇌(5%) 순이지만,[23, 24] 어떤 장기에도 전이가 될 수 있다. 폐전이는 결절, 림프절전이, 말초동맥으로의 확산, 기관지내 병변, 늑막 및 종격동 침범으로 나타난다.

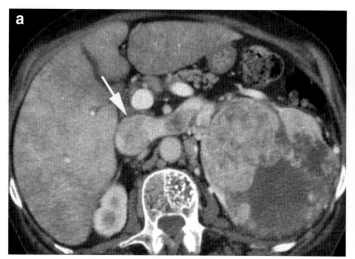
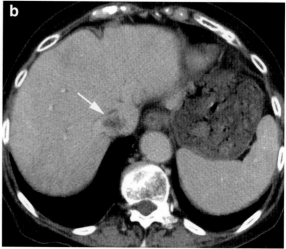

Fig. 13-4. Supradiaphramatic extent of renal cell carcinoma.
(a) Contrast-enhanced CT shows large left renal tumor with extension into the left renal vein and inferior vena cava *(arrow)*.
(b) At the level of the diaphragmatic hiatus of the inferior vena cava, tumor thrombus *(arrow)* is demonstrated to extend into the right atrium.

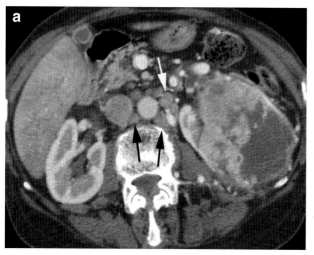
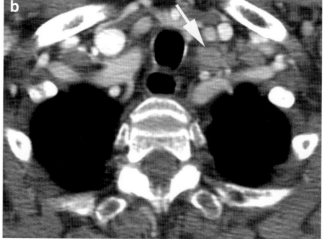

Fig. 13-5. Lymphatic spread of renal cell carcinoma.
(a) Contrast-enhanced CT shows left renal cell carcinoma with nodal metastases to right and left paraaortic regions *(arrows)*.
(b) Contrast-enhanced CT of chest at level of the thoracic inlet shows supraclavicular nodal metastases *(arrow)*.

: 신림프종 Renal Lymphoma

신림프종은 원발성종양으로는 드물지만, 림프종의 림프절외 확산은 자주 비뇨생식계를 침범하며, 신장도 흔하게 침범한다. 신림프종은 몇가지 CT 유형들이 있다. 이러한 유형들은 혈행성 전이와 복막하 확산의 두 가지 기전에 의한다. 이러한 기전을 이해하면 영상유형을 이해하는데 도움이 된다.

혈행성 전이가 가장 흔하고 자주 양쪽 신장을 침범한다. 림프종이 신피질에 파종이 되면 신원nephron, 집합관, 혈관의 틀을 따라 자라면서 하나 또는 그 이상의 팽창하는 종괴가 된다. 림프종은 때때로 신장을 침윤하여 신비대를 유발하기도 한다. 50% 미만에서 대동맥주위 림프절을 침범한다.[25]

복막외 질환으로부터 연결되는 복막하확산은 25~30%

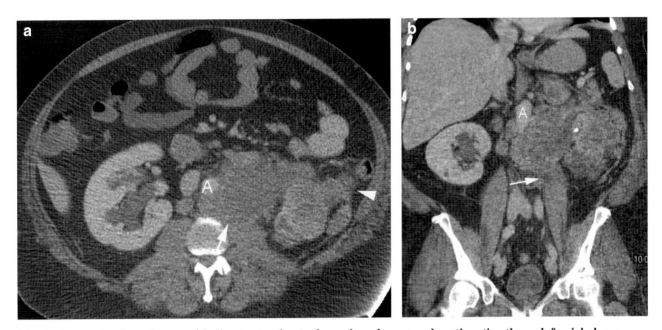

Fig. 13-6. Renal cell carcinoma with direct extension to the perirenal space and continuation through fascial planes.

(a) Contrast-enhanced CT with tumor invasion posteriorly to involve the psoas muscle *(arrow)* and anteriorly to the anterior pararenal space *(arrowhead).* Note involvement of aorta *(A).*

(b) Coronal reformatted contrast-enhanced CT shows tumor invading posteriorly and medially to include the psoas muscle *(arrow)* and aorta *(A).*

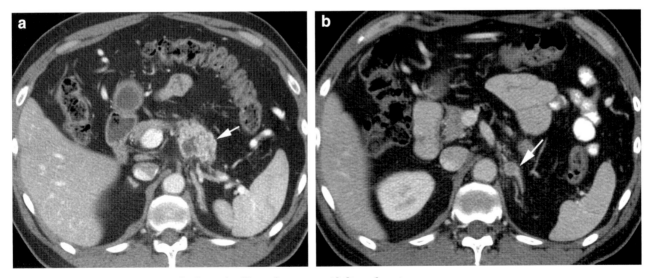

Fig. 13-7. Hematogenous spread of renal cell carcinoma post left nephrectomy.

(a) Contrast-enhanced CT with heterogenous enhancement of pancreatic metastasis *(arrow).*

(b) CT shows adrenal metastasis *(arrow).*

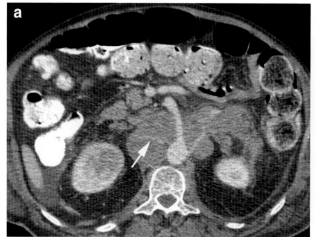

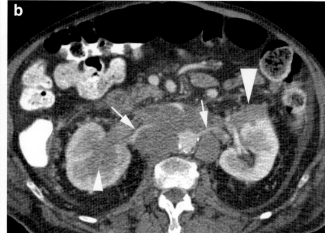

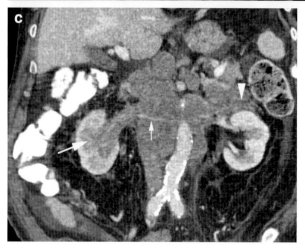

Fig. 13-8. Subperitoneal spread of renal lymphoma involving the right kidney and left perirenal space.
(a) Contrast-enhanced CT shows lymphoma encasing the superior mesenteric artery and right renal artery *(arrow)*.
(b) Lymphoma spreads along the scaffold of the renal vessels bilaterally *(arrows)* and extends into the right kidney *(small arrowhead)* and into the left perirenal space *(large arrowhead)*.
(c) Coronal reformatted contrast-enhanced CT shows lymphoma infiltrating and encasing the aorta and right renal artery *(small arrow)* with spread into the right kidney *(large arrow)* and left perirenal space *(arrowhead)*.

에서 발생하며,[26] 큰 침윤성 복막외 종괴와 관련이 있다. 림프종은 신혈관을 둘러싸고, 혈관을 따라 확산되면서 신주위공간과 신장을 침범한다(Fig. 13-8). 전형적인 경우에서 림프종이 신문으로 자라면 신집합관계는 종종 막히지만, 신동맥과 신정맥은 대부분 유지된다. 종괴에 의한 신장의 변위가 흔하다. 림프종은 혈관을 따라서 신실질 내로 자라고, 직접적인 전파에 의해 신주위공간을 침범하고 신장을 둘러싼다. 신림프종이 피막을 뚫고 자랄 경우 역시 신주위 침범을 일으킨다.

가끔 병변의 확산에 의해 신근막의 비후, 신주위종괴, 신동*renal sinus* 침윤을 일으키기도 한다. 드물게 신림프종은 신세포암(Fig. 13-5)이나 이행상피세포암*transitional cell carcinoma(TCC)*과 유사할 수 있다. 또한 흔하진 않지만 신림프종은 자발출혈을 일으켜 신주위 공간으로 퍼지거나 복막외로 진행하기도 한다.

영상에서는 신림프종은 대개 균질하고 거의 조영증강을 보이지 않는다. 그러나 영상 소견은 다양하며, 신세포암, 이행상피암, 신수질암, 신우신염, 황색육아종신우신염*xanthogranulomatous pyelonephritis*, 폐, 유방, 흑색종으로부터의 전이암, 후복막섬유화증*retroperitoneal fibrosis*과 유사하다.

: 신장의 수질암과 신장주위 농양 Medullary Carcinoma of the Kidney and Perirenal Abscess

신장의 수질암은 흔하지 않고 겸상적혈구체질*sickle cell trait*과 관련이 있다. 종양은 경계가 불분명하고, 공격적이며, 자주 림프절종대를 동반한다(Fig. 13-9).

1980년 이전의 신주위농양은 진단이 지연되어 높은 치사율을 보였지만, 초음파, MDCT, MRI 같은 새로운 영상 기술과 새로운 항생제 치료법으로 인해 진단기술과 치료

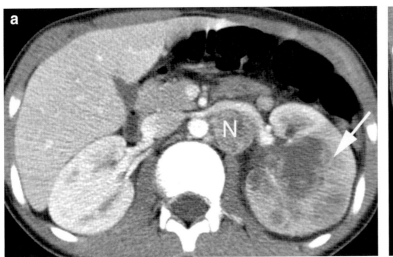
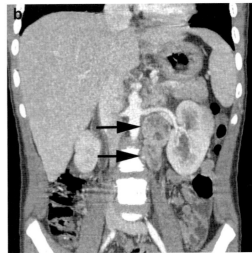

Fig. 13-9. Medullary carcinoma of kidney.
(a) Contrast-enhanced CT shows infiltrating tumor within the left kidney *(arrow)* and lymphatic spread to regional left paraaortic node *(N)*.
(b) Coronal reformatted contrast-enhanced CT shows lymphatic spread to left paraaortic nodes *(arrows)*.

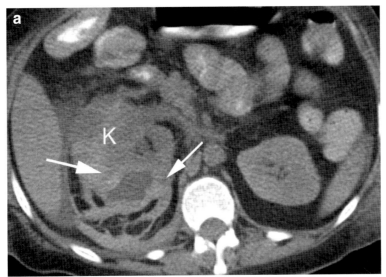
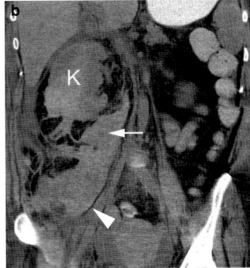

Fig. 13-10. Renal fungal infection and hemorrhage to perirenal space.
(a) Unenhanced axial CT shows renal infection and hemorrhage extending from the kidney *(K)* to the perirenal space *(arrows)*.
(b) Coronal reformatted unenhanced CT shows perirenal abscess and hemorrhage extending from the kidney *(K)* to the perirenal space *(arrow)*. Note the distended perirenal space to below the iliac crest *(arrowhead)*.

성적이 향상되었다.[27]

감염이 신주위 공간으로 확산되는 기전은 직접전파, 혈행성 전이, 의인성과 같은 여러 가지 기전들이 있다.

성인에서 신주위농양의 대부분은 상행성 요로감염으로부터 직접전파에 의해 신피질농양을 만들고, 이 농양이 신피막을 천공함으로써 발생한다. 직접전파는 황색육아종신우신염이나 결핵 같은 만성 요로감염에서 발생할 수 있다. 다른 원인으로는 주위의 복막외 구조물인 대장게실염, 대장암천공, 맹장후방의 복막외 충수돌기염, 감염된 췌장염, 골반염으로부터의 직접전파이다. 신주위 공간의 오염은 요관이나 신배천장calyceal fornix의 천공을 초래할 수 있다.

혈행성 전이는 소아에서 가장 흔한 확산기전이다. 일차성감염의 가장 먼 장소는, 부스럼증furunculosis, 호흡기감염, 상처감염이며, 포도상구균이 가장 흔한 세균이다.

의인성 전파는 수술이나 침습적인 시술 과정에서 오염에 의해 발생한다.

신주위농양의 합병증은 패혈증과 근막을 지나 직접 전파되는 것이다.

신주위농양은, (a) 신문 상방의 후신주위 공간과, (b) 신문 하방의 후신주위 공간, 또는 (c) 신문 하방의 요근 부위로 전파하게 된다(Fig. 13-10).[28] 더 확장하게 되면 신하부 공간까지 진행한다. 후방으로 확장되면 피부로 누공을 형성한다. 전방으로 진행하면 전신주위 공간으로 진행하고 대장, 십이지장, 췌장까지 침범할 수 있고, 드물게 복막까지 퍼질 수 있다.

단순촬영과 배설성 요로조영술은 진단하는데 간접적인 변화를 이용한다. 이 검사법들은 MDCT로 대체되었고, MDCT가 진단과 침범정도를 평가하는데 주로 사용되고 있다. MDCT는 또한 특별한 복막외 공간의 위치결정을 할 수 있게 한다. 초음파는 MDCT를 시행하기 힘든 환자나 선별검사로 이용할 수 있다.[29] 신주위농양의 MDCT 소견은 다른 부위의 농양과 같이 복합액체저류, 조영증강되는 테두리 또는 근막, 가스생성 등이다. 의심스러운 경우는 MRI가 도움이 된다.

MDCT 유도하의 경피적흡입술이나 배액술이 진단이나 치료에 사용되기도 한다.

요로상피 종양 Urothelial Tumors

이행상피세포암transitional cell carcinoma(TCC)의 90% 이상은 방광에 발생한다. 나머지 대부분은 신우에서 발생하고 2% 미만에서 요관이나 요도에 생긴다. 신우신배계의 요로상피 종양은 원발성 신종양의 7%를 차지한다.[30] 이행상피세포암이 약 90%를 차지하고, 편평세포암이 10%를 차지한다. 요관의 이행상피세포암(TCC)은 원위요관(73%)에 흔하며, 가장 드문 부위는 근위요관(3%)이다. 이행상피세포암은 동시성synchronous이나 속발성

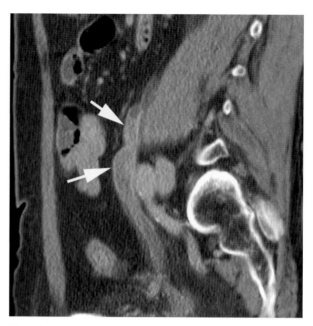

Fig. 13-11. Transitional cell carcinoma of the ureter.
Sagittal-reformatted contrast enhanced CT shows polypoid tumor growing within the ureter (arrows).

metachronous으로 요관 그리고/또는 방광의 여러 장소에서 동시다발로 생기는 경우가 흔하다.[31]

요로상피종양은 두 가지 성장유형이 있다. 대부분은 유두상으로 폴립모양으로 자라며 집합관내 충만결손으로 보인다(Fig. 13-11). 덜 흔한 유형인 요로상피벽을 따라 침윤하는 형은 벽의 조영증강을 보이거나 협착을 보인다. 이행상피세포암은 약간 또는 중증도의 조영증강을 보이는데, 신피질수질기에 가장 잘 보인다. 관내 조영제가 충만되는 지연기에 충만결손이나 협착을 잘 볼 수 있다. 이행상피세포암이 신실질이나 신주위지방으로 침범하면 MDCT에서 정확하게 확인할 수 있다.

: 상부요로 요로상피종양의 전파양상 Patterns of Spread of Upper Urinary Tract Urothelial Tumors

상부요로 요로상피종양의 전파는 신실질로의 직접전파, 요로상피를 따라 관상확장에 의한 복막하전파, 림프절전이와 같은 몇가지 양상이 있다. MDCT는 요로상피암의 발견 및 병기에 주로 사용하는 영상기법이다.

직접전파는 주위 지방조직의 불분명과 치환replacement, 종양과 신실질의 경계소실, 신실질 내로의 침범과 증식으로 알 수 있다. 이러한 증식양상은 신장의

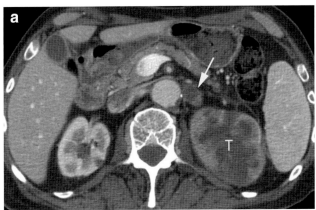

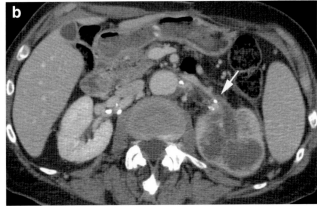

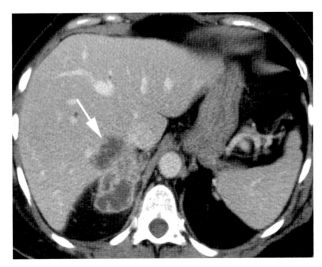

Fig. 13-12. Spread of transitional cell carcinoma.
(**a**) Contrast-enhanced CT shows tumor infiltrating the left kidney (*T*) and metastatic left paraaortic node (*arrow*).
(**b**) Tumor extends into the left renal vein (*arrow*).
(**c**) Sagittal reformatted contrast-enhanced CT show tumor infiltrating majority of the left kidney.
(Courtesy of Raymond Dyer, MD.)

중심부에서 발생한 신세포암이 신우를 침범한 경우와 유사할 수 있다. 이행상피세포암은 대개 신장의 중심부에 위치하고 신장의 윤곽을 유지한다. 가끔 신실질의 대부분을 침범하여 신장을 대신하기도 한다(Fig. 13-12).

요관 이행상피세포암의 요관주위 침범은 요관벽을 통한 증식이나 림프관의 침범에 의해 이차적으로 발생한다. 국소림프절이 퍼지는 곳은 종양의 위치와 관련이 있고, 대동맥주위림프절이 신우나 상부요관의 종양에서 가장 먼저 침범된다. 중간부요관에서 발생한 종양의 경우 총장골림프절로 전이되고, 하부요관의 종양은 처음에 내장골 및 외장골림프절을 침범한다. 장골림프절은 대동맥주위림프절로 유입된다. 요관벽 내의 림프관을 따라 벽내로 직접 전파할 수 있다.

TCC의 혈행성전파는 폐, 간, 뼈가 가장 흔하다.

상부집합관의 진행된 TCC는 가끔 신정맥이나 하대정맥을 침범하지만, 신세포암보다는 흔하지 않다.[32]

Fig. 13-13. Locally invasive metastatic tumor of the right adrenal gland.
Contrast enhanced CT shows the right adrenal gland replaced by metastatic lung tumor. The tumor is directly invading the adjacent liver (*arrow*).

▌부신 종양 Adrenal Tumors

부신은 간, 폐, 뼈 다음으로 네 번째로 흔한 전이장소이다.[33] 폐, 유방, 흑색종, 신장이 부신으로 전이되는 흔한 원발성 종양이다. 전이성 부신종양은 주위 장기로 직접적으로 확산될 수 있다(Fig. 13-13). 부신의 원발성 악성종양은 피질에서는 부신피질암, 수질에서는 크롬친화세포종*pheochromocytoma* 또는 신경모세포종 신경절신경종복합체*neuroblastoma ganglioneuroma complex*가 발생한다.

: 부신피질암 Adrenocortical Carcinoma

부신피질암은 흔하지 않은 종양으로, 암으로 인한 사망의 0.2%를 차지한다. 최고의 발생빈도를 보이는 나이는 5세 이하이고, 두 번째는 40대이다. 어린이에서 이 종양은 Beckwidth-Wiedemann 증후군과 편측비대*hemihypertrophy*와 관련이 있다. 부신피질암은 내분비 기능이 있는 경우와 내분비 기능이 없는 두 가지 형태가 있다. 내분비 기능이 있는 종양으로는 쿠싱증후군*Cushing syndrome*, 부신성기증후군*adrenogenital syndrome*, 조발사춘기*precocious puberty*, 콘증후군*Conn syndrome*이 있다. 이러한 종양들은 대개 내분비 기능이 없는 종양들에 비해 빨리 발견된다.

대부분의 부신피질암은 발견 당시 5 cm 이상 크기를 보인다. 부신피질암이 신장, 간, 췌장, 비장을 침범하는 경우 진단이 어려울 수 있다. MDCT와 MRI에서 종양과 주위장기 사이의 지방면*fat plane*이 자주 발견되며, 이것이 주위장기 침범유무를 판단하는데 도움이 된다.

전파기전은 직접전파, 복막하정맥침범, 림프절전이, 혈행성전이가 있다. 국소적인 침윤성 부신피질암은 신주위 공간과 신장을 침범할 수 있다(Fig. 13-14). 복막외로의 직접적인 확장은 신혈관을 따라서 일어나며 대동맥을 둘러싸고 하대정맥과 신정맥을 둘러싸거나 침범한다. 전신주위 공간으로 더 전파되면 간의 노출부, 십이지장, 췌장, 대장을 침범한다. 복막하로의 전파는 복강동맥과 상장간막동맥의 구조물을 따라서 장간막으로 연결될 수 있다(Fig. 13-15). MDCT와 MRI는 병변과 정맥침범의 정도를 알 수 있다.

: 크롬친화세포종 Pheochromocytomas

크롬친화세포종은 부신수질의 크롬친화세포로부터 발생한다. 부신 이외의 다른 부위에서 기원하는 크롬친화세포종양으로는 부신경절종*paraganglioma*과 케모덱토마*chemodectoma*가 있다.[34] 부신외 부위로는 대동맥과 Zuckerkandl 기관(하부장간막의 기시부 아래와 분지되

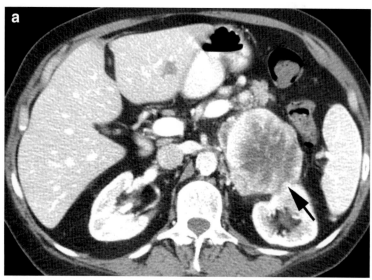
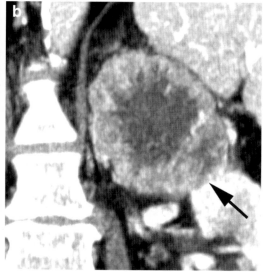

Fig. 13-14. Locally invasive adrenocortical carcinoma.
(a) Contrast-enhanced CT shows left adrenal tumor invading the adjacent kidney *(arrow)*.
(b) Coronal reformatted contrast-enhanced CT shows tumor invading the upper renal pole.

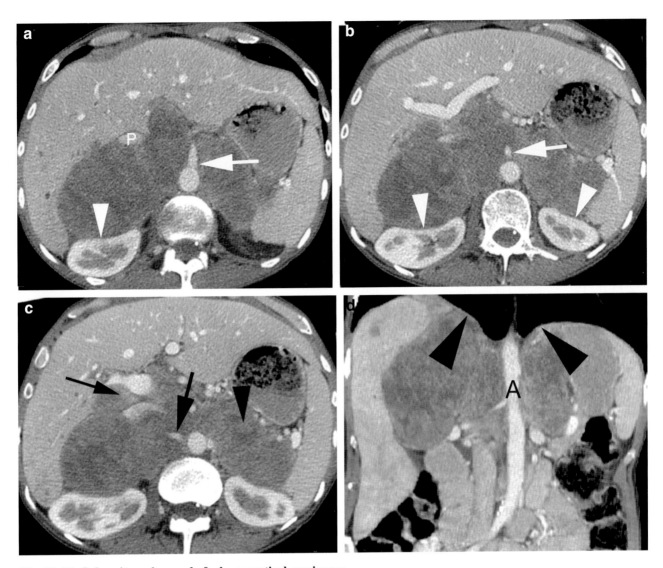

Fig. 13-15. Subperitoneal spread of adrenocortical carcinoma.
(a) Contrast-enhanced CT shows tumor encasing the aorta and extending along the celiac artery *(arrow)*. The tumor is infiltrating the subperitoneal space displacing the right kidney posterolaterally *(arrowhead)*, and invading the portal hepatis displacing the porta vein *(P)*.
(b) Tumor is encasing the superior mesenteric artery *(arrow)*, displacing the kidneys *(arrowheads)* and the liver, and infiltrating the porta hepatis.
(c) Tumor is encasing the right renal artery *(large arrow)*, infiltrating along the hepatoduodenal ligament *(small arrow)*, and infiltrating the anterior pararenal space *(arrowhead)*.
(d) Coronal reformatted contrast-enhanced CT shows tumor encasing the aorta *(A)* and extending cephalad to the hemidiaphragms *(arrowheads)*.

는 부위의 대동맥과 근위부총장골동맥을 따라서)을 따라서 발생한다(Fig. 13-16). 크롬친화세포종은 산발적으로 발생하거나, MEN 증후군, Von Hipper Lindau 증후군, Carney 증후군, 결절성경화증*tuberous sclerosis*, Sturge-Weber 증후군과 관련이 있을 수 있다. 증후군과 관련이 있는 종양들은 양쪽에 발생하고, 산발적으로 발생하는 크

롬친화세포종의 10%는 양측성이고, 약 10%는 악성이다.

MDCT와 MRI는 크롬친화세포종의 90% 이상을 발견할 수 있다. 크롬친화세포종은 크고, 괴사를 보일 수 있고, 출혈이 있을 수 있으나 석회화는 드물다. 하지만 영상소견은 다양하며, 진단이 어려울 수 있다.[35]

MDCT와 MRI가 진단에 주로 사용되며, metaiodoben-

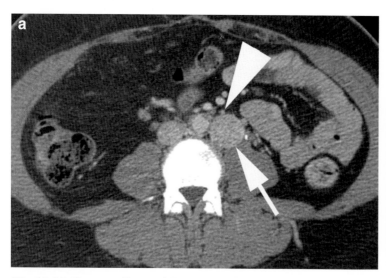

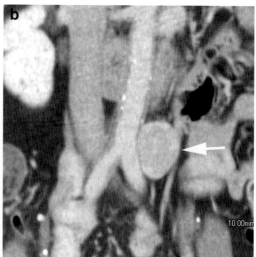

Fig. 13-16. Paraganglioma of the organ of Zuckerkandl.
(a) Contrast-enhanced CT at L4 level shows enhancing tumor in the left paraaortic region *(arrow)* beneath the inferior mesenteric artery *(arrowhead).*
(b) Coronal reformatted contrast-enhanced CT shows enhancing tumor *(arrow)* in the left paraaortic area adjacent to the distal aorta and extending to the level of proximal left common iliac artery.

zylguanidine(MIBG)을 이용한 핵의학검사가 위치결정에 중요한 보완적인 검사이다.

　몇 가지 전파기전이 있는데, 간, 신장, 하대정맥을 직접 침범할 수 있고, 간, 폐, 뼈로 혈행성전이를 할 수 있으며, 대동맥주위 림프절로 림프절전이를 할 수 있다.

: 신경모세포종 / 신경절신경종 복합체
Neuroblastoma / Ganglioneuromas Complex

부신수질에서 발생하는 종양의 스펙트럼은 종양세포의 성숙도에 따라 신경모세포종/신경절신경종 복합체를 형성한다. 이 종양들은 신경능선*neural crest*에서 기원하는데, 신경능선의 세포들은 교감신경절세포*sympathetic ganglion cell*로부터 정상적으로 발육한 세포들이다. 상대적인 종양세포성숙도에 따라 양성 신경절신경종과 같은 고분화세포*well-differentiated cells*에서 신경모세포종과 같은 미성숙세포까지 범위 지을 수 있다. 한 종양에서 성숙 및 미성숙세포 둘 다 가질 수 있다.

　신경모세포종은 2~3세에 발생하는 악성종양이지만, 태아나 노인에 발생할 수 있다. 이 종양은 교감신경조직이 위치하는 어디에서나 생길 수 있고, 복부에서 발생하는 신경모세포종의 70% 이상이 부신에서 발생한다. 나머

지 복부 내 위치를 보면 복강신경절*celiac ganglia*, 상장막신경절, 척추주위*paravertebral* 교감신경절에서 발생하고, 복부 외에서는 목과 흉곽에서 발생한다.[36]

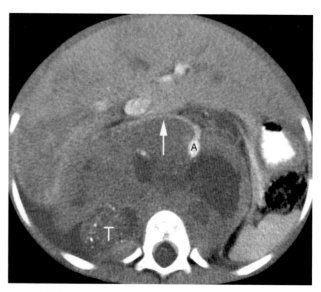

Fig. 13-17. Neuroblastoma spread within the subperitoneal space.
Contrast-enhanced CT shows adrenal tumor *(T)* with calcifications encasing and uplifting the aorta *(A)*, and spreading along the hepatic artery to the porta hepatis *(arrow).*
(Courtesy of Evelyn Anthony, MD.)

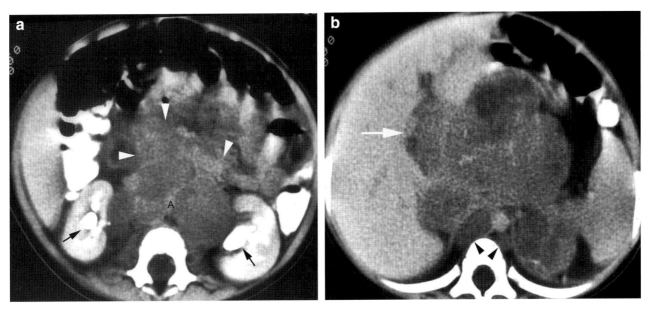

Fig. 13-18. Neuroblastoma with extensive subperitoneal space extension and spread to the thorax.
(a) Enhanced CT shows encased aorta *(A)*. The tumor spreads to the renal hilawith displacement of the kidneys and obstruction of the renal collecting systems *(arrows)*. There is extensive spread into the small intestine mesentery *(arrowheads)*.
(b) Tumor extends into the porta hepatis along the hepatoduodenal ligament *(arrow)*, and through the aortic hiatus to the right and left paraspinal regions *(arrowheads)*.

신경모세포종은 근막면을 따라서 직접전파에 의해 복막하로 퍼지거나, 림프절전이, 혈행성전이로 퍼진다. 이 종양은 공격적인 종양으로 60% 이상에서 원발부위를 넘어서고,[37] MDCT가 선택되는 영상기법이다.

가장 흔한 확산기전으로는 복막하로의 직접적인 전파이다. 종양이 복막외를 둘러싸는 지방조직을 침윤하는데, 이 때 신주위 공간이 가장 흔하게 침범된다. 이어서 혈관조직의 구조물을 따라 둘러싸거나 침범하는데, 신문을 자주 침윤하고, 신장을 밀며, 신집합계를 막는다. 종양은 신장내로 확산된다. 복막하확산은 복강동맥, 상장간막동맥과 가지들을 따라서 계속되고, 위간인대*gastrohepatic ligament*, 간십이지장인대*hepatoduodenal ligament*, 소장장간막에 이르게 된다. 또한 간으로도 직접 전파될 수 있고, 식도열공으로도 전파될 수 있으며, 소장장간막으로도 퍼질 수 있다. 신경모세포종은 심하게 침윤을 보이고 복막하를 따라서 침윤하기 때문에 자주 중심선을 넘어 증식하는 양상을 보인다.[38] 직접확산이 대동맥을 따라 상방으로 진행되면 대동맥열공을 통하여 흉곽의 척추주위에 도달하고, 이어서 흉막외 공간까지 진행한다(Figs. 13-17, 13-18).

림프절전이는 상복부 대동맥주위림프절에 나타나며, 혈행성전이는 병의 전기나 후기에 나타날 수 있고, 뼈나 피부가 가장 흔한 장소이다.

◈ **참고문헌**

1. Chesbrough RM, Burkhard TK et al: Gerota versus Zuckerkandl: The renal fascia revisited. Radiology 1989; 173:845-846.
2. Meyers MA: Dynamic Radiology of the Abdomen: Normal and Pathologic Anatomy, 2nd ed. Springer, New York, 1982.
3. Meyers MA, Whalen JP, Peelle K et al: Radiologic features of extraperitoneal effusions: An anatomic approach. Radiology 1972; 104:249-257.
4. Meyers MA, Whalen JP, Evans JA: Diagnosis of perirenal and subcapsular masses: Anatomic-radiologic correlation. AJR 1974; 121:523-538.
5. American Cancer Society: Cancer Facts and Figures 2006. American Cancer Society, Atlanta, 2006.
6. Farrow GM: Diseases of the Kidneys. In Murph WM (ed) Urological Pathology, 2nd ed. WB Saunders, Philadelphia, 1997, pp 464-470.

7. Smith SJ, Bosniak MA, Megibow AJ et al: Renal cell carcinoma: Earlier discovery and increased detection. Radiology 1989; 170:699-703.

8. Kassouf W, Aprikian AG, Loplante M et al: Natural history of renal masses followed expectantly. J Urol 2004; 171:111-113.

9. Bosniak MA: Observation of small incidentally detected renal masses. Semin Urol Oncol 1995;13:267-272.

10. Russo P: Renal cell carcinoma: Presentation, staging, and surgical treatment. Curr Probl Cancer 1997; 21(4):185-232.

11. Rouviere O, Brunereau L, Lyonnet D, Rouleau P: Staging and follow-up of renal cell carcinoma. J Radiol 2002; 83:805-822.

12. Sengupta S, Zinche H: Lessons learned in surgical management of renal cell carcinoma. Urology 2005; 66(5 Suppl):36-42.

13. Isreal GM, Bosniak MA: Renal imaging for diagnosis and staging of renal cell carcinoma. Urol Clin North Am 2003; 30:499.

14. Mueller-Lisse UG, Mueller-Lisse UL, Meindl T et al: Staging of renal cell carcinoma. Eur Radiol 2007; 17:2268-2277.

15. Robson CT, Churchill BM, Anderson W: The results of radical nephrectomy for renal cell carcinoma. J Urol 1969; 101:297.

16. Schefft P, Novick AC, Straffon RA, Stewart BH: Surgery for renal cell carcinoma extending into the inferior vena cava. J Urol 1978; 120:28.

17. Svane S: Tumor thrombus of the inferior vena cava resulting from renal carcinoma. A report on 12 autopsied cases. Scan J Urol Nephrol 1969; 32:245.

18. Didier P, Roele A, Etievent JP et al: Tumor thrombus of the inferior vena cava secondary to malignant abdominal neoplasms: US and CT evaluation. Radiology 1987; 162:83-89.

19. Hallscheidt PJ, Fink C, Haferkamp A et al: Preoperative staging of renal cell carcinoma with inferior vena cava thrombus using MDCT and MRI: Prospective study with histopathological correlation. J Comput Assist Tomogr 2005; 29:64-68.

20. Gupta NP, Ansari MS, Kheitan A et al: Impact of imaging and thrombus level in management of RCC extending to vein. Urol Int 2004; 72: 129-134.

21. Lang EK: Renal cell carcinoma presenting with metastasis to pulmonary hilar nodes. J Urol 1977; 118:543.

22. Sandock DS, Seftel AD, Resnick MI: A new protocol for the follow up of renal cell carcinoma based on pathological stage. J Urol 1995; 154(1):28-31.

23. Chae EJ, Kim JR, Kim SH et al: Renal cell carcinoma: Analysis of postoperative recurrence patterns. Radiology 2005; 234(1): 189-196.

24. Griffin N, Gore ME, Sohaib AS: Imaging in metastatic renal cell carcinoma. AJR 2007; 189:360-370.

25. Sheth S, Syed A, Fishman E: Imaging of renal lymphoma: Patterns of disease spread with pathologic correlation. RadioGraphics 2006; 26:1151-1168.

26. Thorley JD, Jones SR, Sanford JP:: Perinephric abscess. Medicare 1974; 53:441.

27. Lowe LH, Zagoria RJ, Baumgartner BR et al: Role of imaging and intervention in complex infections of the urinary tract. AJR 1994; 163:363-367.

28. Feldberg MA, Koehler PR, van Waes PFGM: Psoas compartment disease studied by computed tomography. Radiology 1983; 148:505-512.

29. Hoddick W, Jeffrey RB, Goldberg HI et al: CT and sonography of severe renal and perirenal infections. AJR 1983; 140:517.

30. Caoili EM, Cohan RH, Inamudi P et al: MDCT urography of upper tract urothelial neoplasms. AJR 2005; 184(6): 1873-1881.

31. Rha SE, Byun JY, Jung SE et al: The renal mass: Pathologic spectrum and multimodality imaging approach. RadioGraphics 2004; 24(suppl 1): S117-S131.

32. Zhang J, Lefkowitz RA, Bach A: Imaging of kidney cancer. Radiol Clin North Am 2007; 45: 119-147.

33. Bosniak MA, Siegelmann SS, Evans JA: The Adrenal Retroperitoneum and Lower Urinary Tract. Year Book Medical Publishers, Chicago, 1976, pp 14-229.

34. Bravo E, Tagle R: Pheochromocytoma: State of the art and future prospects. Endocr Rev 2003; 24:539.

35. Blake MA, Kaira MK, Maher MM et al: Pheochromocytoma: An imaging chameleon. Radio-Graphics 2004; 24(Special Issue): 587-599.

36. Green DM: Diagnosis and Management of Solid Tumors in Infants and Children. Martinus Nijhoff, Boston, 1985.

37. Jaffe N: Neuroblastoma: Review of the literature and an examination of factors contributing to its enigmatic character. Cancer Treat Rev 1976; 3:61-82.

38. Oliphant M, Berne AS: Mechanism of direct spread of abdominal neuroblastoma: CT demonstration and clinical implications. Gastrointest Radiol 1987; 12:59-66.

39. American Joint Committee on Cancer: Cancer Staging Manual, 7th ed. Springer, New York, 2009.

골반과 남성 비뇨생식기 질환의 전파양상
Patterns of Spread of Disease of the Pelvis and Male Urogenital Organs

● ● ●
발생학 Embryology

비뇨생식기관은 내장측장막*splanchnopleuric* 과 벽측장막*somatopleuric* 의 중간엽 사이, 배아 몸통의 장축으로 위치한 중간중배엽에서 기원한다.[1, 2] 이 중간중배엽은 창자의 양쪽에서 체강 안으로 돌출하면서 두 개의 능선을 형성하는데, 안쪽으로는 생식능선*genital or gonadal ridge*, 바깥쪽으로는 신장능선*nephrogenic ridge* 이 된다. 이후 이 중간엽 조직은 발달과정 중에 서로 연관된다.

배아기와 태아기의 초기에 신장의 배설 기능은 전신*pronephros*, 중신*mesonephros*, 중신관*mesonephric duct*, 후신*metanephros* 에 의해 수행되며, 이후 후신은 배설 기능을 보존하여 신장이 된다. 중신과 중신관은 중배엽삭*mesenchymal cord* 을 따라 연장되어 신장생식능선*nephrogenital ridge* 내 중신방*paramesonephros* 과 동행한다.

후신은 세 단계의 과정을 통해 발달하는데, 중신관의 팽출*evagination*, 요관싹*ureteric bud* 의 형성, 그리고 증식과 후신발생모체*metanephric blastema* 와의 융합이다. 신장이 발달하고 요관이 길어질수록 이들은 골반에서 허리 부위로 이동하게 된다.

배설강*cloaca* 이 비뇨생식동*urogenital sinus* 과 직장항문관*rectoanal canal* 으로 나뉜 후 요막관*allantoic duct* 과 이어지는 상부 공간은 방광과 요도를 형성하게 된다. 중신관의 아래 끝 부분은 방광의 상부와 합쳐지게 된다. 합쳐지

기 전에 중신관과 요관싹*ureteric bud* 은 확장되고 방광삼각*bladder trigone* 과 요도의 일부로 발달하는 공간의 일부가 된다. 요관의 구멍과 중신관의 끝은 팽창되면서 분리되고, 정관*vas deferens* 을 형성한다. 요막관은 태아가 성숙되면서 퇴화하게 되는데, 잔유조직은 방광의 앞, 위쪽 벽에서부터 제대로 연결되고 요막관*urachus* 을 형성한다.

고환은 생식능선에서 발생하고 중신능선보다 늦게 형성된다. 원시생식세포*primordial germ cell*, 체강상피세포*epithelial cell of the coelom*, 그리고 중신과 중신관의 세 가지 조직구성으로 나눌 수 있다. 다음의 과정은 고환의 성숙 중에 나타나게 되는 과정이다.[1]

- 체강 상피의 증식은 세포를 형성하여 정세관*seminiferous tubule* 을 연장시키고 관을 만들게 된다.
- 정세관을 연결시키는 중신 중간엽에서 형성된 세포들은 수질에서 고환그물*rete testis* 을 만든다.
- 원시생식세포는 창자벽에서 이동하여 정세관 삭*cord* 과 합쳐진다.
- 정세관은 중신관과 연결되고 부고환 머리의 소엽을 형성한다.
- 정세관에서 정관으로의 변형이 일어난다.

후신*metanephric* 이 골반강으로부터 요부로 이동하는 동안, 고환은 아래로 이동하여 성숙한 태아에서는 음낭 내에 위치한다.

해부학 Anatomy

▌ 방광 Bladder

방광은 양쪽 신장에서 요관을 통해 소변을 받는 기관이다. 방광의 크기는 소변의 양에 따라 달라진다. 방광 자체는 복막외 공간에 위치하지만, 위쪽 벽은 벽측복막에 덮여있어 방광이 팽창할 때 방광벽의 많은 부분이 복막과 닿게 된다. 방광의 전벽과 하벽은 골반내 지방에 둘러싸이게 된다.

방광의 전벽과 첨부는 요막관의 섬유흔적에 의해 전복벽에 닿게 된다. 요막관*allantoic duct*을 둘러싸고, 방광의 상부와 연결되는 전방의 벽측 복막은 정중 제대주름*median umbilical fold*을 형성한다. 방광 전벽 중 복막외 공간에 위치하는 부분은 Retzius의 방광전 공간*prevesical space*의 지방에 의해 횡근막*transversalis fascia*과 분리된다(Fig. 14-1).

방광을 덮고 있는 벽측 복막은 골반의 양쪽으로 확장되고, 서혜부오목*inguinal recess*으로 불리는 복막오목*peri-*

*toneal recess*을 형성한다. 하복동맥*hypogastric artery*에서 연장되어 제대동맥*umbilical artery*의 주행을 따르는 복막주름*peritoneal fold*은 서혜부오목과 방광주위오목*paravesical recess*을 나누게 된다. 방광의 후벽을 덮는 벽측 복막은 정낭과 직장의 전벽을 덮고 직장방광오목*rectovesical recess* 또는 더글라스와*pouch of Douglas*를 형성한다.

방광은 상부/하부방광동맥에서 혈류 공급을 받는다. 상부방광동맥*superior vesical artery*은 내장골동맥*internal iliac artery*의 앞쪽 분지 중 하나로서, 방광의 천장에 혈류를 공급하며, 정관으로의 혈관 분포를 하기도 한다. 하부방광동맥*inferior vesical artery*은 방광의 밑부분, 전립선, 정낭에 혈류를 공급한다. 그 외 다른 동맥들은 폐쇄동맥*obturator artery*과 하부둔부동맥*inferior gluteal artery*에서 기원한다. 방광의 정맥은 동맥과 함께 주행한다.

방광의 림프관은 대부분 외장골림프절*external iliac node*과 내장골림프절*internal iliac node*로 유입되고 아랫부분의 림프관은 폐쇄오목*obturator fossa*의 림프절로 유입된다. 방광의 신경분포는 S2-S4의 부교감신경과 가슴

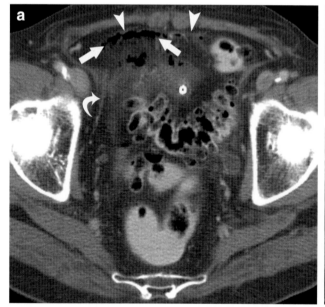
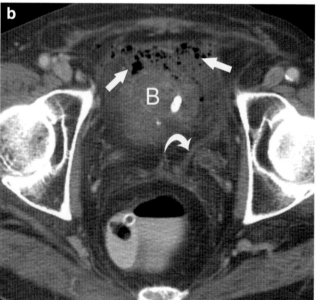

Fig. 14-1. Perforated bladder from biopsy with locules of air in the space of Retzius (prevesical space) outlining the transversalis fascia.

(a) CT of the pelvis depicts air *(arrows)* outlining the transversalis fascia *(arrowheads)*. Note the medial umbilical fold *(curved arrow)* where the obliterated umbilical artery lies.

(b) At a lower level, blood clot is identified in the bladder *(B)* and air *(arrows)* is present in the extraperitoneal perivesical space. Note the vas deferens on the left *(curved arrow)*.

과 상부 허리 분절로부터 시작되어, 복강/장간막신경총 *celiac/mesenteric plexus*, 그리고 내장골동맥*internal iliac vessels* 주위의 하복신경총*hypogastric plexus*으로 부터의 교감신경이 담당한다.

▌ 전립선과 정낭 Prostate Gland and Seminal Vesicles

전립선은 치골결합의 후하방에 위치하는 방광의 기저부에서부터 요도의 근위부에 둘러싸여 있다. 전립선은 추체의 섬유근육샘으로 기저부는 방광의 기저부에 있고, 꼭대기는 막성요도*membranous urethra*를 향해있다. 전립선은 이행부위*transition zone*, 중심부위*central zone*, 주변부위*peripheral zone*의 3개의 구역과 전방섬유근육 간질*anterior fibromuscular stroma*로 나눌 수 있다. 전립선은 이를 둘러싸는 신경과 혈관들을 부착시켜주는 근막에 의해 둘러싸여 있다.

정낭은 방광과 직장 사이, 전립선 상방에 위치하며 소엽과 세관으로 구성된 구조물이다. 정관은 2개의 정낭 사이 정중앙에 있는 팽대부를 통해 정낭으로 들어간다. 각각의 정낭은 사정관*ejaculatory duct*을 통해 전립선요도로 들어간다.

전립선과 정낭은 Denonvillier 근막에 의해 직장과 분리된다. 전립선의 기저부는 방광의 기저부와 연결되고 신경, 혈관망과 골반내 지방에 의해 둘러싸인다. 전립선의 중간과 윗부분은 직장의 하부와 거근*levator muscle*과 접해있다.

방광의 경부와 전립선은 배뇨근*detrusor muscle*과 치골전립선인대*puboprostatic ligament*에 의해 치골결합에 고정된다. 치골전립선인대는 전립선 기저부의 측부에서 연장되어 치골에 붙고 배뇨근이 전립선의 전상방에서 방광경부로 주행하도록 한다.[3]

전립선과 정낭은 하부방광동맥과 중간직장동맥*middle rectal artery*에 의해 주로 혈류 공급을 받고 내음부동맥*internal pudendal artery*의 가지로부터 부가적인 혈류를 공급받는다. 전립선의 신경분포는 하복신경총으로부터 기원하며 전립선 기저부의 후방측부에 신경혈관다발을 형성하여, 첨부의 측면을 따라 분포하게 된다.

전립선과 정낭의 림프관은 외장골, 폐쇄, 내장골림프절

로 주로 유입되고 그 밖에 전천골*presacral*, 직장간막림프절*mesorectal lymph nodes*로도 유입된다.

▌ 음경과 요도 Penis and Urethra

음경은 크게 회음부와 연결된 음경뿌리와 음경체, 두 부분으로 나누어진다.[4] 내부에는 세 부분의 해면체로 구성된 발기조직이 있는데, 두 개의 음경해면체*corpora cavernosa*와 그 사이 고랑을 따라 요도해면체*corpus spongiosum*가 위치하며, 그 속으로 요도가 지나가게 된다.

음경해면체의 배측으로는 신경혈관다발이 지나가며, 내/외음부 동맥에서 음경에 혈류를 공급한다:

- 회음동맥은 내음부 동맥의 분지동맥으로, 음경의 배측동맥*dorsal artery*을 분지하는데, 이는 음경해면체와 요도해면체를 따라 배측에서 주행하며 해면체 내로 여러 작은 분지를 낸다.[4]
- 대퇴동맥의 외음부동맥에서 분지한 잔가지들은 음경 피부에 혈류를 공급한다.

음경체의 배측을 따라서 깊은 음경등정맥*deep dorsal vein*과 얕은 음경등정맥*superficial dorsal vein*이 있다:[4]

- 얕은 음경등정맥은 외음부정맥*external pudendal vein*을 통하여 대퇴정맥*femoral vein*으로 유입된다.
- 깊은 음경등정맥은 음경지지인대*penile suspensory ligament*와 회음막*perineal membrane*을 통과하여 전립선주위 정맥총과 내장골정맥*internal iliac vein*으로 유입된다.

음경에서 림프관은 여러 경로를 통해 배출된다:

- 외음부 경로로는 음경의 피부와 회음부에서 복재대퇴정맥*saphenofemoral venous* 이음부의 림프절로 배액된다.
- 깊은 서혜부 경로로는 음경귀두*glans penis*에서 깊은 서혜부림프절*deep inguinal lymph node*과 외장골림프절로 배출된다.
- 내장골 경로로는 발기조직과 음경요도에서 내장골림프절로 배출된다.

▌고환과 음낭 Testis and Scrotum

고환은 후복벽의 복막외 기관으로 발생하여 전복벽의 하부로 이동하고 서혜관inguinal canal을 지나게 된다. 고환이 음낭으로 내려가면서, 고환동맥, 정맥, 림프관, 신경, 정관, 그리고 복막을 구성하는 몇몇의 층과 같이 이동하여 정삭spermatic cord을 형성하게 된다.[1] 음낭은 결합조직과 음낭근dartos muscle, 그리고 근막에 의해 지지된다. 고환의 표면은 장측복막과 상동하는 장측 고환초막visceral tunica vaginalis과 복벽의 벽측복막과 상동하는 벽측고환초막parietal tunica vaginalis에 의해 덮여있다. 두 층의 고환초막 사이의 공간은 초상돌기processus vaginalis라고 불리우며 정상적으로 근위부는 막혀있다. 하지만 초상돌기의 근위부가 복강과 통해 있으면, 이를 통해 간접 서혜부탈장이 일어나거나 탈장낭에 복수가 축적될 수 있다 (Fig. 14-2). 잠복고환undescended testis은 고환의 하강하는 경로 중 어느 곳이나 위치할 수 있으나, 가장 호발하는 곳은 서혜관이다. 잠복고환은 생식세포 기원 종양의 원인이 되는 것으로 잘 알려져 있다(Fig. 14-3).

고환은 고환동맥에서 혈류공급을 받는다. 오른쪽은 복부대동맥abdominal aorta에서 직접 기원하며, 왼쪽은 좌신동맥left renal artery에서 기원한다. 이들은 처음에는 요관의 내측으로 주행하다가 나중에는 측부로 교차하게 되며, 깊은 서혜관 고리deep inguinal ring과 서혜관으로 내려가게 된다. 고환정맥과 동맥은 같이 주행한다. 음낭과 정삭은 대퇴동맥에서 기원하는 외음부동맥과 하복동맥에서 기원한 내음부동맥의 음낭 분지, 그리고 하복부동맥inferior epigastric artery에서 기원한 고환거근동맥cremasteric artery의 혈류 공급을 받는다.

고환의 림프배액은 고환동맥 주위를 따라 대동맥주위의 림프절로 배출된다. 음낭의 림프관은 얕은 서혜부림프절superficial inguinal lymph node로 주로 가게 되지만, 내음부, 내장골림프절로의 배액 경로도 있다.

● ● ●

방광, 전립선, 요도, 음경, 고환의 질환
Disease of the Bladder, Prostate Gland, Urethra, Penis, and Testis

이번 장에서는 방광과 남성 생식기관의 특정 질환의 임상양상에 초점을 맞추었고, 영상 검사상 질병의 전파과정에 대해 살펴보도록 하겠다.

▌방광암 Bladder Cancer

이행상피세포암transitional cell carcinoma은 방광의 상피

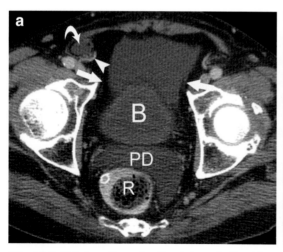
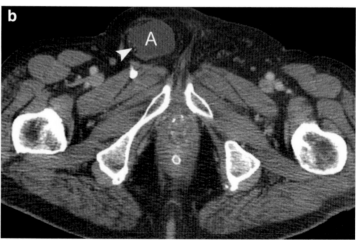

Fig. 14-2. Pelvic ascites extending into an indirect inguinal hernia.
(a) CT reveals fluid in the rectovesical pouch of Douglas *(PD)* between the bladder *(B)* and the rectum *(R)*. Note the fluid in the right indirect inguinal hernia *(curved arrow)* displacing the right inferior epigastric artery *(arrowhead)* medially. *Arrows* point to the obliterated umbilical arteries.
(b) Ascitic fluid *(A)* in the right indirect inguinal hernia sac displaces the testicular vessels *(arrowhead)* in the spermatic cord.

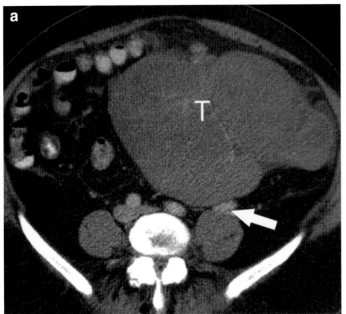
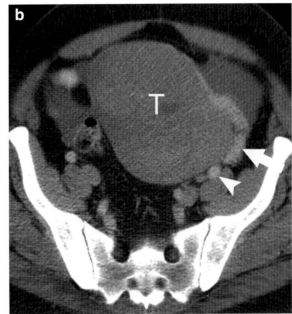

Fig. 14-3. Seminoma involving an undescended testis.
(a) CT illustrates a large mass (*T*) in the left lower abdomen. Note the enlarged left gonadal vein *(arrow)*.
(b) CT at a lower level depicts dilated gonadal vessels draining the mass, representing seminoma of the left undescended testis.

성 종양 중 가장 호발하는 종양이며, 약 75%를 차지한다. 그 외 14%를 차지하는 편평세포 암종*squamous cell carcinoma*과 4%를 차지하는 선암*adenocarcinoma*이 있다.[5, 6] 미세유두형암*micropapillary feature*, 반지세포형암*signet-ring cell feature*, 소세포암*small cell carcinoma*, 대세포 신경내분비암*large cell neuroendocrine carcinoma*, 육종양암*sarcomatoid carcinoma*은 조직학적으로 희귀하며, 예후가 좋지 않다.[7, 8]

방광암이 의심되는 환자에서 방광경과 생검은 병의 진단과 함께 방광벽으로의 침투가 얼마나 진행되었는지 알기 위해 일반적으로 행해진다. TNM 병기 분류 중 방광벽 전층을 관통하여 벽외부로의 침습(T_3)하거나 인접 조직으로 침투(T_4)한 경우, 림프절전이, 그리고 원격전이가 있으면 예후가 나쁘다. 더욱이 환자의 나이, 성별, 병리학적인 종양의 병기와 등급, 조직학적 유형, 인접림프절 전이 등의 정보를 담은 계산도표*nomogram*는 TNM 병기 분류보다 환자의 임상적인 결과 예측에 더욱 도움을 준다.[5, 6]

방광에서 발생한 원발성 림프종은 드물다. 하지만 전신 이환의 미만성 B세포 림프종*diffuse B cell type lymphoma*이나 버킷림프종*Burkitt lymphoma*에서는 종종 광범위한 방광벽 비후로 나타난다.

염증 혹은 염증유사 방광종괴
Inflammatory and Inflammatory-Like Bladder Masses

방광은 세균감염이 잘 일어나지만, 대체로 항생제에 의해 잘 치료되고, 드물게 농양이나 누공 등의 합병증이 생기게 되는 경우를 제외하고는 영상 진단이 필요한 경우가 드물다. 특징적인 영상 소견은 결핵, 진균 감염 또는 주혈흡충증*schistosomiasis*이나 포충낭종*echinococcal disease* 등의 기생충 감염과 같은 드문 감염성 질환에서 진단에 도움을 주는 경우가 있다.

다른 염증성 혹은 염증유사 질환으로는 염증가성종양 *inflammatory pseudotumor*이나 연화판증*malacoplakia*과 같이 임상경과나 영상의학적으로 방광암과 비슷한 질환이 있다.[9] 이들 질환은 방광벽이 두꺼워지고 방광을 둘러싸는 주변 지방으로 퍼질 수 있다. 진단은 방광경과 생검으로 한다.

▌ 전립선암 Prostate Cancer

전립선암은 남성에서 가장 호발하는 암으로, 무증상에서 부터 공격적이고 전격성인 질병까지 임상적인 과정이 매우 다양하다. TNM 병기 분류와 임상학적, 병리학적 특성에 의한 계산도표를 통해 공격적인 암의 적절한 처치 알고리즘과 치료, 그리고 예후를 알 수 있도록 가이드라인을 제시하고 있다.[10, 11] 임상적으로 공격적 경향의 암은 다음 기준 중 하나 이상을 만족한다.[11]

- 혈중 PSA 수치 : 20 ng/ml 이상
- Gleason 점수 : 7~8 이상
- 조직분화도가 나쁘거나 고등급 종양
- T3 병기 혹은 그 이상

초기 진단시 조직학적 변이*variant* 혹은 병의 진행과정 중의 형질전환*transformation*은 조직분화도가 나쁘거나 소세포변종, 신경내분비형, 반지세포형, 육종양변종*sarcomatoid variant*과 같이 예후가 좋지 않은 암의 가능성을 시사한다.[12-14] 또한 피막을 벗어나가거나, 정낭과 신경혈관 다발, 림프관으로의 침습, 그리고 림프절전이는 매우 임상적 결과가 좋지 않음을 시사하는 소견이다.

▌ 고환암 Testicular Cancer

고환암은 모든 남성암 중 약 1%를 차지할 만큼 드문 암이다.[15-17] 고환종*seminoma*, 혼합생식세포종양*mixed germ cell tumor*, 배아암종*embryonal carcinoma* 등 생식세포 종양이 고환암의 95%를 차지하고 이 중 고환종이 다수를 차지한다. 드물게는 성기삭*sex cord* (Sertoli cells)과 기질 (Leydig cell)에서 발생한 종양과 림프종이 있다. 음낭과 정삭 내의 중간엽에서 기원한 종양이 고환암으로 오인될 수도 있다.

고환암은 특징적으로 고환동맥과 나란히 주행하는 림프관을 따라 대동맥 주변의 림프절로 전이된다(Fig. 14-4).[18] 보초림프절*echelon or sentinel node*이 이 경로 중에 존재한다. 다른 경로로는 종양이 음경과 피부를 침범했을 때 복재대퇴이음부의 림프절과 깊은 서혜부 림프절로 전

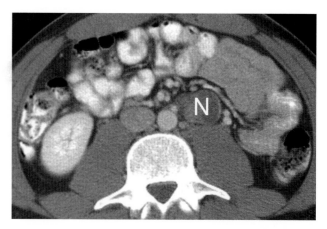

Fig. 14-4. Metastatic adenopathy *(N)* from embryonal carcinoma of the left testis to the left paraaortic node.

이될 수 있다. 더 공격적인 고환암과 중간엽 종양은 정맥으로 퍼지거나 서혜관을 통해 복막외 공간으로 전이될 수 있다.

● ● ●

질병의 전파 양상 Patterns of Disease Spread

▌ 복막내 전파 Intraperitoneal Spread

방광 상부를 제외하고는 방광과 전립선, 그리고 남성 비뇨생식계 기관은 거의 복막외 공간에 위치하고 있기 때문에, 방광 첨부에서 기원된 경우이거나 매우 침습적인 경우를 제외하고는 복막 내로 질병이 전파되는 경우는 비교적 드물다. 상기 언급된 침습적인 종양으로는 방광암, 전립선암의 공격적인 변이와 드물지만 요막관암*urachal cancer*이 있다. 이들 병변은 국소결절침윤이나 망*omentum*과 원위복막전이의 형태로 복막 전파를 보일 수 있다 (Figs. 14-5~7). 또한 외상성 또는 의인성 손상은 복막내 공간으로 관통하여 혈복강 또는 혈종을 야기하기도 한다 (Fig. 14-8).

▌ 복막하 전파 Subperitoneal Spread

: 인접한 복막외 전파 Contiguous Extraperitoneal Spread

대부분의 비뇨생식계 기관들이 골반강내, 그리고 복막외 공간에 국한되어 위치하기 때문에, 방광과 전립선의 감염이나 손상, 그리고 종양은 보통 이를 둘러싸는 복막외 공

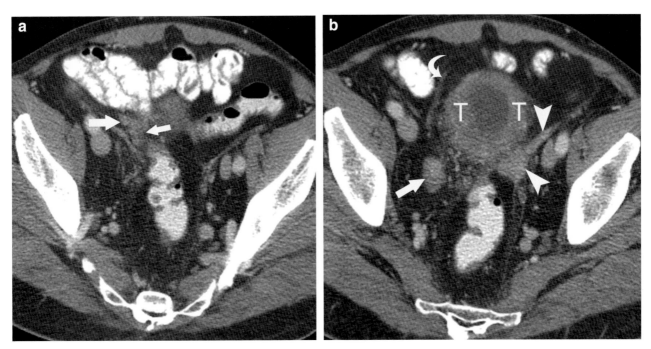

Fig. 14-5. Advanced poorly differentiated carcinoma of the bladder with local intraperitoneal spread.
(a) Local peritoneal invasion manifests as peritoneal nodular plaque *(arrows)* above the vas deferens and the bladder.
(b) At a lower level, the primary tumor *(T)* diffusely involves the wall and the diverticulum *(arrow)* of the bladder. The tumor extends along the peritoneal fold of the vas deferens *(arrowheads).* Note the course of the medial umbilical fold *(curved arrow).*

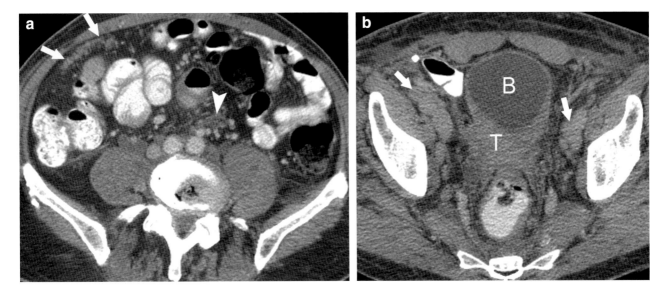

Fig. 14-6. Distant intraperitoneal spread from advanced transitional carcinoma of the bladder with micropapillary variant.
(a) CT at the level of the iliac crest depicts omental metastasis *(arrows)* and tumor infiltration *(arrowhead)* in the sigmoid mesocolon.
(b) CT of the pelvis defines the primary *(T)* involving the posterior wall with invasion of the seminal vesicles. Also note metastases *(arrows)* in the external iliac nodes.

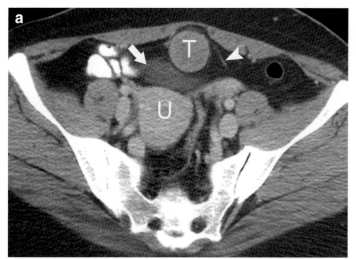

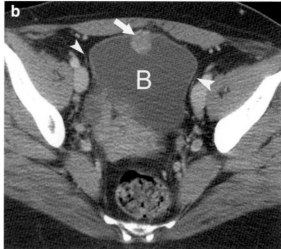

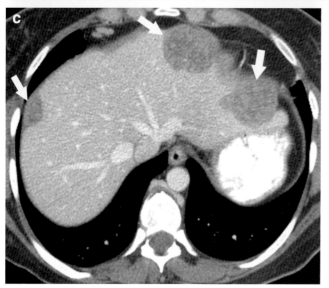

Fig. 14-7. Urachal carcinoma and recurrent disease manifesting as peritoneal metastases.

(a) CT of the pelvis shows a rounded mass (*T*) anterior to the bladder (*arrow*) against the anterior abdominal wall along the urachus. Note the medial umbilical fold (*arrowhead*) lateral to the mass and the bladder directing toward the umbilicus. *U* = uterus.

(b) At a lower level, the mass (*arrow*) involves the anterior dome of the bladder (*B*), forming a tubular configuration of the urachus. Again note the course of the medial umbilical fold (*arrowheads*) on both sides.

(c) Three years after surgical resection of the urachal carcinoma, peritoneal metastases (*arrows*) and ovarian metastases (*not shown*) have developed. Peritoneal metastases (*arrows*) in the perihepatic subphrenic region and ovarian metastases (*not shown*) have developed.

간내 장기를 침범하게 된다(Figs. 14-1, 14-4, 14-5, 14-9). 감염의 전파는 농양을 형성하거나 다른 기관으로 누공을 만들 수 있으므로, 더 침습적인 중재적 시술을 요할 때가 있다.

전립선암과 방광암 같은 악성 종양에서는 장기 바깥으로의 침범이 더 높은 병기로 분류되고 계산도표에서도 더 높은 점수를 받게 되어 예후가 좋지 않음을 시사하게 된다. 최근에는 진료시 확진을 위해 생검을 시행하거나 병변의 위치를 확인하고 치료를 계획하기 전에 전이성 병변이 없는지 확인하기 위해 적절한 프로토콜의 영상검사가 시행된다.

전립선암에서 MRI는 매우 우수한 영상도구이며, 특히

직장내endorectal 코일을 사용하여 피막외부로의 침범과 정낭과 신경혈관다발의 침범을 평가하고(Figs. 14-10, 14-11),[11, 19, 20] 이를 통하여 병기 결정을 하게 된다. CT는 이에 비해 작은 전립선암을 평가하기에는 부족하지만, 전이와 진행암에 대한 평가에 유용하다(Fig. 14-12).

전립선암, 방광암의 다른 변이로 미분화암종, 반지세포형태암이 있으며, 복막외 공간과 인접 기관에 광범위한 침범을 보일 수 있다(Figs. 14-13, 14-14). 이들 종양은 종종 침습적인 경향을 보이며, 예후가 더 좋지 않다. 또한 미만성 B세포 림프종(Fig. 14-15)이나 중간엽 종양, 신경계 종양과 같은 희귀한 종양 역시 이러한 양상으로 전파될 수 있다.

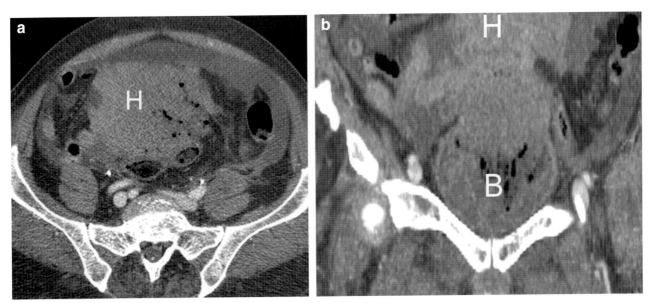

Fig. 14-8. Perforation of the bladder into the peritoneal cavity following cystoscopy for hemorrhagic cystitis.
(a) Axial CT image illustrates hematoma *(H)* with gas in the peritoneal cavity above the bladder and hemoperitoneum.
(b) Coronal CT image demonstrates hematoma above the clot-filled bladder *(B)*.

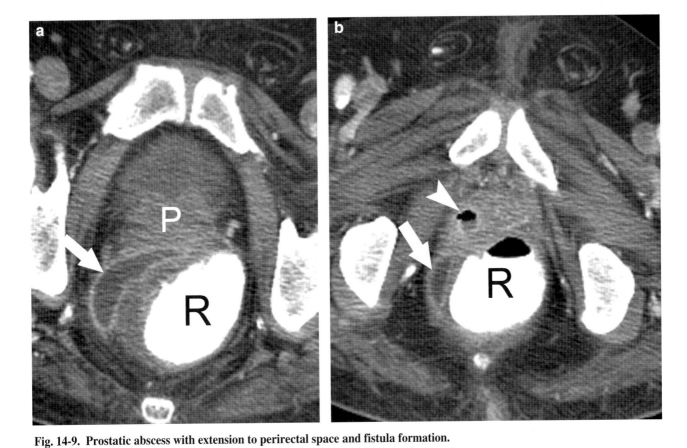

Fig. 14-9. Prostatic abscess with extension to perirectal space and fistula formation.
(a) CT at the level of the base of the prostate *(P)* depicts a perirectal abscess *(arrow)*. *R* = rectum.
(b) At the mid-prostate, an abscess *(arrowhead)* is identified in its right lobe with extension *(arrow)* on the right side of the rectum *(R)*.

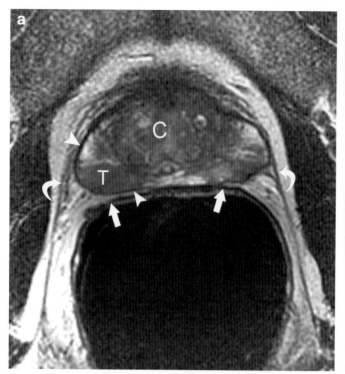

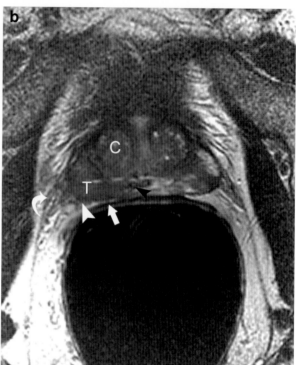

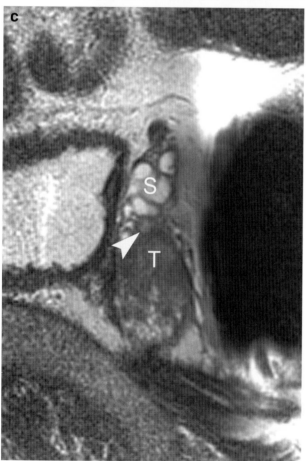

Fig. 14-10. Extracapsular and seminal vesicle invasion in carcinoma of the prostate gland.

(a) T2-weighted image at the level of the mid-prostate reveals hypointense tumor *(T)* in the peripheral zone. A hypointense layer *(arrowheads)* is the fibrous capsule of the prostate which is not interrupted at this level. Branches of the hypogastric nerve *(curved arrows)* are depicted on both sides of the prostate outside the capsule. *Arrows* point to the fascia of Denonvillier. *C* = central zone of the prostate.

(b) Image at a higher level illustrates disruption of the hypointense capsule at the posterior lateral surface *(white arrowhead)* and hypointense thickening of the neurovascular bundle *(curved arrow)* indicating tumor invasion. *Black arrowhead* points to the ejaculatory duct and *white arrow* to the fascia of Denonvillier. *C* = central zone of the prostate. *T* = tumor.

(c) Image in the sagittal plane identifies the low signal intensity of the caudal group *(arrowhead)* of the seminal vesicles *(S)* due to invasion by the tumor *(T)*.

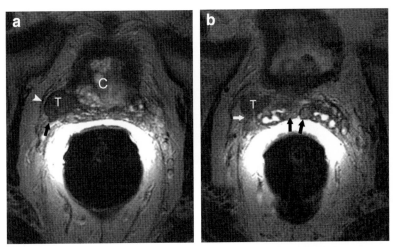

Fig. 14-11. Adenocarcinoma of the prostate with invasion of the right neurovascular bundle and both seminal vesicles.
(a) Axial T2-weighted image identifies the tumor *(T)* at the peripheral zone of the right base extending into the right neurovascular bundle *(arrow)*. Another branch *(arrowhead)* of the nerve supplying the prostate is not involved. *C* = central zone.
(b) At a higher level, tumor *(T)* extends in the right neurovascular bundle *(white arrow)*. The tumor in the central portion *(black arrows)* of the seminal vesicle exhibits low signal intensity as compared to the bright intensity of the normal, fluid-filled seminal vesicle.

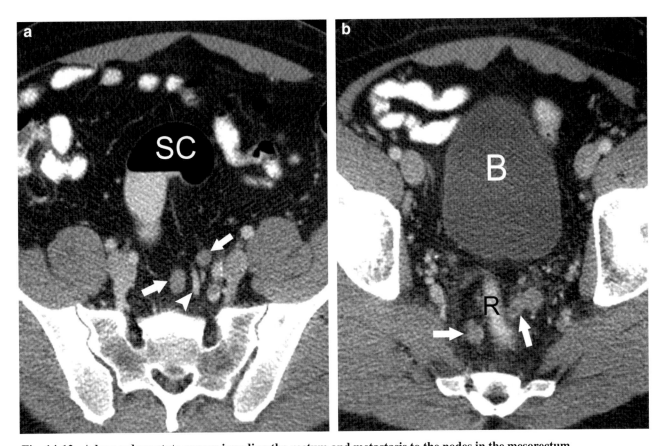

Fig. 14-12. Advanced prostate cancer invading the rectum and metastasis to the nodes in the mesorectum.
(a) CT at the upper level of the pelvis shows metastatic nodes *(arrows)* along the superior rectal vein *(arrowhead)* behind the sigmoid colon *(SC)*.
(b) CT at the level of the mid-rectum *(R)* identifies metastatic nodes *(arrows)* within the mesorectal fascia. *B* = bladder.

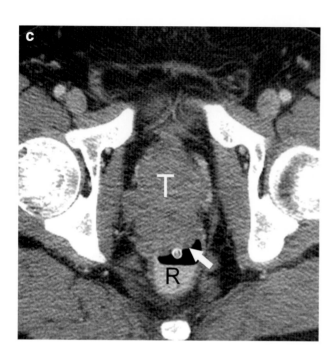

Fig. 14-12 *(Continued)*. Advanced prostate cancer invading the rectum and metastasis to the nodes in the mesorectum.

(c) At the lower rectum, a mass *(T)* is depicted growing from the prostate with invasion *(arrow)* of the anterior wall of the rectum *(R)*.

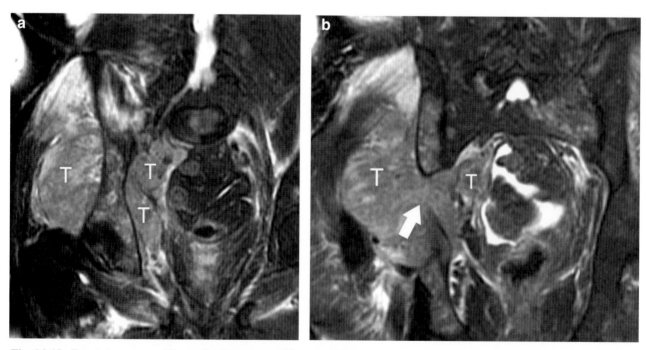

Fig. 14-13. Prostate cancer with small cell types manifests as diffuse infiltration along the extraperitoneal space in the pelvis extending through the greater sciatic foramen along the sciatic nerve and inferior gluteal vessels.

(a) Coronal view of fat-suppressed, T2-weighted image of the pelvis demonstrates infiltrative tumor *(T)* in the extraperitoneal space outside the mesorectal fascia and outside the pelvis behind the right ilium.

(b) The tumor *(T)* extends through the greater sciatic foramen *(arrow)*.

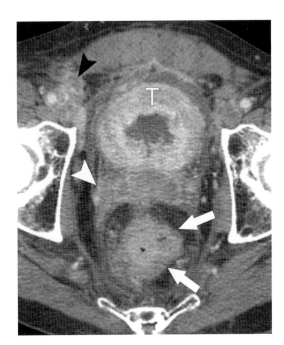

Fig. 14-14. Poorly differentiated carcinoma of the bladder with signet-ring cell features presents as linitis plastica of the bladder and rectum.
Note diffuse infiltration *(T)* of the wall of the bladder extending along the extraperitoneal space *(white arrowhead)* surrounding the seminal vesicle with involvement of the rectal wall *(arrows)*. Also note the infiltration in the inguinal canal *(black arrowhead)*.

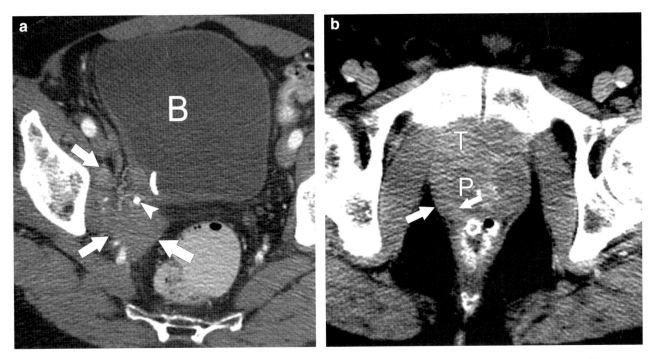

Fig. 14-15. Diffuse B-cell lymphoma infiltrating periprostatic and periureteral tissue in a patient presenting with ureteric obstruction.
(a) CT of the pelvis reveals soft tissue infiltration *(arrows)* along the right internal iliac vessels, hypogastric nerve plexus, along the obturator vessels, and surrounding the stent in the right ureter *(arrowhead)*. B = bladder.
(b) Infiltration *(arrows)* of the tumor *(T)* around the right lobe of the prostate *(P)*.

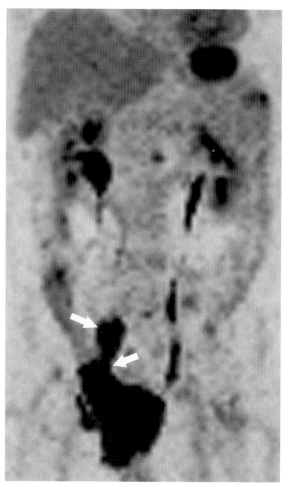

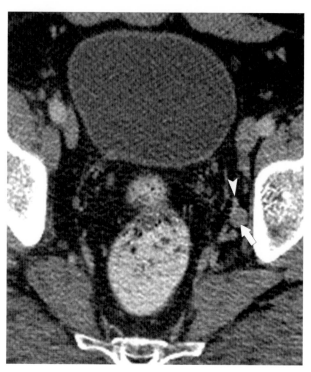

Fig. 14-16. Carcinoma of the prostate (not shown) metastasizes to a node *(arrow)* along the anterior trunk *(arrowhead)* of the left internal iliac artery.

Fig. 14-15 *(Continued).* **Diffuse B-cell lymphoma infiltrating periprostatic and periureteral tissue in a patient presenting with ureteric obstruction.**

(c) PET imaging identifies high glucose uptake in the tumor along the distal right ureter *(arrows)* and around the prostate gland.

방광암에서는 림프절의 크기뿐 아니라 림프절의 개수 역시 N 병기 결정을 위해 사용된다:[22]

- N1은 장경 2 cm 미만의 하나의 림프절이다.
- N2는 장경 2~5 cm 사이의 림프절(들)을 의미한다.
- N3는 장경 5 cm 이상의 림프절이 있음을 의미한다.

방광암에서 림프관의 배액되는 경로는 상직장혈관 *superior rectal vessel* 에서 하장간막*inferior mesenteric*까지의 직장간막*mesorectum* 의 림프절을 포함한다(Fig. 14-12). 다른 경로로는 복벽 침범으로 인한 하복부림프절 *inferior epigastric lymph node*과 외장골림프절의 침범을 들 수 있다.

요도와 음경의 암종으로부터의 림프절 전이는 복재대 퇴이음부로 이어지고 깊은 서혜관림프절*deep inguinal node*과 외장골림프절로 유입된다. 다른 경로로는 내음부 림프절과 폐쇄림프절이 있다(Fig. 14-18).

: 림프절 전이 Lymph Node Metastasis

위에서 언급한대로, 골반내 장기의 림프관은 외장골림프 절과 내장골혈관의 분지 주변의 내장골림프절로 배액된 다. 이를 통해 총장골림프절*common iliac lymph node*을 따라 대동맥 주위 림프절로 전파된다. 방광과 전립선의 원발성 종양에 대한 수술 시 보통 외장골림프절(Fig. 14-5)과 내장골림프절, 그리고 이 두 혈관의 이음부까지의 림프절 박리를 하는데(Figs. 14-16, 14-17),[21] 이 이상의 림프절 전이는 원격전이로 간주되며[22], 림프절 박리는 잘 하지 않는다.

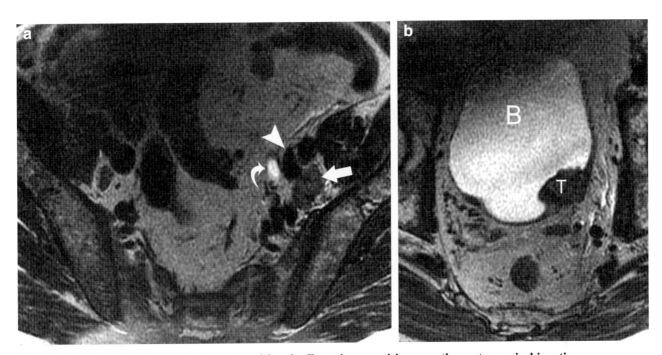

Fig. 14-17. Metastatic adenopathy from transitional cell carcinoma arising near the ureterovesical junction.

(a) T2-weighted MR image identifies the metastatic junctional node *(arrow)* between the left external iliac *(arrowhead)* and left internal iliac vessels. Note the dilated left ureter *(curved arrow)*.

(b) At a lower level, the tumor *(T)* is depicted at the posterior and lateral wall of the bladder *(B)*.

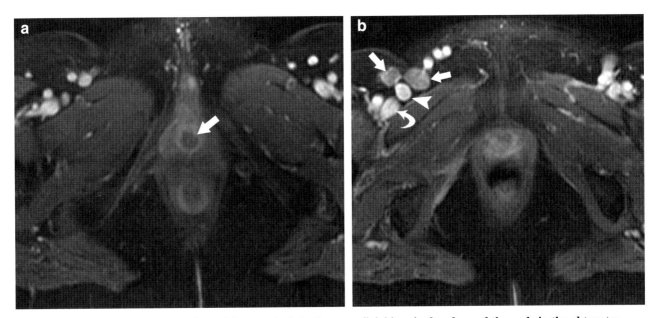

Fig. 14-18. Carcinoma of the urethra with metastasis to the superficial inguinal nodes and the node in the obturator foramen.

(a) Post-contrast, fat-suppressed T1 image illustrates the tumor *(arrow)* at the urethra.

(b) Metastatic nodes *(arrows)* are identified at the junction between the saphenous *(arrowhead)* and femoral vein *(curved arrow)*.

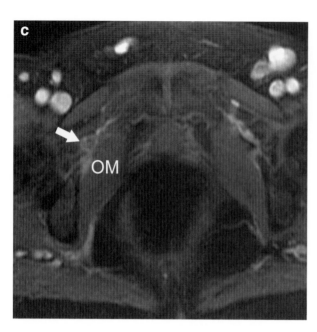

Fig. 14-18 *(Continued).* **Carcinoma of the urethra with metastasis to the superficial inguinal nodes and the node in the obturator foramen.**

(c) Another metastatic node *(arrow)* is depicted at the obturator foramen. *OM* = obturator internus muscle.

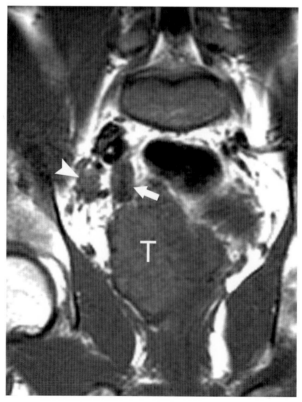

Fig. 14-19. Malignant paraganglioma *(T)* **in the periprostatic region with tumor thrombus** *(arrow)* **in the branch of the internal iliac vein and a metastatic node** *(arrowhead)* **along the medial chain of the external iliac group.**

: 혈관과 신경주위 침범 Vascular and Perineural Invasion

근치전립선절제술*radical prostatectomy*에서 얻은 병리학적 검체에서 확인하였을 때, 전립선암 환자의 림프혈관침범은 약 10~20% 정도를 차지하는 것으로 알려졌다.[23, 24] 림프혈관침범과 Gleason 점수는 다변량 분석에서 생화학적 재발*biochemical failure*의 독립적인 예측인자라고 보고되었고, 이와 비슷한 빈도로 신경주위 침범이 있었지만 예후에 끼치는 영향에 대해서는 아직 분명하지 않다. 따라서 신경주위 침범은 독립적인 예후 인자라기보다 피막외 침범의 한 부분으로 생각된다.[25, 26]

림프종과 신경계 종양과 같은 희귀한 종양 역시 신경과 혈관을 따라 전파될 수 있다(Figs. 14-19, 14-20).

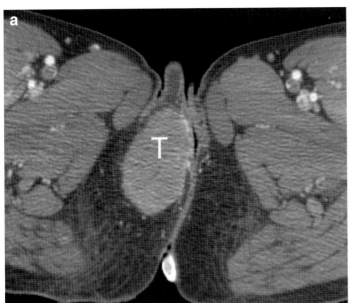

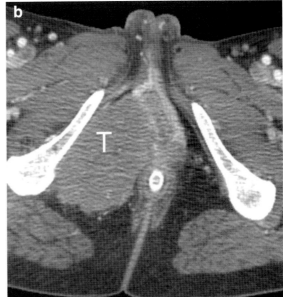

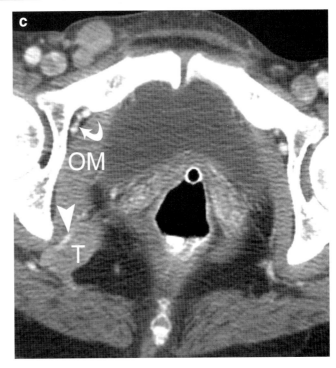

Fig. 14-20. Lymphoma infiltration along the internal pudendal vessels and nerves.

(a) CT at the level of the perineum demonstrates a mass *(T)* at the right labia.

(b) The mass *(T)* tracks along the right internal pudendal vessels in the ischiorectal fossa.

(c) At a higher level, the tumor *(T)* is depicted along the right internal pudendal vessels *(arrowhead)* posterior to the obturator internus muscle *(OM)*. *Curved arrow* indicates the obturator vessels.

◈ 참고문헌

1. Healy JC, Hutson J, Collins P: Development of urogenital system. In Standring S (ed) Gray's Anatomy — The Anatomical Basis of Clinical Practice, 40th ed. Churchill Livingstone Elsevier, London, 2008, pp 1305-1325.

2. Cochard LR: The urogenital system. In Cochard LR (ed) Netter's Atlas of Human Embryology. Icon Learning System LLC, Teterboro, 2002, pp 157-184.

3. Healy JC, Cahill DJP, Chandra A, Davies CL, Khan N: Bladder, prostate and urethra. In Standring S (ed) Gray's Anatomy — The Anatomical Basis of Clinical Practice, 40th ed. Churchill Livingstone Elsevier, London, 2008, pp 1245-1259.

4. Healy JC, Davies CL, Freeman A, Khan N, Minhas S: Male reproductive system. In Standring S (ed) Gray's Anatomy — The Anatomical Basis of Clinical Practice, 40th ed. Churchill Livingstone Elsevier, London, 2008, pp 1261-1277.

5. International Bladder Cancer Nomogram Consortium: Postoperative Nomogram predicting risk of recurrence after radical cystectomy for bladder cancer. J Clin Oncol 2006; 24:3967-3972.

6. Karakiewicz PI, Shariat S, Palapattu GS et al: Nomogram for predicting disease recurrence after radical cystectomy for transitional cell carcinoma of the bladder. J Urol 2006; 176:1354-1361.

7. Lopez-Beltran A, Cheng L: Histologic variants of urothelial carcinoma: Differential diagnosis and clinical implications. Hum Pathol 2006; 37:1371-1388.

8. Nigwekar P, Amin MB: The many faces of urothelial carcinoma — an update with an emphasis on recently described variants. Adv Anat Pathol 2008; 15:218-233.

9. Wong-You-Cheong JJ, Woodward PJ, Manning MA, Davis CJ: Inflammatory and nonneoplastic bladder masses: Radiologic-pathologic correlation. RadioGraphics 2006; 26:1847-1868.

10. Stephenson AJ, Scardino PT, Eastham JA et al: Preoperative nomogram predicting the 10-year probability of prostate cancer recurrence after radical prostatectomy. J Nail Cancer Inst 2006; 98:715-717.

11. Hricak H, Choyke PL, Eberhardt SC, Leibel SA, Scardino PT: Imaging prostate cancer: A multidisciplinary perspective. Radiology 2007; 243:28-53.

12. Wang W, Epstein JI: Small cell carcinoma of the prostate — a morphologic and immunohistochemical study of 95 cases. Am J Surg Pathol 2008; 32:65-71.

13. Hansel DE, Epstein JI: Sarcomatoid carcinoma of the prostate: A study of 42 cases. Am J Surg Pathol 2006; 30:1316-1321.

14. Schwartz LH, LaRenta LR, Bonaccio E et al: Small cell and anaplastic prostate cancer: Correlation between CT findings and prostate-specific antigen level. Radiology 1998; 208:735-738.

15. Woodward PJ, Sohaey R, O'Donoghue MJ, Green DE: Tumors and tumorlike lesions of the testis: Radiologic-pathologic correlation. RadioGraphics 2002; 22:189-216.

16. Ulbright TM: Germ cell tumors of the gonads: A selective review emphasizing problems in differential diagnosis, newly appreciated, and controversial issues. Mod Pathol 2005; 18:S61-S79.

17. Young RH: Testicular tumors - some new and a few perennial problems. Arch Pathol Lab Med 2008; 132:548-564.

18. Sohaib SA, Koh D-M, Husband JE: The role of imaging in the diagnosis, staging, and management of testicular cancer. AJR 2008; 191:387-395.

19. Claus EG, Hricak H, Hattery RR: Pretreatment evaluation of prostate cancer: Role of MR imaging and 1H MR spectroscopy. RadioGraphics 2004; 24:S167-S180.

20. Cornud F, Flam T, Chauveinc L et al: Extraprostatic spread of clinically localized prostate cancer: Factors predictive of pT3 tumor and of positive endorectal MR imaging examination results. Radiology 2002; 224:203-210.

21. Leissner J, Hohenfellner R, Thuroff JW et al: Lymphadenectomy in patients with transitional cell carcinoma of the urinary bladder: Significance for staging and prognosis. BJU Int 2000; 85:817-823.

22. Greene FL, Compton CC, Fritz AG, Shah JP, Winchester DP: Urinary bladder. In Greene FL et al (eds) AJCC Cancer Staging Atlas. Springer, New York, 2006, pp 329-335.

23. May M, Kaufmann O, Hammermann F, Loy V, Siegsmund M: Prognostic impact of lymphovascular invasion in radical prostatectomy specimens. BJU Int 2006; 99:539-544.

24. Cheng L, Jones TD, Lin H et al: Lymphovascular invasion is an independent prognostic factor in prostatic adenocarcinoma. J Urol 2005; 174:2181-2185.

25. Quin DI, Henshall SM, Brenner PC et al: Prognostic significance of preoperative factors in localized prostate carcinoma treated with radical prostatectomy. Cancer 2003; 97:1884-1893.

26. Merrilees AD, Bethwaite PB, Russell GL, Robinson RG, Delahunt B: Parameters of perineural invasion in radical prostatectomy specimens lack prognostic significance. Mod Pathol 2008; 21:1095-1100.

부인과 질환의 파급 패턴
Patterns of Spread of Gynecologic Disease

서론 Introduction

여성 골반내 질환의 파급을 이해하는 데 기본이 되는 것은 특정한 해부학적 관계를 아는 것이다. 복막하 공간 중 골반 부분의 정상 해부는 질환의 파급경로를 제공하고, 장간막의 복막 반사peritoneal reflections는 복강내 파급의 방향을 제공한다.

골반강은 내골반근막endopelvic fascia으로 싸여진 근육에 둘러싸여 있다. 외측벽은 이상근pyriformis muscles, 속폐쇄근obturator internus muscles, 장요근iliopsoas muscles으로 구성되어 있다. 골반저pelvic floor는 주된 지지구조물로 골반가로막pelvic diaphragm을 구성하는 항문거상근levator ani muscles과 미골근coccygeus muscles으로 구성된다. 비뇨생식가로막urogenital diaphragm의 근육들은 골반가로막을 강화하며 요도와 질과 관련있다.

내골반근막과 골반의 복막층 사이가 복막하 공간이다. 이 공간으로 골반내 장기를 공급하는 혈관, 림프관, 신경 등이 지나간다. 골반의 주요 혈관은 대동맥(난소동맥, 하장간막동맥)과 외장골동맥external iliac artery 및 내장골동맥internal iliac artery에서 기인한다. 이러한 혈관들과 분지들은 뒤에 자세히 기술되어 있다. 정맥 배액은 일반적으로 동맥 공급을 따른다.

골반내 림프관과 림프절은 혈관의 주행을 따라 명확한 경로를 형성한다. 내장에 인접한 작은 림프절은 인접한 장기의 이름을 따른다. 대동맥 분지부와 총장골동맥 사이에 있는 림프절은 총장골림프절이다. 장골림프절과 내장골림프절은 그에 상응하는 동맥 주행을 따라 분포한다. 하복림프절hypogastric nodes은 내장골림프절의 근위부이고 천장골 관절의 아래쪽에 놓인다. 폐쇄림프절은 외장골동맥의 뒤쪽이고 속폐쇄근의 안쪽에 해당한다.

서혜인대inguinal ligament의 아래와 다리쪽에는 얕은 서혜부림프절superficial inguinal nodes과 깊은 서혜부림프절deep inguinal nodes이 있다. 골반 상부쪽으로 림프절은 양쪽 대동맥주위 림프절paraaortic nodes을 통해 L2 높이에서 대동맥 우측의 가슴림프관팽대cisterna chyli로 배액된다. 림프배액은 흉관내 대동맥구멍aortic hiatus을 통해서 Virchow node로 알려진, 주로는 왼쪽에 위치한, 쇄골상supraclavicular 부위까지 이른다(Fig. 15-1, Table 15-1).

부인과 악성종양의 자연경과natural history는 복막하 공간과 밀접한 연관이 있다. 복막하 공간에서의 직접 파급경로는 크게 인대(특히, 자궁광인대)와 이들의 복막외 공간extraperitoneal space과의 연결에 의해 결정된다. 복막하 공간은 골반 장기로의 혈관, 림프계, 신경이 분포하고 질병의 직접 파급경로가 된다. 장간막면mesenteric plane을 따른 파급은 주로 자궁광인대 내에서 인접한 부속기와 골반외벽으로 일어난다. 국소 및 원격림프절 전이는 치료와 예후에 관여하는 치료 전 병기 결정에 중요한 요소이다.

자궁광인대와 S상 결장간막을 따라 매달려있는 골반 장기 간 관계는 골반의 복막함요peritoneal recess의 해부학적 구조를 결정짓는다. 이는 결국 종양과 감염 같은 질병의 복강내 파급 경로가 된다.

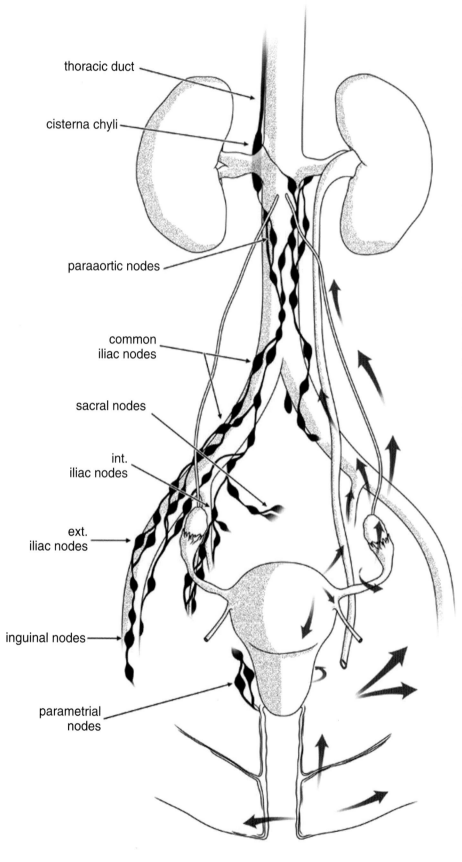

thoracic duct

cisterna chyli

paraaortic nodes

common
iliac nodes

sacral nodes

int.
iliac nodes

ext.
iliac nodes

inguinal nodes

parametrial
nodes

**Fig. 15-1. Patterns of
lymphatic drainage of the
female pelvis.**
Superficial and deep inguinal
nodes receive drainage from
the vulva and lower vagina.
The upper vagina, cervix, and
lower uterine body drain
laterally to the broad ligament,
obturator, internal and external
iliac nodes, and posteriorly to
the sacral nodes. The upper
uterine body drains to the iliac
nodes, may follow the ovarian
drainage, and is rarely to the
inguinal nodes. The ovaries
and fallopian tubes drain along
the ovarian artery to the
paraaortic nodes, with the
lower uterine drainage, or
along the round ligament. Less
frequently drainage from the
upper uterine body is to the
iliac nodes and inguinal nodes.
Note all drainage patterns
continue cephalad to the
paraaortic nodes, cisterna chyli,
and thoracic duct.

Table 15-1. 생식 구조의 골반 림프배액	
림프절	배액되는 골반 구조
서혜부	외음부, 질 하부 (난소, 난관, 자궁은 드물다)
천골	질 상부, 자궁경부
내장골	질 상부, 자궁경부, 자궁체부 하부 (외음부는 드물다)
외장골	질 상부, 자궁경부, 자궁체부 상부, 서혜부림프절
총장골	내장골림프절, 외장골림프절
대동맥주위	난소, 난관, 자궁, 총장골림프절

Note: 대동맥주위 림프절은 가슴림프관팽대로 배액된다.

단면영상은 부인과 종양을 평가하는데 널리 이용되고 있다. 다중검출 전산화 단층촬영*multi-detector computed tomography (MDCT)*, 자기공명영상*magnetic resonance imaging (MRI)*, 양성자 단층촬영*positron emission tomography (PET)*은 원발성 종양뿐만 아니라 장간막면*mesenteric plane*, 림프, 혈행성, 복막을 통한 질환의 파급에 대해 동시에 평가할 수 있다. MDCT는 비침습적이고 일관되며 빠르고 전체 복부와 골반(복막하 공간과 복강)을 모두 포함할 수 있다. 이러한 이유로 부인과 종양의 일차 병기 결정과 치료반응 평가에 주요하게 쓰이고 있다.

그러나 MDCT는 림프절 평가에 제한이 있다. 림프절평가는 크기에 의존하게 된다: 단경이 1 cm 이상 또는 8 mm 이상의 원형 림프절은 비정상이다. 그러나 미세전이는 정상 크기의 림프절에서도 존재할 수 있으며 커진 림프절이 반응성 변화일 수도 있다.[1]

MRI는 대조해상도가 뛰어나서 원발성 종양과 국소 범위를 결정하는데 유용하다. MRI는 CT에서는 애매모호했던 림프절을 특성화할 수도 있다. 그러나 긴 스캔시간과 여러 시퀀스*multiple sequence*, 인공물*artifacts* 등의 이유로 전체 복부와 골반 평가에 있어서 일차적으로 이용되지는 않는다. MRI는 일차성 종양의 특성화*characterization* 및 평가, 특히 림프절 질환과 복막내 파급 등을 포함한 문제해결에 주로 이용된다.

FDG PET는 악성종양에서 림프절 평가에 이용된다. 현재 PET은 자궁경부암과 자궁내막암에서 골반과 대동맥주위 림프절 평가에 주로 이용된다. PET과 CT의 혼합영상은 해부학적 위치와 병기결정의 정확성을 높였다.[2,3]

● ● ● ●

외음부 Vulva

외음부 악성 종양은 부인과 악성종양의 5% 미만이다.[4] 외음부는 치구*mons pubis*, 대음순*labia majora*, 소음순*labia minora*, 음핵*clitoris*, 회음*perineum*, 질전정*vaginal vestibule*, 전정샘*vestibular gland* 으로 구성된다. 음순과 항문 사이를 회음*gynecologic perineum* 이라 한다. 편평세포암은 외음부 종양의 90% 이상을 차지한다.[5] 이중 약 70%가 대음순과 소음순을 침범하고, 40%는 음핵과 회음부를 동일하게 침범한다.

외음부의 혈액 공급은 주로 내장골동맥의 앞분지의 마지막 분지인 내음부동맥*internal pudendal artery* 에서 받는다. 이는 하둔부동맥*inferior gluteal artery* 의 앞쪽에서 대좌골절흔*greater sciatic notch* 을 나와서 좌골가시*ischial spine* 를 가로질러 소좌골절흔*lesser sciatic notch* 으로 들어가 좌골직장와*ischiorectal fossa* 의 외측을 따라 Alcock's canal (내음부관*internal pudendal canal*) 내로 통과한다. 내음부동맥의 가지는 음핵, 회음, 요도에 혈액을 공급한다. 외음부동맥*external pudendal artery* 은 외음부에 혈액을 공급하고 내음부동맥과 문합한다.

외음부의 림프배액은 주로 얕은 서혜부림프절로 이루어진다. 이러한 치구와 음순에서 서혜부로의 림프배액은 거의 중앙선을 가로지르지 않는다.[6] 음핵과 회음에서의 림프배액은 중앙선을 넘는다. 얕은 서혜부림프절은 대퇴삼각부*femoral triangle* 에 위치하고 대퇴혈관을 지나 복재정맥*saphenous vein* 을 따라 있으며, 대퇴정맥의 안쪽에서 깊은 서혜부림프절로 배액된다. 가장 깊은 서혜부림프절은 서혜인대*inguinal ligament* 에 있고, node of Cloquet (Rosenmuller)라 부른다. 림프액은 깊은 서혜부림프절로부터 외장골림프절, 총장골림프절, 대동맥주위 림프절을 거쳐 가슴림프관팽대, 쇄골상림프절을 거쳐 흉관으로 배액된다.

외음부암의 직접파급과 복막하파급
Direct and Subperitoneal Spread of Vulvar Cancer

외음부암의 두 가지 주요 파급패턴은 직접파급과 복막하

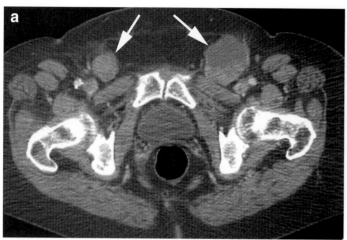
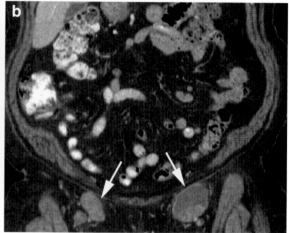

Fig. 15-2. Lymphatic spread from vulva carcinoma.
(a) CT of the lower pelvis at the level of the symphysis pubis. Bilateral enlarged superficial inguinal lymph nodes *(arrows)* from metastatic vulva carcinoma.
(b) CT coronal reformat. Enlarged superficial lymph nodes *(arrows)*.

파급이다. 직접파급은 주위의 인접구조물, 특히 질, 요도, 항문을 침범하며, 진행된 경우에는 골반뼈를 침범하기도 한다. 복막하 파급은 주로 림프전이이고, 진단 시 12%에서 나타난다.[7] 이러한 파급은 초기에는 얕은 서혜부림프절로, 그 다음에는 깊은 서혜부림프절로 일어난다. 경우에 따라서 깊은 서혜부림프절이 초기 전이부위인 경우도 있다. 외측의 외음부 종양은 동측의 림프절로 전이된다; 초기에 반대쪽 림프절로 전이되는 경우는 드물다.[8] 음핵을 침범하는 병변은 초기에 깊은/얕은 서혜부림프절로 전이가 일어난다.

CT에서 가장 흔한 파급부위인 얕은 서혜부림프절을 평가하는 것이 중요하다(Fig. 15-2); 동측의 서혜부림프절 *groin node*을 침범하지 않았다면(특히 완전히 한쪽으로 치우친 원발병변의 경우) 반대쪽의 서혜부나 심부골반 *deep pelvic*을 침범하는 경우는 흔하지 않다. 양쪽 림프절 전이나 방광, 직장, 또는 골반뼈로의 직접 전이는 4병기에 해당한다. 골반과 대동맥주위 림프절전이는 진단 당시 흔하지 않다.

혈행성 전이는 보통 말기에 나타나고 일반적으로 림프절 전이를 동반한다. 폐가 혈행성 전이의 가장 흔한 장소이다.

● ● ●
질 Vagina

질암*vaginal carcinoma*은 드물어서 부인암의 3% 미만을 차지한다.[9]

질은 전이가 더 흔하며, 특히 직장이나 방광 같은 생식기 외 장기나 자궁경부, 자궁내막 같은 다른 생식기로부터 직접적인 확장*direct extension*이 흔하다.[10]

질은 편평상피*squamous epithelium*로 이루어져 있고 편평세포암종이 원발암의 80~90%를 차지한다. 5~10%는 선암인데, 자궁 내에서 디에틸스틸베스트롤(*diethylstilbestrol; DES*)에 노출 된 사람에서 높은 빈도로 발생한다.[11] 원발성 흑색종과 육종이 각각 원발암의 3%를 차지한다. 질암의 절반 가량은 질 상부 1/3에서 발생한다.

질은 자궁경부에서부터 전정*vestibule*까지로 방광의 뒤쪽, 직장의 앞쪽에 위치한다. 자궁동맥의 분지인 질동맥으로부터 혈류공급을 받는데, 질동맥은 질외측벽을 따라 주행하며 중간직장동맥과 하부방광동맥과 문합한다. 정맥배액*venous drainage*은 동맥공급과 나란히 주행하며 내장골정맥*internal iliac vein*으로 배액된다.[12] 질 림프관*lymphatics*은 광범위한 연결망을 이루어 복잡하지만, 특정 부위로부터 일정한 배액 양식이 있다. 질원개*vaginal vault*

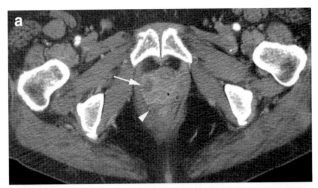

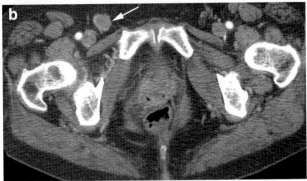

Fig. 15-3. Direct spread and lymphatic spread from carcinoma of vagina.
(a) CT of the lower pelvis at the level of the symphysis pubis. Vaginal tumor *(arrow)* with extension to rectum *(arrowhead)*. (b) CT of the lower pelvis at the level of top of symphysis pubis. Metastasis to right inguinal lymph node.

와 자궁경부하부는 폐쇄림프절*obturator node*과 하복림프 절*hypogastric node*로 배액되고, 자궁벽 뒤쪽의 림프관은 직장 앞쪽벽과 문합하여 상하둔부 림프절*superior and inferior gluteal nodes*로 배액된다. 질 하부 1/3의 림프관은 외음부*vulva*와 문합하여 서혜부림프절이나 골반림프절 *pelvic nodes*로 배액된다.

▌질암의 직접 및 복막하 전파
Direct and Subperitoneal Spread of Vaginal Carcinomas

질암 전파*spread*의 주된 양식은 직접 전파와 림프관을 통 한 복막하 전파이다(Fig. 15-3).

직접 전파는 주변 장기를 침범한다. 질 앞벽은 방광이 나 요도로, 질 뒷벽은 Denonvillier 근막을 가로질러 직장 으로 전파된다. 측면으로는 자궁주위조직을 침범하고 골

반벽까지 퍼질 수 있다.

림프절 전이는 림프관배액을 따른다. 질 하부 1/3의 종 양은 서혜부림프절로, 질원개의 종양은 폐쇄림프절과 하 복림프절로 질 뒷벽의 종양은 둔부림프절로 전이된다. 혈 행성 전이는 폐에 가장 흔하며 간과 뼈로의 전이는 드물 다.[13]

● ● ●

자궁 Uterus

자궁은 골반강하부에 위치하며 앞쪽에는 방광이 뒤쪽에 는 직장이 위치한다. 자궁은 내구*internal os*를 기준으로 자궁경부와 체부의 두 부분으로 나뉜다. 기저부*fundus*는 체부 중에 난관 입구보다 상부에 해당한다.

자궁경부는 2~3 cm 길이로 질 앞벽 쪽으로 튀어나와 있다. 질상부 부위*supravaginal portion*는 자궁주위조직 *parametrium*으로 둘러싸여 있는데, 자궁주위조직에 의해 자궁경부와 방광을 나누고, 양측면으로는 자궁광인대 *broad ligament* 내의 결합조직까지 뻗어있다. 자궁광인대 내부로 주행하는 구조물에는 자궁혈관, 림프관, 신경과 요관이 있다. 요관은 경부의 질상부 부위에서는 질원개 *vaginal fornix*의 전상부에 위치하다가 방광의 안쪽으로 주행한다. 자궁기저부는 S자결장과 소장에 인접해 있다.

자궁 체부는 장측복막*visceral peritoneum*으로 덮여 있는 데, 장측복막은 앞쪽으로 방광에서 굴절되어*reflect* 복막 방광자궁오목*peritoneal vesicouterine recess*을 형성하고, 뒤쪽으로는 직장에서 굴절되어 직장자궁오목*rectouterine recess*(또는 막힌낭*cul-de-sac*)을 형성한다.

자궁을 덮고 있는 복막은 자궁광인대까지 연결되어 자 궁을 복막강에 고정시킨다*suspend*. 자궁광인대는 자궁 외측연에서 연장되어 골반 외측벽까지 연결된다. 따라서 복막하 공간은 골반의 복막외 공간으로부터 자궁광인대 를 거쳐 골반 기관들까지 연결되어 있다. 자궁광인대 중 난관*fallopian tubes*을 포함하고 있는 부분을 자궁관간막 *mesosalpinx*이라고 하며, 난소혈관, 림프관 및 신경을 포 함하는 부위를 난소의 걸이인대*suspensory ligament of the ovary*라 하며, 자궁을 포함하는 부위를 자궁간막 *mesometrium*이라 부른다.

주인대*cardinal ligament* (transverse cervical ligament)는 자궁광인대 아래쪽 두꺼운 부분으로 자궁경부에서 골반 횡격막까지 이어진다. 자궁천골인대*uterosacral ligament*는 자궁에서 천골*sacrum*까지 이어지며, 원인대*round ligament*는 자궁의 전외측면*anterolateral portion*에서부터 수평으로 전외측 벽으로 이어지며, 서혜관을 통해 복부를 빠져나가 대음순*labium major*으로 삽입된다.

▌침습성 자궁경부암 Invasive Cervical Cancer

침습성 자궁경부암은 부인암에 의한 사망의 약 15%를 차지한다. 그러나 자궁경부암은 20대 여성의 암사망률에서 유방암에 이어 두 번째 원인이다.[14] 연령을 보정한 암 사망률*age-adjusted cancer death rate*을 고려하면, 미국에서 자궁경부암으로 인한 사망률은 지속적으로 감소하고 있지만, 의료 서비스가 충분치 못한 나라에서는 여전히 암 사망률의 주요 원인으로 남아있다. 종양 전파에 여러 기전이 있다.

자궁경부암의 직접 전파는 암세포가 기저막*basement membrane*을 뚫으며, 경부의 기질*stroma*을 뚫고 들어가거나, 혈관통로*vascular channel*를 통하여 이루어진다.

기질 침범*stromal invasion*은 암세포가 자궁경부를 넘어 자궁주위조직에 닿을 때까지 진행된다. MRI가 기질침범을 진단하는데 있어서 가장 좋은 영상기법이다. 질침범은 질상부에서 시작해서 질하부까지 진행한다.

복막하 전파는 자궁광인대 내에서 외측으로 진행하여 요관을 침범하고, 골반외벽까지 다다른다(Fig. 15-4). 이후 더 진행되면 골반의 복막외 공간*extraperitoneum space*을 따라 복부까지 퍼진다. 골반 선병증*pelvic adenopathy* 및 자궁경부 종괴와 함께 외벽으로의 고정*fixation*이 일어난다. 인접 장기로의 직접 전파는 드물지만, 앞쪽으로는 방광으로, 뒤쪽으로는 직장으로 직접 전파될 수 있다.

복막하 공간내에서 림프절전파는 자궁경부림프관총*lymphatic plexus*에서 아래자궁분절*lower uterine segment*로 일어나며, 배액되는 림프절에 따라 세 그룹으로 나누어진다. 상부 림프관은 자궁동맥을 따라 자궁을 지나 상부 내장골림프절*upper internal iliac nodes*(하복림프절*hypogastric node*)로 배액된다. 중간부 림프관은 폐쇄림프절로 배액되고, 하부 림프관은 상하 둔부림프절로 배액된다. 세 그룹 모두 총장골림프절*common iliac node*과 대동맥주위림프절로 배액된다.[15] 쇄골상림프절로의 전이가 흔하고, 이는 대동맥주위림프절에서 흉관을 통해 가슴림프관팽대로 전이를 뜻한다(Fig. 15-5). 일반적으로 머리 방향으로의 정해진 림프관 전이진행 양식이 있다.

림프절 전이는 불량한 예후인자이다. 림프절 전이가 없는 환자는 5년 생존률이 90%이지만, 골반림프절 전이가 있는 환자는 5년 생존률이 50~60%이다. 대동맥주위림프절에 전이가 된 환자는 5년 생존률이 20~45%이다.[16, 17]

혈행성 전이의 초기 발현은 드물다. 원격전이가 가장 흔한 곳은 폐, 간, 뼈이다. 요추*lumbar spine*는 직접 전파에 의해 가장 흔히 침범된다.[18]

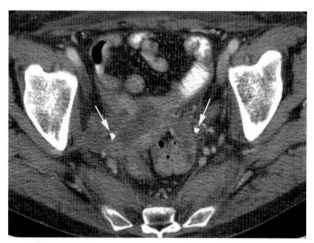

Fig. 15-4. Subperitoneal spread to parametrium from cervical cancer.
Bilateral spread to parametrium with obstruction of ureters *(arrows)* and extension to right pelvic side wall.

▌자궁체부암 Cancer of the Uterine Body

자궁체부암은 부인암 중 가장 흔하다. 평균연령 60세의 폐경 후 여성질환으로 당뇨와 고혈압이 있는 환자에서 위험도가 올라간다. 자궁내막암의 90%는 상피내막*epithelial lining*에서 기원한다. 암의 전이 방식은 다양하다.

자궁내막암 초기에는 자궁내막에 국한된다. 종양은 자궁강 내에 폴립모양의 종괴로 가장 흔히 자란다. 종괴는 잘 부서지고 괴사되어 출혈을 유발하여 환자의 90%에서 질출혈이 초기 증상이다. 자궁내막암의 75%는 자궁에 국한되어있다. 자궁내막 표면을 따라서 퍼지다가 자궁근층으로 침습하는 것이 종양의 자연경과이다. 자궁근층의 침습 깊이가 깊어질수록, 특히 자궁근층의 1/2 이상을 침습할수록, 림프절 전이 확률이 높아지기 때문에 침습 깊이가 중요하다.[19] 직접 파급은 자궁하부(아래자궁분절 *lower uterine segment*) 및 자궁경부로 진행되고 이런 경우 자궁외 병변, 림프절전이, 재발 가능성이 높아진다.[20] 전이는 MRI에서 가장 잘 보인다. 결국은 자궁광인대를 통

해 난소와 난관(자궁관*fallopian tubes*)을 포함한 자궁 부속기로 복막하 전이를 하게 된다. 자궁장막*uterine serosa*은 근막면*fascial planes*을 따라 방광과 S자결장 등의 인접 장기로의 직접 전이로 이어진다.

림프절을 통한 복막하 전이는 몇 가지 경로를 따른다. 기저부와 자궁상부는 난소혈관과 림프관을 통해 상복부 대동맥주위림프절*upper abdominal paraaortic node*로 배액된다. 중간부위와 자궁하부는 자궁광인대를 통해 자궁혈관을 따라 내장골림프절*internal iliac lymph node*로 배액된다. 때로는 원인대를 따라 있는 림프관을 통해 얕은

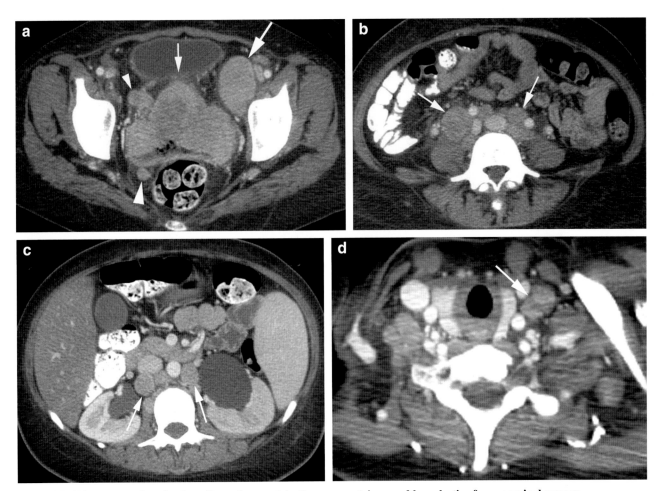

Fig. 15-5. Direct spread and subperitoneal spread to the parametrium and lymphatics from cervical cancer.

(a) CT of the pelvis at the level of the greater sciatic notch. Cervical mass with direct spread laterally encasing ureters and direct extension to urinary bladder *(small arrow)* and rectum. Enlarged left external iliac node *(large arrow)* right internal iliac node *(small arrowhead)* and right mesorectal node *(large arrowhead)*.

(b) CT of the lower abdomen. Bilateral enlarged paraaortic lymph nodes *(arrows)*.

(c) CT of the abdomen at the level of the renal hilum. Bilateral enlarged paraaortic lymph nodes *(arrows)* and bilateral hydronephrosis.

(d) CT at the supraclavicular level. Enlarged left supraclavicular lymph node *(arrow)*.

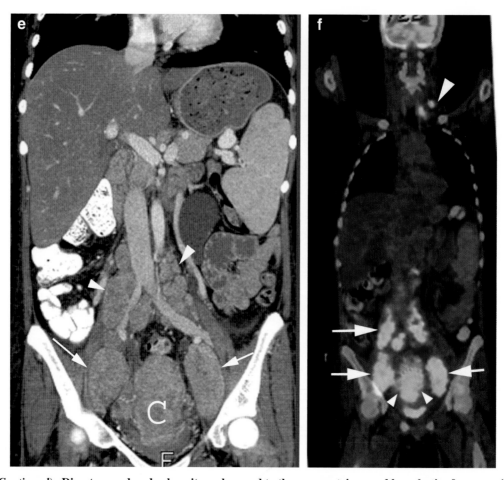

Fig. 15-5 *(Continued).* **Direct spread and subperitoneal spread to the parametrium and lymphatics from cervical cancer.**
(e) CT coronal reconstruction. Cervical mass *(C),* bilateral enlarged iliac nodes *(arrows)* and paraaortic nodes *(arrowheads).*
(f) PET/CT coronal plane. Uptake of radionuclide in cervical mass *(small arrowheads);* enlarged paraaortic nodes *(arrows)* and left supraclavicular node *(large arrowhead).*

서혜부림프절*superficial inguinal lymph nodes*로 퍼지기도 한다.

혈행성 전이는 드물며, 특히 발현 당시에는 매우 드물다. 재발은 간, 폐, 뼈, 그리고 뇌에서 흔하다.

장막*serosa*까지 침범한 종양은 복강내로 박리되어 복강내 전이를 유발할 수 있다. 난관(자궁관)을 통해 박리된 세포 역시 복강내로 전이될 수 있다. 복강내 전이는 림프절 전이와 연관성이 높다.[21]

● ● ● ─────────

난관 (자궁관) Fallopian Tube

난관암종*fallopian tube carcinoma*은 원발성 부인암 중에서

가장 드물다. 상피*epithelium*에서 가장 흔히 발생하고 유두모양 장액성선종*papaillary serous adenocarcinoma*이 가장 흔하다.

난관의 길이는 약 12 cm이고, 자궁광인대의 상외측 *superior lateral*으로 난관간막*mesosalpinx*의 가장자리에 위치한다. 난관의 장막층*serosal layer*은 자궁광인대와 복막하 공간에 놓여있는 자궁의 장측 덮개*visceral covering*와 연결된다.

동맥과 정맥 공급은 자궁과 난소 혈관으로부터 받는다. 난관의 림프관은 난소 림프관과 함께 상복부의 대동맥주위림프절로 배액되고, 자궁광인대 안의 자궁혈관을 따라 장골림프절*iliac nodes*로 배액되기도 한다.

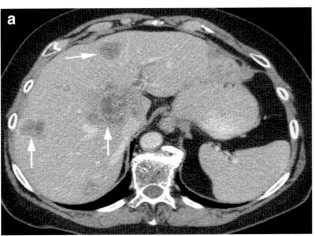
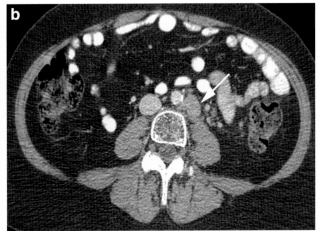

Fig. 15-6. Hematogenous and lymphatic spread from fallopian tube carcinoma.
(a) CT of the upper abdomen. Hematogenous spread with multiple metastatic liver lesions *(arrows)* from fallopian tube carcinoma.
(b) CT of the lower abdomen. Lymphatic spread to left paraaortic node from fallopian tube carcinoma *(arrow)*.

난관암의 파급 양상 Patterns of Spread of Fallopian Tube Carcinoma

파급양상은 난소암과 유사하다. 림프관파급*lymphatic spread*을 통해서 대동맥주위림프절과 골반림프절로 퍼지는 성향이 강하다(Fig. 15-6a). 난관암의 복강내 파급은 난소암과 유사하다. 복강내 파급의 기본 원리는 세포의 복막내 탈락*transcoelomic exfoliation*이다. 혈행성 전이를 통해 간, 폐, 흉막으로 파급된다(Fig. 15-6b).

난소 Ovary

난소암은 부인암 중 첫 번째 사망 원인이고, 여성에서 발생하는 암 중 다섯 번째로 흔하다. 70% 이상의 환자가 진행암*advanced cancer*으로 나타난다. 난소암은 뚜렷한 병리학적, 임상적 특성에 따라 세 가지 아형: 상피성 종양*epithelial tumors*, 생식세포 종양*germ cell tumors*, 그리고 성기삭 종양*sex cord tumors*으로 나뉜다.

약 90%의 난소암은 상피성 종양이고, 그 중 가장 흔한 두 종류는 장액낭선암종*serous cystadenocarcinoma*과 점액낭선암종*mucinous cystadenocarcinoma*이다. 이 종양들은 난소의 상피표면에서 자라나고 복막암종증*peritoneal carcinomatosis*으로 가장 흔히 발현한다.[24] 림프성파종*lym-phatic dissemination*이 두 번째로 흔하다. 이런 림프절 전이가 복막전이 없이 나타나거나 복막전이에 비해 심하게 나타나는 경우는 난관암종이나 비상피성 난소암을 시사한다.[25]

생식세포 종양과 성기삭 종양은 난소암의 10%를 차지한다. 이들은 복막암종증보다 림프전이가 더 빈번히 일어나는 고형 종양이다.

난소의 전이암은 주로 원발성 위암, 대장암, 췌장암, 유방암, 흑색종 등의 원발암에서 발생한다. 반지세포*signet ring cell*를 보이는 전이성 선종(위암에서 가장 먼저 보고되었다)을 크루켄버그*Krukenberg* 종양이라고 한다. 이 종양은 종종 양측성이고, 고형이면서 낭종을 포함하거나 포함하지 않는 종양으로 보인다.

난소는 자궁의 양측에 위치하고, 자궁광인대의 후상측*posterior superior*에 붙어있다. 난소의 위치는 다양하고 MDCT에서 생식선정맥을 추적해서 찾을 수 있다.[26] 난소는 원인대의 뒤쪽으로 자궁 상각*superior cornu*의 교차점 부근에 위치한다.

난소림프관은 신문의 바로 아래 대동맥주위림프절까지 난소동맥과 함께 주행한다. 부가적으로 자궁동맥과의 문합을 통해서 자궁광인대와 골반림프절로 배액되는 상부 자궁 림프관으로의 배액경로가 있다. 원인대를 따라 서혜부림프절로 배액되는 세 번째 경로도 있다.

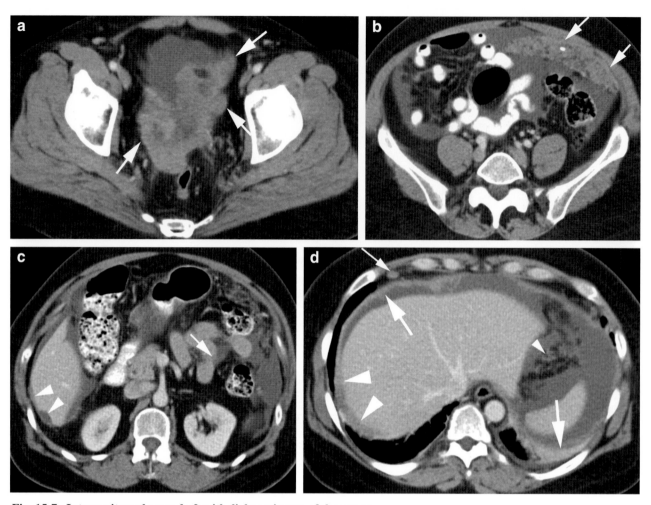

Fig. 15-7. Intraperitoneal spread of epithelial carcinoma of the ovary.
(a) CT of the upper pelvis. Peritoneal metastases to pelvic recesses *(arrows)*.
(b) CT of the upper pelvis. Omental caking *(arrow)*.
(c) CT at the level of the kidneys. Peritoneal metastases to visceral peritoneum: liver capsule *(arrowheads)*, small bowel serosa *(arrow)*.
(d) CT at the level of the dome of the diaphragm. Peritoneal metastases: parietal peritoneal right and left *(large arrows);* visceral peritoneum liver capsule *(large arrowheads)*; greater omentum *(small arrowhead)*; and right diaphragmatic lymph node *(small arrow)*.

난소 종양 파급의 기전
Mechanisms for Spread of Ovarian Tumors

난소 종양의 파급 기전은 몇 가지가 있는데, 복강내 파급, 장간막이나 림프관, 또는 혈관을 통한 복강하 파급, 그리고 근막면을 따르는 직접 파급이 있다.

복강내 파급이 가장 흔하고 또 가장 먼저 일어나는 종양 파종기전이다(Fig. 15-7). 상피에 싸인 난소는 외측 경계가 복강을 향하고 있어서, 상피에서 기원하는 종양 세포는 복막으로 떨어져 나갈 수*exfoliate* 있다. 일단 복막 내에 위치하면, 종양 세포는 복막액의 흐름을 따라가게 된

다. 벽측과 내장측 표면 모두를 침범할 수 있는데, 복막 반사*peritoneal reflection*와 복막액이 정체될 가능성이 높은 부위를 가장 흔하게 침범하게 된다.[27] 골반의 배측 함요들*dorsal recesses of the pelvis* 중에서도 특히 막힌낭*cul-de-sac*, S자결장, 회맹이행부*ileocecal junction*, 우측 부대장 홈*paracolic gutter*, 우측 간밑 함요*subphrenic recess*, 특히 모리슨 오목*Morison's pouch*와 우측 횡격막밑 함요*sub-phrenic recess* 등이 그런 부위에 속한다. 대망*greater omentum*과 횡격막 밑 함요 안에 있는 복막의 림프배액이 되는 부위들이 특히 흔한 부위다. 횡격막 밑 함요에서의 림프배액은 횡격막에서 횡격막림프절, 심장주위림프절

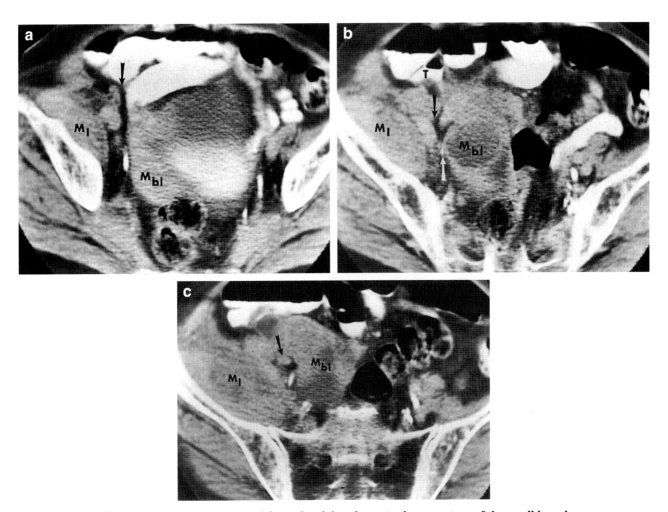

Fig. 15-8. Continuity of subperitoneal spread from the right adnexa to the mesentery of the small bowel.
(a) CT at level of greater sciatic notch shows mass in broad ligament *(Mbl)* and mass in lateral pelvic wall *(Ml)*. *Arrow* points to cleft between the two sites.
(b) Inferiorly, tumor is seen in the broad ligament *(Mbl)* and the lateral pelvic wall *(Ml)*. The tumor extends to the posterior abdominal wall and then to the root of the small intestine mesentery, shown subjacent to the terminal ileum *(T)*. *Arrows* indicate the cleft between tumor in the broad ligament and the lateral pelvic wall.
(c) Scan at junction of right lower abdomen and pelvis reveals confluence of tumor in the broad ligament *(Mbl)* and the lateral pelvic wall *(Ml)*. *Arrow* lies within this confluence and also points to cleft, which represents the iliac vessels within the adipose tissue of the lateral pelvic wall, displaced medially.
(Reproduced with permission from Oliphant et al.[39])

pericardial nodes, 흉골하림프절*substernal nodes*, 그리고 쇄골상림프절*supraclavicular nodes* 을 통해 이뤄지게 된다. 내장측 복막질환이 장내강을 침범하는 일은 드물지만, 대신 장*bowel loop* 을 유착*coalesce* 시켜서 기능적 폐쇄를 일으킬 수 있다.

복막 종양에서 복수 생성이 증가하거나, 종양에 의해 횡격막과 대망을 따라 있는 복막 림프관이 막혀 흡수가 줄어듦으로서 복수가 생기게 된다. 난소암 환자에 있어서

복수, 특히 골반강 외에 복수가 있으면 복막 전이를 염려하게 한다.

난소 종양의 복강하 파급에는 몇 개의 기전이 있다.

장간막 파급은 자궁광인대 안에서 일어나고, 난관이나 반대쪽 난소, 그리고 자궁을 침범할 수 있다. 자궁광인대를 통해 점진적으로 파급되어 골반외벽과 복막외 골반까지 파급된다(Fig. 15-8).

림프계 파급은 세 가지 경로를 통해서 이뤄진다. 그 중

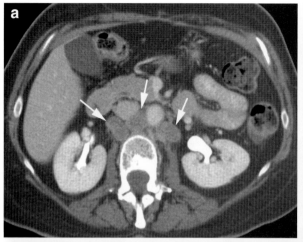

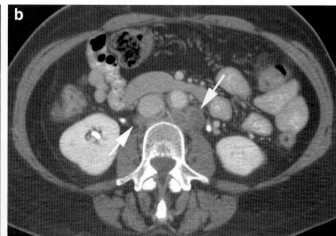

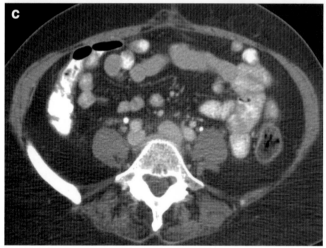

Fig. 15-9. Lymphatic spread ovarian via gonadal pathway.

(a) CT at the level of the renal hilum. Bilateral enlarged paraaortic nodes *(arrows)*.

(b) CT at the level of the lower renal poles. Bilateral enlarged paraaortic nodes *(arrows)*.

(c) CT at the level of the iliac crest. No evidence of adenopathy.

난소 혈관을 따라 대동맥주위림프절로 가는 경로가 가장 흔히 일어나는 경로이다(Fig. 15-9). 두 번째로 흔한 경로는 자궁혈관의 난소 가지*ovarian branches*를 따라 자궁광인대와 자궁주위조직*parametria*으로 간 후, 외장골림프절*external iliac nodes*, 폐쇄림프절*obturator nodes*, 그리고 총장골림프절*common iliac nodes*까지 가는 것이다(Fig. 15-10). 가장 드문 경로는 원인대의 림프관을 따라 얕은/깊은 서혜부림프절*superficial and deep inguinal nodes*로 가는 것이다.

MDCT로는 정상 크기의 림프절에서 암을 검출할 수 없고, 반응성 림프절과 전이를 감별할 수 없다. 림프절 질환에 대한 CT 진단 기준*criteria*은 크기 ─ 단축으로 1 cm 이상일 경우 비정상 ─ 에 의거한다. 그러나 이러한 기준으로는 40~50%의 민감도와 85~95%의 특이도를 보인다.[28] 림프절 괴사*nodal necrosis*와 조그마한 림프절의 무리들이

예상 배액 경로에 있는 경우 전이를 시사할 수도 있다.[29]

횡격막과 심장막*pericardial* 림프절은 복막 림프배액의 주요 경로로서 임상적으로 중요한 의미를 지닌다. 5 mm 이상의 림프절은 양성*positive*으로 여겨지며, 약 15%의 환자에서 보이고 예후가 나쁘다.[30]

PET/CT를 이용한 림프절 병기결정은 아직 평가 단계에 있다.[31]

혈행성 파급에 의한 원격 전이는 질병의 후기에 일어나고 진단 시에는 드물지만 재발에서는 더 흔하다. 횡격막 상부로 암이 퍼진 환자들의 경우 흔히 악성 흉수가 있다.[32] 다른 흔한 전이 장소로는 간과 폐가 있다.[33] 그러나 융모막암종*choriocarcinoma*은 혈행성 파급을 하는 경향이 있다. 골전이는 흔하지는 않고, 주로 아랫쪽 척추*lower vertebrae*에 일어난다.

근막면*fascial plane*을 따라 일어나는 직접 파급은 S자결

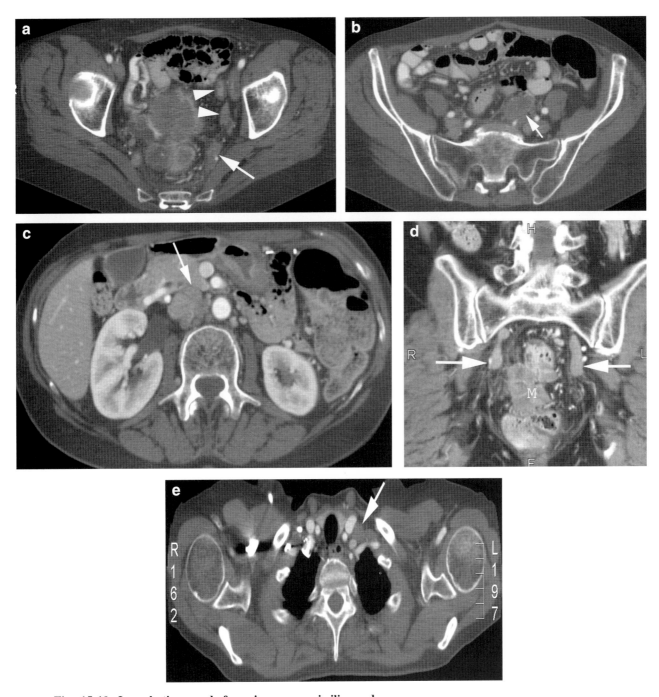

Fig. 15-10. Lymphatic spread of ovarian cancer via iliac nodes.

(a) CT of the pelvis at greater sciatic notch. Bilateral enlarged internal iliac nodes *(arrow)* and left external iliac nodes *(arrowheads)*.

(b) CT of the upper pelvis. Enlarged left common iliac nodes *(arrow)*.

(c) CT at the level of the right renal hilum. Enlarged right paraaortic nodes *(arrow)*.

(d) CT coronal reformat. Pelvic mass *(M)* bilateral enlarged iliac nodes *(arrows)*.

(e) CT at the thoracic inlet. Enlarged left supraclavicular node *(arrow)*.

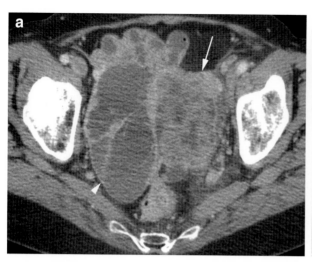
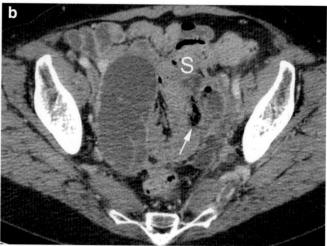

Fig. 15-11. Ovarian cancer with direct extension to sigmoid colon, and spread within broad ligament.
(a) CT at level of greater sciatic notch. Left ovarian tumor *(arrow)* extending within broad ligament involving fallopian tubes and right ovary *(arrowhead)*.
(b) CT at level of top of greater sciatic notch. Ovarian tumor invades sigmoid colon *(S)* with perforation *(arrow)*.

장으로 가장 흔히 일어난다(Fig. 15-11).

재발성 난소암은 골반 종괴, 복강내 착상*peritoneal implant*, 흉막질환, 악성 복수, 림프절종대*adenopathy*, 또는 간과 폐로의 혈행성 파급으로 나타나게 된다. 환자의 생존률이 증가함에 따라 드문 장소의 전이도 더 흔해지고 있는데, 대뇌 전이, 종격동 림프절종대, 비장이나 췌장, 그리고 신장 같은 복부의 고형장기 등이 그 예이다.

전이성 난소암은 난소 종양의 5%에서 볼 수 있으며, 가장 흔하게는 자궁광인대 안에서의 장간막 파급을 통한 여성 생식기암의 전이, 혈행성 파급을 통한 유방암의 전이, 그리고 복강내 파급을 통한 소화기암의 전이 등이 있다. 난소의 크루켄버그 종양*Krukenberg tumors*은 대개 위나 대장의 점액성 선암종*mucinous adenocarcinoma*이 복막내 파급되어 생긴 이차성 종양이다(Fig. 15-12).

● ● ●
골반내 감염 Pelvic Inflammatory Disease

골반내 감염은 상부생식기의 감염과 염증을 의미하며, 흔히 Neisseria gonorrhea와 Chlamydia trachomatis 균의 성적 매개*sexual transmission*를 통해 생긴다.[37]

감염은 자궁경부에서 시작하고(자궁경부염), 뒤따른 상행성 감염으로 자궁내막강*endometrial cavity*과 (자궁내막염) 난관(난관염)을 침범하게 된다. 난관은 복강으로 열려서 감염이 복막으로 퍼질 수 있다. 복강에 퍼지게 되면, 골반 복막염과 난소염도 생길 수 있다. 유착과 괴사에 의한 난관난소복합체*tuboovarian complex*가 결국 난관난소농양*tuboovarian abscess*으로 진행될 수 있다. 가끔, 복막에서 배란이 일어나는 곳을 통해 난소로 들어오는 균

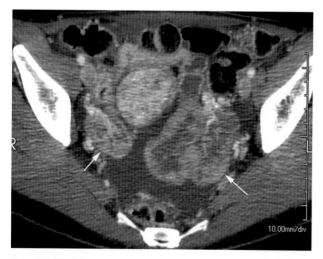

Fig. 15-12. Metastatic spread to the ovaries, Krukenberg tumors. CT at the level of sciatic notch. Metastatic tumor to the ovaries *(arrows)* from signet cell carcinoma of the stomach.

때문에 난소 농양이 생길 수 있다.

골반쪽 복강내에 있는 감염된 체액은 복강을 따라 퍼질 수 있다. 복강내 파급은 복막액의 흐름을 따르고, 복막에 붙은 인대들과 장간막의 구조에 의해 결정된다.[25] 따라서 복부로의 복강내 파급은 오른쪽 특히 우측 부대장홈*right paracolic gutter*, 간밑 함요*subhepatic recess*, 그리고 우측 횡격막하 함요*right subphrenic recess* 부위에 가장 흔히 생긴다. 그 결과 간피막과 횡격막의 염증으로 인해 우상복부 통증이 생길 수 있다(Fitz-Hugh-Curtis 증후군). Fitz-Hugh-Curtis 증후군에서는 CT 검사상 동맥기에는 급성염증에 의한, 그리고 지연기에서 만성 섬유화 변화에 의한 간피막의 증강*hepatic capsular enhancement*이 보인다.[38] 좌측 복부로의 복강내 파급은 흔하지 않고, 특히 좌측 상부결장간막 함요*supramesocolic recess* 쪽으로는 횡격막결장인대*phrenicocolic ligament*로 인해 드물게 일어난다.

국한된*loculated* 복막액은 유착으로 인해 생기고, 부속기에 인접한 골반함요*pelvic recess*와 막힌낭*cul-de-sac*에 가장 흔하지만, 복부 어느 곳에라도 생길 수 있다.

골반내 감염을 진단하는데 가장 좋은 방법은 초음파이다. MDCT는 복잡한 감염, 특히 복강내 파급의 전체적 윤곽을 평가하는데 유용하다.

◈ 참고문헌

1. Morisawa N, Koyama T, Togashi K: Metastatic lymph nodes in urogenital cancers: Contribution of imaging findings. Abdom Imaging 2006; 31:620-629.

2. Sakesana MA, Kim JY, Harisinghani MG: Nodal staging in genitourinary cancers. Abdom Imaging 2006; 31:644-651.

3. Grigrby PW, Siegel BA, Dehdashti F: Lymph node staging by positron emission tomography in patients with carcinoma of the cervix. J Clin Oncol 2001; 19:3745-3749.

4. Jemal A, Thomas A, Murray T: Cancer statistics, 2002. CA Cancer J Clin 2002; 52:23-47.

5. Kurman RT, Taki T, Schiffman MH: Basalord and warty carcinomas of the vulva: Distinctive types ofsquamous cell carcinoma frequently associated with human papillomaviruses. Am J Surg Path 1993; 17:133-145.

6. Parry-Jones E: Lymphatics of the vulva. J Obstet Gynecol Br Empire 1963; 70:751-757.

7. Rutledge F, Smith JP, Franklin EW: Carcinoma of the vulva. Am J Obstet Gynecol 1970;106:1117-1130.

8. Hocher NF, Vander Velden J: Conservative management of early vulvar cancer. Cancer 1993; 71:1673-1677.

9. Creasman WT, Phillips JL, Menck HR: The National Cancer Data Base report on cancer of the vagina. Cancer 1998; 83:1033.

10. Hilborne LH, Fu YS: Intraepithelial, invasive and metastatic neoplasms of the vagina. In Wilkinson EJ (ed) Pathology of the Vulva and Vagina. Churchill Livingstone, New York, 1987, p 184.

11. Shepard J, Sideri M, Benedet J et al: Carcinoma of the vagina. J Epidemiol Biostat 1998; 3:103.

12. Plenti AA, Friedman EA: Lymphatic system of the female genitalia. In Plenti AA, Friedman EA (eds) The Morphologic Basis of Oncologic Diagnosis and Therapy. WB Saunders, Philadelphia, 1971, pp 51-74.

13. Chyle V, Vagars GK, Wheeler JA et al: Definitive radiotherapy for carcinoma of the vagina: Outcome and prognostic factors. Int J Radiat Oncol BiolPhys 1996; 35:891.

14. Jemal A, Thomas A, Murray TL: Cancer statistics, 2002. CA Cancer J Clin 2002; 52:23-47.

15. Plenti AA, Friedman EA: Lymphatics of the cervix uteri. In Plenti AA, Friedman EA (eds) Lymphatic System of the Female Genitalia. WB Saunders, Philadelphia, 1971, p 75.

16. Delgado G, Bundy B, Zasno K: Prospective surgical-pathological study of disease free interval in patients with stage 1B squamous cell carcinoma of the cervix. Gynecol Oncol 1990; 38:352-357.

17. Piver M, Chung W: Prognostic significance of cervical cancer lesion size and pelvic node metastasis in cervical carcinoma. Obstet Gynecol 1975; 46:507-510.

18. Kim RY, Weppelmann B, Salter WM: Skeletal metastases from cancer of the uterine cervix: Frequency, patterns, and radiotherapeutic significance. Int J Radiat Oncol Biol Phys 1987; 13:705.

19. Boronow RC, Morrow CP, Creasman WT: Surgical staging in endometrial cancer: Clinicalpathologic findings of a prospective study. Obstet Gynecol 1984; 63:825-883.

20. DiSaria PJ, Creasman WT, Boronow RC: Risk factors and recurrent patterns in stage 1 endometrial cancer. Am J Obstet Gynecol 1985; 151:1009-1015.

21. Creasman WT, Morrow CP, Bundy BN: Surgical pathologic spread patterns of endometrial cancer. Cancer 1987; 60:2035-2041.

22. Alvarado-Cabrero I, Young RH, Varnvahas EC: Carcinoma of the fallopian tube: A clinicopathological study of 105 cases with observations on staging and prognostic factors. Gynec Oncol 1999; 72:367-379.

23. Ozals RF: Treatment goals in ovarian cancer. Int J Gynecol Cancer 2005; 5(suppl):3-11.

24. Michael H, Roth LM: Invasive and noninvasive implants in ovarian serous tumors of low malignant potential. Cancer 1986; 57:1240-1247.

25. Rose RG, Piver MS: Metastatic patterns in histologic variants of ovarian cancer: An autopsy study. Cancer 1989; 64:1508-1513.

26. Lee JH, Jeong YK et al: "Ovarian vascular pedicle" sign revealing origin of pelvic mass with CT. Radiographics 2004; 24(suppl):S133-S146.

27. Meyers MA: Distribution of intra-abdominal malignant seeding: Dependency on dynamics of flow ofascitic fluid. AJR 1973; 199:198-206.

28. Mironor S, Ogus A, Pandit-Taskar N, Hann LE: Ovarian cancer. Radiol Clin North Am 2007;45:149-166.

29. Ricke J, Sehouli J, Hoch C et al: Prospective evaluation of contrast-enhanced MRI in the depiction of peritoneal spread in primary and recurrent ovarian cancer. Eur Radiol 2003; 13: 943-949.

30. Holloway BJ, Gore PH, A'Hern RP et al: The significance ofparacardiac lymph node enlargement in ovarian cancer. Clin Radiol 1997; 52: 692-697.

31. Bristow RE, Giuntoli RL, Panru HK et al: Combined PET/CT for detecting recurrent ovarian cancer limited to retroperitoneal lymph nodes. Gynecol Oncol 2005; 99:294-300.

32. Berek JS, Hacker NF: Practical Gynecologic Oncology, 3rd ed. Lippincott Williams and Wilkins, Philadelphia, 2000, pp. 3-38.

33. Mayordomo JI, Paz-Ares L, Rivera F: Ovarian and extranodal malignant germ-cell tumors in females: A single institution experience. Am Oncol 1994; 5:225-231.

34. Kwek JW, lyer RB: Recurrent ovarian cancer: Spectrum of imaging findings. AJR 2006; 187: 99-104.

35. Park CM, Kirn SH, Kirn SH et al: Recurrent ovarian malignancy patterns and spectrum of imaging findings. Abdom Imaging 2003; 28: 404-415.

36. Mata JM, Inaraja L, Rams A et al: CT findings in metastatic ovarian tumors from gastrointestinal tract neoplasms (Krukenberg tumors) Gastrointest Radiol 1988; 13:246-247.

37. Soper DE, Brockwell NJ, Dalton HP: Microbial etiology of urban emergency department acute salpingitis: Treatment with ofloxacin. Am J Obstet Gynecol 1992; 167:985-989.

38. Cho JH, Kirn HK, Suh JH et al: Fitz-Hugh-Curtis syndrome: CT findings of three cases. Emerg Radiol 2008; 15:43-46.

39. Oliphant M, Berne AS, Meyers MA: Imaging the direct bidirectional spread of disease between the abdomen and female pelvis via the subperitoneal space. Gastrointest Radiol 1988; 13:285-298.

복강외와 골반강외 질환의 전파패턴
Patterns of Extraabdominal and Extrapelvic Spread

CHAPTER 16

서론 Introduction

이 장은 복부 질환과 골반강 질환이 복강으로부터 흉부, 복벽, 골반벽, 허벅지로 전파되는 경로를 설명하려고 한다.

횡격막 The Diaphragm

▌해부구조 Anatomy

횡격막은 복강과 흉부장기 사이에서 장벽역할을 한다. 횡격막은 연결된 섬유화성 근육막으로서 세 그룹의 주요근육과 힘줄로 구성되며 검상 연골, 늑골, 요추와 힘줄의 중앙부위에 부착한다.[1] 흉부 표면에서는 횡격막은 벽측 늑막parietal pleura 과 심근막pericardium 으로 덮힌다. 복부면은 간과 직접적으로 닿아있는 노출부bare area 를 제외하고 대부분은 벽측 복막으로 덮힌다.

횡격막에는 복강과 흉강이 서로 교통할 수 있는 대동맥aortic, 하대정맥inferior vena cava(IVC), 식도열공esophageal hiatus 3개의 주요구멍이 뚫려있다. 그외 여러 개의 작은 구멍도 존재하는데, 횡격각crus of diaphragm 에는 크고 작은 내장splanchnic 신경이 지나갈 수 있고, 중심 힘줄부위에는 작은 혈관들이 지나간다.[2] 그 외에도 선천적으로 결손이 존재할 수 있는데, 복막외에 있는 장기들의 탈장이 가능하다. 또한 복부장기가 흉강내에 위치하기도 한다.

Bochdalek 헤르니아는 후외측으로 존재하는데, 흔히 좌측의 신장과 복막외 지방을 포함하고 있다. Morgagni 헤르니아는 앞쪽 검상xiphoid 의 바로 뒤에 위치하고 복부장기 특히 횡행결장과 대망이 잘 포함된다. 드물게 간, 위, 소장이 포함된다.[3]

횡격막의 동맥혈은 세 곳에서 주로 공급된다:

- 내유동맥internal mammary artery 의 근육횡격막musculophrenic 분지는 앞부분을 공급한다.
- 아래 다섯 개의 늑간동맥intercostal arteries 은 후방주변 부위를 공급한다.
- 하횡격막동맥inferior phrenic artery 은 횡격막의 복부 표면abdominal surface 부분을 공급하고, 늑간동맥 및 근육횡격막동맥musculophrenic arteries 과 연결된다.

정맥은 거의 동맥과 주행이 같다.

횡격막은 횡격막phrenic 신경이 분포한다. 횡격막신경은 3, 4, 5번째 경추가지cervical ramus 에서 기원한다. 우측 횡격막신경은 상대정맥, 심막pericardium 과 하대정맥 우측으로 주행하면서 횡격막에 도달한다. 좌측 횡격막신경은 종격동의 심막횡격막pericardiophrenic 혈관을 따라서 심장의 좌측을 따라가며 분포한다. 횡격막신경은 횡격막을 구성하는 세 개의 근육 그룹에 각각의 분지를 낸다.

횡격막은 복부와 흉부장기의 윤활제 역할을 하며 일일 전환비율turnover rate 이 높은 복막과 늑막의 삼출을 흡수

하기 위해서 림프액이 풍부하다. 횡격막의 림프액은 횡격막 위의 세 그룹의 림프절로 유입된다.[4-7]

- 앞쪽의 횡격막 림프절은 근육횡격막*musculophrenic* 혈관과 함께 내유혈관*internal mammary vessel*을 따라서 전방 종격동림프절*anterior diaphragmatic nodes*과 쇄골상부림프절로 이어진다.
- 중간부위의 횡격막 림프절은 하대정맥과 횡격막신경근처에 존재한다.
- 후방의 횡격막 림프절은 하부 늑간혈관을 따라가며, 흉관*thoracic duct*을 거쳐 후방 종격동 림프절로 유입된다.

횡격막 하부에서는 림프는 횡격막각 근처의 하부 횡격막혈관을 따라 가다가 대동맥 오른쪽의 흉관*thoracic duct*과 가슴림프관팽대*cisterna chili*로 배출된다.

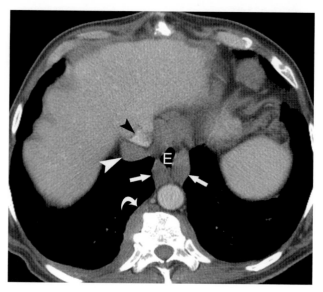

Fig. 16-1. Lymphoma from the extraperitoneum extending along the hiatus of the IVC (*black arrowhead* = IVC, *white arrowhead* = node around the IVC), esophageal hiatus (*arrows*), and retrocrural and aortic hiatus (*curved arrow*).

E = esophagus.

복부에서 흉부로 전파되는 질환의 유형
Patterns of Disease Spread from the Abdomen to the Chest

▌직접 전파경로 Direct Contiguous Spread

횡격막이 장벽 역할을 함에도 불구하고 정상으로 존재하는 구멍과 선천적 결손을 통해 공기, 복수와 감염으로 인한 액체, 혈액이 통과할 수 있고, 횡격막 아래에서 생긴 종양이 이 결손을 통해 흉강으로 전파될 수 있다. 또한 흉강 종양이 복부로 전파될 수도 있다(Fig. 16-1). 이 전파경로는 식도위경계부위*esophagogastric junction*에서 생긴 종양, 신경종양, 지방성종양, 림프종의 전파경로가 될 수 있다. 더욱이 드물게 림프종, 횡격막 아래에서 생긴 전이암 같은 침습성 종양은 횡격막을 직접적으로 뚫고 흉강이나 종격동으로 전이될 수 있다(Fig. 16-2).

▌림프를 통한 전파 Lymphatic spread

횡격막 근처는 림프배액이 풍부해서 횡격막의 복부면을 침범한 종양은 횡격막 위의 림프절로 퍼질수 있다. 이런 전파소견은 질병이 진행되었음을 시사한다. 난소암, 대장암으로부터 복막전이와 연관이 있고, 간암, 담관암, 간 전이암 같은 악성종양과 연관이 있다(Figs. 16-3~5). 또 다른 경로는 횡격막 전파경로설에 비해 정립된 설은 아니지만, 액와림프절로 퍼질 수 있다; 횡격막, 흉벽을 침범한 종양에서 발생한다. 림프배출은 흉벽의 외측 흉동맥*lateral thoracic artery*과 흉배동맥*thoracodorsal artery*을 따라서 액와로 간다(Fig. 16-6). 이 경로는 완치 절제 후 재발이 가능한 위치를 확인하는데 중요하다.

▌혈류를 통한 전파 Transvenous spread

정맥내의 종양 혈전은 간암, 신장암에서 흔한 소견이다. 드물게 하대정맥의 평활근육종, 부신피질암, 부신의 전이암 등에서 볼 수 있다(Fig. 16-7). 비록 하대정맥 열공을 통해 우심방이나 하대정맥으로의 침범은 드물지만, 수술 계획을 설립하는데는 매우 중요하다. 특히 완치목적의 수술인 경우 상방의 퍼진 정도는 MRI에서 잘 보이고, 시상면과 관상면스캔에서 잘 보인다(Fig. 16-7).

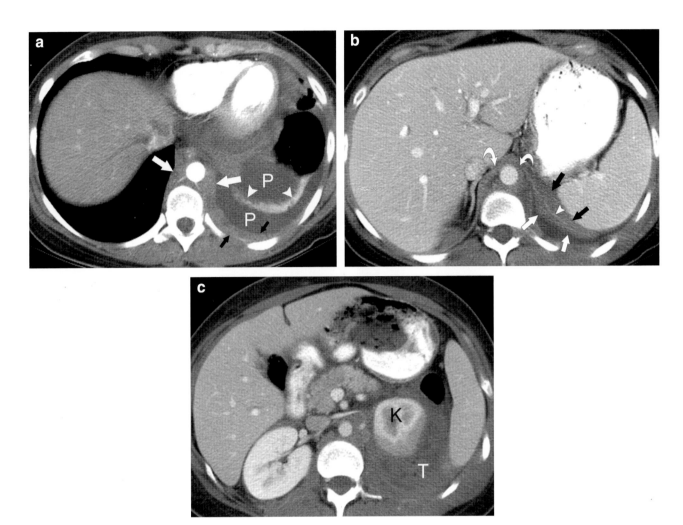

Fig. 16-2. **Lymphoma from the left perirenal extraperitoneal space extending through the aortic hiatus into the chest.**
(a) CT at the level of the thoracoabdominal junction shows infiltrative tumor *(white arrows)* surrounds the aorta and continues through the aortic hiatus to involve the parietal pleura *(black arrows)*. Note pleural effusion *(P)* and atelectasis of the left lower lobe *(arrowheads)*.
(b) CT at a lower level demonstrates tumor involvement of the diaphragm on the abdominal side *(black arrows)* and the thoracic side *(white arrows)*. Note the left inferior phrenic artery *(arrowhead)* and the crura of the diaphragm *(curved arrows)*.
(c) CT at the level of the kidneys identifies infiltrative tumor *(T)* around the left kidney *(K)*.

● ● ●
_____

복벽 Abdominal Wall

▌해부구조 Anatomy

복벽은 여러겹의 근막, 연부조직, 네가지 그룹의 근육과 건막*aponeurosis* 그룹, 지방층, 피부로 구성되어 있다.[8] 근육과 건막의 네 그룹은 다음과 같다.

- 복직근*rectus abdominis* : 기다란 원추형 근육으로서 상부는 전하부의 늑골에 붙고 하방으로는 치골결합부

symphysis pubis까지 연장되어 치골지*pubic ramus* 의 앞쪽에 붙는다.

- 3개의 층으로 된 평평한*flat* 모양의 근육: 가장 표피층이 외복사근*external oblique muscle*, 중간의 내복사근*internal oblique muscle*, 내층의 복횡근*transversus abdominis muscle*. 이들은 전벽과 측벽을 구성하는데, 위로는 하측 늑골에, 아래로는 장골능선*iliac crest* 과 치골*pubic bone* 에 붙는다. 근육의 근막은 서혜부 인대를 구성하고 복직근을 둘러싸는 직근막*rectus sheath* 층을 형성하며 중앙에서 백색선*linea alba* 을 형성한다.

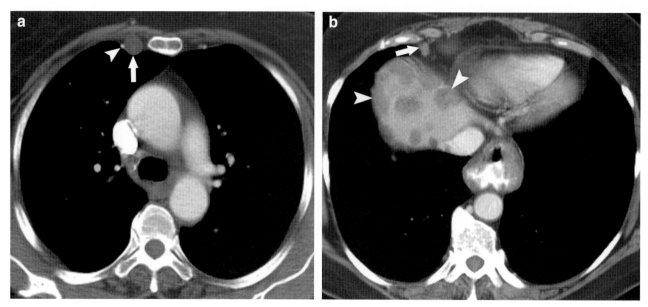

Fig. 16-3. Subdiaphragmatic peritoneal metastases from ovarian cancer and metastases to the anterior diaphragmatic and right internal mammary nodes.

(a) CT at the level of the mid-chest reveals a metastatic right internal mammary node *(arrow)* adjacent to the vessel *(arrowhead)*.
(b) CT at a lower level identifies multiple subdiaphragmatic metastases *(arrowheads)* and a metastatic node *(arrow)* at the anterior diaphragmatic group. Incidentally noted is a hiatal hernia.

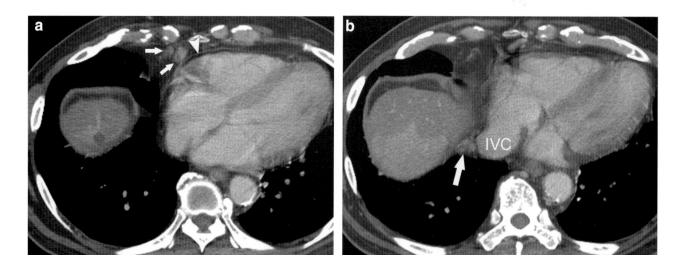

Fig. 16-4. Hepatic metastases from colorectal cancer with metastases to the anterior diaphragmatic and middle diaphragmatic nodes.

(a) CT at the lower chest shows metastatic nodes *(arrows)* at the anterior diaphragmatic group outside the pericardium *(arrowhead)*.
(b) Metastasis is identified at the juxtaphrenic node of the middle diaphragmatic group *(arrow)* adjacent to the inferior vena cava *(IVC)*.

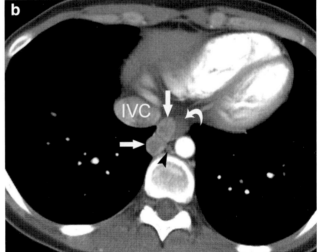

Fig. 16-4 *(Continued).* **Hepatic metastases from colorectal cancer with metastases to the anterior diaphragmatic and middle diaphragmatic nodes.**

(c) Metastasis is also present at the IVC node *(arrow)* between the IVC *(arrowhead)* and the esophagus *(curved arrow).*

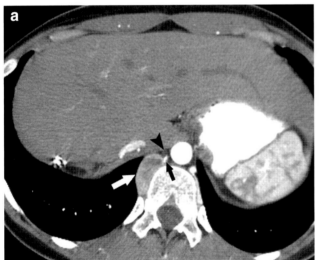

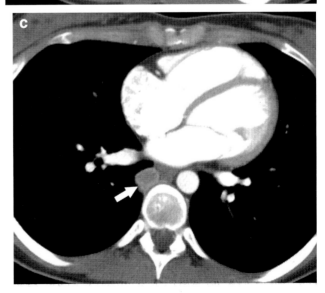

Fig. 16-5. **Metastases to the posterior intercostal or posterior diaphragmatic nodes with recurrences after right liver resection for fibrolamellar hepatocellular carcinoma.**

(a) CT two years after right liver resection reveals metastasis *(white arrow)* at the right 10th intercostal node adjacent to the intercostal artery *(black arrow)* and the thoracic duct *(arrowhead),* which was surgically confirmed.

(b) Two years later, recurrences *(arrows)* are identified at the nodes along the thoracic duct at the T9 level between the IVC and esophagus *(curved arrow).*

(c) Metastasis also ascends along the azygoesophageal recess to the nodes at the T7 level.

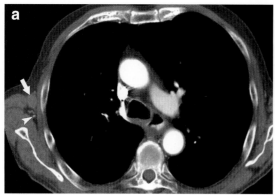

Fig. 16-6. Metastasis to the right axillary lymph node 18 months after a right liver resection for metastatic colon cancer.

(a) CT at the mid-chest illustrates a metastatic node *(arrow)* along the right thoracodorsal artery *(arrowhead)*.

(b) Coronal view of F¹⁸-FDG PET imaging demonstrates high glucose uptake in that node *(arrow)*.

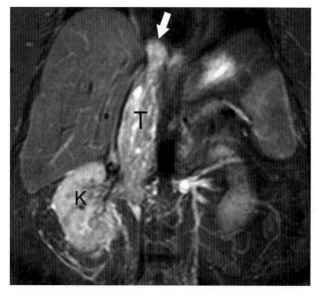

Fig. 16-7. Carcinoma of the right kidney (*K*) with extensive tumor thrombus (*T*) growing into the IVC and right atrium *(arrow)* on this coronal view of IV contrast enhanced T1-weighted MR scan.

- 횡근막*transversalis fascia* : 벽측 복막*parietal peritoneum* 바깥에 가장 깊이 위치해 있는 복벽의 근막이다.

복벽의 근육을 공급하는 혈관은 다음과 같다:

- 내유선 동맥의 마지막 분지인 상복벽동맥*superior epigastric artery* 과 외장골동맥의 분지인 하복부동맥이다. 이들은 복직근과 횡근막 사이를 통과한다.
- 후하방늑간동맥*lower posterior intercostal arteries* 과 늑하동맥*subcostal arteries* 의 근육으로 가는 분지와 요동맥: 복횡근과 내복사근 사이를 통과하여 천공*perforating* 분지를 내어 근육에 동맥혈을 공급한다.

전복벽에 분포하는 신경은 7~11번째 흉부분절과 첫번째 요추분절에서 기원하여 근육, 근막, 복벽의 피부를 공급한다:

복강에서 전복벽으로의 질병전파 유형
Patterns of Disease Spread from the Abdominal Cavity to the Anterior Abdominal Wall

여러 가지 전파경로 중에서 직접침범경로*direct contiguous invasion* 와 복강내 전파가 전복벽과 복강의 바깥까지 전파되는 가장 흔한 경로이다. 이는 직접 침범하거나 종양과 닿아있거나 종양의 전이, 염증 진행으로 전파될 수 있다.

질병전파는 복벽의 자연적 또는 후천적 결손을 통해 빨리 진행될 수 있고, 특히 수술적 절개, 회장루 형성술*ileostomy*, 혹은 대장문합술*colostomy* 에 의해 빨리 진행될 수도 있다(Figs. 16-8, 16-9). 예를 들면, 절개선을 따라 생긴 누공은 상처를 벌어지게 하여 복부에서 수술 후 문합부 누출을 유발한다. 혈종이나 복강내 복수는 탈장낭*hernia sac* 까지 연장될 수 있다(Fig. 16-10). 복막이나 망*omentum* 의 암 전이도 탈장낭까지 퍼질 수 있다(Fig. 16-9). 장간막정맥에서 생긴 정맥류도 회장루 형성술이나 대장문합술 구멍*stoma* 까지 전파될 수 있다(Fig. 16-11).

더욱이 복벽의 절개상처는 종양이 잘 재발하는 곳이다.

종양세포가 모여서 증식하기에 좋은 조건을 갖추고 있기 때문이다. 좋은 예로 담낭염을 의심하여 내시경 담낭절제술을 했으나 담낭암이 발견되었을 때 암의 재발은 복강경을 시행한 장소에서 가장 많이 발생하는 것을 들 수 있다(Fig. 16-12). 암이 진행된 경우, 복벽을 침범한 종양들은 동맥주변*periarterial* 이나 신경 주변*perineural* 을 침범 *invasion* 하여 전파될 수 있고 복벽의 림프배액을 담당하는 림프절로도 전이가 가능한데, 그 예로 하복부림프절, 상복벽림프절, 액와림프절이 있다(Fig. 16-12).

골반 Pelvis

▐ 해부구조 Anatomy

골반장기와 소장 및 대장의 일부는 골반뼈와 지지하는 근육, 근막, 인대에 의해 골반강 내에 위치한다.[9] 고관절은 장골*ilium*, 좌골*ischium*, 치골*pubic*로 구성된다.[10] 천골*sacrum* 은 관골*hip bone* 과 근육을 고정하여 골반대*pelvic girdle*를 구성한다. 여러 가지 근육과 인대들이 장골, 천골, 골반강을 구성한다:

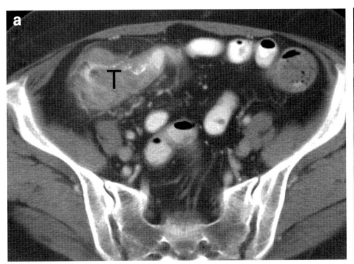
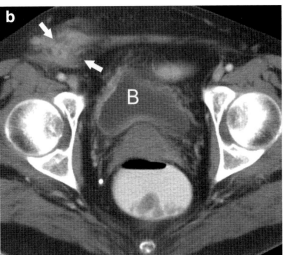

Fig. 16-8. Carcinoma of the cecum with inflammatory mass involving the bladder and extending behind the inguinal ligament into the inguinal canal.
(a) CT at the level of the cecum shows a mass *(T)* at the ileocecal region.
(b) The inflammatory mass *(arrows)* extends into the right inguinal canal. It also adheres to the bladder *(B)*. No tumor cells were identified in this inflammatory mass on histological examination.

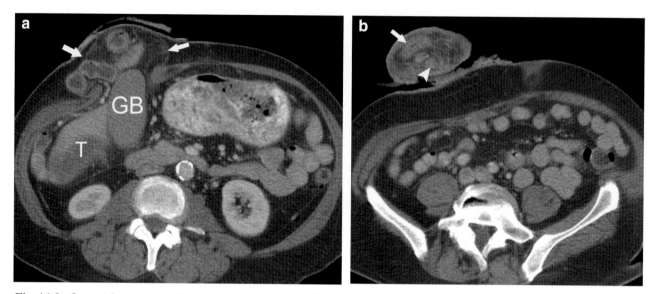

Fig. 16-9. Omental metastases from rectal cancer protruding along the ileostomy in the anterior abdominal wall.

(a) CT identifies a hernia sac *(arrows)* in the anterior abdominal wall containing the gallbladder *(GB)* and small intestine. *T* = hepatic metastasis.

(b) CT at a lower level demonstrates not only small intestine *(arrow)* and also reveals omental metastases *(arrowhead)* in the hernia sac.

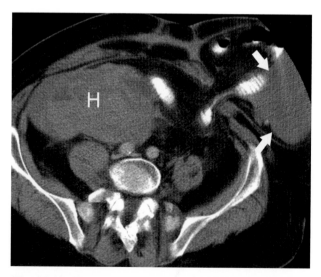

Fig. 16-10. Hematoma *(H)* secondary to anticoagulation therapy in the abdominal cavity extending into the hernia sac *(arrows)* along the colostomy.

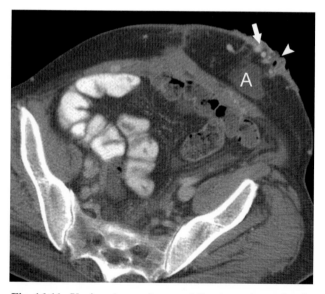

Fig. 16-11. Varices *(arrows)* around the stoma *(arrowhead)* of a colostomy in a patient who developed portal hypertension secondary to chemotherapy for metastatic colon cancer.

A = ascites tracking along colostomy site to the abdominal wall.

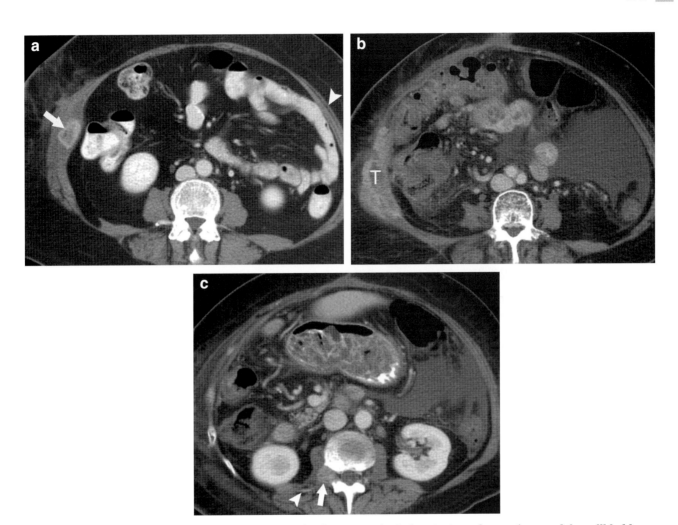

Fig. 16-12. Recurrent tumor in the abdominal wall after laparoscopic cholecystectomy for carcinoma of the gallbladder.
(a) CT six months after surgery shows recurrent tumor *(arrow)* at laparoscopic site. Note the normal three layers of the muscle *(arrowhead)* of the anterolateral abdominal wall.
(b) Nine months after resection of the recurrent tumor, another recurrence *(T)* develops laterally.
(c) The tumor spreads along the lumbar artery *(arrowhead)* and forms a mass *(arrow)* at the right neural foramen of the third lumbar spine. Incidentally noted is peritoneal fluid on the left.

- 이상근*pyriformis*은 천골과 골반강의 후외벽*posterolateral wall*을 덮는 장골의 후방 둔부면*gluteal surface*에 붙는다.
- 내폐쇄근*obturator internus*은 전측벽*anterolateral wall*을 이룬다. 이 근육은 좌골지*ischial ramus*와 치골의 하지 *inferior ramus*에 붙는다.
- 항문거상근*levator ani* – 세 그룹의 근육으로 구성되는데, 미골과 좌골가시*ischial spine* (ischio coccygeus), 좌골가시의 내측면*iliococcygeus*, 치골*pubic bone* (pubo coccygeus)의 세 그룹이 골반바닥을 구성한다.
- 천골가시인대*sacrospinous ligament*는 천골과 좌골가시

사이에 위치한다.
- 천골결절인대*sacrotuberous ligament*는 천골과 좌골조면 *ischial tuberosity*을 연결한다.
- 복직근, 복횡근, 내복사근*internal oblique muscles*, 외복사근*external oblique muscles*과 그들의 근막 및 횡근막이 전골반벽을 형성한다.

수개의 구멍*openings*과 공*foramina*이 골반벽에 존재한다. 이들은 장기, 혈관, 신경들을 복강외와 연결하며 잠재적으로 탈장이 발생할 수 있다:

- 대좌골공greater sciatic foramen은 장골의 대좌골절흔 greater sciatic notch, 천골의 외측 경계선, 천골가시인대로 이뤄진다. 주로 이상근에 덮여 있다. 장골과 이상근의 위쪽 경계선 사이에 위치하는 위쪽 구멍으로는 상둔부혈관superior gluteal artery이 통과하여 둔근gluteus muscle에 공급한다. 하둔부혈관inferior gluteal artery, 좌골신경sciatic nerve, 내음부동맥internal pudendal artery과 신경은 이상근의 아래면과 천골가시인대 사이의 아래쪽 구멍을 통해 연결된다.

- 소좌골공lesser sciatic foramen은, 위쪽은 천골가시인대, 내측은 천골결절인대, 아래쪽은 내폐쇄근의 내측 경계와 장골의 소좌골절흔lesser sciatic notch of ilium으로 구성된다. 내음부혈관과 신경이 구멍을 통과하여 좌골항문와ischio anal fossa로 나간다.

- 폐쇄공obturator foramen은 내폐쇄근과 근막으로 덮여 있다. 작은 구멍이 앞쪽에 있는데 이곳으로 폐쇄혈관 obturator vessels과 신경이 지나간다.[11]

- 서혜관inguinal canal은 원래 존재하는 구멍으로 이곳으로 정삭spermatic cord과 정관vas deferens, 고환혈관(남성), 자궁 원인대(여성)가 통과한다. 깊은 서혜관 고리 deep inguinal ring는 복강으로 연결되고 얕은 서혜고리 superficial inguinal ring는 고환과 연결된다.[12-14]

- 대퇴고리femoral ring는 대퇴혈관과 신경이 통과하고 대퇴초femoral sheath로 덮여있다. 대퇴격막femoral septum에 의해 복강과 분리되어 있는데, 격막은 복막외 조직으로 구성되어있다.[8]

- 회음부열공perineal hiatus은 골반 바닥 항문거상근의 원래 있는 구멍으로 요도, 질, 항문이 통과한다.

Table 16-1은 골반벽과 바닥의 선천적, 후천적 개구부와 그 해부학적 지표와 탈장의 종류를 요약해 보여준다.

● ● ●
골반강 내측에서 외측으로의 전파경로
Patterns of Spread from Inside to Outside the Pelvis

▌복막내 전파 Intraperitoneal Spread

골반의 복막강은 복막과 횡근막으로 완전히 둘러싸여 있다. 대좌골공, 소좌골공은 연조직, 복막외 지방, 근육 근막으로 벽측복막으로부터 분리되어 있다. 한편 폐쇄공, 서혜관의 깊은 서혜관고리, 대퇴고리는 벽측복막과 거의 닿아 있으며 약하고 성근 조직으로만 분리되어 있다. 과

Table 16-1. 골반벽과 바닥의 선천적 · 후천적 개구부의 해부학적 지표와 탈장의 종류

개구부	해부학적 지표	탈장의 종류
대좌골공 Greater sciatic foramen	이상근 Pyriformis muscle 상둔부혈관 Superior gluteal vessels 하둔부혈관 Inferior gluteal vessels 좌골신경 Sciatic nerve	드물다
소좌골공 Lesser sciatic foramen	내음부혈관 Internal pudendal vessels 내음부신경 Internal pudendal nerve	알려지지 않음
폐쇄공 Obturator foramen	내폐쇄근 Obturator internus muscle 폐쇄동맥, 정맥, 신경 Obturator artery, vein, and nerve	폐쇄탈장 – 드뭄
서혜관 Inguinal canal	하복부동맥 기시부 Origin of the inferior epigastric artery 고환동맥, 정맥 Testicular artery and vein 정관 Vas deferens	직접 서혜탈장 간접 서혜탈장
대퇴고리 Femoral ring	총대퇴동맥, 정맥 Common femoral artery and vein	대퇴탈장 – 드뭄

도한 당김*stretching*, 손상, 수술절개에 의한 근막의 약화가 복압의 증가와 동반되면 복부장기와 구조물이 이 구멍을 통해 나가게 되어, 서혜탈장*inguinal hernia*, 대퇴부탈장*femoral hernia*, 폐쇄탈장*obturator hernia*, 좌골탈장*sciatic hernia*을 일으킨다(Figs. 16-13, 16-14). 서혜탈장은 골반탈장 중 가장 흔하다. 간접 서혜탈장*indirect inguinal hernia*은 processus vaginalis의 잔류로 인해 선천적으로 생길수 있다. 이는 대부분 세 살까지는 막히게 된다.[8] 반면, 대부분의 직접 서혜탈장은 후천성이다. 좌골탈장은 드물게 보

고 되는데, 요관, 맹장, 소장 등이 탈장낭에 있을 수 있다.[15, 16]

복막의 덮힘이 없기 때문에, 이러한 구멍들을 통하여 복부와 골반강 질환이 복막전파를 하는 것은 드물다. 그러나 탈장이 발생하면 복막 전이도 일어날 수 있다. 이러한 패턴으로 전파될 수 있는 흔한 악성 질환으로는 위암, 충수암, 복막 가성점액종*pseudomyxoma peritonei*, 신경내분비암, 대장암, 난소암 등이 있다(Fig. 16-15).

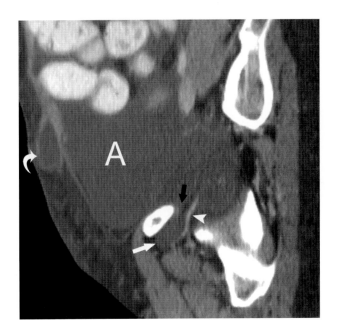

Fig. 16-13. Obturator hernia shown on an oblique sagittal plane of CT image.

Large ascites *(A)* is present in the pelvic peritoneal cavity with herniation *(white arrow)* through the obturator foramen *(black arrow)* along the obturator vessel *(arrowhead)*. An incisional hernia *(curved arrow)* is present in the anterior abdominal wall.

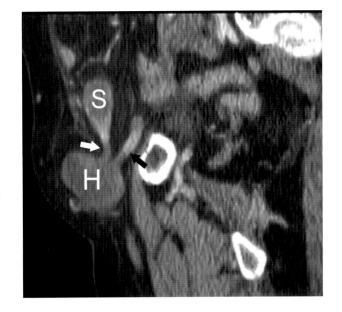

Fig. 16-14. Strangulated femoral hernia in a woman with small intestinal obstruction.

An oblique sagittal plane medial to the femoral artery reveals an obstructed segment of the small intestine *(H)* in the hernia sac with stenosis of the afferent *(white arrow)* and efferent segment *(black arrow)* and dilated small bowel *(S)* proximal to the hernia sac.

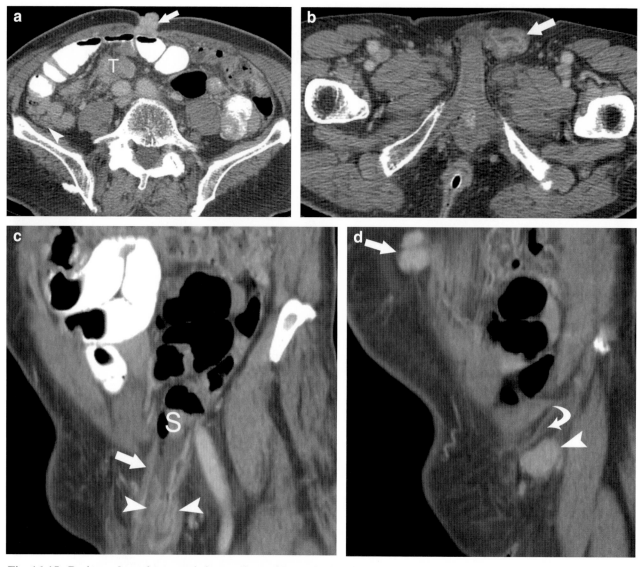

Fig. 16-15. **Peritoneal carcinomatosis in a patient with carcinoid of the ileum presenting with an umbilical metastasis (Sister Mary Joseph nodule) and metastasis in the left scrotum and left superficial inguinal nodal group.**

(a) Axial CT image reveals a metastatic nodule *(arrow)* at the umbilicus, known as the Sister Mary Joseph nodule. A metastatic node *(T)* is also identified in the ileal mesentery.

(b) Axial image at the groin shows a mass *(arrow)* in the left scrotum.

(c) An oblique coronal view through the left inguinal canal illustrates the sigmoid colon *(S)* and peritoneal metastasis *(arrowheads)* herniated into the canal *(arrow)* and the scrotum.

(d) Oblique sagittal plane demonstrates metastasis *(arrowhead)* at the left superficial inguinal node below the inguinal ligament *(curved arrow)* and the Sister Mary Joseph nodule *(arrow)* at the umbilicus.

▌직접 근접전파 Direct contiguous spread

골반의 복막외 공간은 주로 방광, 직장, 남녀 생식기관 등이 있는데, 이들은 골반벽을 싸는 근육 그룹과 근막, 복막외 지방, 혈관 신경 등으로 둘러싸여 있다. Meyers와 Goodman[18]이 처음 이 공간에서 생기는 양성질환과 종양들은 다음의 경로를 통해 골반 밖으로 퍼질수 있다고 기록하였다:[17-19]

- 이상근 상부의 대좌골공에서 둔부로
- 이상근 하부의 대좌골공에서 둔부로
- 좌골항문와*ischio-anal fossa*로 가는 소좌골공
- 폐쇄와와 대퇴로 가는 폐쇄관
- 복막과 음낭으로 가는 장골서혜관
- 서혜인대 밑에서 대퇴부로 가는 복막외 공간
- 배꼽과 전복벽의 요막관부착부위
- 좌골항문와와 회음부로 가는 거근*levator muscle* 의 복막 구멍

종양 – 특히 중간엽*mesenchymal* 과 신경조직에서 기원하는 종양들, 지방함유종양, 평활근육종*leiomyosarcoma* ,

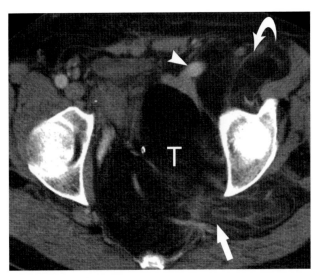

Fig. 16-16. Lipomatous tumor *(T)* in the extraperitoneal pelvis extends through the sciatic foramen *(arrow)* and to the thigh *(curved arrow)* behind the inguinal ligament and the femoral artery *(arrowhead)*.

solitary fibrous 종양, 신경육종 – 은 보통 팽창적으로 자라고 골반에만 국한되지 않는다. 다른 침투성 종양, 림프종, 농양 골반의 복막외에서 생긴 혈종같은 양성질환 들도 비슷하게 전파된다. 이들은 위에 언급한 경로로 골반 바깥으로 전이 가능하다(Figs. 16-16~20). 드물게 이 질

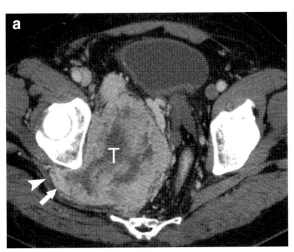
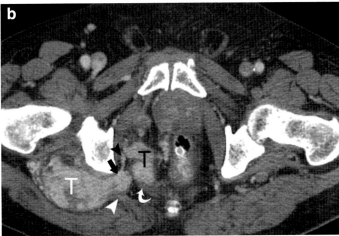

Fig. 16-17. Pelvic hemangiopericytoma growing outside the pelvis shown on axial, coronal, and sagittal planes.
(a) Axial CT of the pelvis at the level of the greater sciatic foramen demonstrates the tumor *(T)* in the extraperitoneal pelvis extending outside the pelvis *(arrow)* through the greater sciatic foramen along the sciatic nerve *(arrowhead)*.
(b) Axial CT at the level of the pubic symphysis identifies a small portion of the tumor exiting the lesser sciatic foramen *(black)* along with the internal pudendal vessel *(black arrowhead)* anterior to the sacrotuberous ligament *(white arrowhead)* into the ischio-anal fossa outside the levator ani muscle *(curved arrow)*. Black *T* refers to tumor in the pelvis and white *T* outside the pelvis.

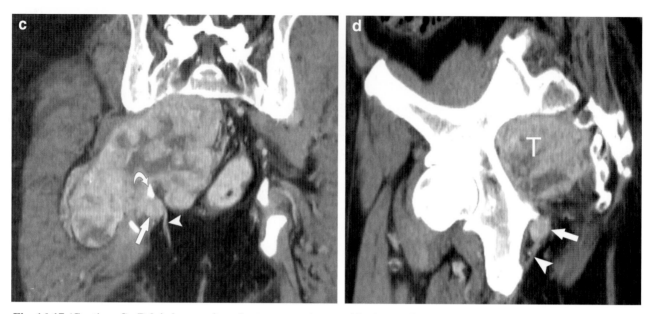

Fig. 16-17 *(Continued).* **Pelvic hemangiopericytoma growing outside the pelvis shown on axial, coronal and sagittal planes.**

(c) Coronal view through the greater sciatic foramen shows the tumor *(arrow)* protruding through the lesser sciatic foramen along the internal pudendal vessel *(arrowhead). Curved arrow* points to ischial spine.

(d) Oblique sagittal plane identifies the tumor *(arrow)* between the ischial spine and the sacrotuberous ligament *(arrowhead).*
T = tumor inside the pelvis.

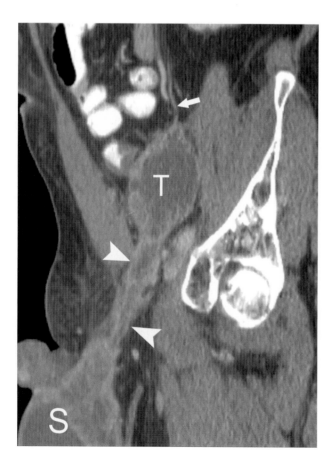

Fig. 16-18. Sarcoma *(T)* **of the left gonadal vein growing through the inguinal canal** *(arrowheads)* **into the scrotum** *(S).*

This is illustrated in an oblique sagittal plane.
Note the normal gonadal vein above the mass.

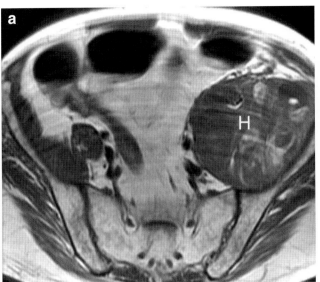

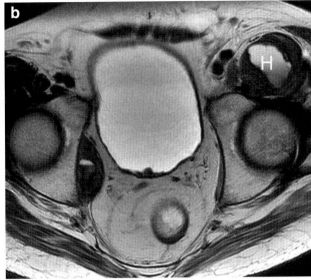

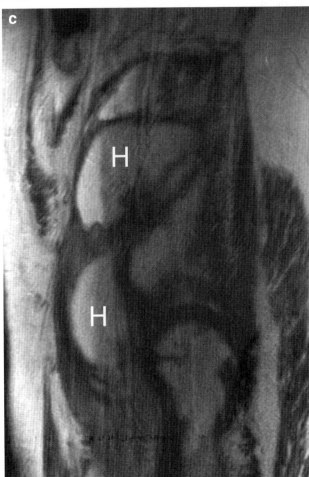

Fig. 16-19. **Extraperitoneal hemorrhage from anticoagulation therapy extending along the iliopsoas muscle to the left groin.**

(a) Axial, T1-weighted MR image shows a large hematoma *(H)* in the left iliac fossa.

(b) Axial, T2-weighted image demonstrates hematoma *(H)* extends along the psoas muscle to the left groin behind the inguinal ligament.

(c) Sagittal, T2-weighted image demonstrates the extension of hematoma *(H)* from the extraperitoneal pelvis to the groin and upper thigh.

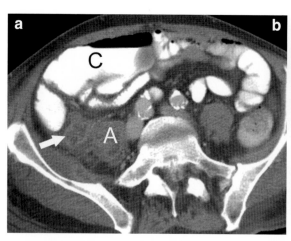
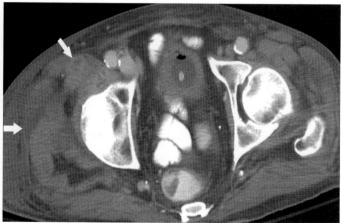

Fig. 16-20. Perforated appendicitis manifests as a right psoas abscess extending to the right thigh.
(a) CT at the level of the cecum *(C)* reveals the inflammatory mass of the appendix *(arrow)* with an abscess *(A)* of the right psoas muscle.
(b) The abscess extends along the iliopsoas muscle into the right thigh *(arrows)*.

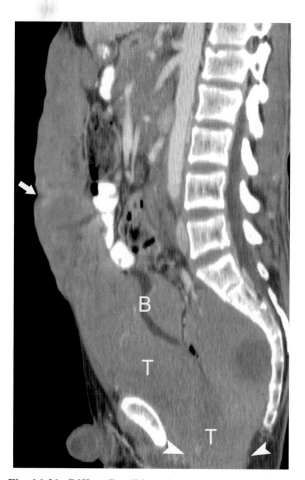

Fig. 16-21. Diffuse B-cell lymphoma (*T*) of the bladder (*B*) and rectum infiltrates the urachus into the anterior abdominal wall around the umbilicus (*arrow*) and to the perineum (*arrowheads*).

환들은 요막관*urachus*을 따라서 앞쪽으로 배꼽, 전복벽으로 전파될 수 있다(Fig. 16-21).

골반바닥은 세 그룹의 항문거상근 — 좌미골*ischiococcygeus*, 장미골*iliococcygeus*, 치미골*pubococcygeus*로 구성된다. 이들이 골반장기와 회음부*perineum*를 구분 지어주는 역할을 한다. 염증 진행과 침습적 종양들은 항문거상근의 복강구멍을 통하여 항문, 직장, 요도, 질을 따라가며 증식하거나(Fig. 16-21) 근육을 뚫거나 골반을 나와서 좌골항문와*ischio-anal fossa*와 회음부로 전파될 수 있다(Fig. 16-22).

◈ 참고문헌

1. Gatzoulis MA, Healy JC, Shah PL: Diaphragm and phrenic nerve. In Standring S (ed) Gray's Anatomy — The Anatomical Basis of Clinical Practice, 40th ed. Churchill Livingstone Elsevier, London, 2008, pp 1007-1012.

2. Oliphant M, Berne AS, Meyers MA: The subserous thoracoabdominal continuum: Embryologic basis and diagnostics imaging of disease spread. Abdom Imaging 1999; 24:211-219.

3. Eren S, Ciris F: Diaphragmatic hernia: Diagnostic approaches with review of the literature. Eur J Radiol 2005;54:448-459.

4. Mahon TG, Libshitz HI: Mediastinal metastases of infradiaphragmatic malignancies. Eur J Radiol 1992; 15:130-134.

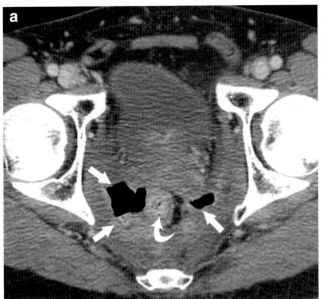

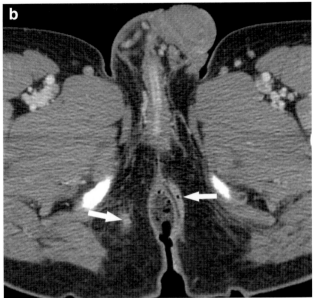

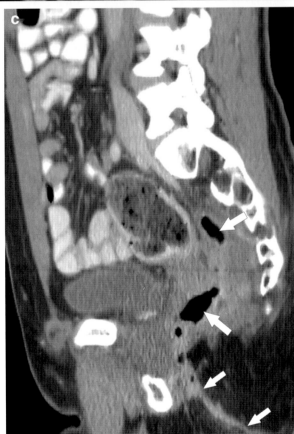

Fig. 16-22. Postoperative stricture after a low anterior resection for rectal cancer with anastomotic leak and fistulas to the perineum.

(a) CT of the pelvis demonstrates stricture *(curved arrow)* at the anastomotic site. Extraluminal air *(arrows)* and inflammatory changes are identified on both sides of the rectum.

(b) CT at the level of the anus reveals a fistula tracks *(arrows)* in the right ischio-anal fossa and left perianal region.

(c) Sagittal view illustrates air in the presacral space *(large arrows)* tracking through the levator muscle to the ischio-anal fossa and perineum *(small arrows).*

5. Iyer RB, Libshitz HI: Radiographic demonstration of intercostal lymphatics and lymph nodes. Lymphology 1995; 28:89-94.

6. Graham N, Libshitz HI: Cascade of metastatic colorectal carcinoma from the liver to the anterior diaphragmatic lymph nodes. Acad Radiol 1995; 2:282-285.

7. Suwatanapongched T, Gierada DS: CT of thoracic lymph nodes. Part I: Anatomy and drainage. Br J Radiol 2006; 79:922-928.

8. Borley NR, Healy JC: Anterior abdominal wall. In Standring S (ed) Gray's Anatomy − The Anatomical Basis of Clinical Practice, 40th ed. Churchill Livingstone Elsevier, London, 2008, pp 1055-1068.

9. Borley NR, Healy JC: True pelvis, pelvic floor and perineum. In Standring S (ed) Gray's Anatomy − The Anatomical Basis of Clinical Practice, 40th ed. Churchill Livingstone Elsevier, London, 2008, pp 1083-1098.

10. Mahadevan V, Healy JC, Lee J, Niranjan NS: Pelvic girdle, gluteal region and thigh. In Standring S (ed) Gray's Anatomy − The Anatomical Basis of Clinical Practice, 40th ed. Churchill Livingstone Elsevier, London, 2008, pp 1349-1385.

11. Losanoff JE, Richman BW, Jones JW: Obturator hernia. J Am Coil Surg 2002; 194:657-663.

12. Shadbolt CL, Heinze SBF, Dietrich RB: Imaging of groin masses: Inguinal anatomy and pathologic conditions revisited. RadioGraphics 2001; 21:S261-S271.

13. Aguirre DA, Santosa AC, Casola G, Sirlin CB: Abdominal wall hernias: Imaging features, complications, and diagnostic pitfalls at multidetector row CT. RadioGraphics 2005; 25:1501-1520.

14. Bhosale PR, Patnana M, Viswanathan C, Szklaruk J: The inguinal canal: Anatomy and imaging features of common and uncommon masses. RadioGraphics 2008; 28:819-835.

15. Tokunaga M, Shirabe K, Yamashita N, Hiki N, Yamaguchi T: Bowel obstruction due to sciatic hernia. Dig Surg 2008; 25:185-186.

16. Witney-Smith C, Undre S, Salter V, Al-Akraa M: An unusual case of a ureteric hernia into the sciatic foramen causing urinary sepsis: Successfully treated laparoscopically. Ann R Coil Surg Engi 2007; 89:1-3 (On-line case report).

17. Mahadevan V, Healy JC, Niranjan NS: Pelvic girdle and lower limb: Overview and surface anatomy. In Standring S (ed) Gray's Anatomy − The Anatomical Basis of Clinical Practice, 40th ed. Churchill Livingstone Elsevier, London, 2008, pp 1329-1347.

18. Meyers MA, Goodman KJ: Pathways of extrapelvic spread of disease: Anatomic-radiologic correlation. AJR 1975; 125:900-909.

19. Meyers MA: Dynamic Radiology of the Abdomen: Normal and Pathologic Anatomy, 4th ed. Chapter 12: Pathways of Extrapelvic Spread of Disease. Springer, New York, 1994, pp 549-559.

내헤르니아
Internal Abdominal Hernias

● ● ● ●

서론 Introduction

발생학과 해부학의 기본이 감염과 암의 전파 경로를 이해
하는데 중요한 것처럼 발생기전과 영상진단 기준은 복부
내헤르니아를 이해하는데 중요하다.

　내헤르니아*internal abdominal hernia*는 정상 또는 비정
상 열공을 통하여 장기가 복막강내로 튀어나가는 것으로
정의할 수 있다. 헤르니아의 입구는 Winslow 공과 같은
이미 존재하는 해부학적 구조물이거나 선천적 또는 후천
적 원인에 의한 병적 결손 모두가 가능하다.

　이 주제에 대한 문헌들은 대부분 증례보고들로 주로 수
술이나 부검에 의한 관찰로 구성되어 있다. 복부 내헤르
니아에 대한 수술 전 영상의학적 진단의 역할은 일반적으
로 정확히 평가받지 못하고 있다.[1-4] 사실 장폐색이나 드
문 형태로 모여 있는 장고리*bowel loop*에 대한 영상의학
적 감별진단으로, 뚜렷한 소견이나 정확한 인식 없이 자
주, 막연하게 내헤르니아가 고려되곤 한다. 그러나 해부
학적 특징과 장 죄임*entrapment*의 역학에 대한 인식만 가
지고 있다면 대부분의 경우에서 내헤르니아의 정확한 진
단이 가능하다.

　특정한 헤르니아의 명명은 관련된 장이나 헤르니아낭
의 위치에 의해서가 아니라 헤르니아 구멍*ring*의 위치에
의해 결정된다. 예를 들어, 소낭내의 내헤르니아는
Winslow 공 또는 횡행결장간막이나 소망의 결손 부위를
통해 다양한 방향으로부터 일어날 수 있다. 기원의 해부
학적 위치에 따라 내헤르니아는 편리하게 다음과 같이 분
류할 수 있다:

1. 십이지장 주위*Paraduodenal*
2. Winslow 공*Foramen of Winslow*
3. 맹장주위*Pericecal*
4. S자결장간*Intersigmoid*
5. 경장간막, 경대망, 경결장간막*Tansmesenteric, transo-
   mental, and transmesocolic*
6. 겸상인대*Falciform ligament*
7. 후문합부*Retroanastomotic*
8. 방광상와 와 골반*Supravesical and pelvic*

　내헤르니아의 대부분은 장회전과 복막 부착의 선천적
이상에서 비롯된다.[5-7] 수술이나 외상에 의한 복막이나
장간막의 후천적 결손이 헤르니아 구멍으로 쓰일 수 있
다.[8-10] 복막외 내헤르니아는 성인에서 보다 빈번히 발견
되는 반면, 경장간막 형태는 소아에서 보다 자주 볼 수 있
다.[5, 6, 11]

　내헤르니아의 부검 발생 수는 0.2%에서 0.9% 정도이
다.[5, 12] 많은 경우에서는 작고 쉽게 환원되어, 일생 동안
무증상으로 남아 있다.[13, 14] 그러나 일부 환자에서는 간헐
적으로 발생하는 애매한 명치부위 불편감이나, 배꼽주위
산통, 구역, 구토(특히, 과식 후) 그리고 반복적인 장폐색

이 나타난다. 불편감은 자세변화로 완화되거나 변할 수 있다. 내헤르니아는 장폐색의 0.5~3%에서 나타나며,[5, 15] 50% 이상의 높은 사망률을 보인다.[5, 10] 진단의 지연으로 종종 돌이킬 수 없는 장 손상을 일으킨다. 장루프*loops*간 또는 장과 탈장주머니간의 유착*adhesion*이 발생하고, 더 나아가 장폐색과 혈액순환 훼손*compromise*을 가져온다.[16]

Fig. 17-1은 다양한 발생가능 부위에 대한 내헤르니아의 상대적 빈도를 요약한 것이다. 바륨조영술은 최근 자주 사용되진 않지만, 해부학적 연관성을 명확하게 보여준다.[17-23] 컴퓨터단층촬영(CT)의 확산으로 내헤르니아는 보다 자주 수술 전에 진단된다. 일반적으로 가장 유용한 진단 특징들은, (a) 소장의 비정상적인 위치와 불안한*disturbed* 배치, (b) 탈장낭내의 피막형성에 의한 소장루프의

밀집*crowding*과 주머니 형성*sacculation*, (c) 부분적 확장과 탈장된 루프의 정체 등이다.

작은 내헤르니아는 영상의학적 진단 없이는 다양한 이유로 개복술에서 분명하지 않을 수 있다: 헤르니아는 자발적으로 또는 수술 중 의도하지 않은 견인에 의해 환원될 수 있다. 일반적인 탐색적 개복술은 종종 탈장의 가능성 있는 장간막 결손과 모든 의미 있는 복막의 오목*fossae*한 부위를 살펴보는데 한계가 있으며, 복막오목의 잠재적 공간은 일반적으로 그 입구의 크기가 상대적으로 작아 불분명하다.[14, 16, 24]

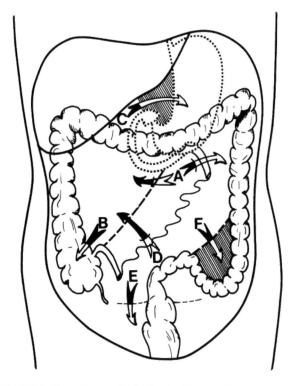

Fig. 17-1. Location and relative incidence of internal hernias according to the collective review by Hansmann and Morton.[23]
(A) paraduodenal hernias, 53%; *(B)* pericecal hernias, 13%; *(C)* foramen of Winslow hernias, 8%; *(D)* transmesenteric hernias, 8%; *(E)* hernias into pelvic structures, 7%; *(F)* transmesosigmoid hernias, 6%.
(Reproduced with permission from Ghahremani GG, Meyers.[13])

십이지장주위 헤르니아 Paraduodenal Hernias

십이지장주위 헤르니아는 내헤르니아 중 가장 흔한 형태로, 보고된 증례의 절반 이상을 차지한다. 대부분 선척적이며, 기원은 중장*midgut*의 태생기 회전과 복막고정시 변형, 그리고 혈관주름*vascular folds*과 연관되어 대장의 장간막 하부로 소장이 포획*entrapment*된 것을 말한다.[7, 25, 26] 반복적인 장관의 포획은 복막 결손의 크기를 증가시켜 대부분 소장이 탈장될 수 있다. 75%가 좌측에, 25%가 우측에 발생한다.[5, 14]

▌해부학적 고려 Anatomic Considerations

: 좌측 십이지장주위 헤르니아 Left Paraduodenal Hernias

기본적으로 9개의 정상과 비정상 십이지장주위 주름과 오목이 알려져 있음에도 불구하고,[27] 좌측 십이지장주위 헤르니아로 발전가능성이 있는 것은 십이지장주위 오목*paraduodenal fossa*(fossa of Landzert)뿐이다(Fig. 17-2).[28] 이 오목은 부검상 약 2%에서 발견되며, 상행 또는 제 4십이지장의 좌측으로부터 얼마간의 거리에 위치하며, 오목의 외측을 따라 상부로 진행하는 하장간막정맥*inferior mesenteric vein*에 의해 형성된 복막주름의 융기에 의해 발생한다. 소장은 입구를 통해 뒤쪽, 좌측하방, 상행 십이지장의 외측으로 탈장되어 하행결장간막과 횡행결장간막의 좌측 부위까지 확장될 수 있다. 따라서 탈장의 자유

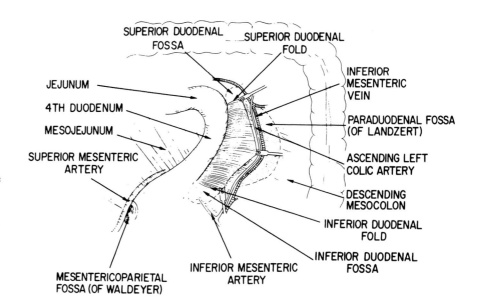

Fig. 17-2. The paraduodenal fossa of Landzert and the mesentericoparietal fossa of Waldeyer.
The transverse colon and meso-colon have been elevated and the proximal jejunal loop defected medially in order to identify the fossae clearly. Behind the fossae lie the parietal peritoneum and retroperitoneal organs.
(Reproduced with permission from Meyers.[32])

변연은 하장간막정맥과 상행좌결장동맥을 포함한다. 헤르니아 입구는 십이지장주위에 위치해 있지만, 탈장된 루프는 멀리, 정확히 표현하여 하행결장간막에 위치한다는 이해만 있다면 혼동을 최소화할 수 있다(Fig. 17-3).[25]

탈장은 단지 소수의 루프만 포함하여 자발적으로 회복될 수도 있다. 무증상 시기 동안의 영상검사는 위음성으로 나올 수 있다. 수입각*afferent loop*은 본래 십이지장이 나오는 고정된 후복막부위의 하방 탈장낭으로 들어가기 때문에 단지 수출각만이 헤르니아 입구를 통과해 지나간다.

: 우측 십이지장주위 헤르니아 Right Paraduodenal Hernias

장간막벽측 오목*mesentericoparietal fossa* (fossa of Waldeyer)[29]은 공장장 간막내, 상장간막동맥의 바로 위, 횡행십이지장의 아래에 위치한다(Figs. 17-2, 17-4). 오목의 입구는 왼쪽을 보고 있으며, blind extremity는 우측 하방의 후 벽측복막의 바로 앞에 위치한다. 이 오목은 1%의 사람에서 존재한다.[16] 우측 십이지장주위 헤르니아는 대부분 장간막벽측 오목과 관계되며(Fig. 17-5), 소장이 상행결장간막과 우측 절반의 횡행결장간막의 후방으로 빠져 들어가는 경우인데, 정확히 말해 소장이 상행결장간막으로 이탈하게 된다. 상장간막동맥 회결장동맥은 낭의 자유변이 된다. 수출각*efferent loop*과 수입각*afferent loop* 모

두 헤르니아 입구를 통과하기 때문에,[7, 25] 우측 십이지장주위 헤르니아는 일반적으로 좌측 십이지장주위 헤르니아에 비하여 광범위하며 고정된 경우가 흔하다.[13, 14]

■ 임상 양상 Clinical Features

십이지장주위 헤르니아의 임상양상은 만성적 혹은 간헐적 소화장애부터 급성 장폐색, 괴저, 복막염까지 다양하다.[14, 30] 어릴 때부터 잦은 소화장애, 주기적 복통, 구토, 경련, 복부팽창을 호소한 경험이 있다. 식후 복통은 특징적인 증상이며, 체위의 변경으로 호전되는 특징을 가지고 있다. 장폐색이 흔하여 중증도의 복부팽창을 흔히 동반한다. 좌측 헤르니아낭에 의한 하장간막정맥의 압박은 혈관 폐색을 유발하여 치질, 전복부정맥*anterior abdominal vein*의 확장, 정맥울혈, 장 경색을 유발한다.[31]

■ 영상소견 Imaging Features

수술 전 십이지장주위 헤르니아의 진단은 영상의학적 검사에 의해서만 가능하다. 증상이 있을 때 검사를 하는 것이 가장 성과가 좋다. 반복적인 헤르니아의 사이에 검사를 시행하면 정상이거나 장 유착에 의한 경미한 확장, 정체, 장 점막부종으로 오인하게 된다. 정성들인 연속 영상

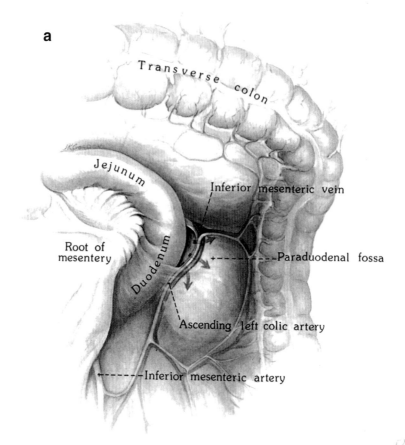

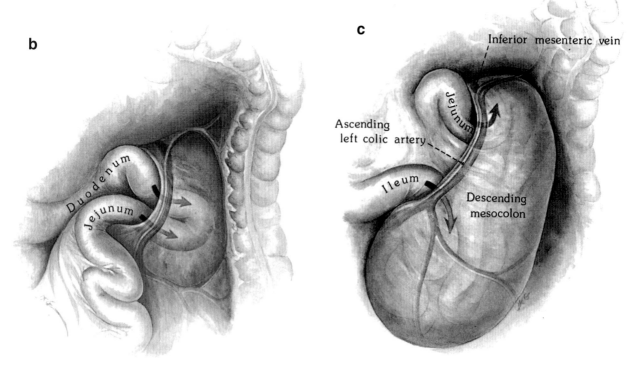

Fig. 17-3. Development of a left paraduodenal hernia.

(a–c) The small bowel loops herniate via the fossa of Landzert into the descending mesocolon. Note the position of the inferior mesenteric vein and ascending left colic artery in the anterior margin of the neck of the sac.

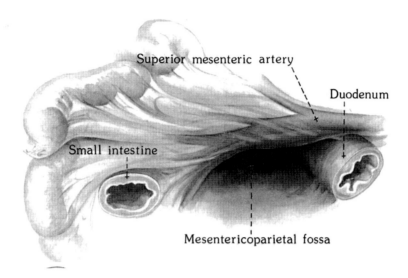

Fig. 17-4. Lateral drawing of the mesentericoparietal fossa of Waldeyer showing its position behind the superior mesenteric artery and small bowel mesentery.

Note also its infraduodenal position.

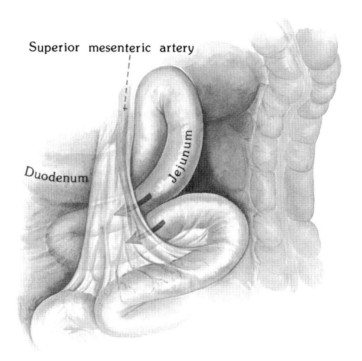

Fig. 17-5. Development of a right paraduodenal hernia via the fossa of Waldeyer toward the ascending mesocolon.

Note the position of the superior mesenteric artery anterior to the hernia and in the leading edge of the sac.

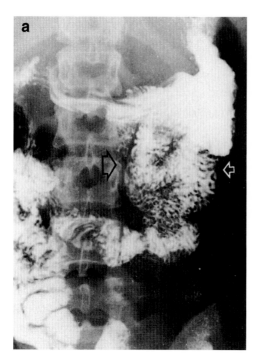 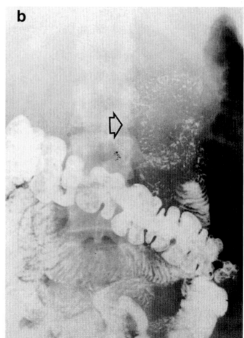

Fig. 17-6. Small left paraduodenal hernia.
(a) Small bowel series shows a circumscribed ovoid mass of herniated jejunal loops immediately lateral to the ascending duodenum *(arrows)*.
(b) Two-hour film demonstrates stasis of barium within these loops *(arrows)* and depression of the distal transverse colon. At surgery, the hernial sac contained only a couple feet of jejunum. This was readily reduced, and the peritoneal defect was repaired.
(Reproduced with permission from Meyers.[14])

이 진단에 중요하다.

작은 좌측 십이지장주위 헤르니아(Fig. 17-6)는 좌상복부에서 상행십이지장 측면부에서 주로는 공장 루프로 경계 지워지는 종괴로 보인다. 이탈한 장루프는 원위부 횡행결장을 누르고, 위장의 후벽을 들어가게 만든다. 이탈된 장내에서 바륨의 정체와 경미한 십이지장 확장이 연관된 소견이다. 작은 우측 십이지장주위 헤르니아는 하행십이장의 측면과 하방으로 유사한 소장의 군집을 만들기도 한다(Fig. 17-7).

큰 십이지장주위 헤르니아는 대부분의 소장을 포함한다. 이들 소장은 경계가 좋은 난형 종괴를 형성하며 중심축은 측면부에서 정중앙을 향하고 하측면은 아래로 볼록한 형태를 보인다(Fig. 17-8). 헤르니아낭의 파막형성은 각각의 소장루프의 분리와 이동을 방해한다. 조영제의 정체와 이탈한 소장의 확장이 진단에 도움이 된다. 헤르니아의 입구에서 좌측 십이지장주위 헤르니아의 수출각의

굵기의 급격한 변화를 보인다. 그러나 우측 십이지장주위 헤르니아의 경우 수출각과 수입각 모두 가까이 붙어있으면서 좁아져 있다. 후복막강으로 이동되어 있는 헤르니아 구조물의 진단에는 척추위로 투영된 소장루프를 볼 수 있는 측면 영상이 유용하다.[14, 16] 바륨관장과 CT에서는 하행결장이 좌측전방이나, 좌측 십이지장주위 헤르니아의 후측에서 보인다. 상행결장은 언제나 우측 십이지장주위 헤르니아의 측면에 위치한다. 그러나 맹장은 정상위치에 있다.[14]

십이지장주위 헤르니아의 목부위 앞에 위치한 장간막 혈관*mesenteric vessel*은 발생학적, 수술적, 영상의학적으로 중요하다. 헤르니아에는 장과, 그들의 장간막과 혈관들도 함께 있다. 혈관조영술은 이들 혈관을 보여주는데, 특히 소장으로 가는 분지 혈관의 위치는 십이지장주위 헤르니아의 영상학적 진단에 중요하다.[14, 32]

우측 십이지장주위 헤르니아의 경우, 정상 공장동맥은

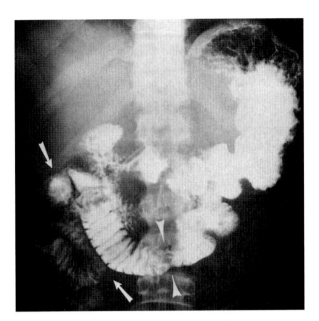

Fig. 17-7. Small right paraduodenal hernia.

A circumscribed grouping of jejunal loops *(arrows)* has herniated into the ascending mesocolon and the right portion of the transverse mesocolon. The dilated afferent jejunal limb shows a localized constriction *(arrowheads)* at the hernial orifice behind the superior mesenteric artery.

(Reproduced with permission from Ghahremani and Meyers.[85])

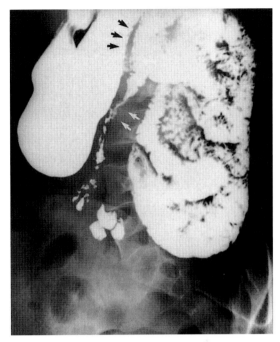

Fig. 17-8. Large left paraduodenal hernia.

Upper GI series (LAO position) shows an encapsulated cluster of multiple small bowel loops in the fossa of Landzert, with a mild impression upon the posterior wall of the stomach *(black arrows)*. A typically tapered efferent limb is demonstrated *(white arrows)*.

(Reproduced with permission from Schlaffer et al.[86])

상장간막동맥의 좌측에서 기시하나 Waldeyer 오목 *Waldeyer fossa* 에 있는 이탈한 공장의 혈액공급을 위해 역으로 상장간막동맥의 뒤로 주행하는 것을 볼 수 있다(Fig. 17-9b, c).

좌측 십이지장주위 헤르니아의 경우, 근위부 공장동맥은 헤르니아의 입구의 내측경계를 따라 급격한 변화를 보이며, 하장간막혈관의 후방으로 이탈한 장을 따라 주행한다(Fig. 17-10). 이러한 동맥들의 변화점을 연결하면 헤르니아 입구의 내측경계를 알 수 있고, 이 부위를 지나서 이탈한 소장들이 위치한다.[14, 32]

좌측 십이지장주위 헤르니아의 CT 소견은, (a) 십이지장공장 접합부나, 위장과 췌장 사이, 하행결장의 후방에서 소장의 피막형성, (b) 이탈한 소장의 확장과 공기-액체 층 형성, (c) 수출각의 협착 등이 있다(Figs. 17-11~13)[33, 34]. 비록 이탈한 소장에 의한 이동이 있더라도 정상적인 혈관의 상호 관계는 유용한 랜드마크이다.

우측 십이지장주위 헤르니아의 주요 CT 소견은, (a) 상장막혈관의 분지인 공장혈관들이 우측 후방으로 루프를 형성한다. (b) 소장들이 우측 가운데 복강에서 군집과 피막을 형성한다(Figs. 17-14~16). 만약 헤르니아가 소장의 회전이상과 관련된 경우 두 가지 CT 소견이 보이는데, (a) 상장간막정맥이 정상보다 좀 더 상장간막동맥의 좌측과 복측으로 회전하며,[15-37] (b) 정상 수평 십이지장이 소실된다. 이러한 혈관의 변화는 회전이상에 동반된 장염전과 감별이 필요하다. 특징적인 소장 장염전의 CT 소견은 소용돌이 징후인데, 이는 소장과 장간막이 상장간막 혈관을 둘러싼 형태를 말한다(Fig. 17-17).[38-41]

전형적인 혈관의 변화는 초음파 검사로도 쉽게 볼 수 있으며, 혈관 조영술에서 상장간막 동맥이 마치 이발소 간판 기둥형태로 회전하는 것을 볼 수 있다(Fig. 17-18).[41]

드문 발달 이상인 복막 피막형성의 경우 고정된 확장되지 않은 장이 섬세한 막이 둘러싸게 되는데, 이 경우 혈관들의 관계는 정상을 유지한다.[44]

특징적인 양측 십이지장주위 헤르니아의 증례보고도 있다(Fig. 17-19).[45]

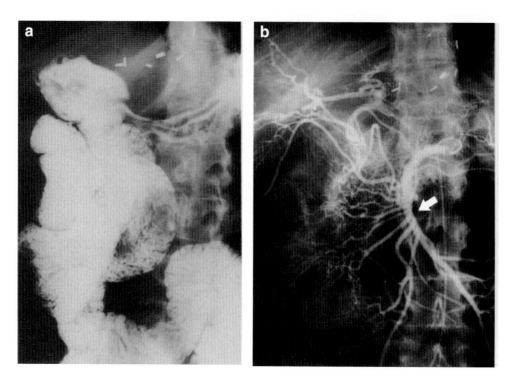

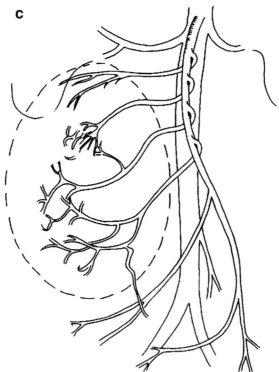

Fig. 17-9. Large right paraduodenal hernia.

(a) An ovoid grouping of jejunal loops in the right mid-abdomen resides within a hernial sac.

(b) Selective superior mesenteric arteriogram. The jejunal branches originate normally from the left side but abruptly change their direction *(arrow)* behind and toward the right of the parent vessel to accompany the herniated jejunal loops. (Courtesy of Gary Ghahremani, MD.)

(c) Diagram of the course of jejunal arteries accompanying the herniation via the mesentericoparietal fossa.

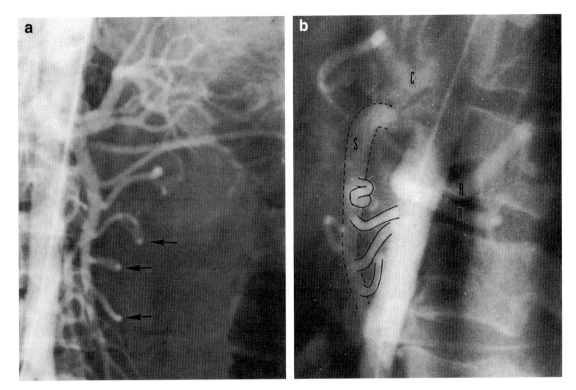

Fig. 17-10. Left Paraduodenal hernia.

(**a** and **b**) Aortogram shows that the upper jejunal arteries are redirected medially and posteriorly just beyond their origins from the superior mesenteric artery *(arrows)*. This characteristic reversal of their course indicates the posteromedial border of the hernial orifice, beyond which the intestinal loops herniate.

(Reproduced with permission from Meyers.[12])

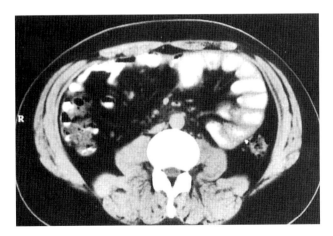

Fig. 17-11. CT findings in small left paraduodenal hernia.

CT reveals a horseshoe appearance of an encapsulated bowel loop within a well-defined hernial sac. Some stasis is evident. The jejunal vessels are sharply deviated to the left to accompany theherniated loops and radiate inside the hernial sac to accompany them.

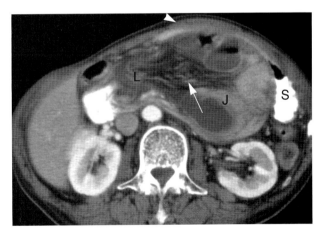

Fig. 17-12. Left paraduodenal hernia: CT findings.

Engorged mesenteric vessels *(arrow)* stream through a widened fossa of Landzerl *(L)* to herniated jejunal loops *(J)*. The inferior mesenteric vein *(arrowhead)*, a landmark for the inferior mesocolon, is located at the anteromedial border of the sac. *S* = stomach.

(Reproduced with permission from Takeyama et al.[20])

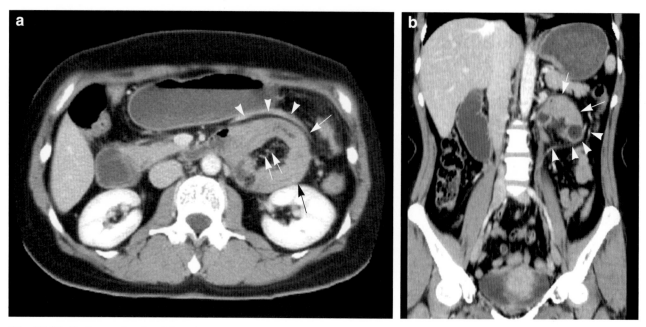

Fig. 17-13. Left paraduodenal hernia.

(a) Axial and **(b)** coronal postcontrast CT scans show an encapsulated bowed loop *(large arrows)* in the left paraduodenal fossa. The inferior mesenteric vein *(arrowheads)* is displaced anterolaterally and joins the superior mesenteric vein through the root of the small bowel mesentery. Note the mesenteric fat and the jejunal vein *(small arrows)* within the bowel loop. (Reproduced with permission from Okino et al.[87])

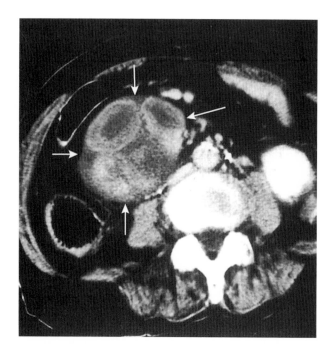

Fig. 17-14. Right paraduodenal hernia: CT findings.

CT demonstrates a saclike collection of dilated intestinal loops with thickened walls, entrapped within the right paraduodenal fossa.

(Courtesy of Sakae Nagaoka, MD, Takeshi Arita, MD, and Naofumi Matsunaga, MD, Japan.)

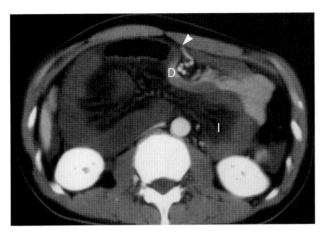

Fig. 17-15. Right paraduodenal hernia.

CT scan shows encapsulated fluid-filled jejunal and proximal ileal loops *(I)* herniated through the fossa of Waldeyer which is located behind the superior mesenteric artery *(arrowhead)* just below the transverse portion of the duodenum *(D)*. Dilated and converging vessels are seen in the mesentery. At surgery, the fossa of Waldeyer was 10 cm in diameter and there were 350 cm of strangulated small intestine. (Reproduced with permission from Takeyama et al.[20])

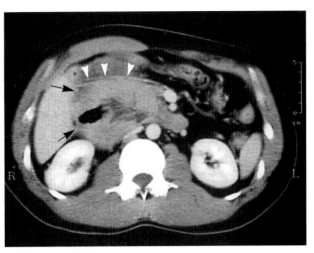

Fig. 17-16. Right paraduodenal hernia.

Postcontrast CT scan shows an encapsulated proximal jejunal bowel loop *(arrows)* in the fossa of Waldeyer. The right colic vein *(arrowheads)* is displaced anteriorly by the bowel loop. (Reproduced with permission from Okino et al.[87])

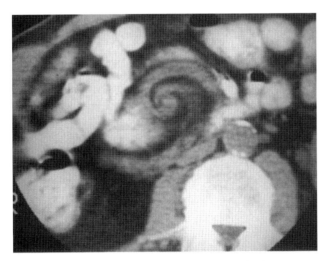

Fig. 17-17. The whirl sign of small bowel volvulus.

CT demonstrates a whirling appearance in which small bowel loops, mesenteric folds, and intestinal branches encircle the superior mesenteric artery and vein. Surgery revealed a 360° volvulus of the ileum. (Reproduced with permission from Izes at al.[41])

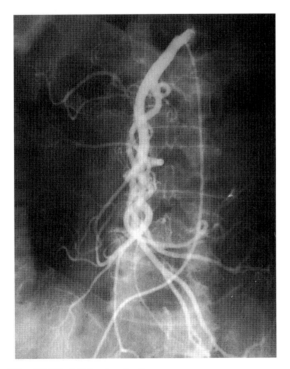

Fig. 17-18. Midgut volvulus.

Selective superior mesenteric arteriogram demonstrates a twirled appearance of the superior mesenteric artery. (Reproduced with permission from Izes et al.[41])

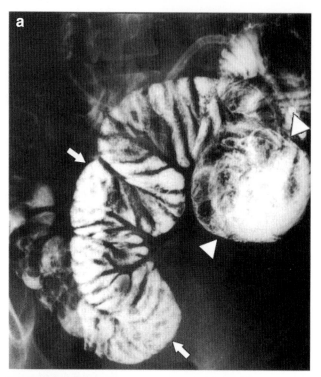

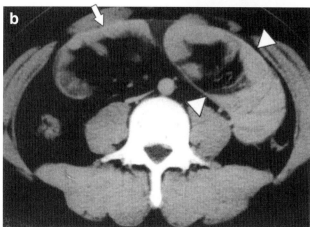

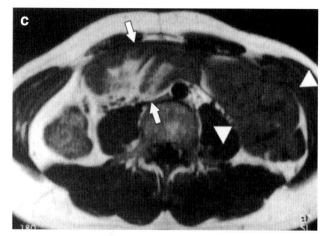

Fig. 17-19. Bilateral paraduodenal hernias.

(a) Oblique projection from a small bowel series demonstrates a large right *(arrows)* and small left *(arrowheads)* circumscribed, ovoid cluster of small intestine. The individual loops could not be separated from this mass with compression.

(b) CT after the administration of intravenous contrast and **(c)** axial T1-weighted MR image demonstrate right *(arrows)* and left *(arrowheads)* circumscribed groups of dilated small bowel loops. On CT, the hernial sacs clearly enhance. These hernias are fixed to the retroperitoneum and are often adhered to the hernia sac.

(Reproduced with permission from Oriuchi et al.[45])

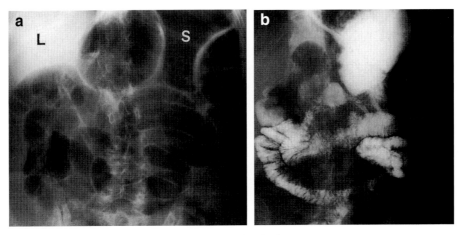

Fig. 17-20. Cecal herniation through the foramen of Winslow.
(a) Supine abdominal film shows marked dilatation of the small bowel. An abnormal collection of gas is seen in the lesser peritoneal sac between the liver *(L)* and the stomach *(S)*.
(b) Upper GI series reveals displacement of the stomach and the first and second parts of the duodenum to the left. There is less gas in the small intestine and within the lesser sac owing to partial spontaneous reduction of the hernia.
(Reproduced with permission from Henisz et al.[51])

Winslow 공 헤르니아
Internal Hernias Through the Foramen of Winslow

복막강*peritoneal cavity*은 소낭*lesser peritoneal sac* (omental bursa)과 Winslow 공을 통하여 교통하고 있다. 이 잠재적인 구멍은 소망의 자유경계면의 아래, 십이지장 팽대의 위, 간의 심부에 위치하며 일반적으로 한 두 개의 손가락이 통과할 정도의 굵기이다. 성장하면서 일반적으로 전후 경계가 만나게 된다. 이 구멍은 앉은 자세에서 상체를 구부렸을 때 어느 정도 열리게 된다.[46] 망낭*omental bursa*의 앞으로 위와 소망*lesser omentum*, 위결장인대*gastrocolic ligament*가 있으며, 복벽의 뒤에 위치한다. Winslow 공 헤르니아는 모든 내헤르니아의 8%를 차지한다.[5, 23] 소장만 이탈하는 경우가 60~70%, 소장의 말단부, 맹장, 상행결장이 이탈하는 경우가 25~30%이다. 그 외의 장기로 횡행결장, 망, 담낭 등이 간혹 이탈한다.[5, 47]

선행 인자로 긴 장간막, 남아있는 상행결장간막, 장 움직임의 증가와 구멍의 확장 등이 있다.[48] 분만, 힘주기, 과식 등 복압이 변화할 경우 간우엽이 길게 늘어나 내장을 Winslow 공으로 이동하게 하여 이탈을 조장하기도 한다.[46, 49] 증상은 일반적으로 급성 통증과 장폐색의 증상을 동반한다. 상체를 전방으로 구부리거나, 무릎가슴자세*knee-chest position*를 하면 통증이 완화되기도 한다.[46] 이탈한 대장에 의해 총담관의 압력과 팽창으로 담낭의 확장[50]과 황달이 드물게 발생한다.[46]

특징적인 단순촬영 소견으로 상복부, 위장의 내후측으로 공기를 함유한 장들이 한 곳에 모여있으며, 기계적 장폐색을 유발하기도 한다(Fig. 17-20). 소낭에 공기가 생길 수 있는 다른 경우인 소화성 궤양의 천공, 농양 등과는 점막의 양상과 이탈한 장내의 액체 층으로 구별이 가능하다.

액체층은 소망내 공간의 해부학적 오목과 정확히 일치하지는 않지만, 만일 대장이 이탈했다면 하나의, 소장의 경우 여러 개의 공기-액체 층이 보인다. 일반적으로 확장된 소장루프는 복부 전체에 걸쳐서 보이는 경우가 많다. 맹장과 상행결장이 이탈한 경우, 우측 장골와가 비어 보이며,[51, 52] 윤상주름대신 하우스트라간 격막이 이탈한 장내에서 보인다(Fig. 17-21). 소장 분절이 이탈한 경우 종종 구멍을 지나 결장의 간굴곡부의 앞으로 진행하여 보인다. 이 곳을 압박하여 상행결장과 맹장의 확장을 유발하기도 한다.

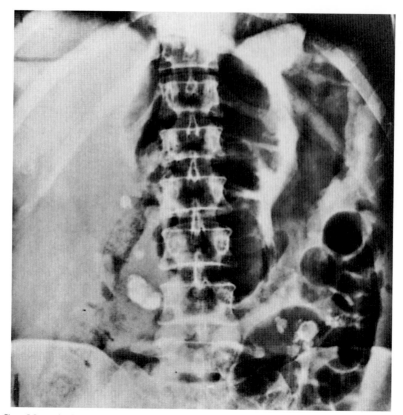

Fig. 17-21. Cecal herniation through the foramen of Winslow.
Plain film demonstrates gas-containing cecum with identifiable interhaustral septa within the lesser sac, displacing the stomach toward the left.

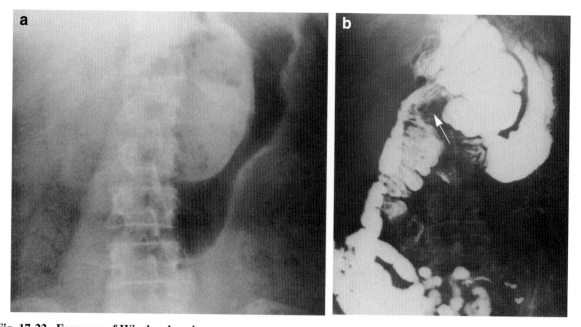

Fig. 17-22. Foramen of Winslow hernia.
(a) Plain film shows mottled gas density consistent with large bowel impressing upon the lesser curvature of the stomach.
(b) Small bowel follow-through confirms herniation of the cecum and ascending colon into the lesser sac. Note the compression of the ascending colon at the foramen of Winslow *(arrow)*. The stomach is displaced to the left.
(Reproduced with permission from Goldberger and Berk.[54])

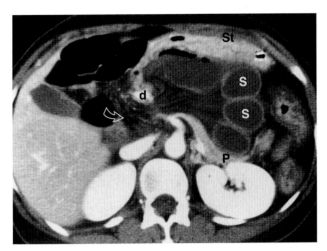

Fig. 17-23. Strangulated lesser sac hernia.
Dynamic contrast-enhanced CT demonstrates multiple dilated, fluid-filled loops of small intestine *(S)* in the lesser sac, between the stomach *(St)* and pancreas *(P)*. The entrance of the mesenteric vascular pedicle with mesenteric fat is seen at the widened foramen of Winslow *(arrow)* behind the duodenum *(d)*. Mesenteric edema and a small amount of lesser sac ascites are present.
(Courtesy of Jay Heiken, MD, Mallinckrodt Institute of Radiology, St. Louis, MO.)

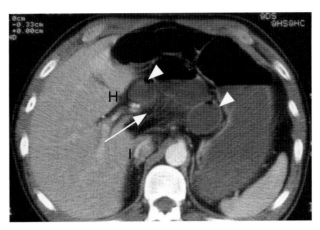

Fig. 17-24. Foramen of Winslow hernia.
Contrast-enhanced CT scan shows the cluster of dilated ileal loops *(arrowheads)* in the lesser sac. There are stretched and converging mesenteric vessels *(arrow)* between the portal vein in the hepatoduodenal ligament *(H)* and the inferior vena cava *(I)*.
(Reproduced with permission from Takeyama et al.[20])

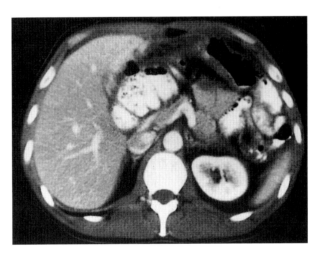

Fig. 17-25. Cecal herniation through the foramen of Winslow.
CT shows the opacified cecum in the lesser sac, between the liver, stomach, and pancreas.

바륨 검사로 쉽게 진단할 수 있다.[46, 49, 53] 위장은 특징적으로 전방 좌측으로 이동하고, 제 1, 제 2부위의 십이지장은 왼쪽으로 이동하게 된다(Fig. 17-22).[51] 소장 검사는 장폐쇄 부위가 십이지장 팽대부와 간문부 사이 Winslow 공과 일치함을 보여준다. 바륨관장 검사는 맹장과 상행결장이 이탈한 경우, 늘어난 장이 간굴곡부 주위에서 줄어드는 것을 보여준다(Fig. 17-22).[46, 49, 52, 54] 소장만 단독으로 이탈한 경우, 이탈한 소장의 장간막이 당겨져 횡행결장에서 역행성 흐름이 막힘을 볼 수 있다.[46, 53]

CT는 해부학적 지표를 명확하게 보여주며(Figs. 17-23 ~26), Winslow 공 주위에서 장과 장간막의 변화를 보여준다. 이러한 CT 소견은 성인에서 횡행결장이 위장의 후방으로 주행하는 드문 해부학적 변이와의 감별을 쉽게 한다.[55] 만약 위결장망과 위간망의 결손이 동반되어 이탈한 장루프가 복막강으로 다시 들어간 경우 영상의학적 진단은 어려워진다.[46]

그외 소낭으로 들어가는 드문 구조로 횡행결장간막, 위결장망과 위간망이 있다.[57]

맹장주위 헤르니아 Pericecal Hernias

회맹장주위 네 곳의 복막이 오목한 부위와 선천적, 또는 후천적 맹장과 충수돌기 장간막의 결손은 맹장주위 헤르니아를 유발한다.[7, 58] 이들 헤르니아를 분류하기 위해 다양한 용어(회결장, 맹장뒤, 회막창자, 맹장주위)가 사용되

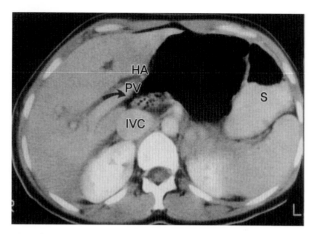

Fig. 17-26. Cecal herniation through the foramen of Winslow.

CT at the level of the celiac axis shows a collection of air in the lesser sac displacing the stomach *(S)* anteriorly and laterally. The collection has a beaklike projection *(arrow)* extending anterior to the inferior vena cava *(IVC)* and posterior to the portal vein *(PV)* and hepatic artery *(HA)*. This tapered bowel loop is precisely at the foramen of Winslow. (Reproduced with permission from Wojtasek et al.[88])

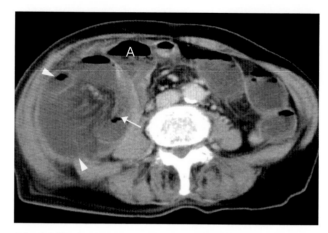

Fig. 17-27. Pericecal hernia through the retrocecal recess.

Contrast-enhanced CT scan of the mid-abdomen demonstrates a cluster of encapsulated small bowel loops *(arrowheads)* in the lateral aspect of the right paracolic gutter and behind the ascending colon *(A)*. Dilated and stretched mesenteric vessels *(arrow)* are seen within the cluster. At surgery, 230 cm of gangrenous jejunum and ileum, which were herniated through the retrocecal recess, were resected.
(Reproduced with permission from Takeyama et al.[20])

는 것은 영상의학적 감별과 수술적 치료에서 유사함을 말해준다.[13] Hansmann과 Morton이 167증례의 내헤르니아를 분석한 결과 13%가 회맹장주위에서 발생했다.[23] 임상 양상은 일반적으로 간헐적인 우하복부 통증, 압통, 소장 확장, 오심, 구토 등이다. 만성 감돈증*incarceration* 의 경우 충수돌기 주위 농양, Crohn's 병, 유착에 의한 장폐색과 유사한 증상을 호소한다.[7] 대부분의 경우 회장이 맹장의 장간막결손부위로 이탈하여 부대장홈*paracolic gutter* 에 위치하는 것을 볼 수 있다. CT는 쉽게 진단할 수 있다 (Figs. 17-27~29).

● ● ●

S자결장간 헤르니아 Intersigmoid Hernias

S자결장간 오목한 부위는 S자결장과 장간막이 두 장루프 사이에서 복막와를 형성하여 만들게 된다. 이 주머니는 부검에서 65% 발견되며, S자결장간 헤르니아를 유발한다.[7, 13, 15] 이는 일반적으로 일부 소장을 함유한 환원 가능한 탈장으로 감돈증은 드물다(Fig. 17-30).

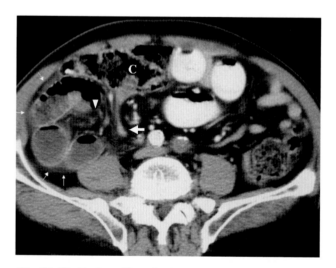

Fig. 17-28. Pericecal hernia through the retrocecal recess.

Contrast-enhanced CT shows a saclike mass of unopacified dilated small bowel loops with the small bowel feces sign *(small white arrows)* and mesenteric vessels converging toward its orifice *(arrowhead)*. The sac is interposed between the anteromedially displaced cecum *(C)* with the entrance of the terminal ileum *(thick white arrow)* and the lateral abdominal wall. Proximal dilated opacified loops are seen. At surgery, 60 cm of viable jejunum incarcerated behind the cecum was reduced, and the hernia orifice was sutured.
(Reproduced with permission from Zissin et al.[22])

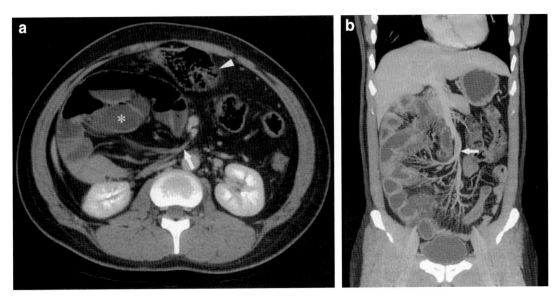

Fig. 17-29. Pericecal hernia.

(a) Contrast-enhanced axial CT scan at the renal pelvis level shows clustering of ilial loops (*) with abnormal course of mesenteric vessels *(arrow)* through the pericecal fossa. The ascending colon *(arrowhead)* is displaced medially.
(b) Reformed coronal CT scan shows abnormal disposition of mesenteric vessels *(arrow)*. Pericecal hernia was confirmed at surgery. The herniated ileal loops were reduced and the redundant peritoneum was resected. (Reproduced with permission from Fu et al.[89])

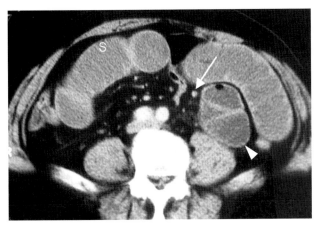

Fig. 17-30. Intersigmoid hernia.

Contrast-enhanced CT shows multiple dilated small bowel loops *(S)*. A dilated inferior mesenteric vein *(arrow)* appears as a landmark on the edge of the inferior mesentery. A sac-like mass of incarcerated jejunal loops *(arrowhead)* is located anterior to the left psoas muscle. At surgery, 20 cm of jejunum was herniated through a 3 cm defect in the anterior layer of the left side of the sigmoid mesocolon. (Reproduced with permission from Takeyama et al.[20])

두 가지의 유사하지만 드문 질환은 장간막의 한 쪽면만의 결손으로 탈장낭을 형성하게 되는 S자결장간막내 헤르니아*intrasigmoid hernia*와 횡S자결장간막 헤르니아 *transmesosigmoid hernia*로 이는 S자결장간막의 양쪽에 큰 결손이 발생하여 좌하복부 S자결장의 후측으로 소장이 탈장하는 경우이다.[15, 19] 이들 세 가지 S자결장간막과 관련된 탈장은 종종 영상의학적 감별이 힘든 경우가 있으며, 종류에 관계 없이 수술적 치료는 동일하다.

경장간막, 경대망, 경결장간막 헤르니아
Transmesneteric, Transomental, and Transmesocolic Hernias

내헤르니아의 5~10%를 차지하며 소장장간막의 결손으로 발생한다.[10, 23] 출생 전 장의 허혈성 병변이 원인이라 생각하는데, 이는 영아의 폐쇄성 장질환과 이러한 결손과 탈장이 높은 연관성이 있기 때문이다.[11] 이 헤르니아의 35%는 소아에서 발생한다. 이는 소아에서 가장 흔한 내헤르니아이다.[6, 11] 그러나 성인에서는 대부분의 헤르니아

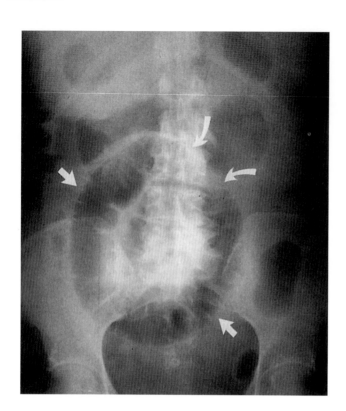

Fig. 17-31. Transmesenteric hernia.
Herniation of a jejunal loop through a defect in the small bowel mesentery. Note the typical presentation of a distended closed loop *(straight arrows)* with approximation of its ends at the hernial orifice *(curved arrows)*.
(Reproduced with permission from Ghahremani and Meyers.[13])

구멍으로 작용하는 장간막 결손은 아마도 이전 수술, 복부 손상, 복강내 염증에 의해 발생한 것으로 본다.[10] 장간막 결손은 Treitz 인대 주위나 회맹판주위에서 잘 발생한다. 2~5 cm의 작은 크기인 경우, 헤르니아낭이 없는 경우 상대적으로 높은 빈도의 감돈, 장괴저를 유발하며, 수술을 할 경우 50%, 수술을 하지 않을 경우 100% 사망률을 보인다.[10]

영상의학적 검사에서 일반적으로 기계적 장폐색을 보이며, 가끔 하나의 막힌 장폐쇄를 수입각과 수출각의 반대방향에서 볼 수 있다(Fig. 17-31).

소장검사와 바륨관장과 역류 검사에서 탈장의 수입각과 수출각 주위에서 죄어지는 모양을 보이면 진단에 도움이 된다(Fig. 17-32).[58, 60] 비록 임상 증상과 영상의학적 검사가 소장 염전과 복막유착에 의한 장폐색을 구별할 수는 없지만, 이러한 소견은 외과적 응급을 의미한다.[13] CT는 이탈한 장의 관계와(Fig. 17-33) 부작용을 잘 보여준다 (Fig. 17-34). 혈관 조영술은 상장간막동맥의 주행이 급격히 변하며 내장 분지의 이동을 보여주는데, 이는 탈장을 동반한 내헤르니아를 의미한다.[61]

경대망 헤르니아의 빈도는 내헤르니아의 약 2%이다.

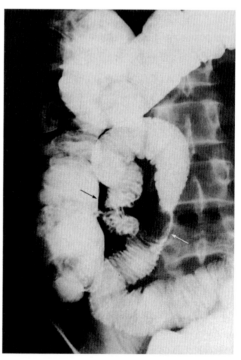

Fig. 17-32. Transmesenteric hernia.
Herniation of the distal ileum through a congenital defect in the mesentery of a Meckel's diverticulum. Barium enema study with reflux shows constriction around the closely approximated afferent and efferent loops *(arrows)* of the ileum.
(Reproduced with permission from Dalinka et al.[60])

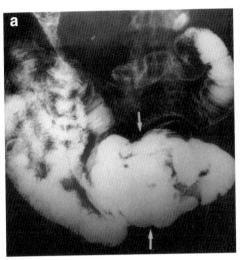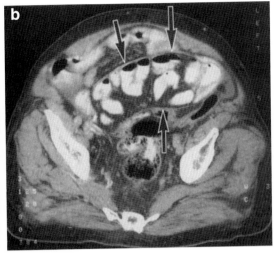

Fig. 17-33. Transmesenteric hernia.
(a) Small bowel series shows a peculiar grouping of small bowel loops in the lower abdomen *(arrows)*.
(b) CT demonstrates these multiple loops are circumscribed within a transmesenteric hernial sac *(arrows)*.
(Reproduced with permission from Miller et al.[90])

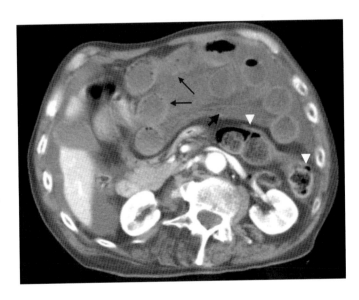

Fig. 17-34. Transmesenteric hernia.
Contrast-enhanced CT shows a cluster of dilated, unopacified, fluid-filled small bowel loops with mural thickening with relative hypoperfusion. Along with adjacent mesenteric fluid, these findings suggest strangulation. Some of the loops show the small bowel feces sign *(black arrows)*. The transverse colon *(arrowhead)* is displaced posteriorly. Blurred and engorged mesenteric vessels converge toward the orifice of the hernia sac. Incarcerated, strangulated transmesenteric internal hernia was confirmed at surgery.
(Reproduced with permission from Zissin et al.[22])

대부분 2 cm에서 10 cm 크기의 좁고 긴 구멍을 통하여 대망의 우측에서 잘 발생한다. 낭이 없으며, 대망의 결손을 통한 헤르니아는 항상 복강내에 위치한다(Fig. 17-35).[62] 임상양상과 영상의학 소견은 경장간막 헤르니아와 거의 유사하다.

횡행결장간막의 결손은 쉽게 소장루프의 횡행결장의 후방에서 소낭으로 내헤르니아를 유발한다(Figs. 17-36~38).[63, 64]

비록 이러한 결손은 외상, 염증, 수술 과정 중 발생할 수 있지만, 대부분은 선천적으로 발생한다. 일반적으로 입구는 결장간막의 기저부에 매우 큰 무혈관성의 공간이기 때문에, 많은 장루프가 감돈, 장괴저, 심지어는 심한 장폐색 없이 탈장할 수 있다. Winslow 공, 위간인대, 위결장인대를 통하여 다시 복강내로 들어가는 경우가 흔하다.[65] 드물게 경결장간막 헤르니아와 경대망 헤르니아 또는 십이지장주위 헤르니아가 동반한다는 보고가 있다.[66, 67]

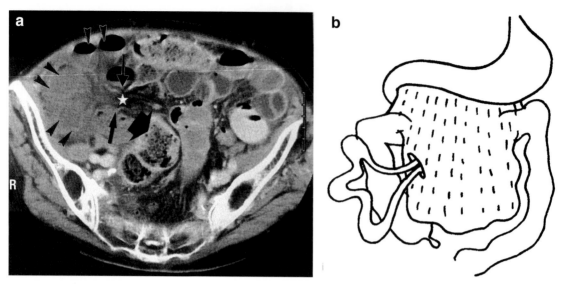

Fig. 17-35. Transomental hernia.

(a) Contrast-enhanced CT shows a cluster of ileal loops *(arrowheads)* in the right paracolic gutter displacing the ascending colon medially and posteriorly *(large arrows)*. Two small bowel loops with a beaklike appearance *(arrows)* are incarcerated with the mesentery *(white star)* inside an intraperitoneal hernial ring.

(b) Schematic representation of the hernia of several ileal loops through a defect on the right side of the greater omentum. Surgery demonstrated a strangulated transomental hernia. Resection of the gangrenous ileal loops, primary anastomosis, and closure of the omental defect were performed.

(Reproduced with permission from Delabrousse et al.[62])

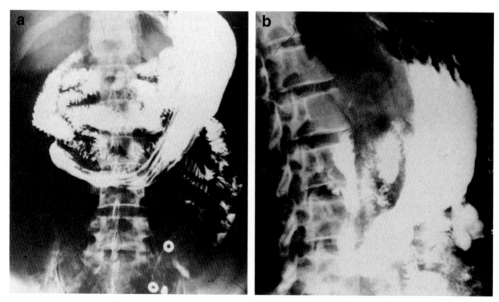

Fig. 17-36. Transmesocolic hernia into the lesser sac.

Prone **(a)** and **(b)** oblique radiographs demonstrate multiple small bowel loops above and posterior to the displaced stomach. They have entered the lesser sac through a large defect in the transverse mesocolon.

(Reproduced with permission from Meyers and Whalen et al.[64])

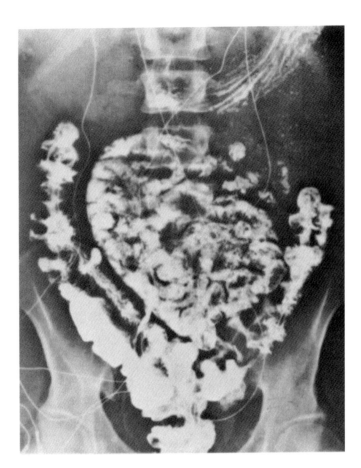

Fig. 17-37. Transmesocolic hernia.
Supine radiograph demonstrates virtually the entire small bowel loops have herniated through a large defect in the transverse mesocolon into the lesser sac, displacing the transverse colon inferiorly and posteriorly.
(Courtesy of Alan Herschman, MD, New Brunswick, NJ.)

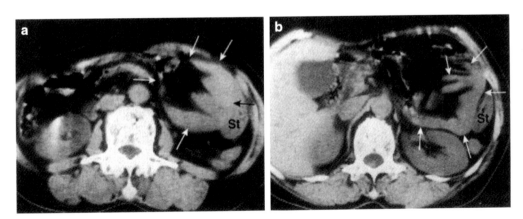

Fig. 17-38. Transmesocolic hernia into the lesser sac.
(a, b) CT demonstrates that jejunal loops along with their mesenteric fat and vessels (*arrows*) have herniated into the lesser sac through a defect of the transverse mesocolon. *St* = stomach.
(Courtesy of Hiromu Mori, MD, Oita Medical University, Oita, Japan.)

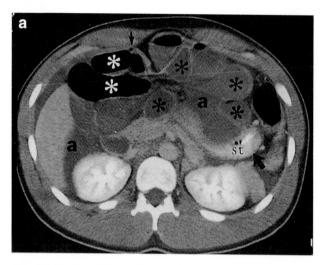

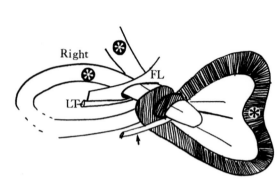

Fig. 17-39. Small bowel herniation through the falciform ligament.

(a) Post-contrast CT demonstrates multiple dilated fluid-filled small bowel loops *(black asterisks)* anterior to the stomach *(st)*. They show inhomogenous enhancement of a thickened bowel wall. These loops are tethered toward the site of volvulus to the left of the level of the falciform ligament; to the right, the thin-walled loops proximal to the obstructing hernia are air-filled and dilated *(white asterisks)*. Collapsed distal small bowel with gas bubble can be identified *(small arrow)*. Fluid *(a)* is seen around the liver and in the small bowel mesentery.

(b) Diagram of surgical findings, showing jejunal herniation from right to left through a rent in the falciform ligament *(FL)* between the ligamentum teres *(LT)* and the anterior abdominal wall. Volvulus with infarction involves the herniated segment on the left side.

(Reproduced with permission from Walker and Baer.[69])

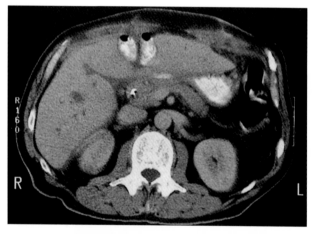

Fig. 17-40. Hepatojejunostomy simulating a hernia through the falciform ligament.

In this patient with a cholangiocarcinoma of the common bile duct, surgical anastomosis of a jejunal loop to the left hepatic duct mimics the appearance of herniation through the falciform ligament.

● ● ●

겸상인대를 통한 헤르니아
Hernias Through the Falciform Ligament

겸상인대를 통한 내헤르니아는 드물다. 약 80%가 성인에서 발생하며, 장의 감돈증을 유발한다.[68, 69] Fig. 17-39는 장폐쇄와 동반된 혈류 이상의 CT 소견을 보여준다. 간문부 담관암에서 담관과 장사이 간내문합부위가 유사한 형태를 보인다(Fig. 17-40).[70, 71]

● ● ●

후문합부 헤르니아 Retroanastomotic Hernias

후문합부 헤르니아는 일반적으로 부분 위절제수술과 위공장 문합술, 특히 전결장*antecolic* 문합을 시행한 환자에서 발생한다.[9, 72] 헤르니아 구멍의 상부경계는 횡행결장 간막이, 하부경계는 Trietz 인대, 앞쪽경계는 위공장 문합부와 공장의 수입각으로 경계된다(Fig. 17-41).[9] 헤르니아

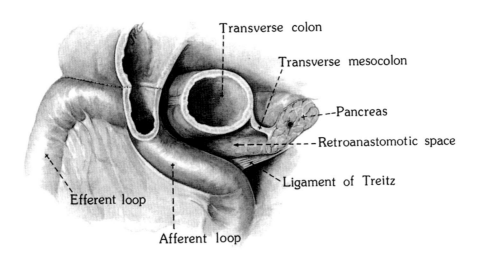

Transverse colon

Transverse mesocolon

--Pancreas

--Retroanastomotic space

Ligament of Treitz

Efferent loop

Afferent loop

Fig. 17-41. Lateral drawing of the retroanastomotic hernial ring in the antecolic gastrojejunostomy.

루프는 일반적으로 공장의 수출각이나, 간혹 심하게 긴 공장의 수입각이 후문합부 공간으로 나와 헤르니아를 만들기도 한다.

이들 헤르니아의 반 정도는 수술 후 한 달 안에 심한 복통과 상부위장관 폐색의 증상을 동반하여 발생하고, 25%는 1년 안에 발생한다.[73] 비특이적인 증상은 위장 부종, 덤핑*dumping*증후군, 췌장염 등으로 오인되어 진단이 지연되고 감돈이 발생한 후 진단되는 경우도 있다.[8,9,73] 이로 인하여 수술적 치료를 한 경우 32%, 치료를 못 받은 경우 거의 100% 사망률을 보인다.[9]

수출각에 의한 후문합부 헤르니아의 CT 소견은 배꼽주위 복강에서 공장, 장간막혈관, 장간막이 포함된 소용돌이*whirling*모양을 보인다(Fig. 17-42). 탈장된 장은 벽 비후와 확장을 보인다. 탈장된 장루프의 조영증강 감소는 허혈을 의미한다. 수입각에 의한 헤르니아의 경우 CT에서 문합부 후방에서 짧은 수입각의 확장과 소용돌이 모양을 보인다(Fig. 17-43).[74]

Fig. 17-42. Retroanastomotic hernia of the efferent loop.
A 32-year-old man who had undergone subtotal gastrectomy withantecolic gastrojejunostomy for stomach cancer 6 days previously. Contrast-enhanced CT demonstrates whirling of jejunal loops *(arrows)* and mesenteric vessels *(arrowheads)* in the left periumbilical abdomen. At surgery, a 100 cm length of efferent loop was herniated through the defect behind the anastomosis with reversible bowel ischemia. (Reproduced with permission from Kwon and Jang.[74])

방광상와와 골반헤르니아 Supravesical and Pelvic Hernias

복막은 장측 골반면과 벽에서, 선천적 혹은 후천적 결손과 함께, 여러 곳의 오목한 모양을 형성한다(Fig. 17-44). 방광상와 헤르니아는 드물다. CT에서 남아있는 정중 제대인대와 좌 또는 우측 제대인대 사이에서 탈장을 보인다.[75] 자궁광인대의 결손부위를 통한 헤르니아는 전체 내헤르니아의 4~5%를 차지한다. 이탈한 장은 일반적으로 회장이며 특징적으로 경산부에서 호발한다. CT 소견은

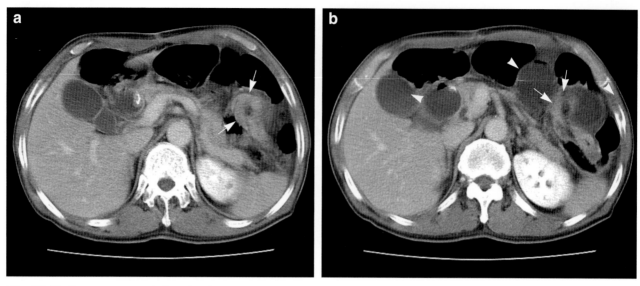

Fig. 17-43. Retroanastomotic hernia of the afferent loop.

A 67-year-old man 40 days after subtotal gastrectomy with antecolic gastrojejunostomy for stomach cancer.

(a) Contrast-enhanced CT displays the whirling of a short segment of a long redundant afferent loop behind the anastomosis.

(b) At a lower level, a markedly dilated affluent loop *(arrowheads)* and the whirling afferent loop *(arrows)* are shown. At surgery, a 5 cm length of afferent loop was herniated through the defect behind the anastomosis.

(Reproduced with permission from Kwon and Jang.[74])

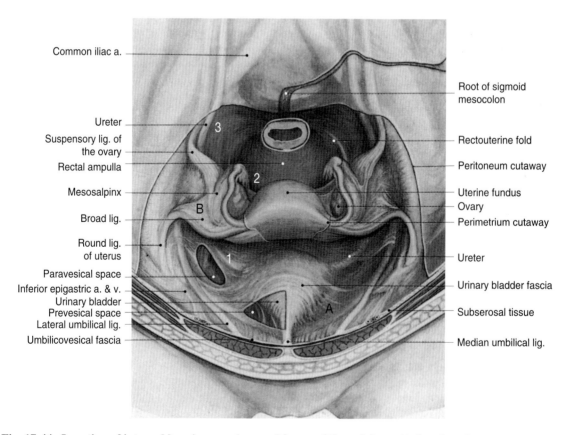

Fig. 17-44. Location of internal hernias, pouches, and fossae of the pelvic cavity in a female.

A = supravesical hernia, *B* = hernia through the broad ligament, *1* = vesicouterine pouch, *2* = Douglas (rectouterine) pouch, *3* = perirectal fossa.

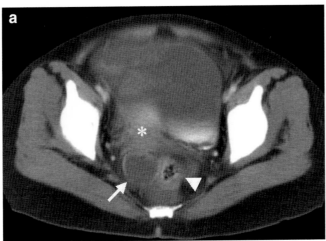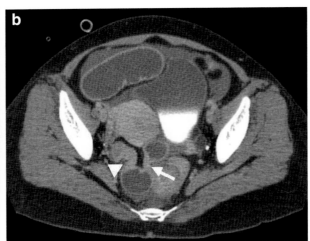

Fig. 17-45. Hernia through a defect of the perirectal fossa.
(a) Contrast-enhanced CT at the level of the pelvic floor demonstrates a dilated ileal loop *(arrow)* on the right side of the rectum *(arrowhead)* and behind the uterine cervix *(asterisk)*.
(b) At a slightly different level, the CT scan shows closely located proximal and distal transitional points of herniated ileum. At laparoscopy, the herniated loops of ileum were viable and were reduced.
(Reproduced with permission from Yamashiro et al.[78])

골반강내에 공기-액체층을 동반한 늘어난 소장들이 모여 있으며, 장이 직장 S자결장을 뒤로 자궁을 앞으로 밀고 있다.[77] 그러나 탈장된 방향에 따라 자궁광인대의 결손부위를 통한 헤르니아는 방광상와헤르니아와 직장주위 내헤르니아와 유사하게 보인다.

직장주위와의 결손을 통한 헤르니아는 극히 드물다. CT에서 늘어난 장들이 직장의 측면, 자궁경부의 후방에 모여 있는 것을 볼 수 있다(Fig. 17-45).[78] 직장주위와의 결손을 통한 헤르니아와 다른 유사한 골반 헤르니아를 구별하는 것이 항상 가능한 것은 아니다.

배리애트릭 수술 후 내헤르니아
Internal Hernia After Bariatric Surgery

최근 비만환자에서 배리애트릭 수술의 증가로 인하여, 새로운 분류의 내헤르니아가 발생하고 있다. 병적 비만의 정의는 체질량지수*body mass index(BMI)* 40 kg/m² 이상으로 대략 100 파운드 과체중을 의미한다.[79] 위장근위부의 일부분만 남기고 절제 후 남은 위장과 루앙와이*Roux-en-Y* 분지를 측면대 측면으로 문합한다. 루앙와이 분지는 일반적으로 75~150 cm 길이의 공장으로 공장-공장문합으로

장의 연결성을 재구성한다. 복강경 루앙와이 위장관 우회로 수술 후 내헤르니아에 의한 소장 폐색의 빈도는 5% 정도이다.[80] 이 헤르니아는 루앙와이의 구성과정에서 생기는 공간과 두 곳의 중요한 결손부위에서 생기는데, 결장간막(횡행 결장을 따라 루앙와이 분지 부분에서 소장이 헤르니아를 만듬)과 장간막 사이(공장-공장문합 주위의 장간막 결손부위를 통한 소장 헤르니아)이다. Petersen 헤르니아는 루와이 분지 후방에서 발생하지만, 대부분 수술 중 주의를 기울여 결손부위를 봉합하기 때문에 이는 매우 드물다(Fig. 17-46).

환자는 만성적인 애매한 복통을 호소하거나, 장폐쇄로 인한 갑작스런 장 감돈을 유발하기도 한다. 복부영상은 결손을 통한 소장 분절의 확장, 남은 위장과 십이지장의 확장, 장간막과 장간막혈관의 늘어남을 볼 수 있다(Fig. 17-47). 장폐쇄 부위를 확인하고, 결장간막 헤르니아에서 관상면영상은 횡행결장의 위쪽으로 위축된 루와이 분지를 잘 보여준다(Fig. 17-48).[81] 장 염전이 동반된 경우 장간막 혈관의 소용돌이 모양을 잘 볼 수 있다(Fig. 17-46).[81-84] Lockhart와 그 동료의 보고에 의하면, 이 경우 장간막 혈관의 소용돌이 모양은 가장 정확한 지표이다.[83] 즉각적인 수술을 통해 장의 생존부위의 확인과 장의 환원, 내헤르니아 결손부위의 봉합이 필요하다.

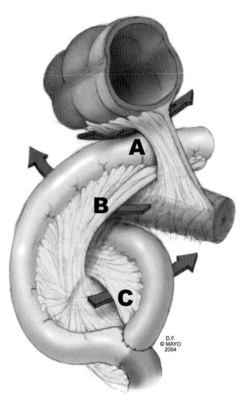

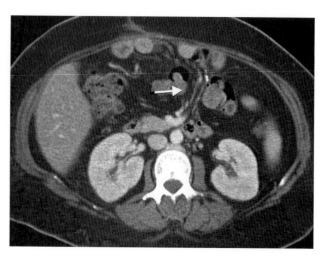

Fig. 17-47. Internal hernia through the transverse mesocolon after Roux-en-Y gastric bypass.

Stretching of the mesentery and vessels at the level of the defect *(arrow)* is identified.

(Reproduced with permission from Trenkner.[84])

Fig. 17-46. Internal hernia defects after bariatric surgery.

A = mesocolic, *B* = Petersen's, *C* = mesomesenteric.

(Reproduced with permission from Kendrick and Dakin.[91])

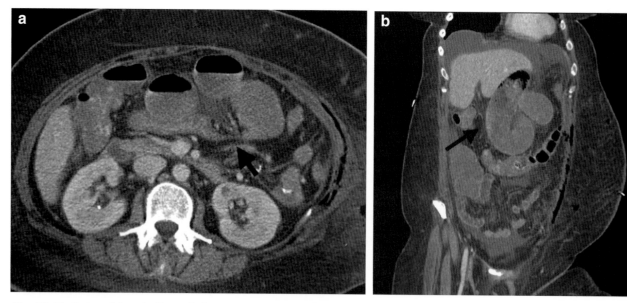

Fig. 17-48. Internal hernia through the transverse mesocolon

(a) High-grade obstruction with pinching *(arrow)* at the defect in the transverse mesocolon six days after Roux-en-Y gastric bypass.

(b) Coronal CT image displays the dilated Roux limb *(arrow)* cephalad to the transverse colon.

(Reproduced with permission from Trenkner.[84])

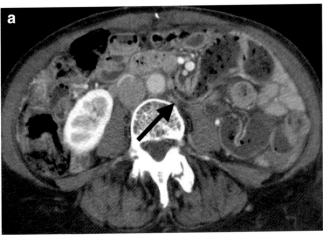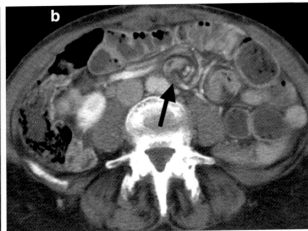

Fig. 17-49. Internal hernia through the mesenteric defect at the jejunojejunostomy.
(a) The point of obstruction *(arrow)* is shown.
(b) At a nearby level, the mesenteric swirl is a hallmark.
(Reproduced with permission from Trenkner.[84])

● 참고문헌

1. Balthazar EJ: Intestinal malrotation in adults: Roentgenographic assessment with emphasis on isolated complete and partial nonrotations. AJR 1976; 126:358-367.

2. Wang CA, Welch CE: Anomalies of intestinal rotation in adolescents and adults. Surgery 1963; 54:839-855.

3. Jaramillo D, Raval B: CT diagnosis of primary small-bowel volvulus. AJR 1986; 147:941-942.

4. Lieberman JM, Haaga JR: Case report: Duodenal malrotation. J Comput Assist Tomogr 1982;6(5):1019-1020.

5. Jones TW: Paraduodenal hernia and hernias of the foramen of Winslow. In Nyhus IM, Harkins HN (eds) Hernia. JB Lippincott, Philadelphia, 1964, pp 577-601.

6. Pennell TC, Shaffner LS: Congenital internal hernia. Surg Clin North Am 1971; 51:1355-1359.

7. Zimmerman LM, Laufman H: Intra-abdominal hernias due to developmental and rotational anomalies. Ann Surg 1953; 138:82-91.

8. Hardy JD: Problems associated with gastric surgery: Review of 604 consecutive patients with annotation. Am J Surg 1964; 108:699-716.

9. Vitello JM, Rutledge RH: Retroanastomotic hernia. In Nyhus LM, Condon RE (eds) Hernia, 4th ed. JB Lippincott, Philadelphia, 1995, pp 475-484.

10. Mock CJ, Mock HE Jr: Strangulated internal hernia associated with trauma. Arch Surg 1958;77:881-886.

11. Murphy DA: Internal hernias in infancy and childhood. Surgery 1964; 55:311-315.

12. Williams AJ: Roentgen diagnosis of intra-abdominal hernia. An evaluation of the roentgen Findings. Radiology 1952; 59:817-825.

13. Ghahremani GG, Meyers MA: Internal abdominal hernias. Curr Probi Radiol 1975; 5:1-30.

14. Meyers MA: Paraduodenal hernias. Radiologic and arteriographic diagnosis. Radiology 1970; 95:29-37.

15. Bertelsen S, Christiansen J: Internal hernia through mesenteric and mesocolic defects. A review of the literature and a report of two cases. Acta Chir Scand 1967; 133:426-428.

16. Parsons PB:: Paraduodenal hernia. AJR 1953; 69:563-589.

17. Blacher A, Federle MP, Dodson SF: Internal hernia: Clinical and imaging findings in 17 patients with emphasis on CT criteria. Radiology 2001; 218:68-74.

18. Mathieu D, Luciani A: Internal abdominal herniations. AJR 2004; 183:397-404.

19. Hong SS, Kirn AY, Kirn PN et al: Current diagnostic role of CT in evaluation internal hernia. J Comput Assist Tomogr 2005; 29:604-609.

20. Takeyama N, Gokan T, Ohgiya Y et al: CT of internal hernias. Radiographics 2005; 25:997-1015.

21. Martin LC, Merkle EM, Thompson WM: Review of internal hernias: Radiographic and clinical findings. AJR 2006; 186:703-717.

22. Zissin R, Hertz M, Gayer G et al: Congenital internal hernia as a cause of small bowel obstruction: CT findings in 11 adult patients. Br J Radiol 2005; 78:796-802.

23. Hansmann GH, Morton SA:: Intra-abdominal hernia. Report of a case and review of the literature. Arch Surg 1939; 39:973-986.

24. Berens JJ: Small internal hernias in the paraduodenal area. Arch Surg 1963; 86:726-732.

25. Callander CL, Rusk GY, Nemir A: Mechanism, symptoms,

and treatment of hernia into descending mesocolon (left duodenal hernia); plea for change in nomenclature. Surg Gynecol Obstet 1935; 60:1052-1071.

26. Roberts WH, Dalgleish AE: Internal hernia of embryological origin. Anat Rec 1966; 155:279-285.

27. Moynihan BGA: On Retroperitoneal Hernia. Duodenal Folds and Fossae. Bailliere, Tindall and Cox, London, 1889, pp 19-70.

28. Landzert: Uber die hernie Retroperitonealis (Treitz) und ihre Beziehungen zur Fossa duodenojejunalis. St Petersburg Med Ztschr, MF 1871;2:306-350.

29. Waldeyer W: Hernia retroperitonealis, nebst Bermerkungen zur Anatomie des Peritoneums. Arch Pathol Anat 1874; 60:66-92.

30. Freund H, Berlatzky Y: Small paraduodenal hernias. Arch Surg 1977;112:1180-1183.

31. Mayo CW, Stalker LK, Miller JM: Intra-abdominal hernia. Review of 39 cases in which treatment was surgical. Ann Surg 1941; 114:875-885.

32. Meyers MA: Arteriographic diagnosis of internal (left paraduodenal) hernia. Radiology 1969; 92:1035-1037.

33. Day DL, Drake DG, Leonard AS et al: CT Findings in left paraduodenal herniae. Gastrointest Radiol 1988; 13(1):27-29.

34. Passas V, Karavias D, Grilias D et al: Computed tomography of left paraduodenal hernia. J Comput Assist Tomogr 1986; 10(3):542-543.

35. Schatzkes D, Gordon DH, Haller JO et al: Malrotation of the bowel: Malalignment of the superior mesenteric artery-vein complex by CT and MR. J Comput Assist Tomogr 1990; 14:93-95.

36. Zerin JM, DiPietro MA: Mesenteric vascular anatomy at CT: Nor mal and abnormal appearances. Radiology 1991; 179:739-742.

37. Chou CK, Chang JM, Tzeng WS: CT of the mesenteric vascular anatomy. Abdom Imaging 1997; 22:477-482.

38. Fischer JK: Computed tomographic diagnosis of volvulus in intestinal malrotation. Radiology 1981; 140:145-146.

39. Fujimoto K, Nakamura K, Nishio H et al: Whirl sign as CT Finding in small-bowel volvulus. Eur Radiol 1995; 5:555-557.

40. Chou CK, Tsai TC: Small bowel volvulus. Abdom Imaging 1995; 20:431-435.

41. Izes BA, Scholz FJ, Munson JL: Midgut volvulus in an elderly patient. Gastrointest Radiol 1992;17:102-104.

42. Pracros JP, Sann L, Genin G et al: Ultrasound diagnosis of midgut volvulus: The "whirlpool" sign. Pediatr Radiol 1992; 22:18-20.

43. Hayden CK Jr: Ultrasonography of the gastrointestinal tract in infants and children. Abdom Imaging 1996; 21:9-20.

44. Casas JD, Mariscal A, Martinez N: Peritoneal encapsulation. AJR 1998; 171:1017-1019.

45. Oriuchi T, Kinouchi Y, Hiwatashi N et al: Bilateral paraduodenal hernias: Computed tomography and magnetic resonance imaging appearance. Abdom Imaging 1998; 23:278-280.

46. Erskine JM: Hernia through the foramen of Winslow. Surg Gynecol Obstet 1967; 125:1093-1109.

47. Vint WA: Herniation of the gallbladder through the epiploic foramen into the lesser sac: Radiologic diagnosis. Radiology 1966; 86:1035-1040.

48. Popky GL, Lapayowker MS: Persistent descending mesocolon. Radiology 1966; 86:327-331.

49. Hollenberg MS: Radiographic diagnosis of hernia into the lesser peritoneal sac through the foramen of Winslow. Report of a case. Surgery 1945;18:498-502.

50. Khilnani MT, Lautkin A, Wolf BS: Internal hernia through the foramen of Winslow. J Mount Sinai Hosp 1959; 26:188-193.

51. Henisz A, Matesanz J, Westcott JL: Cecal hernialion through the foramen of Winslow. Radiology 1974; 112:575-578.

52. Stankey RM: Intestinal herniation through the foramen of Winslow. Radiology 1967; 89:929-930.

53. Lefort H, Dax H, Vallet G: Herniation through the foramen of Winslow (roentgenologic and clinical considerations based on an analysis of 25 cases). J Radiol 1967; 48:157-166.

54. Goldberger LE, Berk RN: Cecal hernia into lessersac. Gastrointest Radiol 1980- 5:169-172.

55. Oldfield AL, Wilbur AC: Retrogastric colon: CT demonstration of anatomic variations. Radiology 1993; 186:557-561.

56. Inoue Y, Nakamura H, Mizumoto S et al: Lesser sac hernia through the gastrocolic ligament: CT diagnosis. Abdom Imaging 1996; 21:145-147.

57. Tran TL, Regan F, Al-Kutobi MAO: Computed tomography of lesser sac hernia through the gastrohepatic omentum. Br J Radiol 1991; 64:372-374.

58. Rooney JA, Carroll JP, Keeley JL: Internal hernias due to defects in the mesoappendix and mesentery of small bowel, and probable Ivemark syndrome. Report of two cases. Ann Surg 1963;157:254-258.

59. Yu C-Y, Lin C-C, Yu S-C et al: Strangulated transmesosigmoid hernia: CT diagnosis. Abdom Imaging 2004; 29:158-160.

60. Dalinka MK, Wunder JF, Wolfe RD: Internal hernia through the mesentery of a MeckeFs diverticulum. Radiology 1970; 95:39-40.

61. Cohen AM, Patel S: Arteriographic findings in congenital transmesenteric internal hernia. AJR 1979; 133:541-543.

62. Delabrousse E, Couvreur M, Saguet O et al: Strangulated transomental hernia: CT findings. Abdom Imaging 2001; 26:86-88.

63. Gallagher HW: Spontaneous herniation through the transverse mesocolon: A review of the literature and the report of a case. Br J Surg 1949; 36:300-305.

64. Meyers MA, Whalen JP: Roentgen significance of the duodenocolic relationships. An anatomic approach. AJR 1973; 117:263-274.

65. Carlisle BB, Killen DA: Spontaneous transverse mesocolic hernia with re-entry into the greater peritoneal cavity: Report of a case with review of the literature. Surgery 1967; 62:268-273.

66. Chou CK, Mak CW, Wu RH et al: Combined transmesocolic-transomental internal hernia. AJR 2005; 184:1532-1553.

67. Kandpal H, Sharma R, Saluja S et al: Combine transmesocolic and left paraduodenal hernia. Abdom Imaging 2007; 3 2(2): 224-227.

68. Estrada RL: Hernias Involving the Falciform Ligament. In Internal Intra-abdominal Hernias. RG Landes, Austin, 1994, pp 195-204.

69. Walker S, Baer JW: Herniation of small bowel through the falciform ligament: CT demonstration. Abdom Imaging 1995; 20:161-163.

70. Chevrel JP, Duchene P, Salama G: Anatomical bases of intrahepatic biliodigestive anastomoses. ActaClin 1980:2:159-167.

71. Mizumoto R, Kawarada Y, Suzuki H: Surgical treatment ofhilar carcinoma of the bile duct. Surg Gynecol Obstet 1986; 162:153-158.

72. Morton CB, Aldrich EM, Hill LD: Internal hernia after gastrectomy. Ann Surg 1955; 141:759-764.

73. Sabesta DG, Robson MC: Petersen's retroanastomotic hernia. Am J Surg 1968; 116:450-453.

74. Kwon JH, Jang HY: Retroanastomotic hernia after gastrojejunostomy: US and CT findings with an emphasis on the whirl sign. Abdom Imaging 2005; 30:656-664.

75. Sasaya T, Yamaguchi A, Isoga M et al: Supravesical hernia: CT diagnosis. Abdom Imaging 2001; 26:89-91.

76. Suzuki M, Takashima T, Funaki H et al: Radiologic imaging of herniation of the small bowel through a defect in the broad ligament. Gastrointest Radial 1986; 11:102-104.

77. Haku T, Daidouji K, Kawamura H et al: Internal herniation through a defect of the broad ligament of the uterus. Abdom Imaging 2004; 29:161-163.

78. Yamashiro T, Samura H, Kinjo M et al: CT of internal hernia through a defect of the perirectal fossa. Abdom Imaging 2007; 32(3): 320-322.

79. National Institutes of Health Consensus Development Conference Statement: Gastrointestinal surgery for severe obesity. Am J Clin Nutr 1992; 55:615S-619S.

80. Cho M, Carrodeguas L, Pinto D et al: Diagnosis and management of partial small bowel obstruction after laparoscopic Roux-en-Y gastric bypass for morbid obesity. J Am Coil Surg 2006; 202:262-268.

81. Reddy SA, Yang C, McGinnis LA et al: Diagnosis of transmesocolic internal hernia as a complication of retrocolic gastric bypass: CT imaging criteria. AJR 2007-189:52-55.

82. Yu J, Turner MA, Cho S-R et al: Normal anatomy and complications after gastric bypass surgery: Helical CT findings. Radiology 2004; 231:753-760.

83. Lockhart ME, Tessler FN, Canon CL et al: Internal hernia after gastric bypass: Sensitivity and specificity of seven CT signs with surgical correlation and controls. AJR 2007; 188:745-750.

84. Trenkner SW: Imaging of morbid obesity procedures and their complications. Abdom Imaging 2009; 34(3):335-344.

85. Ghahremani GG, Meyers MA: Hernias. In Teplick JG, Haskin ME (eds) Surgical Radiology. WB Saunders, Philadelphia, 1981.

86. Schlaffer GJ, Groell R, Kammerhuber F et al: Anterior and upward displacement of the inferior mesenteric vein: A new diagnostic clue to left paraduodenal hernias? Abdom Imaging 1999; 24:29-31.

87. Okino Y, Kiyosue H, Mori H et al: Root of the small-bowel mesentery: Correlative anatomy and CT features of pathologic conditions. Radiographics 2001; 21:1475-1490.

88. Wojtasek DA, Codner MA, Nowak EJ: CT diagnosis of cecal herniation through the foramen of Winslow. Gastrointest Radiol 1991; 16:77-79.

89. Fu CY, Lu HE, Su CG, Chang WC, Tan KH: Pericecal hernia of the inferior ileocecal recess: CT findings. Abdom Imaging 2007; 32(1):81-83.

90. Miller, PA, Mezwa DG, Feczko P et al: Imaging of abdominal hernias. RadioGraphics 1995; 15:333-347.

91. Kendrick ML, Dakin GF: Surgical approaches to obesity. Mayo Clin Proc 2006; 81(10 Suppl): S18-S24.

찾아보기

• 한글

ㅇ

ㅈ

ㅊ

ㅋ ~ ㅍ

ㅎ

• 영문

M~O

P

S

T

U

V~Z